„DIE ERINNERUNG TUT ZU WEH"

JÜDISCHES LEBEN UND ANTISEMITISMUS IM WALDVIERTEL

Gedruckt mit Unterstützung

der

Kulturabteilung des Amtes
der NÖ Landesregierung

SCHRIFTENREIHE DES
WALDVIERTLER HEIMATBUNDES
HERAUSGEGEBEN VON HARALD HITZ
BAND 37

„DIE ERINNERUNG TUT ZU WEH"

JÜDISCHES LEBEN UND
ANTISEMITISMUS IM WALDVIERTEL

Herausgegeben von

Friedrich Polleroß

mit

Beiträgen von

Burghard Gaspar, Eduard Führer, Ruth Heidrich-Blaha, Harald Hitz, Artur Lanc,
Klaus Lohrmann, Friedel Moll, Friedrich Polleroß und Erich Rabl

Waldviertler Heimatbund, Horn — Waidhofen/Thaya 1996

TITELBILD:
Familie Biegler in Neupölla, um 1917; Neupölla, Slg. Polleroß

Deutsche Bibliothek — CIP-Einheitsaufnahme

„Die Erinnerung tut zu weh". Jüdisches Leben und Antisemitismus im Waldviertel / Waldviertler Heimatbund. Hrsg. von Friedrich Polleroß. Mit Beitr. von Burghard Gaspar... — Horn; Waidhofen/Thaya: Waldviertler Heimatbund, 1996
(Schriftenreihe des Waldviertler Heimatbundes; Bd. 37)
ISBN 3-900708-11-8
NE: Polleroß, Friedrich [Hrsg.]; Gaspar, Burghard; Waldviertler Heimatbund: Schriftenreihe des Waldviertler...

Satz+Druck: Malek Druck GesmbH, A-3500 Krems an der Donau
Verleger: Waldviertler Heimatbund, A-3580 Horn, Postfach 100, Österreich

ISBN 3-900708-11-8

Inhaltsverzeichnis

5

Friedrich Polleroß

EINLEITUNG

Den Anlaß zur Herausgabe des vorliegenden Bandes bot der Wunsch zur Neuauflage meines 1983 als Band 25 der Schriftenreihe publizierten Studie „100 Jahre Antisemitismus im Waldviertel". Sie stieß auf große Zustimmung beim Publikum und wurde in Fachzeitschriften u. a. als „mutiger Beitrag zu einer notwendigen historischen Gewissenserforschung" (Wolfgang Häusler), die „eine Lücke in der zeitgeschichlichen Geschichtsschreibung schließt" (Walter Pongratz), und als „beispielhaft" sowie „Anregung auch für die Darstellung und Aufarbeitung dieses Themas in anderen Regionen unserer Republik" (Jonny Moser) gewürdigt.[1] Da im Rahmen des Waldviertler Heimatbundes zeitgeschichtliche Themen bis dahin kaum üblich gewesen waren, hatte man auch vorsichtig kalkuliert und eine kleine Auflage produziert, die bald vergriffen war. Aufgrund vieler Anfragen auch aus dem Ausland wurde daher im Vereinsvorstand eine Neuauflage des Werkes angeregt. Nach längerer Überlegung entschloß ich mich zur Herausgabe des Bandes in der vorliegenden Form. Mein ursprünglicher Text wurde trotz gewisser Unzulänglichkeiten nur in sachlichen Details korrigiert, während die Materialbasis unverändert blieb. Die wünschenswerte und sinnvolle grundlegende Erweiterung und Überarbeitung war hingegen aus zeitlichen und organisatorischen Gründen nicht möglich. Dies betrifft nicht sosehr die Einarbeitung des seit 1983 publizierten Materials, sondern vor allem die notwendige Auswertung der lokalen Quellen. Die Fülle der seit 1983 bekannt gewordenen Informationen bzw. die Arbeit, die zu leisten wäre, um eine wirklich umfassende Darstellung jüdischen Lebens und Leidens im Waldviertel zu schreiben, läßt sich vielleicht am Beispiel meiner Heimatgemeinde Pölla erahnen. Auch hier erwies sich die Vorbereitung einer Ausstellung anläßlich des Gedenkjahres 1938-1988 als wichtige Möglichkeit der Wissenserweiterung.[2] Besonders bezeichnend für die noch immer herrschende Verdrängung war etwa die Tatsache, daß ich trotz jahrelanger Vorbereitung für die Publikation von 1983 erst damals erfuhr, daß eine in Neupölla lebende und mir von Kindheit an bekannte Frau ebenfalls zu den Betroffenen

---

[1] Rezensionen von Wolfgang Häusler in: Mitteilungen des Institutes für Österreichische Geschichtsforschung 92 (1984) S. 517 f. und Walter Pongratz in: Das Waldviertel 33 (1984) S. 120 f. — Jonny Moser, Antisemitismus im Waldviertel. In: Kamptal-Studien 5 (1985) S. 230-236, hier S. 236. — Weitere Besprechungen von Johannes W. Paul in: Kulturberichte NÖ (April 1984) S. 7 und in: morgen 35/1984, S. 131; Karl Stuhlpfarrer in: Falter 167/1984; Lorenz Mikoletzky in: Unsere Heimat 56 (1985) S. 82; Kurt Schubert in: Kairos (1985) — Nadine Hauer, Rückblick auf die Anfänge unter Schönerer. Antisemitismus im Waldviertel. In: Niederösterreichische Nachrichten 29/1984. — Dieselbe, Hundert Jahre Antisemitismus im Waldviertel. In: Jüdische Rundschau Basel vom 15. 3. 1984. — Düstere Geschichte vor der Haustür. Judenverfolgung im Waldviertel. In: Nö. Landzeitung vom 31. 1. 1984.

[2] Siehe das Kapitel „Judenverfolgung" in: Friedrich Polleroß, 1938. Davor — danach am Beispiel der Truppenübungsplatzgemeinde Pölla. In: Friedrich Polleroß (Hg.), 1938. Davor — danach. Beiträge zur Zeitgeschichte des Waldviertels. Schriftenreihe des Waldviertler Heimatbundes 30 (Neupölla-Krems 2. Auflage 1989) S. 231-236, Abb. 111-113.

Der Hostienraub der Juden 1338 in Pulkau.

„Eggenburger Zeitung" Nr. 34

19. August 1938, Seite 12

Bauern beim Würfelspiel im Wirtshaus. Man hört das Aufrollen der Würfeln und den Schlag einer Uhr.

Ein Bauer: „Du kimmst dran, Knöllbauer! Was bist den auf amal so stad worn? Hat dir leicht der Jud scho wieder was pfändn lassen?"

Knellbauer: „Mei letzte Kuah. — D' Scheckl, dö d' Resl so gern ghabt hat. A Schand is dös, sag i enk. Der Jud ist unser Herr und wir — wir sitzen da beim Wein und findn uns drein. Für wem bstölln wir denn eigentlich no unsere Weinacker? Eppern daß sich d' Juden mit unserm armen Hauergeld no mehr Häuser aufbaun lassen könna? Und unsere Weiber und Madln solln dö no länger durch unser Elend dera Rass' ausgsetzt sein? Unsern Fürsten habn sie sich a eingfangt mit unserm Geld. Nichts als Derrat auf Kosten unserer Arbeitshänd."

Erster Bauer: „Spinnierst scho wieder, Knellbauer? Solang der Fürst dem Jud sei Geld braucht, solang braucht der Jud unsers. Sauf lieber und spiel weiter. Der Rabbiner bleibt uns scho am Hals sitzen."

Knellbauer: „Habn wir Hauer denn gar ka Bluat mehr in uns? Haun ma do endlich schon amal drein und mach ma uns frei! A Schand is, wahrhafti a Schand, daß wir deutschen Hauer in unserm Pfarrort a Synagoge und an Rabbiner habn. Dös hätt niamals net gschehn derfa! Aber was bin denn i alleine, wanns ös net hinter mir stehts? G'kreuzigt und gsteinigt hättens mi, denn so lang ka Einigkeit unter uns is, is der Ganzelne gar nix."

Bürger: „Dös gfreut mich, Knellbauer, daß du ein echter Mann bist. Das, was du jetzt g'äußert hast, is aus mein Herzen kommen. Den ganzen Handel habns an sich grissen, auch von unseren Bürgerhäusern geht ans nach dem andern in jüdische Händ über. Wo's ihren Vorteil sehn, da kennt die Rass' kein Bedenken. Da muß man sich aber doch, a wann ma ein guter Christ ist, fragn, warum unser Herrgott net dreinschlagt und allweil noch weiter zuschaut."

Knellbauer: „Hast den ganz vergessen, Kürschnermeister, daß der Herrgott d' Juden selbst aus'n Tempel hinausgjagt hat?"

Bürger: „Aha, du glaubst wohl, daß wir dasselbe machn solln?"

Erster Bauer: „Drum habns unsern Herrn a so lang mit ihrn Haß verfolgt, bis ihn am Kreuz gsehn habn. Soll ma uns eppern a kreuzign lassen? I net und meine Kinder a net!"

Dritter Bauer: „Recht hat der Knellbauer, net du, Feigling! Los vo dera Rass', sag i enk! Dö hat mit uns nix ztuan, dö is uns fremd." (Haut mit der Faust auf den Tisch.)

Von draußen hört man den Gesang junger Mädchen. Volkslieder aus der damaligen Zeit. Ein Bursche pfeift wunderschön dazu.

Knellbauer: „Jetzt singens und gfreun sie sich, die Jungen, weil Ostern is und der Wilddorn in Blüte steht. Aber gestern hats gweint mei Tochter, d' Resl, als wies d' Scheckel ausn Stall triebn habn. ‚Teufelölendiger', hats dem hatscherten Jud ins Gsicht gsagt, als er nach ihr langen hat wolln. Mit stolzer freudiger Stimm kann i sagn: Mir san deutsch und bleibn deutsch! Wann alle Madln so warn wie mei Resl, dann kimmat ka jüdisch Bluat unter d' Christen."

Wirtin: „Greifts zua, Manna, da san rote Oa, a Schinkn und a Laib Brot." (Man hört das Aufsetzen mehrerer Schüsseln.) — „Mir hat heut tramt, daß der Kuckuck gschrien hat. Dös bringt Glück, hat mei Mutter selig allweil gsagt. Vielleicht kimmt alles no anders, als wir sichs denken."

Draußen hört man Menschen rufen und laufen. Alles aber übertönt das Geschrei der Schweine. Der Knellbauer springt auf und lauft hinaus, die andern ihm nach. Aus der Menge hört man Rufe wie: „Was gibts denn?" „Was gschieht denn mit die Diecher?" „Dös Gschrei hat was zu bedeuten, dös will uns was sagen, die Gsichter der Juden bedeuten nichts Gutes" usw. — Der Knellbauer schreit plötzlich auf.

Knellbauer: „Maraud Josef! D' heilige Hostie habns den Diechern zum Fraß vorgworfen!"

2. Szene.

Resl: „Grüß Gott, alle miteinander."

Knellbauer: „Was bringts ma denn liebs? Was schaust denn so bsunderlich drei?"

Resl: „Dota, i muaß Ihna erzähln, denn wo die Jüdin Rebekka ihr Hand im Spiel hat, da gibts allweil Derrat. Dös brennte Mensch sucht sie allweil, wanns was erreichen will, an von unsere Manna aus. Daß dö heut nichts guats vorhat, is gwiß! Losn s'! Wir i am Kirchacker bei der Mahm ihrn Grab steh, kimmt auf amal d' Rebekka beim rückwärtign Türl reinghuscht und versteckt sie schnell hinter aner Hollerstaudn. I hab mi ganz still verhalten, sehn hats mi net kenna. Plötzlich kimmt der scheinheilige Mesner aus der Sakristei heraus. D' Rebekka huscht auf ihn zu, druckt ihm an Haufn Silbergeld in d' Hand und fragt ihn was. Der schaut sich ganz vorsichtig um, gibt ihr dann was in d' Hand und furt war dös Mensch, schneller als kemma is. Und wie ich dann im Dorf hinuntergeh, seh ich beim Rabbiner sein Haus an Haufn Judn stehn und mauscheln. Einer hat was Bluatigs in der Hand ghalten. Wies mi gsehn habn, hat ers schnell in Saustall neinghaut. Dö Diecher aber habn zum Schrein angfangt, als ob was am Spieß gsteckt hätt. Losts, Manna, gar bis daher kimmt dös Gschrei!"

Alles ist verstummt. In diese Stille dringt das feierliche Abendgeläute von der oberen Kirche herab. Derstummen der Schweine. Aber bald bricht ein Sturm der Empörung unter den anwesenden Christen aus. „Auf den Scheiterhaufen mit den Hostienräubern und -schändern! Sehet, sie haben den Leib

Christi zerstochen und beschmutzt und den Schweinen des Rabbiners vorgeworfen. Das Herzblut Christi färbt den Dünger rot. Diesen Schimpf müssen sie am Scheiterhaufen büßen. Nieder mit unseren Peinigern und Blutaussaugern!"

Knellbauer: „Christen, dö Schmach war z'arg, was uns dös hoamatlose Volk antan hat. Mir Bauer rennen net z'oft in d' Kirchn, aber unsern Herrgott den tragn ma tiaf in unserer Brust. Und er hat uns no nia net verlassen. Weil wir selbst z'feig warn, hat er sich nochmals für uns g'opfert, um uns von den Juden zu befrein. Aber ans muß i enk schon sagn: Solang wir Christen net wirklich zsamm halten, solang ma uns net auf uns allein verlassen, wird der Jud allweil wieder auftauchen, wie's Unkraut nach dem Regn. Denn a Wunder, wis heut gschehn is am Osterfest, laßt oft Jahrhundert auf sich warten. Und jetzt, o Obrigkeit, tua dei Pflicht! Treibs zsamm, d' Juden, bis der Herzog Albrecht II. Gericht über sie ghalten hat. Aber unsern Mesner packts a, der Judas hat sein eigenen Gott um a Hundsgeld verkaten. Kaner darf seiner Straf entgehn! Ah, da kimmt scho der Herr Pfarrer! Laßts uns mit ihm den zerstochenen Leib Christi in die obere Kirchn hinauftragen! — Aber ös Juden werdts die heutige Schmach net mit enkern Leben allein büßen kenna. Dö wird enk nachrennen, so lang no a anziger Christi auf der Welt ist!"

Vorliegende Szene ist dem in Vorbereitung befindlichen Heimatbuch v. Juliane Ludwig-Braun entnommen, das demnächst unter dem Titel „Vergangene Jahrhunderte ostmärkischen Grenzweinlandes" in einem Wiener Verlag erscheinen wird und Beiträge über Retz, Schrattental, Pulkau (mit einem Gedicht, das von Prof. Ditz vertont wurde) und Eggenburg enthält.

Vorausbestellungen auf dieses Heimatbuch, das nur 1 RM kosten wird, können schon jetzt bei der Verfasserin, einer anerkannten Heimatdichterin, unter der Adresse Pulkau getätigt werden.

Abb. 1 und 2: Antisemitisches Heimatdrama von Juliane Ludwig-Braun über den Pulkauer „Hostienfrevel" im Jahre 1338, Eggenburger Zeitung vom 19. August 1938; Eggenburg, Krahuletzmuseum.

gehörte. Aber auch die Ausbildung des Antisemitismus in Neupölla und das Schicksal der Familie Biegler, die ich 1995 in einem Ausstellungskatalog zu skizzieren versuchte[3], bedurften weitgehender Ergänzungen und mancher Revision.

Die hier versammelten Beiträge zeigen dementsprechend nicht nur die überraschende Fülle des Materials, sondern auch die jeweils lokal unterschiedlichen Möglichkeiten und Probleme. Hatte sich Robert Streibel 1988 in Krems zunächst in einem „Sperrbezirk für Historiker" gesehen[4], so war es ihm schließlich doch möglich, den Mangel an Archivalien durch zahlreiche Interviews mit Zeitzeugen auszugleichen. Beim vorliegenden Band handelt es sich daher nach wie vor nicht um eine flächendeckende Studie über das Waldviertel, sondern um einzelne lokalgeschichtliche Beiträge unterschiedlicher Intensität, denen vor allem die Arbeiten von Hannelore Hruschka[5] sowie Robert Streibel über die Kremser Juden und ihre Vertreibung zur Seite zu stellen sind.[6] Eine solche Teamarbeit war jedenfalls die einzige Möglichkeit, die Forschungssituation zum Waldviertel insgesamt grundlegend zu verbessern. Gerade in diesem Zusammenhang kommt daher einer kritischen Heimatforschung eine besondere Aufgabe zu.[7] Um den überregionalen Gesichtspunkt nicht aus den Augen zu verlieren, sollen jedoch im folgenden ein Überblick über den Forschungsstand der letzten Jahre sowie einige Hinweise auf mögliche Schwerpunkte zukünftiger Untersuchungen geboten werden.

1. Die Waldviertler Juden und ihre Institutionen

Zur Geschichte der mittelalterlichen Judengemeinden im nördlichen Niederösterreich bzw. des ihre Ausrottung auslösenden vermeintlichen Hostienfrevels 1338 in Pulkau haben Manfred Anselgruber und Herbert Puschnik eine lokalgeschichtliche Untersuchung vorgelegt.[8] Der 600. Jahrestag dieses Pogroms wurde 1938 bezeichnenderweise auch auf lokaler Ebene „gefeiert", wobei Juliane Ludwig-Braun sogar versuchte, die Tradition eines Volksschauspieles ins Leben zu rufen (Abb. 1 und 2). In der Tradition dieser Blutwunder und Ritualmordbeschuldigungen verdienen auch die Zeugnisse der Volksfrömmigkeit verstärkte Aufmerksamkeit, etwa die bildlichen und literarischen Darstellungen der „Gottes-

---

[3] Friedrich Polleroß, „Die Erinnerung tut zu weh!". Georg Ritter von Schönerer und die Folgen. In: Elisabeth Klamper (Hg.), Die Macht der Bilder. Antisemitische Stereotypen und Vorurteile (Wien 1995) S. 156-162.

[4] Vgl. dazu: Robert Streibel, Krems 1938-1945. Ein Sperrbezirk für Historiker? (Ein Forschungsbericht). In: Ulrike Kerschbaum/Erich Rabl (Hg.), Heimatforschung heute. Schriftenreihe des Waldviertler Heimatbundes 29 (Krems/Donau-Horn 1988) S. 143-156.

[5] Hannelore Hruschka, Die Geschichte der Juden in Krems an der Donau von den Anfängen bis 1938, phil. Diss. (Wien 1979).

[6] Robert Streibel, Plötzlich waren sie alle weg. Die Juden der „Gauhauptstadt Krems" und ihre Mitbürger. Schriftenreihe des Waldviertler Heimatbundes 33 (Wien 1. Auflage 1991, 2. Auflage 1992). — Rezension von Ernst Bezemek in: Das Waldviertel 41 (1992) S. 216-217.

[7] Vgl. dazu: Klaus-Dieter Mulley, Orts- und Regionalgeschichte. Bemerkungen zu ihrer Theorie, Konzeption und Organisation. In: Kerschbaum/Rabl, Heimatforschung (wie Anm. 4) S. 43-52 — Michael Gehler, „Regionale" Zeitgeschichte als „Geschichte überschaubarer Räume". In: Geschichte und Region/ Storia e regione 1 (1992) S. 85-120.

[8] Manfred Anselgruber/Herbert Puschnik, Dies trug sich zu anno 1338. Pulkau zur Zeit der Glaubenswirren (Horn o. J.). — Vgl. dazu: Friedrich Lotter, Aufkommen und Verbreitung von Ritualmord- und Hostienfrevelanklagen gegen Juden. In: Klamper, Die Macht der Bilder (wie Anm. 3) S. 60-78.

mörder" des Passionsgeschehens (Abb. 3 und 124). Die großen jüdischen Gemeinden des Spätmittelalters und der frühen Neuzeit in Weiten, Spitz, Eggenburg, Weitersfeld, Langenlois oder Waidhofen/Thaya fanden hingegen in den letzten Jahren kaum Interesse in der lokalen Geschichtsschreibung, obwohl sie selbst in lokalen Sagen und Erzählungen weiterlebten[9] (Abb. 4). Umso erfreulicher ist es daher, daß die Arbeiten von Leopold Moses zur Geschichte der Juden in Krems, Stein und Spitz wieder aufgelegt wurden.[10] Neben diesen größeren Gemeinden gab es jedoch auch einzelne verstreute Familien. So scheinen etwa 1626 ein *Mändl, Jude und sein Weib* als Bewohner des Hauses Nr. 16 (ehemals Brauhaus) in Hardegg auf.[11]

Abb. 3: Geißelung Christi mit jüdischem Schergen, Sandsteingruppe von Jakob Seer, 1737; Retz, Kalvarienberg.
(Foto: Friedrich Polleroß)

Besser bestellt ist es um die Geschichte der Waldviertler Juden im 19. und 20. Jahrhundert, da im Laufe der letzten Jahre auch in den Heimatbüchern Hinweise auf jüdische Bewohner und deren Verfolgung auftauchten. Als Beispiel sei das „Sallingberger Heimatbuch" genannt. Dort finden wir unter den Hausbesitzern in Grainbrunn 1884-1906 die Familie Goldstein und in Sallingberg 1891-1949 die Familien Fischer und Kerpen. Bereits 1920 wurde Alfred Fischer in der „Deutschösterreichischen Landzeitung" unter dem Titel „Judenwirtschaft" als wucherischer Nutznießer der wirtschaftlichen Notlage attackiert.[12]

Jüdische Bewohner gab es selbst in kleinsten Dörfern wie Reittern bei Gföhl, wo das Hausiererehepaar Moritz und Berta Kreutzer (geb. Kohn) von 1927 bis zur Vertreibung 1939 lebte. Die beiden wurden am 12. Mai 1942 nach Izbica deportiert und kamen dort ums Leben. In der Umgebung von Horn sind u. a. die Familie Singer in Großburgstall, die Brü-

[9] Ludwig-Joseph M a y e r, Geschichtliches aus Niederösterreich mit Lebensbildern von Regenten und hervorragenden Personen im Zeitalter der Reformation (Wien 1905) S. 27. Für den Hinweis sei Herrn Dr. Erich Rabl herzlich gedankt.

[10] Patricia S t e i n e s (Hg.), Leopold Moses. Spaziergänge — Studien und Skizzen zur Geschichte der Juden in Österreich (Wien 1994) S. 118-133.

[11] Johannes G r ü n d l e r, Die Hardegger Häuser und ihre Bewohner. In: Walter K r a u s e / Wilfried E n z e n h o f e r (Hg.), Hardegg — 700 Jahre Stadt (Hardegg 1990) S. 114.

[12] Josef L e u t g e b, Sallingberg von 1918 bis 1938. In: Derselbe (Hg.), Sallingberger Heimatbuch (Sallingberg 1983) S. 133-255, hier S. 135. — Hedwig M i k s c h e / Edith E c k h a r t, Häusergeschichte von Sallingberg. In: ebenda S. 580 f., 584.

Der Judentempel.

Die Brandruine der evangelischen Schloßkirche heißt im Volksmunde in Spitz „der Juden-tempel". Wie und wann diese Benennung entstand, weiß man nicht. Wenn Spitz a. d. Donau auch keine Judenstadt war, wie die Tradition besagt, so ist es doch gewiß und auch nachgewiesen, daß im Markte, wo stets ein lebhafter Handel mit Holz, Wein und Obst getrieben wurde, viele Juden ansässig waren, die in den Urkunden gleich den Christen als „Bürger von Spitz" erscheinen. Auch zwei Judenkeller werden urkundlich erwähnt und ein Weinkeller trägt noch jetzt den Namen „Jud". Da von einer Synagoge nirgends eine Erwähnung geschieht, so liegt die Mutmaßung nahe, daß sich die Israeliten in dem, wenn auch ruinenmäßigen Saale, dem ehemaligen protestantischen Gotteshause, zu ihren Religionsübungen und Andachten versammelten, und daß von daher die Benennung der „Judentempel" stammt. Der Volksmund erzählt auch, daß es in der Nähe dieser Ruine „umgehe", also geistere.

Auch ein Friedhof der Israeliten bestand in Spitz, dessen Spuren jedoch verschwunden sind; er befand sich, nach vorhandenen Aufzeichnungen, in der Nähe der Ruine Hinterhaus.

Im Jahre 1622 wanderten die Israeliten aus; der Grund hierfür wird nicht angegeben, doch fanden sie sich mit der Zeit wieder ein, und im Jahre 1670 wird abermals von Juden berichtet, die Bürger waren, jedoch zwei Jahre darauf vertrieben wurden. Von dieser Epoche an entbehrte Spitz viele Jahre der Söhne und Töchter Israels, was in damaliger Zeit niemand sonderlich bedauerte.

Flüchtlinge.

ꝏ 27 ꝏ

Abb. 4: Nachleben der Judengemeinde in Spitz an der Donau in einer Publikation von Ludwig-Joseph Mayer, 1905; Horn, Dr. Erich Rabl.

der Anton und Adolf Schön in St. Bernhard sowie die Familie Gretzinger in Poigen nachweisbar.[13] In Pfaffenschlag Nr. 44 betrieb Sophie Schneider einen Gemischtwarenhandel, der am 22. März 1939 gesperrt und am 8. Oktober 1940 zur „Arisierung" vorgeschlagen wurde.[14]

Umfangreichere Ergebnisse erbrachten vor allem die Recherchen von Friedel Moll zur Familie Schidloff im Stadtarchiv Zwettl[15] sowie jene von Erich Rabl zur jüdischen Gemeinde in Horn.[16] Die im Horner Stadtarchiv erhaltenen Akten der Kultusgemeinde ermöglichten auch Informationen über das dort inkorporierte Bethaus in Retz.[17] Über die Geschichte der Retzer Juden informiert uns eine besonders wertvolle Quelle, nämlich die von Michael Mitterauer herausgegebene Familiengeschichte des Raphael König (1808-1894), die bis zum Ende des 17. Jahrhunderts zurückreicht. Vom Sohn Jacob König (1841-1921) und dem Enkel Theodor (1868-1957) wurde sie fortgeführt. Ein Nachtrag schildert, wie dessen Bruder Josef mit seiner Gattin das KZ Theresienstadt überlebte.[18]

Einzelne Akten über die im Bezirk Krems lebenden bzw. denunzierten Juden, die Streibel veröffentlicht hat, bieten die Möglichkeit, in Orten wie Hadersdorf, Schiltern, Langen-

[13] Karl Schwarz u. a., Dorfbuch Reittern (Gföhl 1996) — Gabriele Nechwatal, Der Nationalsozialismus und seine Auswirkungen im Bezirk Horn in den Jahren 1938-1945. Diplomarbeit, Manuskript (Wien 1990) S. 66 ff.

[14] Jonny Moser, Die Verfolgung der Juden. In: Widerstand und Verfolgung in Niederösterreich 1934-1945. Eine Dokumentation Bd. 3 (Wien 1987) S. 354.

[15] Friedel Moll, Von Zwettl nach Auschwitz. Spuren der jüdischen Familie Schidloff im Stadtarchiv Zwettl. In: Das Waldviertel 38 (1989) S. 218-235.

[16] Erich Rabl, Die jüdische Bevölkerung Horns: vertrieben und ausgelöscht. In: Horner Kalender 118 (1989) S. 15-34, — Derselbe, Die Juden in Horn. In: David 5 (1993) S. 18-20, 24, 26-27, 35.

[17] Gerhard Eberl, Die Israelitische Kultusgemeinde in Horn und die Geschichte des provisorischen Bethauses in Retz. In: Das Waldviertel 42 (1993) S. 263-268.

[18] Michael Mitterauer (Hg.), „Gelobt sei, der dem Schwachen Kraft verleiht". Zehn Generationen einer jüdischen Familie im alten und neuen Österreich. Damit es nicht verloren geht... 14 (Wien-Köln-Graz 1987).

lois oder Gedersdorf weiterzuarbeiten.[19] Unter jenen Waldviertler Orten, die in diesem Zusammenhang besondere Aufmerksamkeit verdienen würden, sind aber vor allem Gars, Geras, Heidenreichstein, Litschau und Gmünd (Abb. 9-11) zu nennen. Besondere öffentliche Anerkennung erfuhr etwa der Kaufmann Robert Guttmann in Geras, der bis 1938 das Amt des Bürgermeisters ausübte. Auch der Gföhler Volksschullehrer Adolf Goldnagel wurde 1929 auf dem jüdischen Friedhof in Krems von einer vom Pfarrer geleiteten Abordnung seiner Heimatgemeinde zu Grabe begleitet, während man 1938 dem ehemaligen Bezirksrichter Dr. Blumenthal trotz seiner Verdienste für das Gföhler Waisenhaus die Fensterscheiben seines Hauses zertrümmerte.[20]

Die meist ebenfalls in den Heimatbüchern erwähnten jüdischen Ärzte, z. B. Dr. Josef Hechter, der von 1919-1938 in Windigsteig wirkte und dann emigrieren mußte[21], sind aufgrund der umfangreichen Ärztechronik von Berthold Weinrich und Erwin Plöckinger inzwischen auch biographisch besser erfaßbar. Dort findet man etwa den aus Böhmen stammenden Primar Dr. Richard Seligmann (1865-1928), der von 1893 bis 1925 das Krankenhaus Waidhofen an der Thaya leitete, oder den 1888 in Teschen geborenen Dr. Emmerich Gold, der zwar *unstreitbar der beste praktische Arzt in Gmünd und Umgebung* war (Franz Chaloupek), aber 1938 ebenfalls vertrieben wurde[22] (Abb. 59).

Beachtung verdient schließlich auch ein während des Ersten Weltkrieges im Waldviertel eingerichtetes Lager für 300 jüdische Zivilgefangene aus Polen und Galizien. Es bestand von 1915 bis 1918 im Schloß Meires der Baronin Hedwig von Aspoth und verfügte über einen eigenen Rabbiner sowie eine jüdische Lagerschule.[23]

2. Industrielle und Unternehmer

In den letzten Jahren wurde auch die Industrialisierung des Waldviertels grundlegend erforscht, wobei vor allem die Arbeiten von Andrea Komlosy zu nennen sind.[24] Der Anteil von jüdischen Unternehmern an dieser Entwicklung und eventuell daraus resultierende Probleme oder Besonderheiten wurden hingegen bisher kaum berücksichtigt.[25] Dies gilt vor allem — ähnlich wie in Vorarlberg — für die Textilindustrie, in der bereits in der ersten Hälfte des 19. Jahrhunderts im benachbarten Mähren etwa die Brüder Salo-

---

[19] Streibel, Plötzlich waren sie alle weg (wie Anm. 6) S. 153-158 sowie 280-282.

[20] Streibel, Plötzlich waren sie alle weg (wie Anm. 6) S. 181. — Karl S c h w a r z, Erinnerung an Dr. Blumenthal. In: Waldviertler Kulturspiegel Gföhl-Jaidhof 44/1994. — Die von Streibel a. a. O. (S. 136 f.) überlieferte Nachricht, daß der Vater des Kremser Kaufmannes Josef Pisker, Jakob, „lange Jahre Bürgermeister der Stadt Hardegg war", entspricht offensichtlich nicht den Tatsachen.

[21] Berthold W e i n r i c h, Die Bader und Ärzte von Windigsteig. In: Karl S t e i n b e r g e r (Hg.), Windigsteig 700 Jahre — 600 Jahre Marktgemeinde (Windigsteig 1981) S. 172-176, hier S. 175.

[22] Berthold W e i n r i c h / Erwin P l ö c k i n g e r, Niederösterreichische Ärztechronik. Geschichte der Medizin und der Mediziner Niederösterreichs (Wien 1990) S. 425, 459 und 721.

[23] Steinberger, Windigsteig (wie Anm. 21) S. 142.

[24] Andrea K o m l o s y, An den Rand gedrängt. Wirtschafts- und Sozialgeschichte des oberen Waldviertels. Österreichische Texte zur Gesellschaftskritik 34 (Wien 1988) — Helmuth F e i g l / Willibald R o s n e r (Hg.), Versuche zur Industrialisierung des Waldviertels. Studien und Forschungen aus dem Nö. Institut für Landeskunde 12 (Wien 1990).

[25] Vgl. Avraham B a r r a i, Jüdische Minderheit und Industrialisierung: Demographie, Berufe und Einkommen der Juden in Westdeutschland 1850-1914. Schriftenreihe wissenschaftlicher Abhandlungen des Leo-Baeck-Institutes 46 (Tübingen 1988).

Abb. 5: Grabsteine aus der Zeit
um 1900 auf dem jüdischen Friedhof
in Krems/Donau.
(Foto: Friedrich Polleroß)

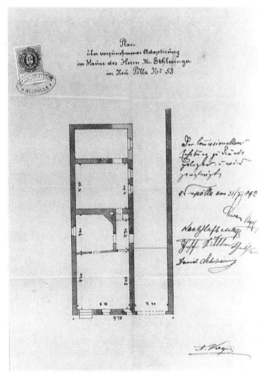

Abb. 6: Plan für einen Umbau des Moses
bzw. David Schlesinger in Neupölla Nr. 53,
A. Krejci, 1892; Neupölla, Archiv
der Marktgemeinde Pölla.
(Foto: Gudrun Vogler)

Abb. 7: Der jüdische Friedhof in Waidhofen/Thaya: Steine oder Schicksale?
(Foto: Friedrich Polleroß)

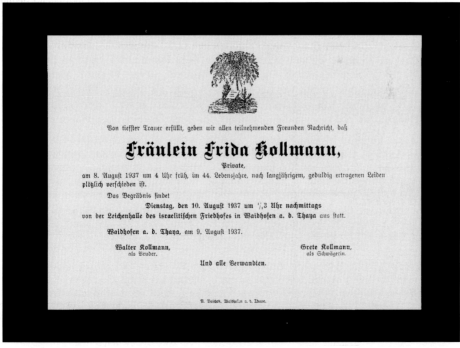

Von tiefster Trauer erfüllt, geben wir allen teilnehmenden Freunden Nachricht, daß

Fräulein Frida Kollmann,
Private,

am 8. August 1937 um 4 Uhr früh, im 44. Lebensjahre, nach langjährigem, geduldig ertragenen Leiden
plötzlich verschieden ist.

Das Begräbnis findet

Dienstag, den 10. August 1937 um ½3 Uhr nachmittags
von der Leichenhalle des israelitischen Friedhofes in Waidhofen a. d. Thaya aus statt.

Waidhofen a. d. Thaya, am 9. August 1937.

Walter Kollmann,
als Bruder.

Grete Kollmann,
als Schwägerin.

Und alle Verwandten.

A. Buschen, Waidhofen a. d. Thaya.

Abb. 8: Parte für Frida Kollmann aus Waidhofen/Thaya, 1937; Neupölla, Slg. Polleroß.

mon und Veit Mayer (Johannestal/Janov, Kettenhof) sowie Jakob Lang und Michael Lazar Biedermann (Teltsch/Telč, Wien) tätig waren.[26] In der zweiten Jahrhunderthälfte wurden u. a. folgende Betriebe von jüdischen Unternehmern im Waldviertel gegründet: Simon Mandler (1874, 250 Beschäftigte) und Schüller & Co (1894, 300 Beschäftigte) in Litschau, Moritz Deutsch in Waidhofen sowie Pereles & Lang (1880, 30 Beschäftigte), Goldfeld & Co (1916, 80 Arbeiter) und Goldreich (1925, 60 Arbeiter) in Heidenreichstein.[27] Die Handstrickerei von Pereles & Lang ging bereits 1892 in den Besitz von Moritz Honig sowie Simon Nehab über und wuchs in der Ersten Republik zur größten Strumpffabrik Österreichs (Abb. 9). Nach dem Tod von Josef Honig im Jahre 1930 wurde die Firma von Isidor Herbst übernommen, der sie 1936 an die Creditanstalt verkaufte. 1938 wurde der Firmenname des jüdischen Gründers „arisiert" und man erzeugte unter dem Namen „Patria" Socken für die Wehrmacht. Diesem Betrieb hat Agnes Rudda eine sehr verdienstvolle Quellensammlung gewidmet.[28] Aus dem Bereich der holzverarbeitenden Betriebe sind etwa das Sägewerk von Alfred Schafranek in Gedersdorf zu nennen, das 50 bis 60 Arbeiter beschäftigte, sowie die 1909 in Krems gegründete Tischlerei von Otto Adler, die vorwiegend Stilmöbel und billige Weichholzmöbel erzeugte.[29]

Eine wechselhafte Geschichte war auch dem Graphitbergwerk in Mühldorf bei Spitz beschieden. Der Betrieb erlebte unter dem Betriebsführer und seit 1881 Eigentümer Ing. Ernst Vergani einen ersten Aufschwung. Aufgrund seiner politischen Tätigkeit und den daraus resultierenden Prozessen mußte der mit Schönerer befreundete deutschnationale Reichsratsabgeordnete sein Unternehmen 1897 jedoch verkaufen. Erst 1918 ging es wieder bergauf, nachdem das Bergwerk in die „Mühldorfer Graphitbergbaugesellschaft" umgewandelt worden war. Da deren Hauptaktionär Dr. Otto Zucker war, wurde dessen Besitz 1939 vom Herzog von Braunschweig „arisiert", jedoch nach Abzug der Besatzungsmacht wieder rückgestellt.[30]

In dem als Fabrik genutzten Schloß Peigarten des Textilindustriellen Sandor Baum verbrachte die weltbekannte Wiener Schriftstellerin Vicki Baum (1888-1960) zu Beginn des Jahrhunderts ihre Sommerferien. Die Bestsellerautorin, deren Werke („Menschen im Hotel", „Marion", „Vor Rehen wird gewarnt") in mehr als zwanzig Sprachen übersetzt wurden, hielt in ihrer Autobiographie „Es war alles ganz anders" ihre unbeschwerten Jugenderinnerungen ebenso wie die Armut der für ihren Onkel tätigen Weber ausdrucks-

[26] Bohumír S m u t n y , Die Entwicklung der Industrie in Südwestmähren bis 1914. In: Thomas W i n - k e l b a u e r (Hg.), Kontakte und Konflikte. Böhmen, Mähren und Österreich: Aspekte eines Jahrtausends gemeinsamer Geschichte. Schriftenreihe des Waldviertler Heimatbundes 36 (Horn-Waidhofen/Thaya 1993) S. 291-296.

[27] Andrea K o m l o s y , Zur Geschichte der Waldviertler Textilindustrie — ein Fallbeispiel abhängiger Industrialisierung. In: Feigl/Rosner, Versuche (wie Anm. 24) S. 299-329, hier S. 318 — Alfred W i t t i g (Hg.), Festschrift 50 Jahre Heidenreichstein 1932-1982 (Heidenreichstein 1982) S. 19 u. 70.

[28] Agnes R u d d a , Eine Riese stirbt. Gründung, Aufstieg, Werdegang und Ruin der einstmals größten Strumpffabrik Österreichs, verbunden mit einem Jahrhundert Zeitgeschichte von Heidenreichstein (Heidenreichstein 1994). — Rezension von Harald H i t z in: Das Waldviertel 44 (1995) S. 430.

[29] Streibel, Plötzlich waren sie alle weg (wie Anm. 6) S. 52-62 und 155 f.

[30] Franz F u x , Der Aufstieg einer Klasse. Geschichte der Arbeiterbewegung des Bezirkes Krems (Wien 1990) S. 16 f.

Abb. 9: Wirkwarenfabrik Moritz Honig in Heidenreichstein, Postkarte, um 1910.
(Repro nach: Wittig, Heidenreichstein)

stark fest.[31] Schon 1931 nach Hollywood ausgewandert, wo ihre Romane u. a. mit Greta Garbo und Joan Crawford verfilmt wurden („Grand Hotel"), waren ihre Werke unter Hitler verboten.[32]

Im Zuge der Aufarbeitung der „Geschichte von unten" wurden in den letzten Jahren gelegentlich auch die Erlebnisse von Fabriksarbeitern und Hausgehilfinnen aufgezeichnet, die im Waldviertel oder anderswo bei Juden beschäftigt waren und damit zweifellos direkter und persönlicher als andere mit der Minderheit in Kontakt standen.[33] Der Textilindustrielle Josef Honig wurde nicht nur in einem Artikel der Landzeitung vom 8. Juli 1930 *wegen seiner lauteren Gesinnung, wegen seiner Gerechtigkeit und seiner ungemeinen Begabung* gewürdigt, sondern auch von einer Fabriksarbeiterin in Heidenreichstein: „*Er war ein großer, fescher Herr, der jeden Tag durch die Arbeitssäle ging und sehr leutselig war.* Sie erinnert sich, wie sie einmal bei seinem Besuch gestolpert und hingefallen war und Herr Honig ihr aufstehen half, während sie der Meister böse anblickte."[34] In einem anderen jüdischen Textilbetrieb war die 1922 in Albern bei Neubistritz/Nová Bystřice geborene Johanna Topf tätig. Die Form, mit der sie die „Arisierung" ihrer Firma beschreibt, ist in

[31] Martin Wolfer, Das Schloß der Vicki Baum. In: Peigarten — ein Schloß erzählt (Wien 1989) S. 74-80. — Dietmar Grieser, Eine Liebe in Wien (St. Pölten-Wien 3. Auflage 1989) S. 21 — Helmut Bräundle-Falkensee, Peigarten — Das Schloß der Vicky Baum. In: Arbeitsberichte des Kultur- und Museumsvereines Thaya 3/4 (1990), S. 390-391.

[32] Tom Appleton, Plädoyer für einen Nobel-Preis aus der Flaschenpost. In: Forum XXXVII (1990) Nr. 442/443, S. 55-57.

[33] Vgl. dazu: Gabriele Rosenthal, Antisemitismus im lebensgeschichtlichen Kontext. In: Österreichische Zeitschrift für Geschichtswissenschaft 3 (1992) S. 449-480.

[34] Rudda, Ein Riese (wie Anm. 28) S. 106.

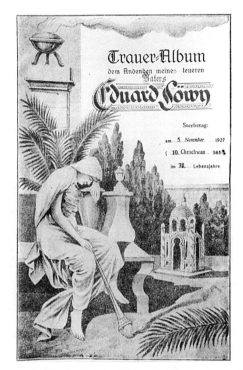

Abb. 10: Trauer-Album für den Kaufmann Eduard Löwy in Gmünd, 1927; Privatbesitz.
(Foto: Archiv Polleroß)

ihrer Selbstverständlichkeit ebenso typisch wie die Gleichsetzung der Judenverfolgung mit dem Weltkrieg: *Ja, und dann ist der Krieg gekommen. Da haben die Juden fort müssen, und ein Rheinländer hat die Fabrik gekauft. „Schwarz & Klein" hat sie dann geheißen.*[35] Etwas ausführlicher und mit mehr Betroffenheit erzählte die Gmünderin Marie P. (geb. 1904) 1994 von ihrer Tätigkeit in einem jüdischen Haushalt: *Dann war ich zwei Jahre bei einer jüdischen Familie in Weidling bei Klosterneuburg. Die haben Broch geheißen. Zu ihm mußten wir „Herr Direktor" sagen, ich glaube er war Börsenspekulant oder so etwas. Er war ein guter Mensch, sie war weniger gut, sie schimpfte immer, wenn in der Küche etwas schief ging. Ich bekam 40 Schilling pro Monat. In zwei Jahren kam ich nur einmal nach Hause. Einmal bekam ich eine Blutvergiftung beim Weihnachtsputz, und der Arzt verordnete mir Ruhe. Die Hausherrin sagte: „Dann legen sie sich halt auf die faule Haut."*[36]

Erfreulichere Erlebnisse hatte hingegen ein anderer Gmünder, der langjährige Bürgermeister Franz Chaloupek, zu berichten. Er war in den dreißiger Jahren als Verkäufer der Textilhandlung Schwarz auf dem Gmünder Stadtplatz angestellt (Abb. 11): *Die Gmünder*

---

[35] Erzählte Lebensgeschichte, Textilarbeit. Waldviertler Frauen erzählen. In: Andrea Komlosy (Hg.), Spinnen — Spulen — Weben. Leben und Arbeiten im Waldviertel und anderen ländlichen Textilregionen. Schriftenreihe des Waldviertler Heimatbundes 32 (Krems-Horn 1991) S. 139-146, hier S. 142.

[36] Zitiert in: Franz Drach, Betrachtungen zur Wirtschafts- und Sozialgeschichte der Stadt Gmünd. In: Das Waldviertel 43 (1994) S. 162-175, hier S. 169.

Abb. 11: Textilgeschäft Friedrich Schwarz in Gmünd, Stadtplatz, um 1932: links Otto Schwarz, in der Mitte der damalige Verkäufer und spätere Bürgermeister Franz Chaloupek, rechts ein böhmischer Verwandter der Familie Schwarz; Neupölla, Slg. Polleroß.

Juden waren alle gut, die meisten sehr gut situiert, und soweit mir bekannt ist, behandelten und bezahlten sie alle ihre Mitarbeiter ebenfalls gut und sehr gut. Ich selbst verdiente, um ein Beispiel anzuführen, bei der Firma J. Schwarz' Sohn mit 21 Jahren bereits netto 240 S und später bekam ich auch noch kostenlos das Mittagessen sowie eine Jause vormittags und nachmittags. Zu Weihnachten erhielt ich stets einen Anzug nach eigener Wahl, Wäsche und Kleider. Angestellte in meiner Stellung verdienten damals höchstens 80 bis 120 S, nach heutigem Geldwert zirka 3200 bis 4800 S. Die Arbeitslosen selbst — was menschlich nur allzuverständlich war — drückten Löhne und Preise. [37]

3. Großgrundbesitzer und Mäzene

Nicht wenige der jüdischen Bankiers und Industriellen erwarben aber auch Großgrundbesitz im Waldviertel, der entweder zur Erholung und als Statussymbol (Jagd) oder bei kleineren Gütern ausschließlich der Bewirtschaftung diente. Viele betätigten sich dabei auch auf ihren Landsitzen als Förderer von Kunst und Kultur. [38]

Bereits ab dem Jahre 1814 kaufte der portugiesisch-holländische Leiter des Bankhauses Arnstein & Eskeles, Baron Heinrich (Aaron) Freiherr von Pereira-Arnstein (1773-1835), die Herrschaften Krumau, Dobra, Wetzlas (Abb. 122) und Waldreichs sowie später Schwar-

---

[37] Schreiben von Franz Chaloupek an den Verfasser vom 2. März 1984.

[38] Vgl. Von Arnstein bis Zuckerkandl. Jüdische Stifter und Mäzene zwischen Tradition und Avantgarde, Ausstellungskatalog (Pottenbrunn 1993).

Abb. 12: Schloß des Freiherrn Heinrich von Pereira-Arnstein in Allentsteig, Postkarte, 1903; Neupölla, Slg. Polleroß.

zenau und Allentsteig.[39] Während die Kamptalschlösser bereits 1842 und Schwarzenau
1884 weiterverkauft wurden, befand sich Schloß Allentsteig bis ins 20. Jahrhundert im
Besitz der Familie (Abb. 12), die dort auch eine Sammlung von Familienporträts und anderen Kunstschätzen verwahrte[40] (Abb. 123).

Dem im Schloß Jaidhof (Abb. 42) residierenden „Kohlenbaron" Wilhelm von Gutmann, der gemeinsam mit Rothschild die Kohle- und Erzförderung der Monarchie kontrol-
lierte, und seinen Nachkommen wurde von Herbert Stastny eine weit über die Lokalge-
schichte der Gemeinde Jaidhof hinausgehende Untersuchung gewidmet.[41] Rudolf von
Gutmann (1880-1966), der jüngere Sohn von Wilhelm, hatte ebenfalls eine wertvolle Kunstsammlung aufgebaut. Nachdem er in der Nacht zum 13. März 1938 Österreich verlassen
hatte, wurde diese von den Nazis konfisziert und sollte teilweise dem von Hitler in Linz
geplanten Museum einverleibt werden. Nach 1945 erhielt der nach Kanada emigrierte
Besitzer seine Kunstsammlung zum Teil zurück. Nach dem Tod seiner Gattin, einer Enkelin des Architekten Heinrich von Ferstel, deren Vater das Schloß Jaidhof umgebaut hatte,
wurde der Kunstbesitz 1987 versteigert.[42]

---

[39] Karl Gutkas, Geschichte des Gebietes von Döllersheim und Allentsteig vom Hochmittelalter bis
zum Ende des 19. Jahrhunderts. In: Willibald Rosner (Hg.), Der Truppenübungsplatz Allentsteig. Region, Entstehung, Nutzung und Auswirkungen. Studien und Forschungen aus dem
Niederösterreichischen Institut für Landeskunde 17 (Wien 1991) S. 1-19, hier S. 14.

[40] Paul Buberl, Die Denkmale des politischen Bezirkes Zwettl. Österreichische Kunsttopographie
VIII (Wien 1911) S. 10 f., 189, Taf. I.

[41] Herbert Stastny, Familie Gutmann. In: Walter Enzinger (Hg.), Heimatbuch Jaidhof (Gföhl
1982) S. 73-131.

[42] Sotheby's, Sammlung Rudolf von Gutmann (Frankfurt-Wien 1987).

Neben den schon im 19. Jahrhundert begüterten Familien ist in diesem Zusammenhang das Schloß Hartenstein zu nennen, in dem Dr. Otto Pospischil 1892 eine bekannte Kaltwasserheilanstalt eingerichtet hatte. 1927 ging die Burg ins Eigentum des Mediziners über, wurde jedoch 1941 vom Reichsverband für deutsche Jugendherbergen übernommen.[43] In der Zwischenkriegszeit finden wir — neben den noch im Zusammenhang mit den „Arisierungen" zu nennenden Gutsbesitzern — etwa den Semperit-Generaldirektor Marcel Herczeg als Besitzer der Schlösser Burgschleinitz, Harmannsdorf und Zogelsdorf.[44]

4. Fremdenverkehr

Ebenso wie Vicki Baum verbrachten auch andere Juden die Sommerfrische im Waldviertel. Ähnlich wie am Semmering, wo sich neben dem Hotel Panhans 1938 etwa ein Drittel der Urlaubsvillen in jüdischem Besitz befand[45], wurden vor allem die Sommerfrischen des Kamptals zu einem nicht unbeträchtlichen Teil von jüdischen Gästen frequentiert. Im Unterschied zu Reichenau und Semmering, wo die Rothschilds eine schloßartige Villa besaßen und die Wiener Künstlerelite von Arthur Schnitzler und Hugo von Hofmannsthal bis zu Franz Werfel und Gustav Mahler urlaubte[46], scheint im Waldviertel eher die wohlhabende Mittelschicht vertreten gewesen zu sein. Zwar verbrachte 1912 Maria von Winterschitz, die Freundin von Stefan Zweig, ihren Sommerurlaub in der Mannigfallmühle bei Gars am Kamp[47], aber die Fremdenliste der Sommerfrische Rosenburg am Kamp vom Sommer 1914 nennt eher Mitglieder des gehobenen Mittelstandes.[48] Unter den Gästen im Hotel Rosenburg befanden sich damals etwa Susanne Mautner v. Markhof, Private aus Wien mit Familie und Gouvernante, Moritz Pick, Beamter aus Wien mit Familie, Adolf Bondy mit Familie, der Konzipient Dr. Josef Kohn, der Znaimer Beamte Adolf Frankfurther mit Familie, der Wiener Hof- und Gerichtsadvokat Dr. Jakob Ornstein mit Gattin, der Wiener Fabrikant Salomon Buchwald mit Familie, der Wiener Industrielle Walter Pick, Fräulein Frieda Saal-Grünbaum, der Wiener Industrielle Baron Heidensfeld sowie der Wiener Kaufmann Hugo Ornstein. Der Ingenieur Max Lorber, die Private Malvine Löwi, der Adjunkt der k. k. Nordbahn Richard Collmann, die Privaten Flora Freudenfeld und Rosa Rosenblatt, die Prager Private Margot Karpelés, der Wiener k. u. k. Major Friedrich Hirschfeld, die Wiener Fabrikantengattin Minna Guttmann, der Arzt Dr. Robert Pick sowie der Wiener Angestellte Max Rosenblatt mieteten sich hingegen in Villen ein.

[43] Bertrand Michael B u c h m a n n , Adelige und geistliche Grundherrschaften vom 10. bis zum 20. Jahrhundert. Am Beispiel des politischen Bezirkes Krems. 4. Teil. In: Das Waldviertel 42 (1993) S. 9-22, hier S. 19 ff.

[44] Burghard G a s p a r , Aus der Vergangenheit unserer Gemeinde. Festschrift der Marktgemeinde Burgschleinitz-Kühnring (Burgschleinitz 1988) S. 128.

[45] Wolfgang K o s , Über den Semmering. Kulturgeschichte einer künstlichen Landschaft (Wien 1984) S. 189.

[46] Elke K r a s n y , Teil der Ansicht. Lesende Begehungen einer Gedächtnislandschaft. In: Wolfgang Kos (Hg.), Die Eroberung der Landschaft. Semmering-Rax-Schneeberg, Ausstellungskatalog (Wien 1992) S. 614-623.

[47] Grieser, Eine Liebe (wie Anm. 30) S. 191.

[48] Anton P o n t e s e g g e r / Walter W i n k l e r , Rosenburg einst und jetzt. Eine historische Plauderei mit Bildern (Rosenburg 1990) S. 37-39.

Wurden also vor dem Weltkriege die Namen der jüdischen Gäste stolz im Fremdenblatt publiziert, so kam es nach dem Zusammenbruch der Monarchie und den daraus resultierenden wirtschaftlichen Schwierigkeiten zu einem plötzlichen Anschwellen antisemitischer Polemiken und Aktivitäten gegen jüdische Gäste.[49] Berichtete die „Deutschösterreichische Landzeitung" schon 1919 aus Armschlag bei Sallingberg von der Aushebung der *Hamsterhöhle des hier auf Sommerfrische weilenden jüdischen Holzhändlers Pischütz[50]*, so kam es in den frühen zwanziger Jahren zu einer Reihe von antisemitischen Aktionen im Kamptal. Neben der „Landzeitung" betätigte sich damals auch die katholische „Volkspost" 1922 entsprechend polemisch: *In den beiden Tagen, 25. und 26. März, gab es in Gars auffallend viel Fremde, größtenteils Juden; diese waren auf der Suche nach Sommerwohnungen und fanden auch solche. Eine Sommerwohnung kostet 100 000 bis 150 000 Kronen; christliche Familien können solche Summen für einen Monat Sommeraufenthalt nicht aufbringen und so wird es trotz aller Mahnungen und trotz aller Schimpfereien über die Juden im heurigen Jahr so sein wie im Vorjahr: „Gars gehört im Sommer den Juden!" Und wenn Klagen geführt werden, daß in Gars alles teurer ist als anderswo, so haben jene die Schuld zu tragen, die solche Sommergäste in ihren Häusern aufnehmen. Christen merket es euch doch endlich: „An Judengeld klebt Christenblut".[51]*

1925 fand in Schönberg ein erster „regelrechter Judenpogrom" statt. Alle Fremden, die für Juden gehalten wurden, waren Beschimpfungen und Bedrohungen ausgesetzt. Fensterscheiben wurden eingeschlagen und Passanten mit Steinen beworfen.[52] Diese antisemitische Radikalisierung wurde 1928 sogar von der Arbeiterzeitung aufgegriffen: *Das Tollste aber ist die die Anpreisung von Schönberg am Kamp: „Im Jahre 1925 antisemitische Exzesse!" Idyllische Sommerfrischen für's Schubert-Jahr, schönste Gelegenheiten zu Sängerfesten, Sautanz und Pogrom. Die Fremden werden sich diese Sehenswürdigkeiten gewiß nicht entgehen lassen.[53]*

Das Interesse gerade der Arbeiterzeitung ist vielleicht nicht zufällig, befanden sich doch unter den Gästen der vom sozialdemokratischen Funktionär Isidor Wozniczak und seiner Gattin Gisela, geborene Laferl, geführten Pension in Kamegg bzw. später der „Waldpension" in Gars zahlreiche Parteifunktionäre. Der gelernte Werkzeugmacher war u. a. mit Viktor Adler, Otto Bauer, Robert Danneberg und Julius Deutsch befreundet. Der Schutzbundführer verbrachte ebenso wie seine Gattin Emma und sein Bruder Leo Deutsch seit den zwanziger Jahren Urlaube in Gars, und als Julius Deutsch 1934 nach Brünn bzw. später nach Schweden flüchten mußte, wurden seine Bücher in Gars in Sicherheit gebracht. Da die Marktgemeinde Gars am 1. Juni 1938 Juden amtlich als unerwünscht erklärte[54], wurde der Pensionsinhaber 1938 von der Gemeinde mehrfach zu antisemitischen Maßnahmen aufgefordert und schließlich mit Entzug des gepachteten Kampbades bestraft (Abb. 64 und

---

[49] Den politischen Hintergrund bildete die Zunahme der osteuropäischen Flüchtlinge durch den Weltkrieg. Vgl. Beatrix Hoffmann-Holter, „Abreisendmachung". Jüdische Kriegsflüchtlinge in Wien 1914-1923 (Wien-Köln-Weimar 1995).

[50] Leutgeb, Sallingberg (wie Anm. 12) S. 133.

[51] Zitiert in: Gerhard Grassinger, Vergilbte Blätter. In: Horner Zeitung Nr. 5 vom 2. 2. 1989, S. 5.

[52] Othmar Pruckner, Das Kamptal. Falter's Feine Reiseführer (Wien 1994) S. 39.

[53] Arbeiterzeitung vom 8. 7. 1928 zitiert in: Leopold Kammerhofer, Niederösterreich zwischen den Kriegen. Wirtschaftliche, politische und kulturelle Entwicklung von 1918 bis 1938 (Baden 1987) S. 39.

[54] Moser, Die Verfolgung (wie Anm. 14) S. 355.

65). Isidor Wozniczak wurde bereits 1938 und später wieder verhaftet und schließlich knapp vor Kriegsende in der Nähe von Horn von den Nazis ermordet.[55] Nicht zuletzt aufgrund dieser Ereignisse ist das Fehlen einer Geschichte des Marktes Gars am Kamp besonders zu bedauern.

5. Beziehungen zwischen Niederösterreich, Mähren und Böhmen

Ebenso wie sich Julius Deutsch 1934 über die tschechische Grenze in Sicherheit bringen konnte, machten die niederösterreichischen Juden schon im 17. Jahrhundert von dieser Möglichkeit Gebrauch.[56] Zahlreiche wichtige Informationen zur älteren Geschichte der Juden im Waldviertel verdanken wir daher dem Ende des „Eisernen Vorhanges" und dem dadurch wieder möglichen bzw. bevorzugten Blick ins benachbarte Böhmen und Mähren und in die dortigen Archive. Helmut Teufel hat aufgezeigt, daß gerade im jüdischen Milieu viele grenzüberschreitende Beziehungen bestanden[57], wobei zwei Ereignisse besondere Aufmerksamkeit verdienen: die wirtschaftlichen Beziehungen mährischer Juden im 17. Jahrhundert nach Horn oder Krems[58], sowie die Gründung der jüdischen Gemeinde in Schaffa/Šafov nördlich von Langau 1670/71 durch die 32 jüdischen Familien von Weitersfeld, der damals zweitgrößten niederösterreichischen Judengemeinde, als Folge der Vertreibung aus Niederösterreich[59] (Abb. 13).

Seit dem 18. Jahrhundert kamen daher die „Pinkeljuden" ebenso wie die Käufer von landwirtschaftlichen Produkten fast durchwegs aus Mähren ins Waldviertel. Einem Kremser Kreisamts-Circular vom 6. Mai 1770 zufolge waren den Inländern alle Jahrmärkte, *denen Juden aber nur Krems, Laa, Mistelbach und Röz zu frequentieren erlaubt.* Von den mährischen Händlern behielten die Juden aus Schaffa das Monopol im Landesprodukten-handel im Gebiet zwischen Znaim, Hollabrunn, Krems und Zwettl bis weit ins 19. Jahr-hundert.[60] In diesem Zusammenhang sind nicht nur die Kontakte des Räuberhauptmannes Johann Georg Grasel zu jüdischen Hehlern in Mähren zu erwähnen[61], sondern auch eine 1816 vom Kremser Kreishauptmann von Stiebar erlassene Verordnung. Dieses Kreis-amts-Circular bezog sich auf die Tatsache, *daß sich häufig Juden in diesem Kreise einfin-den, welche bey den Unterthanen zum Einkaufe der Erdäpfel sehr hohe Preise anbiethen; nicht genug daß durch diesen ordnungswidrigen Aufkauf dieser Lebensartikel auf unge-*

---

[55] Thomas Winkelbauer, Widerstand im Waldviertel 1938 bis 1945 am Beispiel von Julius Scheidl (Germanns) und Isidor Wozniczak (Gars). In: Polleroß, 1938 (wie Anm. 2) S. 51-70.

[56] Thomas Winkelbauer, Zur Bedeutung der Grenze zwischen den böhmischen Ländern und Österreich für Glaubensflüchtlinge vom 15. bis zum 17. Jahrhundert. In: Unsere Heimat 65 (1994) S. 189-209.

[57] Helmut Teufel, Händler, Hoffaktoren, Pinkeljuden. 1000 Jahre jüdisches Leben im Grenzraum. In: Andrea Komlosy u. a. (Hg.), Kulturen an der Grenze. Waldviertel — Weinviertel — Südböhmen — Südmähren (Wien 1994) S. 121-126.

[58] Helmut Teufel, Die Linz-Kremser Affäre. Ein mährisch-österreichischer Handelskrieg zu Beginn des 17. Jahrhunderts. In: Mitteilungen des Kremser Stadtarchivs 21/22 (1982) S. 65-85.

[59] Helmut Teufel, Die Aufnahme niederösterreichischer Juden in Mähren nach der Vertreibung von 1670/71. In: Winkelbauer, Kontakte und Konflikte (wie Anm. 26) S. 203-214.

[60] Helmut Teufel, Das Schicksal der Juden. In: Antonín Bartonek u. a. (Hg.), Kulturführer Waldviertel — Weinviertel — Südmähren (Wien 2. Auflage 1996) S. 169-176.

[61] Harald Hitz (Hg.), Johann Georg Grasel — Räuber ohne Grenzen. Schriftenreihe des Waldviert-ler Heimatbundes 34 (Horn-Waidhofen/Thaya 2. Auflage 1994) S. 17, 18, 21, 27, 29 und 31.

Abb. 13: Barocke Grabsteine auf dem jüdischen Friedhof in Schaffa/Šafov.
(Foto: Josef Polleroß)

heure Preise getrieben wird, entgeht dem Kreise auch ein Theil dieser Fruchtgattung, welcher doch bey der heurigen äußerst schlecht ausgefallenen Korn-Ärndte das einzige Nahrungsmittel der armen Menschenclasse bis zur nächsten Getraidfechsung ausmachen muß. Das Kreisamt findet es daher für notwendig, schon bei Zeiten ernstliche Maßregeln gegen diesen wucherischen Einkauf von Seite der Juden zu nehmen, daher sämmtliche Oberbeamten der strenge Auftrag ertheilt wird, alle diese allenfalls vorgenommene Käufe für ungültig zu erklären, und die Einleitung zu treffen, daß, wenn sich ein Jude in dem vorigen Jurisdiktionsbezirke sehen lassen sollte, derselbe sogleich festgehalten, und der Herrschaft eingeliefert werde, welche ihn sodann in seinen Ansiedlungsort abzuschieben haben wird.[62]

Aus Schaffa, Piesling/Písečné, Jamnitz/Jemnice und anderen mährischen Orten kamen in der zweiten Jahrhunderthälfte auch die meisten der jüdischen Zuwanderer ins Waldviertel. Josef Schlesinger, der sich als erster Jude im Bezirk Horn 1848 in Altenburg niederließ, stammte aus Piesling, und noch um 1900 wurde der Gottesdienst in Horn in Ermangelung eines eigenen Geistlichen vom Rabbiner in Schaffa abgehalten.[63] Die Juden aus Heidenreichstein, Litschau und Schrems wurden auch in der Zwischenkriegszeit in Neubistritz/Nová Bystřice begraben. Enge verwandschaftliche Beziehungen zwischen den Juden im Waldviertel und in der Tschechoslowakei bestanden im 20. Jahrhundert bei der Familie Biegler in Neupölla (Abb. 155), bei der Familie Schidloff in Zwettl oder bei der Familie

---

[62] Kreisamts-Circular vom 9. 9. 1816.

[63] Alfons Žak, Geistige Kultur im politischen Bezirk Horn (Eggenburg 1908) S. 70 f.

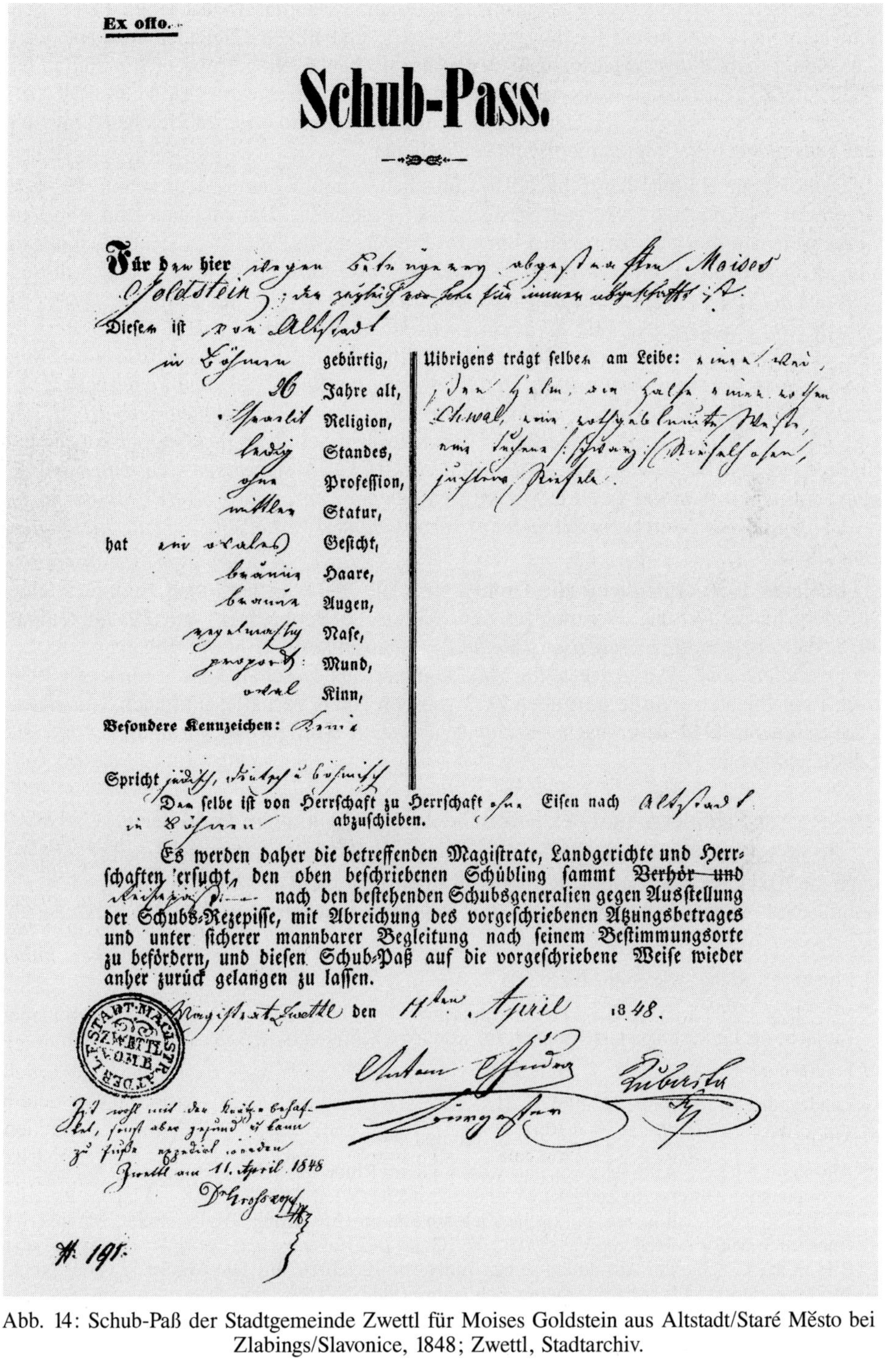

Schub-Pass.

—◆❧❦◆—

Für den hier *[handwritten]* Moises
Goldstein [handwritten]

Diesen ist *[handwritten]* von Altstadt

in *Böhmen*	gebürtig,	Uibrigens trägt selbe am Leibe: *[handwritten]*	
16	Jahre alt,		
Israelit	Religion,		
ledig	Standes,		
ohne	Profession,		
mittler	Statur,		
hat *[handwritten]*	Gesicht,		
bräunlich	Haare,		
braune	Augen,		
regelmäßig	Nase,		
groß	Mund,		
oval	Kinn,		

Besondere Kennzeichen: *[handwritten]*

Spricht *[handwritten]*

Der selbe ist von Herrschaft zu Herrschaft *[handwritten]* Eisen nach *Altstadt*
in Böhmen abzuschieben.

Es werden daher die betreffenden Magiſtrate, Landgerichte und Herr-
ſchaften erſucht, den oben beſchriebenen Schübling ſammt Verhör und
[handwritten] nach den beſtehenden Schubsgeneralien gegen Ausſtellung
der Schubs-Rezepiſſe, mit Abreichung des vorgeſchriebenen Atzungsbetrages
und unter ſicherer mannbarer Begleitung nach ſeinem Beſtimmungsorte
zu befördern, und dieſen Schub-Paß auf die vorgeſchriebene Weiſe wieder
anher zurück gelangen zu laſſen.

Magiſtrat Zwettl den *11ten* April 1848.

[signatures]

[handwritten note lower left]
Zwettl am 11. April 1848

№ 191.

Abb. 14: Schub-Paß der Stadtgemeinde Zwettl für Moises Goldstein aus Altstadt/Staré Město bei
Zlabings/Slavonice, 1848; Zwettl, Stadtarchiv.

König in Retz. Letztere waren etwa mit dem Znaimer Gemüseindustriellen Felix, den Schwiegereltern von Bruno Kreisky, verschwägert, und Eugen Löbl, der Schwager von Karl König (geb. 1916), gehörte sogar der tschechischen Exilregierung in London an.[64] Nicht zuletzt aufgrund dieser verwandtschaftlichen Beziehungen war es 1934 und 1938 wieder die Grenze zwischen Niederösterreich und Tschechien, die zahlreichen politisch und/oder rassisch Verfolgten die Flucht ermöglichte.[65]

Die tolerante Haltung der tschechoslowakischen Republik hatte jedoch schon 1931 den Ärger der Waldviertler Nationalsozialisten hervorgerufen. Damals hatte ein Kino in České Velenice den pazifistischen Film „Im Westen nichts Neues" gespielt. Daraufhin kam es in Gmünd zu einer Protestversammlung aller völkischen Vereine gegen diesen *deutschfeindlichen Hetzfilm* und das *jüdische Machwerk, weil der jüdische Amerikaner in seinem Film das deutsche Volk als recht erbärmliche Feiglinge hinstellt.*[66] Der Bericht der „Landzeitung" kritisierte „Im Westen nichts Neues" als *Geschäftsfilm, dessen Macher doch bekannte Juden sind. Der Film bzw. das Buch, aus dem er geschöpft ist, zeigt — daß die jüdische Mache nichts scheut, Lüge — und Verderbtheit herbeizieht, um Geschäfte zu machen.* Der Wanderlehrer des deutschen Schulvereines Südmark, Schöpf, führte dann aus: *Wir wollen auf den Inhalt des jüdischen Machwerkes nicht eingehen, — aber, daß uns wir an der Grenze von unseren Gegnern derart provozieren lassen sollen — das ist, gelinde gesagt, ein Zeichen der Verrohung und Verhetzung des internationalen Judentums.*[67]

Im Jahre 1938 ermöglichte die Grenze für viele Waldviertler Juden zumindest eine vorübergehende Rettung. So meldete der „Völkische Beobachter" am 20. September 1938, daß *fast sämtliche Juden aus Gmünd verschwunden und in die Tschechoslowakei ausgewandert sind.* Der Angestellte Max Matzner aus Litschau konnte hingegen 1938 nach Prag flüchten, wurde dort aber 1942 von den Nazis verhaftet und nach Theresienstadt gebracht. 1944 ist er nach Auschwitz überstellt worden und vermutlich dort ums Leben gekommen.[68]

6. Schönerer und der politische Antisemitismus im Waldviertel

Diesseits und jenseits der Grenze waren jedoch nicht nur Juden beheimatet, sondern auch die Anhänger Schönerers, der ja bekanntlich 1897 nicht als Waldviertler, sondern als böhmischer Abgeordneter wieder in den Reichsrat gewählt wurde.[69] Neue Aktualität

---

[64] Mitterauer, König (wie Anm. 18) S. 304 f., 314.

[65] Vgl. dazu: Winfried R. Garscha, Politisches Asyl 1934-1938. Die Tschechoslowakei als Zufluchtsort für verfolgte Österreicher. In: Komlosy, Kulturen (wie Anm. 57) S. 301-304.

[66] Landzeitung Nr. 16 vom 22. 4. 1931, S. 21.

[67] Landzeitung Nr. 13 vom 1. 4. 1931, S. 21.

[68] Moser, Die Verfolgung (wie Anm. 14) S. 366 und 404.

[69] Alexandra Suess, Alles ist schon dagewesen. Georg Ritter von Schönerer und die Alldeutschen — Wegbereiter Hitlers. In: Zeitgeist wider den Zeitgeist (Wien 1988) S. 65-68 — Claudia Frank, Georg Ritter von Schönerer: politische Ziele und deren Umsetzung. Diplomarbeit, Manuskript (Innsbruck 1990). — Hellwig Valentin, Von Gunst und Haß verwirrt. Georg Schönerer und sein Bild in der Geschichte. Aus Anlaß seines Todes vor 70 Jahren. In: Die Brücke 17 (1991) Nr. 1, 19-24. — Franz Trischler, Georg Schönerer (1842-1921) — eine österreichische Tragödie (Stronsdorf 1992). — Christoph Hentschl/Karl Vocelka, Schönerer, Georg von. In: Österreichisches Biographisches Lexikon 1815-1950, 51. Lief. (Wien 1995) S. 66-68.

erlangte die Person des Begründers des politischen Antisemitismus in Österreich zuletzt vor allem durch die Aufstellung von dessen Sammlung im Museum der Stadt Zwettl[70] (Abb. 16 und 17). Material aus diesen Beständen wurden 1995 bei der Ausstellung „Die Macht der Bilder" in Wien präsentiert, die sich der Aufarbeitung der literarischen und bildlichen Klischees des Antisemitismus widmete.[71]

Schönerer fand seine Anhänger vor allem in den „fortschrittlich" eingestellten und wirtschaftlich führenden Schichten der Waldviertler Kleinstadtbourgeoisie, die zuletzt von Hanns Haas, Hannes Stekl, Elisabeth Ulsperger und Andrea Komlosy am Beispiel von Horn, Eggenburg, Retz und Gmünd um 1900 ausführlich analysiert wurden.[72] Die zu Beginn des Jahrhunderts als Tochter eines Gendarmeriepostenkommandanten und einer Postmeisterin in Neupölla und Kirchberg am Walde aufgewachsene

Abb. 15: Georg Ritter von Schönerer, Postkarte aus Döllersheim; Privatbesitz.

Martha Sills-Fuchs hat diesen sozialen Tatbestand in einem Interview 1983 folgend beschrieben: *Es hat keinen besser'n Menschen geb'n im Waldviertel, der nicht Schönerianer war.* In diesem Zusammenhang spielten sowohl die ab 1856 erscheinenden Waldviertler Zeitungen[73] als auch die Feuerwehren, die vielfach aus den „Konstitutionellen Fortschrittsvereinen" hervorgegangen waren, eine wichtige Rolle.[74]

Einer der profiliertesten Antisemiten im Waldviertel war der Drosendorfer Franz Xaver Kießling (Abb. 44), der auch die Wissenschaft durch die deutschnationale Brille sah und

[70] Friedel M o l l , Die Sammlung „Schönerer" in Zwettl. In: Das Waldviertel 34 (1985) S. 185-201 — Stadtmuseum Zwettl — Katalog (Zwettl 1992) S. 54-71.

[71] Jonny M o s e r , Der Antisemitismus der Deutschnationalen in Österreich. In: Klamper, Die Macht der Bilder (wie Anm. 3) S. 149-155.

[72] Hanns H a a s , Bürgertum in der Provinz. In: Václav B ů ž e k (Hg.), Spojující a rozdělující na hranici/ Verbindendes und Trennendes an der Grenze (Budweis 1992) S. 86-96 — Hannes S t e k l (Hg.), Kleinstadtbürgertum in Niederösterreich — Horn, Eggenburg und Retz um 1900. Forschungen zur Landeskunde von Niederösterreich 27 (Wien 1994) S. 41-84 — Komlosy, An den Rand gedrängt (wie Anm. 24) S. 128-137 („Waldviertler Parteienlandschaft am Beispiel der Stadt Gmünd").

[73] Johann G ü n t h e r , Das Pressewesen im Waldviertel von 1848 bis 1918. In: Das Waldviertel 42 (1993) S. 101-125.

[74] Hans S c h n e i d e r , Spuren Schönerers im Ottenschlager Feuerwehrarchiv. In: Das Waldviertel 34 (1985) S. 26-27 — Derselbe, Georg Ritter von Schönerer und die Waldviertler Feuerwehren. In: Feuerwehr Horn. Festschrift (Horn 1989) S. 15-29.

Abb. 16 und 17: Die Sammlung Schonerer im Stadtmuseum Zwettl.
(Fotos: Werner Fröhlich)

Generationen von Lehrern und Heimatforschern beeinflußte.[75] Umso merkwürdiger scheint es, daß das städtische Museum noch immer seinen Namen trägt. Eine ähnlich problematische Rolle in der Waldviertler Kulturpolitik kommt dem Dichter Robert Hamerling zu.[76] Obwohl seine Person und sein Werk von Schönerer mit besonderem Engagement gefördert wurden (Abb. 38 und 39), hat man selbst das 1887 veröffentlichte satirische Epos „Homunkulus" noch nicht auf seinen antisemitischen Gehalt hin analysiert.[77]

Das Verhältnis zwischen dem Antisemitismus Schönerers und der Deutschnationalen sowie der Judenfeindschaft christlichsozialer Richtung wurde zuletzt in der umfangreichen Geschichte des österreichischen Antisemitismus von Bruce F. Pauley dargelegt.[78] Im Waldviertel, wo der Deutschnationalismus erst im frühen 20. Jahrhundert durch die Ausweitung des Wahlrechtes seine politische Dominanz verlor, wäre vor allem die Frage interessant, ob die Christlichsozialen — darunter viele Priester[79] — Schönerer mit dem Antisemitismus rechts zu überholen versuchten oder eher auf die Ablehnung der Judenfeindschaft setzten, wie z. B. der den Sozialdemokraten nahestehende Bauernfunktionär Josef Steininger im Kamptal.[80]

Vielleicht kein Zufall ist es jedoch, daß auch in dem 1891 gegründeten „Verein zur Bekämpfung des Antisemitismus" mehrere im Waldviertel bekannte Namen auftauchen, z. B. Baron Arthur und Bertha von Suttner, Graf Rudolf von Hoyos sowie der Geologe Eduard Sueß. Das Ehepaar Suttner wurde daraufhin von Schönerer massiv angegriffen.[81]

7. Erste Republik und Anfänge des Nationalsozialismus

Pauley's Buch widmet sich aber auch ausführlich dem Antisemitismus aller Couleurs in der Ersten Republik. Deren politische Geschichte bietet inzwischen durch mehrere Publikationen über Niederösterreich[82] auch eine Basis für die Geschichte der Entwicklung der

---

[75] Hermann S t e i n i n g e r , Franz Xaver Kießling und die Volks- und Heimatkunde in Niederösterreich. In: Das Waldviertel 43 (1994) S. 49-56.

[76] Zu Hamerling siehe zuletzt: Elmar P e t e r , Robert Hamerling: sein Leben und seine Werke. 100 Jahre Hamerling-Stiftungshaus, 1893-1993 (Kirchberg/Walde 1993) — Hans-Christian H e i n i s c h e k , 1893-1993. 100 Jahre Robert Hamerling-Denkmal in Waidhofen an der Thaya (Waidhofen/Thaya 1993) — Ralph A n d r a s c h e k - H o l z e r , Der Waldviertler Dichter Robert Hamerling. In: Das Waldviertel 39 (1990) S. 37-51 — Thomas K r a c h t , Schicksal an der Schwelle. Robert Hamerling. Sein Leben — sein Denken zum Geist (Dornach 1989).

[77] Wolfgang H ä u s l e r , Stereotypen des Hasses. Zur Geschichte antisemitischer Ideologien und Bewegungen in Österreich bis 1918. In: Klaus A m a n n / Hubert L e n g a u e r (Hg.), Österreich und der Große Krieg 1914-1918 (Wien 1989) S. 24-31, hier S. 28 — vgl. auch: Willibald R o s n e r , Ein Denkmal in Waidhofen an der Thaya. Oder: Robert Hamerling — Wer ist das? In: Unsere Heimat 64 (1993) S. 203-205.

[78] Bruce F. P a u l e y , Eine Geschichte des österreichischen Antisemitismus. Von der Ausgrenzung zur Auslöschung (Wien 1993). — Rezension von Thomas W i n k e l b a u e r in: Das Waldviertel 43 (1994) S. 86 f.

[79] Siehe dazu z. B. Elisabeth U l s p e r g e r , Politische Mobilisierung in der Provinz. Das Beispiel Eggenburg. In: Das Waldviertel 40 (1991) S. 115-125.

[80] Franz F u x , Pioniere des ländlichen Fortschrittes. 60 Jahre Sozialistische Bauernorganisation in Niederösterreich (Krems 1982) S. 16 f.

[81] Brigitte H a m a n n , Der Verein zur Abwehr des Antisemitismus. In: Klamper, Die Macht der Bilder (wie Anm. 3) S. 253-263.

[82] Siehe vor allem: Kammerhofer, Niederösterreich (wie Anm. 52) passim — Lothar H ö b e l t , Die Parteien des nationalen Lagers in der Ersten Republik. In: Carinthia 179 (1989) S. 359-384.

politischen Parteien im Waldviertel.[83] Innerhalb der Geschichte der NSDAP[84] bedarf vor allem die von Rathkolb 1988 als Forschungsdesiderat genannte Analyse der sozialen Zusammensetzung der NS-Bewegung[85] noch zahlreicher Mikrostudien.[86]

Weitgehend verdrängt wurde bisher auch die Tätigkeit jüdischer Funktionäre der Sozialdemokratischen und Kommunistischen Partei[87] im Waldviertel.[88] Einzelne biographische Hinweise verdanken wir vor allem Robert Streibel. Genannt seien etwa der Februarkämpfer Oskar Schwebel, der sich 1935 von St. Pölten nach Wetzlas zurückzog und 1942 nach Mexiko flüchten konnte[89] (Abb. 152), oder die Familie des „Sozi-Kohn" in Krems. Der 1865 in Schiltern geborene Samuel Kohn war Mitbegründer der sozialistischen Mietervereinigung, Sanitäter im Republikanischen Schutzbund sowie beim Arbeitersängerbund aktiv und starb nach der Vertreibung aus Krems 1941 in Wien. Sein zweiter Sohn Johann, der nach mehrmonatiger Haft im KZ Dachau 1939 nach England fliehen konnte, kehrte 1947 nach Krems zurück und wirkte dann lange Jahre als Betriebsrat der Hütte-Krems.[90]

8. „Drittes Reich" und „Arisierungen"

Im Rahmen der Geschichte der nationalsozialistischen Herrschaft im Waldviertel, die u. a. durch zwei akademische Arbeiten zumindest in groben Zügen bekannt gemacht wurde[91], hat man auch der Judenverfolgung gebührende Aufmerksamkeit geschenkt.

---

[83] Oliver Rathkolb, Politische Entwicklung des Waldviertels von 1918 bis 1938. Eine Forschungsskizze. In: Polleroß, 1938 (wie Anm. 2) S. 11-31 — Ernst Bezemek, Auf dem Weg zum Nationalsozialismus — Die politischen und wirtschaftlichen Verhältnisse in den Bezirken Horn und Zwettl 1919-1938, In: Rosner, Truppenübungsplatz (wie Anm. 39) S. 103-116.

[84] Klaus-Dieter Mulley, Die NSDAP in Niederösterreich 1918 bis 1938. Ein Beitrag zur Vorgeschichte des „Anschlusses". In: Österreich in Geschichte und Literatur 33 (1988) S. 169-191 — Franz Schausberger, „Ins Parlament, um es zu zerstören". Das „parlamentarische" Agi(ti)eren der Nationalsozialisten in den Landtagen von Wien, Niederösterreich, Salzburg und Vorarlberg nach den Landtagswahlen 1932 (Salzburg 1995).

[85] Oliver Rathkolb, Neue Wege der Geschichtsschreibung über politische Parteien im Waldviertel nach 1918. In: Kerschbaum/Rabl (wie Anm. 4) S. 131-141, hier 140.

[86] Vgl. Ernst Langthaler, Die „Braune Flut" im „Schwarzen Land?" — Zur Struktur der NSDAP-Wählerschaft in Niederösterreich 1932. In: Unsere Heimat 65 (1994) S. 13-41.

[87] Vgl. dazu: Ludger Heid/Arnold Paucker (Hg.), Juden und deutsche Arbeiterbewegung bis 1933: soziale Utopien und religiös-kulturelle Traditionen. Schriftenreihe wissenschaftlicher Abhandlungen des Leo Baeck-Institutes 49 (Tübingen 1992).

[88] In der Parteigeschichte von Fux (wie Anm. 30) finden sich weder Hinweise auf jüdische Parteigenossen noch auf eine inhaltliche Auseinandersetzung mit dem Antisemitismus.

[89] Robert Streibel, „Da Kreisky und der Schwebel". Das Leben des Februarkämpfers Oskar Schwebel. Eine Spurensicherung. In: Derselbe, Februar in der Provinz. Eine Spurensicherung zum 12. Februar 1934 in Niederösterreich (Grünbach 1994) S. 10-28.

[90] Anna Lambert, Du kannst vor nichts davonlaufen. Erinnerungen einer auf sich selbst gestellten Frau. Hg. von Robert Streibel (Wien 1992) S. 184 f. — Streibel, Plötzlich waren sie alle weg (wie Anm. 6) S. 123-125.

[91] Robert Kurij, Nationalsozialismus und Widerstand im Waldviertel. Die politische Situation 1938-1945. Schriftenreihe des Waldviertler Heimatbundes 28 (Krems/Donau-Horn 1987). — Vgl. dazu: Thomas Winkelbauer, Zur nationalsozialistischen Herrschaft im Waldviertel. Bemerkungen und Ergänzungen zu einem neuen Buch über „Nationalsozialismus und Widerstand im Waldviertel". In: Das Waldviertel 37 (1988) S. 38-47. — Nechwatal, Nationalsozialismus (wie Anm. 13).

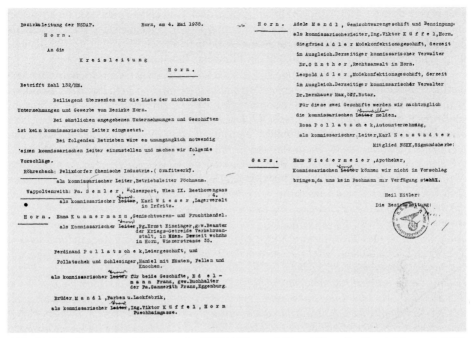

Abb. 18: Schreiben der Bezirksleitung der NSDAP Horn mit Vorschlägen für die „Arisierung", 1938;
Horn, Archiv der Bezirkshauptmannschaft.

Publikationen zu diesem Thema waren natürlich vor allem um das Jahr 1988 zu verzeichnen.[92] Damals erschienen etwa im „Waldviertel" Aufsätze über die Ereignisse in Krems und Altenburg (Gemischtwarenhandlung Schlesinger) von Robert Streibel und Wilhelm Scheidl.[93] Beide Autoren haben ihre Erkenntnisse später in erweiterter Form in eigenen Büchern publiziert.[94] Gerade bei der Beschreibung des Schicksales der jüdischen Minderheit machte Streibel aus der Not der schriftlichen Quellen eine Tugend und beschränkte sich hauptsächlich auf „oral history".[95] Neben einer Fülle von Zeitzeugen in aller Welt konnte er jedoch auch mehrere autobiographische Aufzeichnungen und Tagebücher veröffentlichen. Die Lebensgeschichte der von Krems nach England emigrierten Anna Lambert erschien sogar als eigenes Buch.[96] Gerade die Möglichkeiten der „oral history" werden

---

[92] Siehe vor allem die beiden Dokumentationen: Wolfgang H ä u s l e r , Das Jahr 1938 und die österreichischen Juden. In: „Anschluß" 1938. Eine Dokumentation (Wien 1988) S. 85-92, 555-585. — Moser, Die Verfolgung (wie Anm. 14) S. 335-407.

[93] Robert S t r e i b e l , Die Märztage 1938 in Krems (Versuch einer Rekonstruktion). In: Das Waldviertel 37 (1988) S. 1-25. — Wilhelm S c h e i d l , Das Jahr 1938 in Altenburg. In: ebenda S. 26-38.

[94] Robert S t r e i b e l , „Und plötzlich waren sie alle weg..." Die Juden in Krems 1938. In: Kurt S c h m i d /Robert S t r e i b e l (Hg.), Der Pogrom 1938. Judenverfolgung in Österreich und Deutschland (Wien 1990) S. 51-61. — Derselbe, Die Stadt Krems im Dritten Reich. Alltagschronik 1938-1945 (Wien 1993). — Wilhelm S c h e i d l , Ortsgeschichte von Altenburg 1938-1946 (Altenburg 1991) S. 15-17 („Die Judenverfolgung").

[95] Streibel, Plötzlich waren sie alle weg (wie Anm. 6).

[96] Lambert/Streibel (wie Anm. 90).

aber in den nächsten Jahren rapide sinken, gibt es doch bald keine Zeitzeugen mehr. Allein von den in meiner Publikation 1983 als Auskunftspersonen genannten sind seither mehr als die Hälfte verstorben. Einer davon ist Franz Chaloupek, der als Verkäufer der Textilhandlung Schwarz (Abb. 11) die Verfolgung der Gmünder Juden hautnah miterlebte:

Daß auch die Gmünder Juden durch das brutale Benehmen der Nazis teilweise in Angst und Schrecken versetzt wurden, ist selbstverständlich. Mein Chef, Friedrich Schwarz, weinte immer und immer wieder und konnte alles, weil ja sein Bruder Emil, ein Schneider, sowie der Bruder seiner Frau im Ersten Weltkrieg gefallen waren, nicht verstehen. [...] Ein paar Tage nach der „Reichskristallnacht" erschien an einem Nachmittag der Kreisamtsleiter für Volkswohlfahrt (NSV) Binder mit einem NSV-Angestellten in „unserem" Geschäft und erklärte, daß alle noch vorhandene Ware zu Gunsten der NSV verfallen sei und daher unverzüglich in Räumlichkeiten der NSV im Gmünder Schloß gebracht werden müsse. Vor dem Geschäft stand bereits ein Lastkraftwagen bereit. Nach einem kurzen Wortwechsel, den ich mit dem sehr robust aussehenden Gastwirt und NSV-Leiter Binder führte, erlaubte er, daß wir die restliche Ware, die weggeführt wurde, in ein Buch eintragen durften. Meine Begründung war, daß eines Tages jemand sagen könnte, wir, die 3 arischen Angestellten und die 2 arischen Lehrmädchen, hätten uns die noch vorhandene Ware widerrechtlich angeeignet. Ich glaube, es waren an die 5 oder 6 LKW-Fuhren, die weggebracht wurden. Bei der ersten Ladung des geraubten Judeneigentums fuhr ich mit ins Schloß, wo die Ware gelagert worden war. Dies war aber auch nur möglich, weil der Kraftfahrer mit mir in die Schule ging. Als ich die Räumlichkeiten, in die nun alles gebracht werden mußte, betrat, traute ich meinen Augen nicht. Hier gab es Berge von Mehl-, Reis-, und Zuckersäcken, teilweise geplatzt, weil die Säcke nur hineingeschmissen worden waren. Daneben gab es eine Menge von Konserven und sonstigen Waren, die man in einer Gemischtwarenhandlung zu kaufen bekommt. Auf meine Frage, wo denn die Ware her sei, sagte mir der Chauffeur, mein ehemaliger Schulkollege und jetziger SS-Mann, ganz stolz mit sichtbarer Überheblichkeit, daß sie nach der Besetzung des Sudentenlandes den tschechischen Kaufleuten in České-Velenice — den früheren Gemeinden Unter-Wielands und Böhmzeil — weggenommen worden sei. Im wahrsten Sinne des Wortes wurden in der Folge dann auch noch alle unsere noch vorhandenen Textilwaren, Wollstoffe, Herren- und Damenwäsche, Schuhe und Kurzwaren zu diesen Bergen von Lebensmitteln dazugeschmissen. [97]

Während der 18jährige Sohn des Geschäftsinhabers, Otto Schwarz, noch im Jahre 1938 nach Shanghai flüchten konnte[98], heiratete die Tochter Anni, Jahrgang 1915, damals den jüdischen Arzt Dr. Finale. Das Ehepaar flüchtete nach Frankreich, wurde jedoch nach der Invasion von der SS in Grenoble aufgegriffen und erschossen. Ihre zwei Kinder wurden von französischen Widerstandskämpfern in ein Kloster nach Spanien gebracht. Friedrich Schwarz und seine Gattin Irma wohnten bis 1944 in einem Haus in der Praterstraße in Wien, wurden dann nach Minsk deportiert und kamen dort ums Leben.

Auf mündlichen Informationen und daher manchmal unsicherem Boden beruhen die Angaben, die Gabriele Nechwatal 1990 über die Juden im Bezirk Horn berichten konnte. Sie schildert u. a. das Schicksal der Familie Schön in St. Bernhard, des Zahn- und Bahnarztes Dr. Leo Scheier in Sigmundsherberg, der Familie Stein in Rodingersdorf sowie mehrerer Eggenburger.[99] Neben solchen persönlichen Informationen von Zeitzeugen bieten aber

---

[97] Schreiben von Franz Chaloupek an den Verfasser vom 2. März 1984.

[98] Moser, Die Verfolgung (wie Anm. 14) S. 406.

[99] Nechwatal, Nationalsozialismus (wie Anm. 13) S. 47-73.

die inzwischen großteils von der Sperre befreiten Archive doch noch manches Material zur Geschichte der Verfolgung der Juden nach 1938. So übernahm Robert Kurij 1987 in seiner Arbeit über die politische Situation im Waldviertel 1938-1945 nicht nur seitenweise Textpassagen meiner Publikation, sondern steuerte auch eigene Informationen aus den Archiven der Bezirkshauptmannschaften Zwettl und Waidhofen/Thaya bei. Er berichtet u. a. von Erlässen gegen die jüdische Kultur im Herbst 1938, vom Arbesbacher Gemeindearzt Dr. Mandl, der nach Delogierung im Mai 1939 verstarb, sowie von zahlreichen „Arisierungen" von Möbeln, Fahrzeugen und Geschäften in Allentsteig (Kaufhaus Kurz), Groß-Globnitz (Kaufmann Karl Rosenberg und Tierarzt Dr. Alexander Fischhof), Rottenbach (Kaufmann Josef Cymer), Windigsteig (Kaufmann Wodinsky), Pfaffenschlag (Gemischtwarenhandlung Sophie Schneider), Oberndorf (Schlesinger, Josef Rezek) oder in Grossau (Ernst Löw).[100]

Informationen bieten außerdem die Archive der Bezirksgerichte und die Gendarmeriechroniken. So wird in mehreren Publikationen über den tragischen Selbstmord zweier (?) jüdischer Familien in Geras nach dem „Anschluß" berichtet: Der Kaufmann und Bürgermeister der Vaterländischen Front, Rudolf Guttmann, hat sich, seine Gattin und seine Tochter am 14. März 1938 im Stiftsteich ertränkt[101], ein anderer Geraser Kaufmann gleichen Namens (!?)[102] soll sich und seine Familie noch am 13. März mit Kohlengas vergiftet haben.[103]

Vermittelt die Arbeit von Streibel einen Eindruck, wie die Überlebenden der Kremser Gemeinde in alle Welt verstreut wurden, so war es bisher jedoch nicht möglich, sich auch nur einen ungefähren Überblick über die bevorzugten Flucht- bzw. Immigrationsländer der Waldviertler Juden zu verschaffen. Nach Palästina konnten 1938/39 nicht nur zahlreiche Kremser, sondern — teilweise nach mehrmonatigen Haftstrafen — etwa auch der Eggenburger Geschäftsmann Moritz Fürnberg, der Viehhändler Emil Hauser aus Kirchberg/Wagram, der Retzer Dipl.-Ing. Karl König und der Imbacher Hermann Rosenfeld entkommen.[104]

Detaillierte Studien über die Institutionen und Vertreter der nationalsozialistischen Herrschaft fehlen sowohl auf lokaler wie auf regionaler Ebene.[105] Sie wären u. a. wichtig, um die Aneignung jüdischen Eigentums zwischen zentralistischer Wirtschaftspolitik und örtlicher Bereicherung besser beurteilen zu können. So wurde am 5. Mai 1938 von der Bezirksleitung der NSDAP Horn eine „Liste der nichtarischen Unternehmungen" mit Vorschlägen für die „kommissarischen Leiter" an die Kreisleitung gesandt. Demzufolge sollte das Graphitwerk der Felixdorfer Chemischen Industrie in Röhrenbach von Betriebsleiter Pöchmann und die Holzexportfirma Semler in Wappoltenreith von Karl Wieser aus Irnfritz übernommen werden[106] (Abb. 18). In Gmünd wurde zur Vorbereitung der „Arisierung"

[100] Kurij, Nationalsozialismus (wie Anm. 91) S. 139-161 („Die Situation der Juden von 1938-1945").

[101] Siehe auch: Moser, Die Verfolgung (wie Anm. 14) S. 402.

[102] Nechwatal, Nationalsozialismus (wie Anm. 13) S. 63.

[103] Maria Mayr, Das Jahr 1945 im Bezirk Horn. Schriftenreihe des Waldviertler Heimatbundes 31 (Horn-Waidhofen/Thaya 1994) S. 22-23.

[104] Moser, Die Verfolgung (wie Anm. 14) S. 402-405.

[105] Vgl. z. B.: Klaus-Dieter Mulley, Nationalsozialismus im Bezirk Scheibbs 1930-1945 (Scheibbs 1988) — Franz Weisz, Die Geheime Staatspolizei in Wr. Neustadt und im Viertel unter dem Wienerwald 1938-1945. In: Unsere Heimat 64 (1993) S. 239-254.

[106] Erich Rabl, Horn 1938. Nationalsozialistische Machtergreifung und Judenverfolgung, Ausstellungskatalog (Horn 1988).

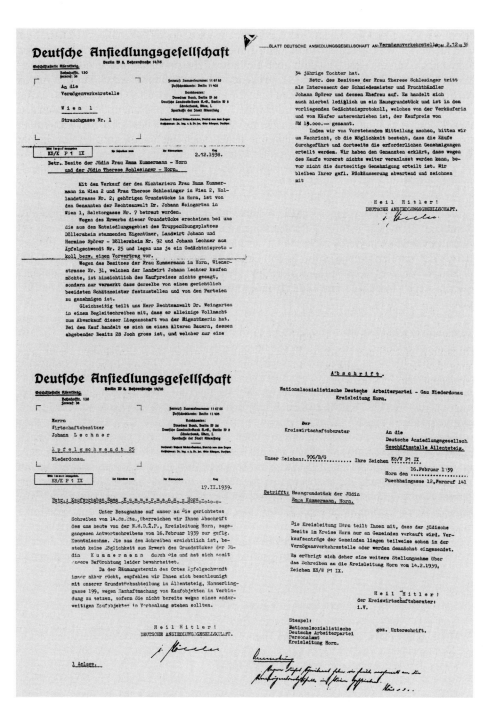

Abb. 19: Schriftverkehr der Deutschen Ansiedlungsgesellschaft bezüglich der „Arisierung" der Häuser von Emma Kummermann und Therese Schlesinger in Horn durch Aussiedler des Truppenübungsplatzes Döllersheim, 1938/39; Neupölla, Slg. Polleroß.

eine Liste sämtlicher Gewerbe- und Industriebetriebe erstellt. [107] In Heidenreichstein hat man nicht nur die Kaufhäuser Adolf Kollmann und Karl Reich sowie die Likördestillation Sigmund Glaser „arisiert", sondern auch die Industriebetriebe, die bald in den Dienst der Deutschen Wehrmacht gestellt wurden. Aus den Firmen Goldfeld und Goldreich wurden die Stickereibetriebe Gerö sowie Flatz, und die ehemalige Eisert AG erzeugte als OMU-LAG (Ostmärkische Metall- und Lederwaren AG) Granaten, Kabelrollen und Funkkästen. [108] Der Anteil „arisierter" und anderer Waldviertler Betriebe an der Rüstungsindustrie des „Dritten Reiches" verdient überhaupt noch mehr Aufmerksamkeit in der Waldviertler Historiographie.

Inzwischen wenigstens in Ansätzen bekannt ist die ebenso wichtige „Arisierung" von landwirtschaftlichem Großgrundbesitz und von Privathäusern im Zusammenhang mit der Aussiedlung von 7000 Menschen aus dem Gebiet des Truppenübungsplatzes Döllersheim. Bereits am 28. Juli 1938 wurde den Aussiedlern mitgeteilt, daß die Güter Schwarzenau, Haslau und Gilgenberg, die am 18. Juli von der „Deutschen Ansiedlungsgesellschaft" übernommen worden waren, den Aussiedlern zur Verfügung stehen und im Schloß Schwarzenau zwölf Wohnungen eingerichtet werden. Auf den Grundstücken in Schwarzenau hat man später ebenso wie auf den Gütern Pfaffenschlag bei Raabs und Schellingshof bei Dobersberg, die am 6. September 1938 von den jüdischen Besitzern, Josef und Regine Rezek, übernommen wurden, sogenannte Aussiedlerhöfe errichtet. [109] Erst durch die Untersuchung von Robert Holzbauer wurde deutlich, daß die „Deutsche Ansiedlungsgesellschaft", die den Landerwerb für die Wehrmacht durchführte, hier im Dunstkreis der SS eine zentrale Rolle bei den „Arisierungen" gespielt hat. Nach Meinung der DAG im September 1938 war es nämlich *nicht zu verantworten, wenn sich jetzt nach dem Umbruch ergebende günstige Gelegenheit, eine große Anzahl im nichtarischen Besitz befindlicher Güter für die Neubildung deutschen Bauerntums zu erwerben, verpaßt würde. Die grenzpolitischen Probleme gerade in der Ostmark sind so außerordentlich wichtig, daß jede Gelegenheit, ein starkes Bauerntum an die Stelle des bisherigen jüdischen Großbetriebes zu setzen, ausgenutzt werden muß.* [110] In einem Zeitungsbericht des „Amstettner Anzeiger" vom 17. Februar 1939 wurde schließlich sogar die „Arisierung" von Gutsbetrieben im Marchfeld durch die DAG damit begründet, daß hier *Bauern besonders aus dem kargen Waldviertel* angesiedelt werden sollten. [111] Zu den von der DAG „arisierten" Gütern gehörte auch das Schloß Groß-Schönau, das sich seit 1916 im Besitz von Adolf Lewin befand [112], sowie das Gut Kattau bei Eggenburg. [113]

---

[107] Manfred Dacho — Franz Drach, Gmünd. Randbedingungen (Großwolfgers 2. Aufl. o. J.) S. 110 f.

[108] Wittig, Heidenreichstein (wie Anm. 27) S. 32 u. 70 ff.

[109] Margot Schindler, Wegmüssen. Die Entsiedlung des Raumes Döllersheim (Niederösterreich) 1938-1942. Volkskundliche Aspekte. Veröffentlichungen des Österreichischen Museums für Volkskunde 23 (Wien 1988) S. 265, 307-318.

[110] Zitiert in: Robert Holzbauer, Planung und Errichtung des TÜPL Döllersheim. In: Rosner, Allentsteig (wie Anm. 39) S. 117-163, hier S. 154-158.

[111] Moser, Die Verfolgung (wie Anm. 14) S. 378.

[112] Walter Pongratz/Josef Tomaschek, Heimatbuch der Marktgemeinde Groß-Schönau (Groß-Schönau 1975) S. 120.

[113] Moser, Die Verfolgung (wie Anm. 14) S. 376.

Abb. 20: Von Aussiedlern des Truppenübungsplatzes Döllersheim „arisiertes" Zinshaus in Wien-Alsergrund, bezeichnet: „Eigentum unserer Mutter... 3. I. 1944"; Privatbesitz.

Wesentlich mehr Aussiedler waren jedoch direkt oder ebenfalls über Vermittlung der DAG mit der „Arisierung" privater Liegenschaften und Häuser konfrontiert. Von der DAG wurden damals sowohl Häuser Waldviertler Juden, wie des Kaufmannes Otto Engel in Schwarzenau, als auch Zinshäuser in Wien vermittelt. Ein Beispiel dafür bietet eine Familie aus Riegers, die mit ihren RM 100000,— Ablöse zwei Bauernhöfe in Altpölla erwarb. Einer davon wurde jedoch bald darauf an einen anderen Aussiedler abgetreten und dafür ein Zinshaus für 50 Parteien in Wien-Alsergrund gekauft[114] (Abb. 20).

Die vergeblichen Bemühungen der damals in Notquartieren in Döllersheim untergebrachten Familien Lechner und Spörer zur Erwerbung der Häuser der aus Horn vertriebenen Emma Kummermann und Therese Schlesinger zeigen hingegen deutlich, wie sehr zwar nach außen „Volkswohl" gepredigt wurde, aber in Wahrheit private Interessen der Horner Parteigenossen die treibende Kraft der „Arisierungen" waren (Abb. 19). Trotz eines Vorvertrages von Johann Lechner wurde das Haus von Emma Kummermann von der Vermögensverkehrsstelle am 19. Oktober 1938 nicht zum Verkauf freigegeben. Daraufhin intervenierte die DAG im Interesse des Aussiedlers bei dem für die „Arisierungen" zuständigen Wiener Amt. Am 8. Dezember erfuhr der Landwirt von der (offensichtlich eigens für die Aussiedler eingerichteten) „Beratungsstelle der NSDAP" in Allentsteig, daß das Haus in Horn *schon einen (!) anderen zugesprochen-worden ist.* Erst am 17. Februar 1939 informierte die DAG ihrerseits Johann Lechner über ein Schreiben der Kreisleitung Horn, wonach *der jüdische Besitz im Kreis Horn nur an Gemeinden verkauft wird. Verkaufsanträge der Gemeinden liegen teilweise schon in der Vermögensverkehrsstelle oder werden*

---

[114] Polleroß, Truppenübungsplatzgemeinde (wie Anm. 2) Kat.-Nr. 4.85 f.

demnächst eingebracht. Ähnlich erging es dem Ehepaar Johann und Hermine Spörer aus Döllersheim. In einem Schreiben an den Ortsgruppenleiter der NSDAP Horn vom 2. Juli 1939 stellten sie die rhetorische Frage, *warum beansprucht die Gemeinde nun die kleine Villa vom Schlesinger, wenn so ein grosser Wohnungsmangel ist, nach Ihrem Ausspruch? Sind doch mehrere grosse Häuser zu verkaufen, die für uns Absiedler gar nicht in Frage kommen können.* Knapp zwei Wochen später erklärte schließlich der Horner Bürgermeister den in einer Notwohnung befindlichen Aussiedlern, daß *das wiederholt geäusserte Begehren nach käuflicher Überlassung des Hauses Horn, Puechhaimgasse 6 dem nationalsozialistischen Gedanken über die Volksgemeinschaft nicht entspricht. Der Judenbesitz soll nicht an Privatpersonen veräussert werden, sondern der gesamten Bewohnerschaft als Gemeingut zugeführt werden.* Im Widerspruch zu dieser Erklärung des Bürgermeisters wurde aber zumindest das Haus Kummermann, Wienerstraße 31, privat an den (offensichtlich schon im Dezember 1938 auserkorenen) Ortsgruppenleiter und Installateur Alois Schmidt verkauft, sodaß das Wort „Gemeingut" im doppelten Sinn eine neue Deutung bekam. Johann Lechner beklagte sich deshalb sogar in einem Schreiben vom 30. Jänner 1940 an Adolf Hitler über diese Gemeinheiten der Horner Parteigenossen: *Gefertigter hat sich [...] das Kaufrecht eines Anwesens [...], als erster Käufer gesichert, was durch einen Vorvertrag belegt werden kann. Nichtsdestoweniger wurde diese Liegenschaft, trotzdem ich wiederholt erklärte, von meinem Kaufrecht nicht abzustehen, an den Ortsgruppenleiter Schmidt verkauft. Bei der Vermögensverkehrsstelle in Wien wurde durch die Kreisleitung Horn die Erklärung abgegeben, daß ich von meinem Kaufrecht zurückgetreten sei, was den Tatsachen nicht entspricht.* [115] Die Horner Parteigenossen haben also offensichtlich ganz planmäßig die aus ihrer Heimat vertriebenen Aussiedler abgewimmelt und den jüdischen Besitz untereinander aufgeteilt.

9. Weltkrieg und Holocaust

Im Bereich des Truppenübungsplatzes waren auch umfangreiche Gefangenenlager eingerichtet, darunter das OFLAG XVIIA für französische Offiziere, unter denen sich auch Juden befanden. Der Lagerkommandant Generalmajor Unger bemühte sich deshalb, innerhalb des Lagers eine Spaltung zu erzeugen. Nachdem zunächst eine Trennung der jüdischen Offiziere von den übrigen Gefangenen abgelehnt worden war, hatte die Strategie im Oktober 1941 Erfolg: *Erst als es der aufklärenden Arbeit der Organe des Lagerkommandos gelungen war, die antisemitische Stimmung der Franzosen so zu verstärken, daß sie selber die Absonderung der Juden verlangten, wurde sie vorgenommen.* [116] Die jüdischen Gefangenen wurden damals auch von den zahlreichen wissenschaftlichen, künstlerischen und sportlichen Aktivitäten des Lagers ausgeschlossen. [117]

Dem Bericht eines Zeitzeugen zufolge waren bei der Errichtung der Infrastruktur des Truppenübungsplatzes auch jüdische Zwangsarbeiter im Einsatz: *Bald darauf, nach dem Einzug der vielen Soldaten in meine geliebte Heimat (60 000 Personen), dem oft stundenlangen Aufmarsch der vorbeifahrenden Panzer, wo man kaum die Straße überqueren*

---

[115] Polleroß, Truppenübungsplatzgemeinde (wie Anm. 2) Kat.-Nr. 4.115.

[116] Bericht des Lagerkommandanten zitiert in: Holzbauer, Truppenübungsplatz (wie Anm. 110) S. 237.

[117] In den Berichten der Lagerinsassen scheinen diese Vorgänge hingegen nicht auf: François Ellenberger/Marc Fischer, Geologie im OFLAG XVII A. Die französische Kriegsgefangenenuniversität in Edelbach 1940-1945. In: Polleroß, 1938 (wie Anm. 2) S. 126-138.

konnte, sah ich, daß die Straße repariert wurde. Eine Kolonne Leute mit Sandwagen, Spritzenwagen und einer Straßenwalze war zu sehen. Es waren Männer, die mit Besen arbeiteten. Sie trugen hellgraue Mäntel, die mit einem großen Stern gekennzeichnet waren. Hagere Gestalten, die bei der Arbeit sehr müde wirkten. Es waren Juden. Sie verteilten Sand auf der Straße. Dieses Bild habe ich deshalb in so guter Erinnerung, weil mehrere Soldaten mit dem Gewehr auf sie aufpaßten, und weil mein Vater erzählte, daß ihn einer leise um Essen gebeten habe. Da auch Vater die Bewachung sah, hat er ihnen heimlich Essen zugesteckt. Beim zweiten Versuch wurde Vater jedoch erwischt. Es wurde ihm deutlich gesagt, daß er dies nicht tun dürfe, da er ansonsten erschossen wird. Für Vater, der es uns erzählte, und auch für mich war diese Handlungsweise unverständlich. [118)]

Obwohl Juden erst ab 1944 systematisch zur Zwangsarbeit herangezogen wurden[119)], erscheint dieser Bericht aufgrund der späteren Arbeitseinsätze ungarischer Juden im Waldviertel plausibel. So waren in Heidenreichstein bereits im August 1943 die ersten acht jüdischen Zwangsarbeiter bei der Firma Gierlichs im Einsatz. Um die Einberufungen heimischer Arbeitskräfte zur Wehrmacht auszugleichen, wurden vor allem in der Firma Patria Kriegsgefangene, Ostarbeiter und Juden arbeitsverpflichtet. Die Juden, vorwiegend ältere und gebrechliche Menschen oder Kinder, wurden in Behelfsheimen auf der Margithöhe sowie in der Honig-Kolonie untergebracht. Zeitgenössischen Berichten zufolge boten sie *ein Bild des Jammers, wenn sie — zumeist in übergroßen Holzschuhen, den Judenstern auf ihren zerschlissenen Jacken — morgens und nach Schichtende in die Fabrik und von dort zurückeskortiert wurden.* [120)]

Die Geschichte dieser Zwangsarbeiter wurde in den letzten Jahren vor allem von Szabolcs Szita in mehreren Publikationen aufgearbeitet[121)] (Abb. 73). Zur Geschichte des größten und grausamsten dieser Lager, in Gmünd[122)], liegt inzwischen auch ein Bericht von Franz Schandl vor, der als Vierzehnjähriger Zeuge der Totentransporte und vereinzelter Brotspenden wurde:

Wir wohnten damals in Gmünd III im Hause meines Großvaters, fast am Ende der „Konrad-Henlein-Straße", und konnten von unserem Küchenfenster aus sowohl die schmale Straße zum Friedhof als auch den Friedhof selbst sehen. So war es möglich in der folgenden Zeit, mehrmals pro Woche, Juden dieses Lagers in den Morgenstunden mit Krampen und Schaufeln durch den damals sehr hohen Schnee zum Friedhof stapfen zu sehen. Sie mußten für ihre Toten die Bestattung in einem Massengrab (im südöstlichen Teil des Friedhofes) vorbereiten. Die im Getreidespeicher verstorbenen Juden wurden nackt auf einen großen Plateauschlitten gelegt und über die Lagerstraße — Straße I der Villenkolonie — und Ehrendorf zum Friedhof gefahren. [...] Markant — und daher von weit zu sehen — war dieser Schlitten, weil die Leichen mit einem großen, purpurroten Tuch bedeckt waren. Die Bewa-

[118)] Leopold T o p f, Kindheitserinnerungen an die alte Heimat. In: Polleroß, 1938 (wie Anm. 2) S. 106-125, hier S. 111 f.

[119)] Ulrich H e r b e r t, Zwangsarbeit in der deutschen Kriegswirtschaft. In: Aurelius F r e y t a g u. a. (Hg.), Geschichte und Verantwortung (Wien 1988) S. 261-274, hier S. 269 ff.

[120)] Chronik der Stadtgemeinde zitiert in: Wittig, Heidenreichstein (wie Anm. 27) S. 73 f.

[121)] Szabolcs S z i t a, Ungarische Zwangsarbeiter im Waldviertel 1944/45. In: Das Waldviertel 42 (1993) S. 309-334 — Vgl. auch: Ursula R i s c h a n e k, Ausländische Arbeitskräfte im Waldviertel 1939-1945. In: Das Waldviertel 43 (1994) S. 368-376, hier S. 375 f.

[122)] Beppo B e y e r l, Das vergessene Lager von Gmünd. Nahe der Waldviertler Stadt starben Ruthenen und ungarische Juden. In: Wiener Zeitung vom 5. November 1993.

Abb. 21: Der für das Gmünder Lager zuständige Amtsarzt Dr. Lanc und seine Gattin Maria (links) sowie der jüdische Lagerarzt in Waidhofen/Thaya, Dr. István Abrányi, mit seiner Gattin Martha (rechts) bei einem Besuch in Wien, 1984; Privatbesitz.

chung des Lagers erfolgte durch SA-Mitglieder (aber auch durch Volkssturmmänner). Viele dieser Bewacher hatten Mitleid mit diesen Menschen, wagten aber nicht zu helfen, weil die Kreisleitung für solche „Vergehen" harte Strafen vorsah. Ich kann mich noch sehr gut daran erinnern, wie ein SA-Bewacher (ein überzeugter Nationalsozialist) in einem Gasthaus erzählte, daß man grausam mit diesen Leuten umgehe, diese aber doch auch „Menschen" seien. Die als Totengräber eingesetzten Juden versuchten auf dem Rückweg ins Lager Lebensmittel zu erbetteln. Wurden sie verraten, erwarteten sie im Lager Prügel. Ende Jänner 1945 stand ich mit meiner Mutter und mehreren Frauen in der Bäckerei F. in Gmünd III, als einer dieser Männer in das Geschäft kam und die Geschäftsfrau um Brot bat. Diese mußte jedoch ablehnen, aber sie meinte, wenn die Anwesenden Brotmarken spenden würden, könne er Brot erhalten. Dies geschah auch — und so konnte dieser arme Mensch einen halben Laib Brot unter seinem Mantel verstecken. Er bedankte sich immer wieder. Seinen dankbaren Blick werde ich nie vergessen! [...][123]

Die vom Verfasser 1983 erstmals auszugsweise und 1984 vollständig veröffentlichten Erinnerungen des Gmünder Amtsarztes Dr. Artur Lanc, der gemeinsam mit dem Tierarzt Dr. Krisch und dem Gerbermeister Weißensteiner drei Menschen vor der Vernichtung rettete[124], wurden noch einmal in diesen Band aufgenommen, da die Erstpublikation inzwischen vergriffen ist.[125] Die damalige Veröffentlichung hat jedenfalls mit dazu beige-

[123] Franz S c h a n d l , Das Judenlager in Gmünd (1944-45). In: Waldensteiner Kulturbrief 15 (1993) Nr. 57, S. 21-22.

[124] Eidesstattliche Niederschrift der ehemaligen Häftlinge vom 22. Mai 1945: Moser, Die Verfolgung (wie Anm. 14) S. 392 f.

[125] Artur L a n c , Das Schicksal der ungarischen Juden in Gmünd 1944/45. In: Kamptal-Studien 4 (1984) S. 197-210.

tragen, daß der erst im Vorjahr verstorbene Gmünder als einer von wenigen Dutzend Österreichern in der Holocaust-Gedenkstätte Yad Vashem verewigt wurde.[126] Am 16. November 1986 erhielt Lanc im Jüdischen Gemeindezentrum in Wien die Yad Vashem-Medaille
überreicht, wobei Kardinal König die Laudatio hielt[127] (Abb. 207 und 208). Am 13. Juli
1987 durfte der Geehrte dann in der „Allee der Gerechten" in Israel einen Gedenkbaum
pflanzen[128] (Abb. 209-211).

In Weitra warnte Ludwig Knapp die 24 bei ihm beschäftigten Juden im April 1945 vor
dem Abtransport nach Theresienstadt und versteckte Klara Kaufmann sowie ihr Töchter-
chen sogar im eigenen Haus.[129] In Waidhofen/Thaya waren es vorwiegend engagierte
Frauen, die den 235 Juden Hilfe zuteil werden ließen. Der Leiter des Krankenhauses, Primarius Dr. Hochmiller, verbot den Ärzten und Schwestern hingegen ausdrücklich eine persönliche Hilfestellung.[130] Der damals frisch promovierte jüdische Lagerarzt Dr. István
Abrányi beschrieb die medizinische Situation in Waidhofen/Thaya 1984 daher ausdrücklich
als Kontrast zu jener in Gmünd:

*Meine Frau und ich selbst waren von Juli 1944 bis April 1945 in Niederösterreich — in
Waidhofen an der Thaya deportiert. In dieser Zeit arbeitete eine kleinere Judengruppe dort
beim Forstamt. Ich war noch ein ganz junger Arzt und meine Pflicht war es, neben dem
Holzschneiden für die Küche des Lagers auch die ärztlichen Aufgaben im Spital zu erledi-
gen. Im Spital befand sich in der Infektionsbaracke das sogenannte „Judenzimmer", wo ich
auch größere Operationen auf einem Küchentisch machen mußte. Ich bekam kaum etwas
Medikamente, es gab keine laboratorische Möglichkeit für mich und hauptsächlich keine
Hilfsbereitschaft von den Ärzten. Im März/April? 1945 wurde die Gruppe — wie die in Niederösterreich lebenden Juden allgemein — nach Theresienstadt geschleppt. Dort bin ich
einigen Freunden und Bekannten, die früher in Gmünd waren, begegnet. Diese Schicksalsgenossen stammten ebenso aus meiner Heimatstadt, Hódmezővásárhely in Südungarn, wie
meine Frau und ich selbst. Als ich ihnen von meiner früheren ärztlichen Tätigkeit und den
Schwierigkeiten erzählte, sagten sie, daß die Lage des Judenarztes in Gmünd ganz anders
war. Er hat alle Hilfe von einem österreichischen Arzt bekommen. Es gab immer genug
Instrumente und Medikamente. Der österreichische Arzt schickte auch oft Lebensmittel und
Kleidungsstücke für die Lagerbewohner. Damals habe ich den Namen von Dr. Artur Lanc
zum erstenmal gehört.[131]*

[126] Nadine H a u e r, Ein Schutzengel namens Lanc. In: Jüdische Rundschau Basel Nr. 13/29. 3. 1984.
— Marta S. H a l p e r t, Die stillen Helden. In: Der Standard vom 22. April 1994.

[127] Johann R a m h a r t e r, Ehepaar Lanc riskierte für jüdische Flüchtlinge Leben. In: Niederösterreichische Nachrichten vom 30. 12. 1986 — Wiener Zeitung vom 18. 12. 1986 — Joanna N i t t e n b e r g,
Gemeindezentrum im Zeichen der Begegnung. In: Illustrierte Neue Welt (Jänner 1987).

[128] The Jerusalem Post vom 19. Juli 1987.

[129] Moser, Die Verfolgung (wie Anm. 14) S. 385 f.

[130] Christoph S c h a d a u e r, Das Jahr 1945 im politischen Bezirk Waidhofen an der Thaya. Schriftenreihe des Waldviertler Heimatbundes 35 (Horn-Waidhofen/Thaya 2. Auflage 1994) S. 24f. und
230 — Alexander T h a l, Das Krankenhaus der Stadt Waidhofen an der Thaya 1945 (Groß-Siegharts 1990), Manuskript zitiert in: Harald H i t z, Seit 1985 erschienene Arbeiten zum Themen-
bereich „Das Jahr 1945 im politischen Bezirk Waidhofen an der Thaya". In: Schadauer a. a. O.
S. 301-315, hier S. 308-313.

[131] Brief von Dr. István Abrányi aus Budapest an Nadine Hauer vom 19. September 1984. Für die
Genehmigung zum Abdruck sei Frau Hauer herzlich gedankt.

Dr. Abrányi war offensichtlich auch der Verfasser des Dankschreibens an die Familien Gauckel und Schweitzer[132] (Abb. 189). Er nahm 1970 an der Denkmalenthüllung in Gmünd teil und lernte dort Dr. Lanc persönlich kennen (Abb. 21). 1988 verstarb er in Budapest.

In Krems wurden hingegen im April 1945 zehn Juden von einer SS-Einheit unter der Leitung des Hauptsturmführers Paul Anton Reiter erschossen. Eine etwa gleichgroße SS-Abteilung aus dem Gebiet von Altenmarkt und Gutenbrunn hat noch Anfang Mai 1945 in Persenbeug hunderte ungarische Juden ermordet, von denen 214 namentlich bekannt sind.[133] Den Berichten von Waldviertlern, die sich ihre Menschlichkeit bewahrt haben[134], sind also die wohl wesentlich zahlreicheren Erinnerungen von Soldaten der Wehrmacht oder Waffen-SS gegenüberzustellen, die aktiv oder passiv in den Massenmord an Juden und anderen Zivilisten eingebunden waren.[135] Der Erfahrung des durch den Krieg legalisierten Mordens ist wohl zuzuschreiben, daß der Holocaust hier vielfach nur beiläufig und als Ausdruck des *weltanschaulichen Krieges* der SS erwähnt wird.[136] Jene Waldviertler Soldaten, die das Morden in eigenen Fotos festhielten (Abb. 163 und 164), sind dabei nur die Spitze des Eisberges einer Bevölkerung, die der Judenverfolgung als Zuschauer beiwohnte.[137] Die Schwierigkeit der gerechten Beurteilung der subjektiven Überlieferung gilt jedoch nicht nur für die Berichte der Täter, sondern auch für jene der Opfer.[138]

10. Die Zeit nach 1945

Die Hauptkritik an meiner Publikation von 1983 betraf die Tatsache, daß sie nur die Zeit bis 1945 behandelt.[139] In Schreiben an mich verwiesen auch Dr. Herbert Rosenkranz (Jerusalem) und Univ.-Doz. Dr. R. N. Braun (Brunn/Wild) darauf, daß *Ihr Titel wohl „100 Jahre" lautet, Sie sich aber über die letzten 45 Jahre ausschweigen.*[140] Obwohl die Quellenlage dazu teilweise noch schlechter als über die Zeit vor 1945 ist und vor allem in diesem Fall weniger die Methoden des Historikers als jene des Soziologen heranzuziehen sind, möchte ich doch einige Aspekte aufzeigen. Dabei wird allerdings davon ausgegangen, daß die Entwicklung im Waldviertel sich nicht wesentlich vom österreichischen Durchschnitt unterscheidet, d. h. der Antisemitismus ein „Antisemitismus ohne Juden" war, kehrten doch nur rund 3,6 % der 130000 Vertriebenen jüdischer Herkunft nach Österreich zurück.[141]

---

[132] Schreiben von Herrn Ignaz Pany aus Waidhofen/Thaya an den Verfasser vom 6. 5. 1984. Herrn Pany sei für die Informationen und die Überlassung von Dokumenten postum herzlich gedankt.

[133] Moser, Die Verfolgung (wie Anm. 14) S. 400 und 396 f.

[134] Vgl. dazu: Erika Weinzierl, Zu wenig Gerechte. Österreicher und Judenverfolgung 1938-1945 Graz-Wien-Köln 2. Auflage 1985).

[135] Siehe dazu den umfangreichen Sammelband: Hannes Heer/Klaus Naumann (Hg.), Vernichtungskrieg. Verbrechen der Wehrmacht 1941-1944 (Hamburg 1995).

[136] Josef Zimmerl, Die Geschichte meines Meßkoffers (St. Pölten 1989) S. 44 und 73.

[137] Raul Hilberg, Täter, Opfer, Zuschauer. Die Vernichtung der Juden 1933-1945 (Frankfurt/Main 1992).

[138] Raul Hilberg, Die Holocaustforschung heute. Probleme und Perspektiven. In: Klamper, Die Macht der Bilder (wie Anm. 3) S. 403-409.

[139] Paul, Rezension (wie Anm. 1).

[140] Schreiben von R. N. Braun vom 8. 2. 1984. — Schreiben von Herbert Rosenkranz vom 11. 4. 1984.

[141] Helga Embacher, Neubeginn ohne Illusionen. Juden in Österreich nach 1945 (Wien 1995).

Es stellt sich also zunächst auch für das Waldviertel die in den letzten Jahren vieldiskutierte Frage nach der „vertriebenen Vernunft"[142]. Zweifellos befanden sich unter den Emigranten und Ermordeten auch nicht wenige, die ihre musische oder organisatorische Begabung in den Dienst der Allgemeinheit stellten und auch heute in jedem Waldviertler Ort eine Bereicherung darstellen würden. So haben der in Wetzlas ansässige Sozialdemokrat Oskar Schwebel (Abb. 152) und sein Bruder Theodor in ihrer Jugend für ihre Parteigenossen Nestroy-Stücke inszeniert und dirigiert. Der Sohn des letzteren arbeitet heute in Mexiko für einen privaten Fernsehsender und schreibt Kurzgeschichten.[143] Der Kaufmann Alois Biegler in Neupölla (Abb. 71) war nach Aussage seiner Tochter ein begabter Musiker und spielte Violine sowie Flöte. Zu Weihnachten erfreute er seine Mitbürger jahrelang bei der Mitternachtsmette mit einem Violinsolo.[144] Im Unterschied zum Wein- und Industrieviertel mit den Hollabrunnern Richard und Theodor Kramer sowie dem Mödlinger Franz Drach hatte das Waldviertel offensichtlich keine besonderen literarischen Begabungen jüdischer Herkunft aufzuweisen, wenn man von der oben genannten Sommerfrischen-Waldviertlerin Vicki Baum absieht. Zu den Waldviertlern, die international Karriere machten, gehören etwa zwei Kremser. Der Sohn des Kantors, Peter Bela Neubauer, wurde nach seiner Emigration 1941 nach New York zu einem der Mitbegründer der Kinderpsychiatrie in den Vereinigten Staaten sowie des Freud-Museums in London, während der 1921 geborene Kurt Hruby zum Katholizismus konvertierte und seit 1960 als Professor für Judaistik an der Katholischen Universität in Paris aktiv für die Versöhnung von Christentum und Judentum eintrat.[145]

Einer der wenigen Heimkehrer war der Eggenburger Friedl Fürnberg (1902-1978), der 1936 über Tschechien in die Sowjetunion und 1944 nach Jugoslawien emigrierte. Nach seiner Rückkehr wirkte er bis 1954 als Zentralsekretär der KPÖ und als Vorsitzender der Historikerkommission dieser Partei.[146] Zu denen, die wenigstens besuchsweise wieder in ihre alte Heimat zurückkehrten, gehört der Sohn des Pulkauer Gemeindearztes Dr. Rudolf Ullmann, Prof. Dr. Walter Ullmann (1910-1983), der als Rechtshistoriker an der Universität Cambridge Karriere machte und 1973 mit dem Ehrendoktorat der Universität Innsbruck ausgezeichnet wurde.[147]

Von den nicht von der Vertreibung betroffenen Waldviertlern wurden die Erfahrungen des Jahres 1945 in der sowjetischen Besatzungszone hingegen vielfach weniger als Befreiung vom nationalsozialistischen Regime denn als Diktatur der Besatzungsmacht wahrgenommen. Nicht zuletzt die nun ebenso beliebten Denunziationen mit umgekehrtem Vorzeichen führten dazu, daß manche Wendehälse bald wieder obenan waren und Unschuldige zum Handkuß kamen.[148] Das rückwirkend ab 8. Mai 1945 erlassene Verbotsgesetz der

[142] Vgl. Friedrich Stadler (Hg.), Vertriebene Vernunft I. Emigration und Exil österreichischer Wissenschaft 1930-1940 (Wien-München 1987).

[143] Streibel, Da Kreisky (wie Anm. 89) S. 11 f., 17.

[144] Schreiben von Laura Biegler an den Verfasser vom 4. 12. 1995.

[145] Streibel, Plötzlich waren sie alle weg (wie Anm. 6) S. 118-120 u. 129-135.

[146] Friedrich Stadler/Peter Weibel (Hg.), Vertreibung der Vernunft. The Cultural Exodus from Austria (Wien-New York 1995), Biographical Documentation S. 22.

[147] Nikolaus Grass, Prof. Dr. Walter Ullmann, Cambridge. In: Anselgruber/Puschnik (wie Anm. 8) S. 109-121.

[148] Schadauer, Das Jahr 1945 (wie Anm. 130) S. 170 ff. — Mayr, Das Jahr 1945 (wie Anm. 103) S. 139 ff.

NSDAP, das die Registrierung der ehemaligen Nationalsozialisten verordnete, wurde daher in manchen Fällen sehr großzügig gehandhabt. Selbst in jenen Fällen, wo ein hochrangiger Funktionär vor Gericht gestellt wurde, führte der soziale Druck gelegentlich dazu, daß die Täter ihrer Verantwortung zu entkommen suchten. So schildert etwa Dr. Artur Lanc seine Schwierigkeiten als Zeuge gegen den bestialischen Gmünder Kreisleiter Lukas. [149] Bei der Situation in Gmünd ist aber wohl auch zu berücksichtigen, daß gerade diese Stadt durch den Bombenangriff vom 23. März 1945, bei dem es 170 Todesopfer gab, sowie durch die neuerliche Abtretung der ehemaligen tschechischen Gemeindeteile und die Vertreibung der dort ansässigen deutschsprachigen Bevölkerung zweifellos besonders in Mitleidenschaft gezogen wurde. [150] An die ermordeten oder ins Exil getriebenen Juden dachte man dabei wohl in den seltensten Fällen nach dem Motto „Wo kein Kläger, da ist auch kein Richter". Tatsächlich kehrten auch nur ganz wenige der Waldviertler Juden allmählich wieder zurück, wobei wohl in den meisten Fällen die Familientradition eines Unternehmens das Hauptmotiv für die Rückkehr bot. [151] Neben Anton Schafranek in Krems[152] sind in diesem Zusammenhang vor allem die Familien König in Retz sowie Löwy und Schwarz in Gmünd zu nennen. Josef König und seine Gattin kamen 1945 aus dem KZ Theresienstadt in ihre Heimat zurück, wo sie vom Bürgermeister und dem sowjetischen Stadtkommandanten begrüßt wurden. Ihr Sohn Karl kehrte 1948 aus Buenos Aires heim, und die Familie begann das traditionsreiche Unternehmen wieder aufzubauen. [153]

Die Lebensmittelhandlung E. Löwy & Sohn in Gmünd wurde bis zur „Arisierung" im Jahre 1938 von den Brüdern Hermann und Karl Löwy geführt und beschäftigte ungefähr zwanzig Mitarbeiter. Hermann flüchtete mit seiner Gattin in die USA, Karl konnte über England nach Palästina auswandern[154], während seine Frau Magda, eine gebürtige Ungarin, in ihrer Heimat als U-Boot überlebte (Abb. 69). Die beiden Eigentümer kehrten 1946/47 nach Gmünd zurück und führten das Unternehmen bis zur Pensionierung im Jahre 1975 weiter (Abb. 22). Von den Besitzern des Textil- und Modewarengeschäftes Schwarz am Stadtplatz überlebte nur der Sohn Otto, der 1947 aus Shanghai nach Gmünd zurückkehrte und dort 1972 verstarb (Abb. 11).

In diesen Fällen kam es daher auch relativ rasch zu gerichtlichen Untersuchungen gegen die Nutznießer der „Arisierungen" der Geschäfte und ihrer Güter, wenngleich vielfach, wie z. B. in Krems, der Tatbestand von Gutachtern und Gerichten verharmlost wurde. [155] Franz Chaloupek beschrieb seine Erinnerungen an diese Zeit folgendermaßen:

Und wer sich an diesen Waren in erster Linie bereicherte bzw. mit Waren versorgte, erfuhren wir — die letzten drei Angestellten der ehemaligen Firma J. Schwarz' Sohn [...] nach einer Hausdurchsuchung im Jahre 1947 bei ehemaligen Nazi-Bonzen. Da wurden

---

[149] Siehe unten Seite 376-378.

[150] Gerhard Pauckner, Der Grenzraum Gmünd 1918/38/45, Diplomarbeit (Manuskript) (Wien 1993) — Kurij, Nationalsozialismus (wie Anm. 91) S. 204-209.

[151] Vgl. Michael John / Albert Lichtblau, Jüdische Unternehmer in Österreich nach 1945. Oral History und ihre Forschungsperspektiven für die postfaschistische jüdische Geschichte. In: Martha Keil / Klaus Lohrmann (Hg.), Studien zur Geschichte der Juden in Österreich (Wien-Köln-Weimar 1994) S. 166-191.

[152] Streibel, Plötzlich waren sie alle weg (wie Anm. 6) S. 145.

[153] Mitterauer, König (wie Anm. 18) S. 294 f., 314 f.

[154] Moser, Die Verfolgung (wie Anm. 14) S. 404.

[155] Streibel, Plötzlich waren sie alle weg (wie Anm. 6) S. 52-67.

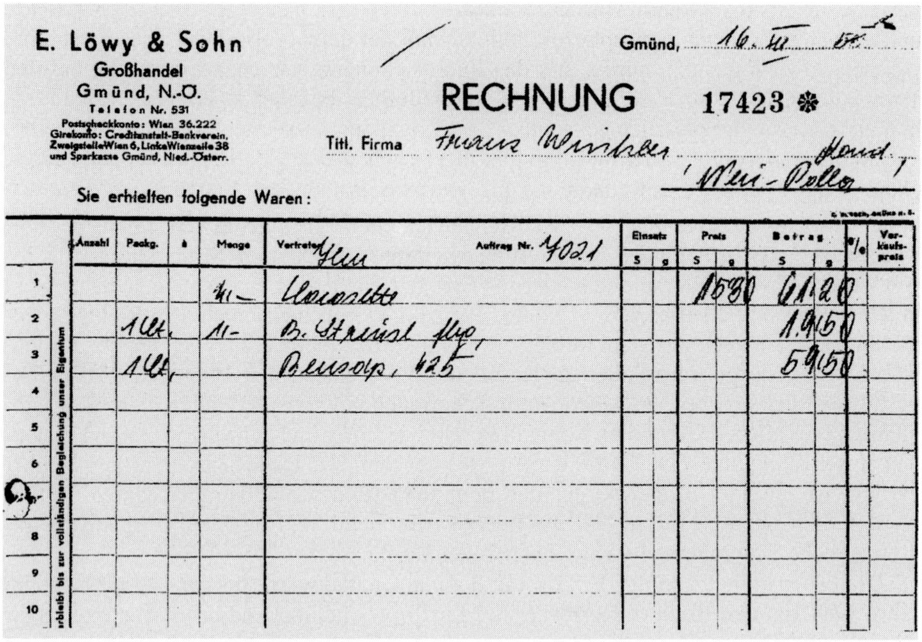

E. Löwy & Sohn
Großhandel
Gmünd, N.-Ö.
Telefon Nr. 531
Postscheckkonto: Wien 36.222
Girokonto: Creditanstalt-Bankverein, Zweigstelle Wien 6, Linke Wienzeile 38
und Sparkasse Gmünd, Nied.-Österr.

Gmünd,

RECHNUNG 17423

Titl. Firma Franz Winkler, Neu-Pölla

Sie erhielten folgende Waren:

verbleibt bis zur vollständigen Begleichung unser Eigentum

	Anzahl	Packg.	à	Menge	Vertreter	Auftrag Nr. 4021	Einsatz S	Einsatz g	Preis S	Preis g	Betrag S	Betrag g	%	Verkaufspreis
1									15	30	61	20		
2											19	50		
3											59	50		
4														
5														
6														
7														
8														
9														
10														

Abb. 22: Rechnung des jüdischen Großhändlers Löwy in Gmünd an den „Arisierer“ Winkler in Neupölla, 1953; Neupölla, Slg. Polleroß.
(Foto: Gudrun Vogler)

Baum- und Schafwollstoffe gefunden, die mit Anhängzetteln und meiner Beschriftung bzw. Preisauszeichnung versehen waren. Außerdem gab es einige große Kartons mit Wolle, Zwirn und Kurzwaren verschiedenster Art. Ich weiß dies alles deshalb, weil wir [...] eines Tages zum Bezirksgericht Gmünd vorgeladen wurden, um festzustellen, ob die da zur Schau gestellte Ware aus dem ehemaligen jüdischen Geschäft der Firma Schwarz stamme. Auf diese Art und Weise wurden wir nach fast 10 Jahren mit einem ganz kleinen Teil — einem Bruchteil — der Ware wieder konfrontiert, die wir in der Glanzzeit der NSDAP als Beutegut in die Räumlichkeiten der Gmünder NSV abliefern mußten... [156]

Schwieriger als die Rückgabe des Beutegutes war die Rückstellung „arisierten“ Grund- und Hausbesitzes, obwohl entsprechende Vermögen laut Amtsblatt der BH Waidhofen bereits ab Mai 1945 zu melden waren[157] und die Rückgabe mit dem „Ersten Rückstellungsgesetz“ vom 26. Juli 1946 in Angriff genommen wurde. So mußte etwa die Familie König in Retz einen *schweren Kampf um die Rückgewinnung des Eigentums ausfechten.* [158] Weniger prominente oder im Ausland lebende Juden hatten es noch schwerer, war ja das offizielle Österreich in diesen Fragen keineswegs besonders aktiv.[159] Besondere Probleme

156) Schreiben von Franz Chaloupek an den Verfasser vom 2. 3. 1984.

157) Schadauer, Das Jahr 1945 (wie Anm. 130) S. 179.

158) Mitterauer, König (wie Anm. 18) S. 294 f., 314 f.

159) Robert Knight, „Ich bin dafür, die Sache in die Länge zu ziehen“. Wortprotokolle der österreichischen Bundesregierung von 1945-52 über die Entschädigung der Juden (Frankfurt/Main 1988).

ergaben sich in diesem Zusammenhang jedoch mit den Rückstellungen der Liegenschaften im Gebiet des Truppenübungsplatzes Döllersheim, der damals als „Deutsches Eigentum" von den Sowjets genutzt wurde. Als das Rücksstellungsgesetz geändert wurde, um den Truppenübungsplatz für das neugeschaffene Bundesheer behalten zu können, waren nämlich viele Aussiedler plötzlich gezwungen, den von ihnen „arisierten" Besitz an die früheren Eigentümer zurückstellen, während ihr eigener ehemaliger Besitz im Truppenübungsplatz als „Hehlergut" entschädigungslos von der Republik Österreich übernommen wurde. [160] So hatte etwa ein Aussiedlerehepaar im September 1938 von der DAG das Haus des jüdischen Ehepaares Otto und Leopoldine Engel in Schwarzenau erworben, wobei im Kaufvertrag festgehalten wurde, daß der Kaufpreis von RM 60 000,- an einen Notar in Wien zu bezahlen war, der damit *nach behördlicher Weisung zu verfahren hat*. Die Verkäufer, die noch eine Hypothek von RM 10 000 begleichen mußten, haben daher vom Rest des Verkaufspreises kaum etwas zu Gesicht bekommen. Nach der Rückkehr der Emigranten wurde die Liegenschaft 1949 rückgestellt, wobei die Aussiedler eine Rückvergütung von 5 Joch Grund und S 10 000,- erhielten, während die Republik Österreich bis heute für den früheren Besitz im Truppenübungsplatz keine Entschädigung gezahlt hat. Die juristische „Grenzlinie" verlief dabei nicht zwischen ehemals jüdischem und nichtjüdischem Besitz, sondern zwischen dem von der Republik Österreich für militärische Zwecke beanspruchten und dem in Privatbesitz befindlichen Land. Darüberhinaus wurde zwar nicht zwischen böswilligen „Arisierungen" und normalen Verkäufen bzw. Übernahmen des Besitzes rassisch und politisch Verfolgter aus dritter Hand unterschieden[161], aber eine zusätzliche Ungleichheit geschaffen, da der Staat für die Rückzahlungen der Eigentümer der Aussiedlerhöfe an die früheren jüdischen und nichtjüdischen Großgrundbesitzer aufkam, die Eigentümer von Privathäusern jüdischer und nichtjüdischer Vorbesitzer aber ein zweites Mal zur Kasse gebeten wurden. [162] Diese vielfachen Verstrickungen haben zweifellos im Waldviertel die dumpfe Vermischung oder sogar Vertauschung der Rolle von Opfern und Tätern des Nationalsozialismus besonders begünstigt. [163]

Ebenso verständlich scheint es, daß nicht nur die Täter, sondern auch die in geringer Zahl zurückgekehrten Opfer keine große Lust hatten, nach der juristischen Abwicklung die Zeit für den Wiederaufbau mit Gedanken an die Vergangenheit zu belasten. Diese Tatsache berichtet etwa Franz Chaloupek aus Gmünd: *Zur Information sei Ihnen vielleicht mitgeteilt, daß, außer Otto Schwarz, die nach 1945 nach Gmünd zurückgekehrten Juden ziemlich schweigsam waren und kaum mit Gmündern einen gesellschaftlichen Kontakt pflegten. Sie zeigten auch gar kein Interesse, auch nicht Otto Schwarz, an dem schrecklichen Schicksal, das den ungarischen Juden hier in Gmünd widerfahren ist. Da ich seit Jänner 1946 auch Standesbeamter in Gmünd war, hat mich dieses gleichgültige Verhalten der zurückgekehrten Gmünder Juden immer einmal ganz eigenartig berührt. Sie fragten nie und erkundigten*

---

[160] Wolfgang B r a n d s t e t t e r, Rechtsprobleme des Truppenübungsplatzes Allentsteig. In: Polleroß, 1938 (wie Anm. 2) S. 79-96.

[161] So mußte etwa auch ein Haus des Österreichischen Metall- und Bergarbeiterverbandes, das aufgrund des Verbotes der Sozialdemokratischen Partei 1934 an die Republik Österreich, 1938 an die Deutsche Arbeitsfront fiel und von dieser 1940 rechtmäßig an ein Aussiedlerehepaar aus Franzen verkauft wurde, 1948 entschädigungslos zurückgestellt werden.

[162] Polleroß, Truppenübungsplatzgemeinde (wie Anm. 2) S. 296.

[163] Vgl. dazu: Brigitte B a i l e r, „Alle haben gleich gelitten?" Antisemitismus in der Auseinandersetzung um die sogenannte „Wiedergutmachung". In: Klamper, Die Macht der Bilder (wie Anm. 3) S. 333-345.

sich auch nie über das furchtbare Schicksal ihrer Rassegenossen. Heute lebt in Gmünd kein einziger Jude mehr. [164)]

Angesichts der Tatsache, daß die nach Österreich zurückgekehrten Juden von vielen Tätern und noch mehr Zuschauern, aber kaum Helfern umgeben waren, ist es wohl verständlich, daß die meisten von ihnen weder an ihrer eigenen noch an der Vergangenheit anderer interessiert waren. Oder hätte der Gmünder Großhändler Karl Löwy (Abb. 69), der den Zuckerbäcker Franz Winkler in Neupölla damals mit Lebensmitteln belieferte (Abb. 22), diesen bedauern sollen, weil der ehemalige Nationalsozialist den Besitz, den er 1938/39 dem jüdischen Kaufmann Alois Biegler abgenommen hatte (Abb. 145), nach 1948 noch einmal bezahlen mußte? Sowohl die zurückgekehrten Juden als auch deren ehemals nationalsozialistische Mitbürger wurden darüberhinaus von der staatstragenden Wiederaufbau-Ideologie zum Blick in die Zukunft[165)] und nicht in die Vergangenheit motiviert.[166)]

Der „Ignoranz der Nachkriegsjahre" (Streibel) auf der einen Seite stand also auf der anderen das ebenso verständliche Schweigen der Opfer gegenüber, das die aus Neupölla nach London geflüchtete Laura Biegler, die Tochter von Alois Biegler, 1979 mit den Worten „Die Erinnerung tut zu weh" erklärt hat (Abb. 24). Auch unter den Kremser Emigranten gibt es viele, die *sich einfach nicht mehr erinnern wollen.* Herta Harvey, geborene Adler, begründete dies in einem Schreiben an Robert Streibel folgend: *I am now an old lady of nearly 70 years old. I lost both my parents and some of my family was murdererd in Auschwitz Concentration Camp. It took me a lifetime to get over it and now there is nothing and nobody who will make me relieve the nightmare of 1938.* [167)] Die Verdrängung übertrug sich natürlich auf die Generation der Kinder der Opfer und Täter, sodaß Judentum und Antisemitismus in den sechziger und siebziger Jahren kaum diskutiert wurden.[168)]

Zu einer wohl mehr veröffentlichten als öffentlichen Diskussion kam es nur anläßlich der Erörterungen über den Zustand und die Devastierungen des jüdischen Friedhofes in Horn 1948 und 1960/62[169)] sowie im Rahmen des staatstragend zur Schau gestellten Opfer- und Widerstandszeremoniells der großkoalitionär ausgerichteten Verbände der politisch Verfolgten. In dieses wurde auch das Gedenken an die in Gmünd ums Leben gekommenen ungarischen Juden eingebunden, wobei die Initiative dazu wohl vom damaligen sozialistischen Bürgermeister Franz Chaloupek ausging. Zur Einweihung eines Denkmals am 25. Mai 1970 waren daher aus ganz Niederösterreich die ehemaligen KZ-Häftlinge und ihre Sympathisanten angereist: 19 Busse des sozialistischen Verbandes, einer des ÖVP-Verbandes und eine kleine Gruppe des kommunistischen Verbandes (Abb. 23). Die sozialistische

---

[164)] Schreiben von Franz Chaloupek an den Verfasser vom 14. 3. 1984.

[165)] Zu den sozialen Veränderungen im Waldviertel in den fünfziger Jahren siehe z. B.: Erika Winkler, Im Dorf geschah in den fünfziger Jahren ein „Wunder"... In: Gerhard Jagschitz / Klaus-Dieter Mulley (Hg.), Die „wilden" fünfziger Jahre. Gesellschaft, Formen und Gefühl eines Jahrzehnts in Österreich (St. Pölten-Wien 1985) S. 30-41.

[166)] Meinrad Ziegler / Waltraud Kannonier-Finster, Österreichisches Gedächtnis. Über Erinnern und Vergessen der NS-Vergangenheit. Böhlaus Zeitgeschichtliche Bibliothek 25 (Wien-Köln-Weimar 1993).

[167)] Streibel, Plötzlich waren sie alle weg (wie Anm. 6) S. 169 u. 177.

[168)] Nadine Hauer, NS-Trauma und kein Ende. In: Anton Pelinka / Erika Weinzierl (Hg.), Das große Tabu. Österreichs Umgang mit seiner Vergangenheit (Wien 1987) S. 28-41.

[169)] Siehe dazu den Beitrag von Erich Rabl, unten Seite 210-216.

EWIG MAHNEN DIE
OPFER

Feierstunde zur Mahnmalenthüllung
in Gmünd
am 24. Mai 1970

Kuratorium der ÖVP-Kameradschaft
der politisch Verfolgten
Landesverband Niederösterreich

Bund Sozialistischer Freiheitskämpfer
und Opfer des Faschismus
Landesverband Niederösterreich

Bundesverband Österreichischer Widerstandskämpfer
und Opfer des Faschismus (KZ-Verband)
Landesverband Niederösterreich

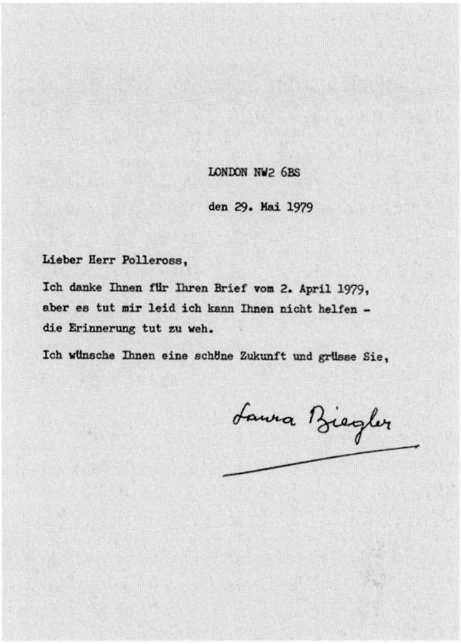

LONDON NW2 6BS

den 29. Mai 1979

Lieber Herr Polleross,

Ich danke Ihnen für Ihren Brief vom 2. April 1979,
aber es tut mir leid ich kann Ihnen nicht helfen –
die Erinnerung tut zu weh.

Ich wünsche Ihnen eine schöne Zukunft und grüsse Sie,

Laura Biegler

Abb. 23: Titelblatt der Festschrift zur Enthüllung des Denkmals für die in Gmünd ums Leben gekommenen ungarischen Juden, 1970; Privatbesitz.

Abb. 24: Brief von Laura Biegler an den Verfasser, 1979. Auf dem Umschlagfoto ist Frau Biegler als jüngstes Kind im Kreise ihrer Familie um 1917 zu sehen.

Nationalratsabgeordnete Rosa Jochmann hielt die Gedenkrede und Dr. Artur Lanc wurde auch vom ungarischen Staat geehrt. Die einheimische Bevölkerung zeigte sich — dem Bericht von Lanc zufolge — jedoch kaum betroffen: *Von der Gmünder Öffentlichkeit wurde diese Riesenfeier zwar registriert — die Teilnehmer waren ja Gäste der Gemeinde und alle Mandatare waren ja anwesend —, aber — ein charakteristisches Zeichen eines noch immer vorhandenen Antisemitismus, mindestens mir gegenüber, mit keinem Wort kommentiert.* [170]

Trug schon das 1970 errichtete Denkmal einen Text, der — bewußt oder unbewußt irreführend — von *485 politisch und rassisch Verfolgten* spricht, so wird in einem Zeitungsbericht über das 1982 beim Gmünder Denkmal abgehaltenen *Schweigemarsch der sozialistischen Widerstandskämpfer und des KZ-Verbandes* die jüdische Herkunft der *im Getreidespeicher umgekommenen Menschen* gar nicht mehr erwähnt. [171]

Die bedauerlichste Konsequenz dieser Entwicklung war wohl der Abriß der historistischen Synagoge in Krems im Jahre 1978[172] (Abb. 25). Die sonst auf ihre Denkmalschutzbestrebungen so stolze Stadt Krems hatte anscheinend ebenso wenig Interesse, an ihre Vergangenheit erinnert zu werden, wie die Wiener Kultusgemeinde, in der ja inzwischen die aus der Sowjetunion zugewanderten Juden die Mehrheit stellten. Selbst die Anbringung

---

[170] Lanc, Das Schicksal (wie Anm. 125) S. 208 f.

[171] Gedenkfeier: 485 starben im Getreidespeicher. In: Landzeitung vom 6. Mai 1982.

[172] Elisabeth Koller-Glück, „Der Wiederaufbau fand nicht statt". Von den neuzeitlichen Synagogen in Niederösterreich. In: 50 Jahre danach. Kulturgut nach dem Krieg. Denkmalpflege in Niederösterreich 15 (Wien 1995) S. 25-29.

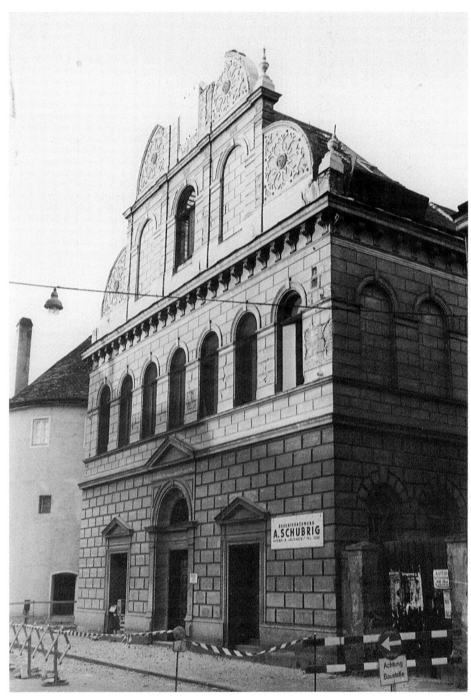

Abb. 25: Abbruch der Synagoge in Krems, 1978.
(Foto: Siegfried König)

einer Gedenktafel an dem im Widerspruch zum Kremser Ensembleschutz stehenden Gebäude wurde erst durch persönlichen Einsatz der Journalistin Nadine Hauer im Jahre 1980 möglich. *Das war recht mühevoll, weil beide Firmenleitungen sich sehr dagegen gewehrt haben. Natürlich hat diese Tafel „nur" symbolische Bedeutung, mir erschien dieses Symbol aber sehr wichtig.* [173] Die Kremser Vorgänge sind in mehrfacher Hinsicht beispielhaft. Einerseits spiegeln sie wohl den traditionellen Antisemitismus[174], wie er z. B. auch 1982 in Zwettl anläßlich einer Angelobung von Bundesheersoldaten zum Ausdruck kam. In faschistoider Einstellung wurde damals eine Gruppe von pazifistischen Demonstranten als „Saujuden" beschimpft.[175] Andererseits verrät die Gedenktafel, daß im Gefolge des damals in Österreich insgesamt abnehmenden „Antisemitismus ohne Juden"[176] erstmals solche kleinen Symbole der Erinnerung und Wiedergutmachung möglich wurden. Tatsächlich war im selben Jahr, in dem die Synagoge abgerissen wurde, den Kremser Juden mit der Dissertation von Hannelore Hruschka ein erstes literarisches Denkmal gesetzt worden.

Die Jahre 1978/79 markieren offensichtlich den generationsbedingten Umschwung vom Tabu zur Vergangenheitsbewältigung. So war für 1979 nicht nur das ursprüngliche Erscheinen meiner Untersuchung „100 Jahre Antisemitismus im Waldviertel" als Aufsatz in der Zeitschrift „Das Waldviertel" geplant, sondern damals fand auch eine zeitgeschichtliche Diskussion in Neupölla statt, an der Univ.-Prof. Dr. Erika Weinzierl, der Sohn des Bundespräsidenten Miklas, Dr. Josef Miklas, die jungen Zeitgeschichtler Doz. Dr. Hanns Haas (Salzburg) und Dr. Karl Stuhlpfarrer (Wien) sowie der damalige Präsident des Waldviertler Heimatbundes, Prof. Dr. Walter Pongratz, teilnahmen. In einem „Nachwort" zur Veranstaltung brachte letzterer den persönlichen und methodischen Generationskonflikt direkt zur Sprache: *Die überaus angeregte Diskussion zwischen vielen älteren Teilnehmern und den jugendlichen Dozenten und Assistenten des Instituts für Zeitgeschichte zeigte wieder einmal, wie sehr die „wissenschaftliche Theorie" und die erlebte „politische Praxis" auseinanderklafften. Die erst nach dem Zweiten Weltkrieg geborenen, etwas überheblich wirkenden Vertreter der „Hohen Wissenschaft" konnten leicht das „Wenn und Aber" aufgrund der erarbeiteten Akten aus den nun erschlossenen Archiven „par distance" erörtern und kritisieren. Wer weiß, wie sie in den Jahren 1933 bis 1945 persönlich gehandelt hätten, wenn sie damals gelebt hätten oder erwachsen gewesen wären. [. . .] Als Vertreter der Waldviertler Heimatforschung sprach ich über die Schwierigkeit, möglichst objektive Erkenntnisse der Zeitgeschichte allgemeinverständlich in den nun entstehenden Heimatkunden darzustellen. Eine allgemeine Zustimmung der Leser zu der jeweiligen Darstellung in einer Ortsgeschichte wird wohl kaum erreichbar sein. Aber darüber zerbricht sich die „Hohe Wissenschaft" nicht den Kopf. . .*[177]

Es ist verständlich, daß weder jene „Vertreter der Waldviertler Heimatforschung", die 1938 in der Zeitschrift „Das Waldviertel" Adolf Hitler als größten Sohn der Heimat geprie-

---

[173] Schreiben von Nadine Hauer an den Verfasser vom 16. 12. 1983.

[174] Zum „alltäglichen Antisemitismus" der Nachkriegszeit in Krems siehe: Streibel, Plötzlich waren sie alle weg (wie Anm. 6) S. 196-203.

[175] N. R., Angelobung von 600 Soldaten in Zwettl. In: Bezirksinformation der SPÖ Zwettl 9 (1982).

[176] John Bunzl/Bernd Marin, Antisemitismus in Österreich. Sozialhistorische und soziologische Studien (Innsbruck 1983). — Hilde Weiss, Antisemitische Vorurteile in Österreich. Theoretische und empirische Analysen (Wien 1984).

[177] Das Waldviertel 28 (1979) S. 262 f.

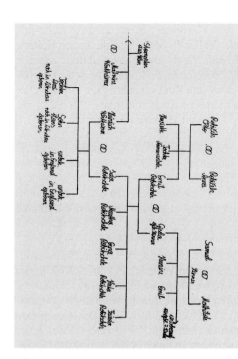

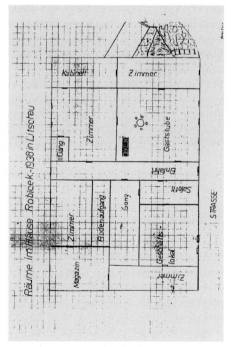

Abb. 26: „Schüler forschen Zeitgeschichte: Juden in Litschau von 1918-1938", Projekt der 4a. Klasse der Hauptschule Litschau, 1981/82.

sen haben, noch jene Heimatforscher, die als Wehrmachtsangehörige vielleicht nicht nur „Schuld durch Gleichgültigkeit" auf sich geladen haben[178]), diese Epoche in den Heimatbüchern objektiv darzustellen vermochten. Da bedurfte es schon einer Aktion, wie dem ebenfalls 1978 vom Unterrichtsministerium ins Leben gerufenen Projekt „Schüler forschen Zeitgeschichte". Besonders bemerkenswert ist in diesem Zusammenhang die — parallel zu meiner Publikation — von Schülern der 4. Klasse Hauptschule in Litschau 1981/82 durchgeführte Bestandsaufnahme der ehemaligen jüdischen Mitbürger und ihres Schicksals (Abb. 26).

Dieser positiven Entwicklung standen aber bald weniger erfreuliche Tendenzen gegenüber, nämlich die zunehmende Verbreitung neonazistischen und antisemitischen Gedankengutes unter dem Mantel der „Heimatverbundenheit" in grünen Kreisen und Bürgerinitiativen gegen Umweltzerstörung, die aufgrund des 1977 im Truppenübungsplatz projektierten Atommüllagers sowie der 1980 am mittleren Kamp geplanten Wasserkraftwerke im Waldviertel Bedeutung erlangten. Als Beispiel sei die Zeitschrift „Die Umwelt" genannt, die 1982 einen Hetzartikel gegen die Liberalisierungspolitik von Justizminister Broda, gegen Schwule und Ausländer unter dem Titel „Politik und Porno!" mit einem Foto des aus Lemberg stammenden *Emigranten und amerikanischen „Pornokönig" Ralph Ginzburg [. . .] mit seinem dreckigen Gewinn* illustrierte und folgend kommentierte: *Die Ausbeutung des Menschen durch Prostitution und Rauschgift ist schon zu einem großen internationalen Geschäft geworden, in den Händen immer ein und desselben Menschentyps. Die kleinen Fische handeln aus finanzieller Gier, die großen handeln bewußt und spinnen die Fäden, um unser Volk und Europa zu vernichten.* [179]) 1985 wandte sich eine „Kritische Studenten-Zeitung" ebenso unverhohlen gleichzeitig gegen den „Ausverkauf der Natur" sowie gegen den in Wien tagenden Jüdischen Weltkongreß und dessen Präsidenten Edgar M. Bronfman. [180]

Bedauerlicherweise gibt es aber neben diesen gesamtösterreichischen Trends auch eine offensichtlich regionale Besonderheit zu verzeichnen, nämlich eine bewußte oder unbewußte Vorliebe von Alt- und Neonazis für den Rückzug ins Waldviertel. Nachdem bereits 1980 von der Staatspolizei im „Lindenhof" bei Rappottenstein eine „Neonazi-Zentrale" ausgehoben wurde[181]), haben rechtsradikale Kreise 1983 neuerlich ein „Pfingstlager" in Bromberg durchgeführt. Der damals den „Hauptsturmführer" spielende 25jährige Gottfried Küssel, der auch Ausdrücke wie „Judenschwein Kreisky" von sich gab, wurde im Oktober 1983 im bis damals größten Neonaziprozeß der Republik vor Gericht gestellt. [182] Ein zweites Zentrum neonazistischer Aktivitäten entwickelte sich Mitte der achtziger Jahre im unteren Kamptal. [183] Neben dem mehrfach vorbestraften Lindenwirt in Hadersdorf, dem Bezirkschef der „Kameradschaft Prinz Eugen", trieb in Langenlois und Schiltern die

[178]) Vgl. dazu: Erika Weinzierl, Schuld durch Gleichgültigkeit. In: Pelinka/ Weinzierl (wie Anm. 168) S. 174-195.

[179]) Die Umwelt 11 (1982) o. S.

[180]) Kritische Studenten-Zeitung 4/1985, S. 1 f.

[181]) Josef Leutgeb, Neonazi-Zentrale ausgehoben. In: Zwettler Nachrichten vom 23. 10. 1980.

[182]) Peter Stein, „Alle durch den Rauchfang". In: Profil Nr. 41 vom 10. 10. 1983, S. 59 ff.

[183]) Karl Pröglhöf, Schimanek jun. stellte sich „Rechts-Diskussion". In: Niederösterreichische Nachrichten/Horner Zeitung vom 9. 5. 1986 — Gilbert Weisbier, Langenlois: Zunehmende Angst vor Aktivitäten. „Kameradschaft" trainiert den Straßenkampf. In: Niederösterreich-Kurier vom 10. 6. 1987, S. 31.

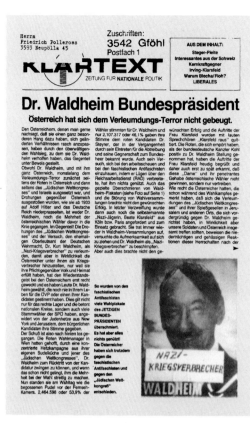

Abb. 27: Antisemitische Hetze der Zeitschrift „Klartext" anläßlich der Bundespräsidentenwahl, 1986; Neupölla, Slg. Polleroß.
(Foto: Gudrun Vogler)

Gruppe um den 1994 zu mehrjähriger Haft verurteilten Jörg Schimanek jun. ihr neonazistisches Unwesen.[184]

Ein verstärktes Anschwellen der schon überwunden geglaubten Vorurteile brachte vor allem das Jahr 1986 mit der Bundespräsidentenwahl, bei der die SPÖ mit der Aufdeckung der Kriegsvergangenheit des Gegenkandidaten Dr. Kurt Waldheim punkten wollte. Der ÖVP-Kandidat löste daraufhin teilweise mit gezielt antisemitischen Untertönen einen Appell an das Gemeinschaftsgefühl der Kriegsgeneration und an die ausländerfeindliche Stimmung rechter Kreise aus, der zu seinem Wahlerfolg führte. Noch stärker als durch die Anerkennung ehemaliger SSler durch Bundeskanzler Dr. Bruno Kreisky wurden damit nun antisemitische Stellungnahmen gesellschaftsfähig, gegen die wohl alle Anstrengungen einer halboffiziellen Vergangenheitsbewältigung der Republik Österreich erfolglos blieben.[185] Ein Beispiel für diesen offen verbreiteten Antisemitismus bildete die neonazistische Flugblattzeitschrift „Klartext", die von der in Gföhl ansässigen „Nationaldemokratischen Partei Österreichs NDP Kreis Waldviertel" vertrieben wurde:

Obwohl Dr. Waldheim, und mit ihm ganz Österreich, monatelang dem Verleumdungs-Terror zunächst seitens der Roten in Österreich und dann seitens des „Jüdischen Weltkongresses" und Israels ausgesetzt war, und Drohungen gegenüber Österreich ausgestoßen wurden, wie sie ab 1933 auf Adolf Hitler und das Deutsche Reich niederprasselten, ist weder Dr. Waldheim, noch die Mehrheit der österreichischen Wähler davor in die Knie gegangen. Im Gegenteil! Die Drohungen des „Jüdischen Weltkongresses" und der Versuch, den ehemaligen Oberleutnant der Deutschen Wehrmacht, Dr. Kurt Waldheim, als „Nazi-Kriegsverbrecher" zu verleumden, damit aber in Wirklichkeit die Österreicher unter ihnen als Kriegsverbrecher hinzustellen, nur weil sie ihre Pflicht gegenüber Volk und Heimat erfüllt haben, hat den Widerstandsgeist bei den Österreichern erst geweckt und es haben

---

[184] Hans-Henning Scharsach, Haiders Clan. Wie Gewalt entsteht (Wien 2. Auflage 1995) S. 81-107 („Gottfried Küssel und Hans Jörg Schimanek: Vom Fußballplatz zu den Skins").

[185] Hilde Weiss, Latenz und Aktivierung antisemitischer Stereotype und Ideologien in Österreich. In: Christine Kulke/Gerda Lederer (Hg.), Der gewöhnliche Antisemitismus. Zur politischen Psychologie der Verachtung (Pfaffenweiler 1994) S. 105-124.

52

Abb. 28: „Tor zum Frieden", Sgrafitto von Ernst Degasperi, Stadtpfarrkirche in Eggenburg, 1979.
(Foto: Andraschek)

Leute Dr. Waldheim gewählt, die noch nie in ihrem Leben für die ÖVP oder einen ihrer Kandidaten gestimmt haben. Dies gilt nicht nur für das rechte Lager und die betont nationalen Kreise, sondern auch viele Stammwähler der SPÖ haben, angewidert von der Judenhetze aus New York und Jerusalem, dem bürgerlichen Kandidaten ihre Stimme gegeben. (Abb. 27)

Seit dem Machtwechsel in der FPÖ, der vielleicht nicht zufällig ebenfalls in das Jahr 1986 fiel, gehört ein mehr oder weniger latenter Antisemitismus auch zum Standardrepertoire der fremdenfeindlichen Politik des Führers dieser Partei und zahlreicher seiner Parteifreunde.[186]

Eine Meinungsumfrage aus dem Jahre 1989 offenbarte daher, daß der seit 1973 nachweisbare rückläufige Trend des Antisemitismus nach 1986 wieder umgekehrt wurde. Eine 1991 durchgeführte Umfrage ergab eine weitere Verschlechterung der Situation, wobei sich 35,5 % der Parteimitglieder der FPÖ als überzeugte Antisemiten erwiesen.[187]

Es war daher nur konsequent, daß vor der Landtagswahl 1993 ein Bezirksmandatar der FPÖ auf diese Karte setzte, als sich in Zwettl die Gemüter wegen eines von der Stadt für den Hauptplatz geplanten Brunnen erhitzten. Da das Monument von Friedensreich Hundertwasser, der das Jahr 1945 im Kamptal verbracht und dort erste Zeichenversuche unternommen hatte[188], errichtet werden sollte, bezog der FPÖ-Politiker mit einer antisemitischen Polemik gegen das Projekt Stellung — erfreulicherweise vergeblich.[189]

---

[186] Wolfgang Neugebauer, Antisemitismus und Rechtsextremismus nach 1945: alte Stereotype — neue Propagandamuster. In: Klamper, Die Macht der Bilder (wie Anm. 3) S. 346-359.

[187] Pauley, Antisemitismus (wie Anm. 78) S. 368-370.

[188] Susanne Hawlik, Sommerfrische im Kamptal. Der Zauber einer Flußlandschaft (Wien-Köln-Weimar 1995) S. 80f. — Friedrich Stowasser 1943-1949, Ausstellungskatalog (Wien 1974) JW 74 ff.

[189] Friedel Moll, Ein Brunnen bringt Leben in die Stadt. In: Das Waldviertel 43 (1994) S. 329-331.

Die traurigste Auswirkung dieser politischen Hetzkampagnen sind Terrorakte gegen jüdische Friedhöfe, seien sie nun von rechtsradikalen Aktivisten oder „nur" von vandalischen Lausbuben verursacht. Zuletzt wurde im Sommer 1995 der jüdische Friedhof in Oberstockstall bei Kirchberg am Wagram von Vandalen heimgesucht, wobei 18 Grabsteine beschädigt und ein Schaden von S 250 000 verursacht wurde.[190]

Es kann jedoch auch von zwei Zentren kontinuierlicher Aufklärungs- und Versöhnungsarbeit im Waldviertel berichtet werden. Seit den späten siebziger Jahren wirkt der international für die Versöhnung zwischen Christentum, Judentum und Islam tätige und bekannte Künstler Ernst Degasperi auch von seinem „Haus des Friedens" in Eggenburg aus. Er hat in dieser Stadt sogar zwei Denkmäler zu dieser Thematik geschaffen. Während der „Turm des Friedens" an der Stadtmauer den drei großen Weltreligionen gewidmet ist, nimmt das „Tor zum Frieden" direkt auf die Judenverfolgung Bezug. An diesem Eingang der im Verband der Stadtpfarrkirche befindlichen Aufbahrungskapelle schuf Degasperi 1979 ein Sgrafitto, das die Rettung der jüdischen Familie Weiss vor dem Konzentrationslager Mauthausen durch die Landwirtin Maria Grausenburger in Grafenwörth darstellt. Auf der anderen Wand werden die Propheten Moses und Elias gezeigt und damit ebenfalls die Versöhnung von Christentum und Judentum thematisiert. Die Sgrafitti wurden am 14. Oktober 1979 von Weihbischof Dr. Alois Stöger gesegnet und von Univ.-Prof. Dr. Kurt Schubert der Öffentlichkeit vorgestellt[191] (Abb. 27).

Seit Mitte der achtziger Jahre betreibt der Volksbildner Robert Streibel eine gezielte Aufklärungsarbeit in Krems. Diese Aktivitäten umfassen Vorträge, Diskussionen, Publikationen in Zeitungen und Zeitschriften, Ausstellungen sowie auch Besuche der Emigranten in Krems, die deren Versöhnung mit der Heimat und die Wertschätzung der Heimat für die Vertriebenen ermöglichen soll. Ein wichtiges Anliegen der Kremser Bemühungen bildete die Restaurierung des jüdischen Friedhofes im Rahmen einer niederösterreichweiten Aktion.[192]

Die renovierten Friedhöfe in Krems (Abb. 5), Horn[193], Zwettl[194] und Waidhofen an der Thaya (Abb. 7) bilden heute im Waldviertel auch die wichtigsten Denkmäler, die an die vertriebenen und ermordeten jüdischen Mitbürger erinnern.[195] Im Zuge der Aktivitäten über die Staatsgrenze hinweg beteiligten sich die Schüler von Langau bei Drosendorf 1990 jedoch auch an der Pflege des großen jüdischen Friedhofes in Schaffa/Šafov, auf dem u. a.

---

[190] Günter Rapp, Unbekannte verwüsteten Gräber in Judenfriedhof! In: Neue NÖN/Tullner Bezirksnachrichten Nr. 23/1993, S. 3.

[191] Hans Brandstetter, Eggenburg. Geschichte und Kultur (Wien 1986) S. 84f. und 136f., Abb. 24 und 46.

[192] Einen Überblick über die Aktivitäten bietet: Robert Streibel, Krems 1938-1945. Lesebuch 1 (Krems 2. Auflage 1988) — Derselbe, Kein Friedhof mit Bahnanschluß. Der jüdische Friedhof in Krems wird renoviert. In: Plötzlich waren sie alle weg (wie Anm. 6) S. 178-183.

[193] Erich Rabl, Der jüdische Friedhof in Horn. In: Kläranlage Horn. Beiträge zur Geschichte des Taffatales (Horn 1990) S. 46-67.

[194] Friedel Moll, Der jüdische Friedhof in Zwettl. In: Das Waldviertel 37 (1988) S. 254-256 — Dasselbe in: David 5 (1993) S. 42-45.

[195] Heinz Werner Eckhardt, „Häuser des Lebens" als ewige Mahnung. Nö. jüdische Friedhöfe wurden mit Hilfe der Aktion 8000 renoviert. In: Nö. Kulturberichte (Dez. 1989) S. 4-5. — Patricia Steines/Klaus Lohrmann/Elke Forisch, Mahnmale. Jüdische Friedhöfe in Wien, Niederösterreich und Burgenland (Wien 1992) S. 29 ff.

Abb. 29: Denkmal zur Erinnerung an die Kremser Juden von Hans Kupelwieser auf dem jüdischen Friedhof der Stadt, 1995.

(Foto: Martin Kalchhauser)

Abb. 30: Dr. Robert Streibel, Dr. Avshalom Hodik von der Israelitischen Kultusgemeinde Wien und Botschaftsrat Giora Shimron von der Israelischen Botschaft bei der Einweihung des Kremser Mahnmals, 9. 11. 1995.

(Foto: Martin Kalchhauser)

der Großonkel von Bruno Kreisky begraben liegt[196] (Abb. 13). Den Bemühungen, den vertriebenen Juden wenigstens die Erinnerung zurückzugeben, trägt auch die Aufnahme dieser Mahnmale in die neuesten Waldviertel-Reiseführer Rechnung.[197]

Den Höhepunkt dieser Bestrebungen bildete das Projekt für ein Denkmal zur Erinnerung an die Kremser Juden auf dem jüdischen Friedhof der Stadt. Die vom Bildhauer Hans Kupelwieser angefertigte „Erinnerungsspur" mit den Namen aller in der NS-Zeit vertriebenen oder ermordeten Kremser Juden wurde gleichsam als von jedem Besucher zu überschreitende Schwelle über die gesamte Länge des Friedhofes gezogen. Das Mahnmal wurde zu je einem Drittel vom Land Niederösterreich, von der Stadt Krems und durch freiwillige Spenden der Bevölkerung finanziert.[198] Die feierliche Enthüllung fand am 9. November 1995, dem Jahrestag der „Reichskristallnacht", statt (Abb. 29 und 30). Dieses Mahnmal bietet als *ein Stück Trauerarbeit, das die Stadt und die Bevölkerung zu leisten hat* (Streibel)[199], 100 Jahre nach der Errichtung des Tempels immerhin einen gewissen Ersatz für das 1978 abgetragene Bauwerk. Denn dieses sollte der Einweihungspredigt des Wiener Oberrabiners Dr. Moritz Güdemann zufolge auch ein Denkmal für den Pogrom an den Kremser Juden im Jahre 1349 sein (Abb. 45): *Dieser Thatsache müsset Ihr, m. Fr., immer eingedenk sein, wenn Ihr dieses Gotteshaus betretet. Denn Ihr würdet nicht sein, und dieses Gotteshaus würde nicht sein, wenn unsere Vorfahren nicht standhaft geblieben wären und wie dieses Gotteshaus gleichsam ein spätes Denkmal jener Märtyrer ist, so soll es Euch in der Standhaftigkeit befestigen und zur Ausdauer Euch befeuern, damit es auch von Euch immer heisse: Ihr stehet fest und wanket nicht.*[200]

11. Vergleich mit anderen Regionen

Auch wenn der Forschungsstand zur Geschichte der Waldviertler Juden und ihrer Verfolgung noch immer lückenhaft ist, wäre es nicht uninteressant, die hier gewonnenen Erkenntnisse mit anderen Regionen und Kleinstädten zu vergleichen. Meine Arbeit von 1983 bildete tatsächlich eine der ersten regional angelegten Darstellungen, wenn man von den Arbeiten über die bereits im 17. Jahrhundert blühenden Judengemeinden des Burgenlandes[201] oder Vorarlbergs[202] absieht, deren Erforschung auch durch eigene

---

[196] Andrea Linsbauer/Andreas Johannes Brandtner, Schaffa (Langau 1995).

[197] Teufel, Das Schicksal (wie Anm. 60) — Der jüdische Friedhof von Horn. In: Pruckner, Das Kamptal (wie Anm. 52) S. 203-204.

[198] Robert Streibel, Erinnerungsspur. Die Juden von Krems erhalten ein Denkmal. In: morgen 19 (1995) S. 34-35. — Derselbe, Ein Denkmal als Denkanstoß. In: Unsere Heimat 66 (1995) S. 31-32.

[199] Fritz Miesbauer, Ein Denkmal soll an die Kremser Juden erinnern. In: Das Waldviertel 43 (1994) S. 320-321.

[200] Moritz Güdemann, Rede gehalten bei der Einweihung des israelitischen Gotteshauses in Krems a. d. Donau am 25. September 1894 (Wien 1895) S. 4 f.

[201] Siehe zuletzt: Roland Widder, Die Esterházyschen „Siebengemeinden". In: Die Fürsten Esterházy. Magnaten, Diplomaten, Mäzene; Ausstellungskatalog (Eisenstadt 1995) S. 156-171. — Shlomo Spitzer, Die jüdische Gemeinde von Deutschkreutz (Wien-Köln-Weimar 1995).

[202] Bernhard Purin, Die Juden von Sulz: eine jüdische Landgemeinde in Vorarlberg 1676-1744 (Bregenz 1991) — Derselbe, Die Juden in Vorarlberg und die süddeutsche Judenheit im 17. und 18. Jahrhundert. In: Martha Keil/Klaus Lohrmann (Hg.), Studien zur Geschichte der Juden in Österreich 2 (Wien-Köln-Weimar 1994) S. 121-129.

Museen in Eisenstadt und Hohenems institutionell verankert ist.[203] Das in der ehemaligen Synagoge in St. Pölten eingerichte „Institut für die Geschichte der Juden in Österreich" ist hingegen bisher noch kaum mit lokalen bzw. regionalen Monographien hervorgetreten. Dabei hat 1994 auch Shulamit Volkov in ihrem Handbuch über die Geschichte der Juden in Deutschland 1780-1918 die Forderung erhoben, daß Arbeiten über das Landjudentum die „gewöhnliche Überbetonung der großen Stadtgemeinden" abschwächen sollten.[204] Während in Bayern dieser Forderung bereits 1988 mit einem Ausstellungdhandbuch nachgekommen wurde[205], auch über Tirol[206], Salzburg[207] und Kärnten[208] umfangreichere Werke vorliegen, fehlen in Niederösterreich nicht nur neuere Gesamtdarstellungen[209], sondern auch grundlegende Arbeiten zu den anderen drei Vierteln. Neben einem ersten Hinweis auf die Thematik im „Weinviertler Hausbuch"[210] liegen bisher nur mehr oder weniger umfangreiche Publikationen zu einzelnen Judengemeinden vor, z. B. in Amstetten[211], Ebenfurth[212], Hohenau[213], Hollabrunn[214], Mödling[215], Tulln[216] und Wiener Neustadt[217]. Thematisch vergleichbare regionalge-

---

[203] Kurt Schubert (Hg.), Das österreichische Jüdische Museum (Eisenstadt 1988).

[204] Shulamit Volkov, Die Juden in Deutschland 1780-1918. Enzyklopädie deutscher Geschichte 16 (München 1994) S. 130.

[205] Gerhard Bott (Hg.), Siehe der Stein schreit aus der Mauer. Geschichte und Kultur der Juden in Bayern (Nürnberg 1988).

[206] Gad Hugo Sella, Die Juden Tirols — Ihr Leben und Schicksal (Tel Aviv 1979) — Die Geschichte der Juden in Tirol von den Anfängen im Mittelalter bis in die neueste Zeit (Bozen 1986).

[207] Rudolf Altmann, Geschichte der Juden in Stadt und Land Salzburg von den frühesten Zeiten bis auf die Gegenwart. Weitergeführt von Günter Fellner und Helga Embacher (Salzburg 1990).

[208] August Walzl, Die Juden in Kärnten und das Dritte Reich (Klagenfurt 1987).

[209] Siehe z. B. Elisabeth Wappelshammer, Jüdische Geschichte — jüdische Kultur in Niederösterreich. Erinnerungen ans Mittelalter und seine Folgen (Wien 1990) — Moser, Die Verfolgung (wie Anm. 14) — Zu nennen sind hier auch die älteren Arbeiten von Leopold Moses: Steines, Moses (wie Anm. 11) S. 111-117 („Jüdische Märtyrer in Niederösterreich"), S. 134-145 („Synagogenbauten und deren Reste in Niederösterreich").

[210] Gerhard Weisskircher, Juden im Weinviertel. Das Schicksal einer Minderheit am Beispiel einer mitteleuropäischen Region. In: Weinviertler Hausbuch (Wien 1989) S. 182-184.

[211] Josef Freihammer, Das Schicksal der Amstettner Juden (Amstetten 1989).

[212] Anton Philapitsch, Die jüdische(n) Gemeinde(n) in Ebenfurth Nö. In: Heimat Niederösterreich Heft 10-12/1995, S. 4-5.

[213] Gerhard Eberl/Pierre Genée, Die Juden in Hohenau und ihre Bethäuser. In: David 6 (1994), Nr. 20, S. 7. — Anton Schultes/Robert Franz Zelesnik, Heimatbuch der Marktgemeinde Hohenau an der March (Hohenau 1966) S. 411-416 („Ein Hohenauer Ghetto?").

[214] Ulrike Gollonitsch, „Als wär' nichts geschehen". Die jüdische Gemeinde in Hollabrunn (Wien o. J.)

[215] Barbara Schildböck, Die Geschichte der Juden in Mödling, Dipl.-Arbeit, Manuskript (Wien 1988) — Roland Burger, Ausgelöscht. Vom Leben der Juden in Mödling (Mödling 1988).

[216] Andrea Jakober, Die jüdische Gemeinde in Tulln (Wien 1989).

[217] Beatrix Bastl, Die Juden in Wiener Neustadt (Wiener Neustadt 1995).

schichtliche Untersuchungen existieren über den Antisemitismus in Salzburg[218] und Vorarlberg[219].

Wie jede intolerante und rassistische Gesinnung hatte auch die Ausrottung der Juden zunächst mit harmlos scheinenden Angriffen auf die jüdische oder nur als jüdisch und damit fremd bzw. „entartet" bezeichnete Kultur und deren Abgrenzung von der „echten", d. h. als bodenständig deklarierten, Kultur begonnen. So wurden von den Nationalsozialisten nicht nur „Volkstrachten" eingeführt, wie sie im Waldviertel nie existierten, sondern in Horn im August 1938 den Juden auch das Tragen von Landestrachten verboten: *Da das Tragen von Landestrachten oder Kleidungsstücken, die als Bestandteile von Landestrachten anzusehen sind, durch Juden leicht den Unwillen der deutschen Bevölkerung hervorruft und zu Auftritten führen kann, wird dies aus Gründen der öffentlichen Sicherheit und Ordnung untersagt. Zuwiderhandelnde werden bestraft.*[220] Diese Ausgrenzung wird jedoch auch heute wieder von manchen Demagogen zum politischen Prinzip erhoben. Der vorliegende Band soll daher auch als Aufruf zur Wachsamkeit und Besinnung verstanden werden, damit eine solche Entwicklung zur Intoleranz rechtzeitig gestoppt werden kann.

---

[218] Günter Fellner, Antisemitismus in Salzburg 1918-1938 (Wien-Salzburg 1979).

[219] Werner Dreier, „Rücksichtslos und mit aller Kraft". Antisemitismus in Vorarlberg 1880-1945. In: Derselbe, (Hg.), Antisemitismus in Vorarlberg. Regionalstudie zur Geschichte eines Vorurteils (Bregenz 1988) S. 132-249 — Kurt Greussing, Die Erzeugung des Antisemitismus in Vorarlberg um 1900 (Bregenz 1992).

[220] Landzeitung vom 24. 8. 1938 zitiert in: Reinhard Johler, Politisches Brauchtum vor und nach 1938. In: Polleroß, 1938 (wie Anm. 2) S. 33-50.

I. Überblicksdarstellungen

Klaus Lohrmann

DAS WALDVIERTEL UND DIE JUDEN IM MITTELALTER

Eine Geschichte der Juden im Waldviertel während des Mittelalters zu schreiben, ist sicher kein umfangreiches, aber ein kompliziertes Unternehmen. Würde man sich darauf beschränken, jene Juden aufzuzählen, die nach Städten und Orten im Waldviertel benannt sind — und viel mehr könnte man kaum leisten, denn über das Gemeindeleben ist fast nichts bekannt —, käme man zu dem Schluß, daß sich die Zusammenstellung gar nicht lohnt, denn diese Arbeit wurde bereits in den Bänden der Germania Judaica und in der Dissertation von Shlomo Spitzer geleistet.[1] Stellt man aber die Frage nach den Ursachen, warum Juden überhaupt im Waldviertel angesiedelt sind, ergeben sich Zusammenhänge, die topographisch über das Waldviertel hinausgehen, trotzdem aber eng mit der Siedlungs- und Herrschaftsgeschichte der Region zusammenhängen. Diese Beziehungen reichen nach Krems, Eggenburg und vor allem nach Pulkau, und dies nicht nur wegen der katastrophalen Ereignisse von 1338, als die Juden beschuldigt wurden, eine Hostie geschändet zu haben und in der Folge neben vielen anderen Juden auch jene im Waldviertel umgebracht wurden.

Ein zweiter Aspekt rückt die Rolle der Juden an einen zentralen Punkt der Geschichte des Waldviertels. Die bedeutenden Landherren aus dem Waldviertel, wie die Kuenringer, die Maissauer oder die Grafen von Hardegg arbeiteten mit Juden bei der Finanzierung ihrer politischen und sonstigen Geschäfte zusammen, auch wenn diese Juden nicht im Waldviertel angesiedelt waren. Die jüdischen Geschäftspartner wohnten in Wien, Krems, Klosterneuburg oder auch Korneuburg. Die Herren von Puchheim wurden sogar von einem Geldverleiher aus Wiener Neustadt finanziert.

Die folgende Darstellung beschäftigt sich demnach überwiegend mit Juden, deren Geschäftstätigkeit im Waldviertel wirksam wurde, auch wenn sie nicht in diesem Raum lebten.

Bemerkung zu den Grundlagen jüdischen Lebens in Österreich

Wenn im folgenden häufig vom Geldgeschäft der Juden die Rede sein wird, bedarf dies einer Erklärung, warum und innerhalb welcher Rahmenbedingungen sich die Juden mit Geldgeschäft befaßten. Über das Warum gibt die Einleitung der Bestimmungen über die Juden des Vierten Laterankonzils, das 1215 stattfand, einen Hinweis: *Je mehr die Christen durch ihre Religion vom Zinsennehmen bei Geldgeschäften zurückgehalten werden, um so mehr widmen sich die Juden diesen Geschäften...*[2] Diese Bemerkung ist wohl nur so zu deuten, daß um 1200 christliche Geschäftsleute mehr und mehr auf das Zinsennehmen verzichteten und damit den Forderungen einer Tendenz konziliarer und päpstlicher Bestrebungen nachkamen. In diese Lücke stießen Juden nicht unbedingt „automatisch" nach, sondern erst nachdem sie zum Zwecke der Vergabe verzinster Darlehen privilegiert wurden.

---

[1] Shlomo Spitzer, The Jews in Austria in the Middle Ages till the Reformation (1520) (Ramat Gan 1974) (Besonders der 2. Band der ungedruckten Dissertation List of persons and places). Germania Judaica Band 2. Von 1238 bis zur Mitte des 14. Jahrhunderts hg. von Zvi Avneri (Tübingen 1968) und Band 3. 1359–1519 hg. von Arye Maimon (Tübingen 1987 und 1995).

[2] Hier kurz zitiert nach Julius Aronius, Regesten zur Geschichte der Juden im fränkischen und deutschen Reiche bis zum Jahr 1273. Neudruck (Hildesheim-New York 1979) S. 174 Nr. 395.

In Österreich stellte Herzog Friedrich der Streitbare am 1. Juli 1244 den Juden ein Privileg aus, in dem zu etwa einem Drittel Probleme der Pfandleihe zur Sprache kamen. Außerdem erwähnte der Herzog die Darlehen, welche die Juden den Großen des Landes gewährten.[3] Notwendig war dieses Kreditwesen aus verschiedenen Gründen. Die Entwicklung verschiedener Produktionszweige, besonders der Weinbau, waren Bereiche, für die täglich gemünztes Geld zur Verfügung stehen mußte, also Kreditverkehr notwendig war.[4] Einnahmen hingen in der Landwirtschaft von der Güte der Ernte und ihrem Zeitpunkt ab, sodaß für die Beschaffung von militärischer Ausrüstung, die im Frühjahr gebraucht wurde, auch der ritterliche Grundherr auf Darlehen angewiesen war. Es gab zwar eine Reihe von Finanzierungsmöglichkeiten, doch erlaubte das Zinsdarlehen, das man bei einem Juden aufnahm, weitere Nutzung der Besitzrechte, solange man das Geld zeitgerecht zurückzahlte.

Es bestand also ein gewisser Gegensatz zwischen den Interessen der Fürsten und des Adels und den moralischen Ansprüchen der kirchlichen Rechtsgelehrten. Daher war die Lage der Juden schon im 13. Jahrhundert in Österreich gefährdet, konnte doch immer durch moralischen Druck, der durch kirchliche Institutionen entstand, die Stimmung gegen die Juden umschlagen.[5]

Die Geschäfte des Adels aus dem Waldviertel

1257 ist eine Geschäftsbeziehung zwischen dem damals schon verstorbenen Hadmar IV., bzw. seinem Schwager Rudolf von Pottendorf und zwei bekannten Juden Lublin und Nekilo, Kammergrafen Otokars II., nachweisbar.[6] Am 30. April 1249 versetzte er Bischof Konrad I. von Freising Güter in Jedlersdorf, wofür er Silbergerät und Barrensilber erhielt.[7] Diese Wertgegenstände versetzte er offenbar gegen gemünztes Geld den beiden Juden. 1257 kam es dann zwischen den Juden, dem Bischof und Rudolf von Pottendorf, der Hadmars (†um 1250) Rechtsnachfolger geworden war, zu einem Rechtsstreit, in dem es um 200 Mark Silber ging. Über die Hintergründe dieses größeren Geschäfts kann man nur Mutmaßungen anstellen. Wenn überhaupt politische Ursachen ausschlaggebend waren, dann könnte der sich zuspitzende Streit mit Hermann von Baden, der im Herbst 1249 in eine bewaffnete Auseinandersetzung mündete, die Beschaffung von Geld notwendig gemacht haben. So würde sich auch die Mitwirkung des Bischofs von Freising erklären lassen, da Hermanns damaliger Kontrahent der vom Kaiser ernannte Reichsverweser Otto von Bayern war. Doch mehr als eine Theorie kann dieser Gedanke nicht sein.

Klarer ist die Rolle Leutolds von Kuenring, eines Neffen des Hadmar, beim Adelsaufstand gegen Herzog Albrecht I. von 1295/96 zu erkennen und den damit verbundenen Kre-

[3] Urkundenbuch zur Geschichte der Babenberger in Österreich. Band 2. Hg. von Heinrich Fichtenau und Erich Zöllner (Wien 1955) S. 283 f. Nr. 430. Im Artikel 25 heißt es: si Iudeus super possessiones aut litteras magnatum terre pecuniam mutuaverit...

[4] Vgl. dazu: Klaus Lohrmann, Judenschaden, Marktschutzrecht und Pfanddarlehen im Wiener Stadtrechtsbuch. In: Jahrbuch des Vereines für Geschichte der Stadt Wien 47/48 (1991/92) S. 213-228.

[5] Zur Situation Klaus Lohrmann, Überlegungen zur vermögensrechtlichen Stellung der Juden im Mittelalter. In: Studien zur Geschichte der Juden in Österreich (Wien-Köln-Weimar 1994) S. 37 ff.

[6] Codex Diplomaticus Austriaco-Frisingensis. Hg. von Josef Zahn. Fontes Rerum Austriacarum (FRA) II/31 (Wien 1870) S. 193 Nr. 187. Zur Sache: Klaus Lohrmann, Judenrecht und Judenpolitik im mittelalterlichen Österreich. Handbuch zur Geschichte der Juden in Österreich. Reihe B, Band 1 (Wien-Köln 1990) S. 93 f.

[7] FRA II/31 (wie Anm. 6) S. 152 ff. Nr. 156.

diten, die er bei Juden aufnahm. Nachdem Albrecht nördlich der Donau einige Burgen der Aufständischen gebrochen hatte, mußte sich auch der Anführer zu einem Frieden mit dem Herzog verstehen. Neben verschiedenen anderen Vereinbarungen mußte sich Leutold verpflichten, die Juden, denen er Geld abgenommen hatte, zu entschädigen und die aufgenommenen Kredite zurückzuzahlen. Leutold hatte zweieinhalb Jahre Zeit, um die Zahlungen zu leisten. Da Albrecht den Kuenringer in den bevorstehenden Kämpfen gegen Adolf von Nassau um die Königskrone brauchte, war eine Verlängerung des Termins durch eine schiedsrichterliche Entscheidung in Aussicht genommen.[8]

Zusammen mit anderen Landherren war Albero VII. von Kuenring, ein Vetter des Leutold, 1319 an einer finanziellen Rettungsaktion für die verwaisten Kinder Hadmars und Rapotos von Falkenberg beteiligt, die als besondere Förderer der Kuenringer-Gründung Stift Zwettl bekannt waren. Die genannten Herren übernahmen die Rückzahlung einer hohen Schuld von 2000 Pfund gegenüber dem Wiener Juden Gutman, damals der bedeutendste Geldleiher in Österreich. Da wichtige Entscheidungen im Thronstreit zwischen Friedrich dem Schönen und Ludwig dem Bayern bevorstanden, wollte der Habsburger wohl seinen wichtigsten Geldgeber durch eine solche Lösung bei Laune halten, um weitere Darlehen sicherzustellen.[9]

In den Kreis der Kuenringer gehört auch ein Darlehen, das von Wiener Juden an Ulrich und Dietrich von Puchberg gegeben wurde. Dieses hatte keine außergewöhnliche Höhe, die 106 Pfund verdienen aber immerhin Beachtung. 1306 waren sie nicht imstande, die Summe selbst zurückzuzahlen, und so sprang letztlich Agnes, eine Schwester Herzog Rudolfs III. und Witwe des Königs von Ungarn, ein, indem sie das Geld dem Stift Zwettl übergab, das ein bedeutendes Grundstückspfand auslöste und in eigenen Besitz nahm. Leutold und Albero von Kuenring als Zeugen zeigen die Verflechtung der Familien.[10]

Diese wenigen Beispiele, die sich noch um einige vermehren ließen, zeigen, daß die Kuenringer und ihr verwandtschaftlicher Kreis um 1300 häufig Darlehen bei Juden aufnahmen und diese Darlehen auch für politisch wichtige Unternehmungen eingesetzt wurden. Im Falle der Puchberger handelte es sich offenbar um einen Kredit, der in einer Notlage aufgenommen wurde.

In den dreißiger Jahren des 14. Jahrhunderts nahmen Mitglieder der Familie der Maissauer manchmal Darlehen bei Juden auf, die zur Finanzierung von Kriegsdiensten verwendet wurden. Der Geschäftsablauf bildete dabei einen geschlossenen Kreis. 1331 schuldeten die Herzoge Albrecht II. und Otto dem Stephan von Maissau 900 Pfund, die er sich bei Juden ausgeliehen hatte, um sich für den Krieg gegen Böhmen auszurüsten. Die Schuld wurde mit einer Anweisung „auf die Juden" ausgeglichen, wobei offen bleiben muß, ob dies eine Anweisung auf die Judensteuer, eine Sondersteuer oder sonst eine besondere Leistung war. Jedenfalls mußten die Juden ihre Forderungen gegenüber Stephan von Maissau streichen. Über dieses Geschäft wissen wir nur zufällig aus herzoglichen Rechnungen Bescheid, in welchem Umfang sich tatsächlich die Geschäftsbeziehungen der Maissauer zu Juden bewegten, ist unbekannt.[11]

---

[8] Lohrmann, Judenrecht und Judenpolitik (wie Anm. 6) S. 116 f. Weitere Literatur ebda Anm. 403.

[9] Lohrmann, Judenrecht und Judenpolitik (wie Anm. 6) S. 141 f.

[10] Lohrmann, Judenrecht und Judenpolitik (wie Anm. 6) S. 131. Berichtigungen künftig in den Regesten zur Geschichte der Juden im mittelalterlichen Österreich.

[11] Lohrmann, Judenrecht und Judenpolitik (wie Anm. 6) S. 282.

Seit den zwanziger Jahren des 14. Jahrhunderts verschuldete sich der Drosendorfer Zweig der Herrn von Walsee bei Juden in hohem Maße. [12] Vermutlich waren ihre Aufwendungen in den Auseinandersetzungen mit Böhmen hoch, da Drosendorf eine wichtige Grenzstadt gegen Böhmen war. Obwohl vor 1338 Juden in Drosendorf ansässig waren, nahmen die Drosendorfer ihre Kredite bei einer der bedeutendsten Wiener jüdischen Familien und bei Plume von Klosterneuburg auf. Plume war die Begründerin der bedeutendsten Geldleiherdynastie in Österreich: sie war Großmutter des berühmten David Steuss. Die Schulden betrugen mindestens 2000 Pfund, und im Jahre 1339 kam es zwischen Plume und den Drosendorfern zu einem Ausgleich, nachdem sich Plume mit einer Zahlung von 800 Pfund begnügte. Doch auch später blieben die finanziellen Verhältnisse angespannt und führten 1370 zum Zusammenbruch. Friedrich von Walsee-Drosendorf verkaufte damals seine restlichen Güter an Verwandte, da er mit schwerer Geldschuld überladen war und seine Güter größtenteils an jüdische Gläubiger gekommen waren. Als Darlehensgeber hatte unter anderen auch ein bedeutender Geldmann aus Marburg gewirkt.

Gewaltige Schulden türmten etwas später die Grafen von Hardegg auf. Johann der Ältere und Johann der Jüngere konnten sich nur dadurch retten, daß sie 1392 dem Herzog ihre Güter per Eventualsukzession vermachten und damit von ihren Schulden in einer Höhe von 11 000 Pfund befreit wurden, darunter Judenschulden von 3000 Pfund. [13] Diese Vorgangsweise war für Albrecht III. typisch, der es verstand, die Verschuldung einiger adeliger Familien zu seinen Gunsten auszunutzen und sich in direkten Besitz von Gütern zu setzen oder seine Lehensherrschaft über einzelne Güter kraftvoll zur Geltung zu bringen. Ohne daß wir es im einzelnen nachweisen können, scheinen die jahrzehntelangen Auseinandersetzungen mit böhmischen Herrn für den außerordentlich hohen Geldbedarf verantwortlich gewesen zu sein. Mit der schwierigen Lage der Hardegger scheinen auch die Darlehen des Hans und Wolfgang von Streun zusammenzuhängen, die zum Teil auf Lehen der Hardegger saßen. [14] Sie waren aber auch direkt Lehensträger des Herzogs und verfügten über Eigenbesitz. Ihr bedeutender Besitz um die Burg Ulrichskirchen ging in einer langwierigen Kreditangelegenheit, die sich über mehr als 10 Jahre hinzog, verloren. Insgesamt müssen Schulden von mehreren tausend Pfund entstanden sein. Schon das Ausgangsdarlehen betrug 536 Pfund (dieser nicht runde Betrag deutet darauf hin, daß in ihm schon Zinsen des vorhergehenden Darlehens enthalten waren), sodaß ein Vielfaches dieses Betrages 1381 angelaufen war. Daran schlossen sich weitere Kredite in Höhe von 280 und 300 Pfund. Die Kreditgeber waren David Steuss, der schon vor 1371 den Streunern einen Kredit gewährt hatte, Isserl von Korneuburg und schließlich Hetschlein von Herzogenburg aus der bekannten Familie des Rabbiners Israel von Krems. Zu den verpfändeten Gütern gehörten nicht weniger als 250 Bauernstellen. Es mag ein Zufall sein, doch ist es doch auffällig, daß die Streuner 1381, als die Burg und die Güter an die Gläubiger Isserl und Hetschlein fiel, am Abschluß eines Waffenstillstandes mit böhmischen Herren beteiligt waren.

Noch bekannter ist die Geschichte der Festung Schönberg am Kamp, die Hans von Schönberg dem David Steuss verpfändete (Abb. 31). Das ursprüngliche Darlehen von 1373 betrug 900 Pfund. 1380 war die Schuld auf 2300 Pfund angewachsen. Die Geschichte die-

[12] Zum folgenden ausführlich Lohrmann, Judenrecht und Judenpolitik (wie Anm. 6) S. 274 ff. bzw. ders., Die Juden im mittelalterlichen Klosterneuburg. In: Klosterneuburg — Geschichte und Kultur (Klosterneuburg 1991) S. 216.

[13] Lohrmann, Judenrecht und Judenpolitik (wie Anm. 6) S. 268 f.

[14] Lohrmann, Judenrecht und Judenpolitik (wie Anm. 6) S. 265.

Abb. 31: Burg Schönberg am Kamp, Kupferstich von G. M. Vischer, 1672.

ser Feste gilt als klassisches Beispiel für die herzogliche Burgenpolitik. Die Kinderlosigkeit
des Hans von Schönberg eröffnete dem Herzog Möglichkeiten, die Feste zu erwerben, und
so führte er bereits 1372 eine Fehde gegen Hans von Schönberg, der sich, nachdem seine
Burg gebrochen worden war, der Gnade des Herzogs überließ und dadurch seine Burg behielt.[15] Kurz darauf erfolgte die Darlehensaufnahme bei David Steuss. Ein zweiter Punkt,
der das Mißvergnügen des Herzogs herausforderte, waren die Lehen, die Hans von Schönberg vom bayerischen Herzog in der Wachau besaß.[16] Hier liegen die Gründe für das ent-
schlossene Vorgehen Albrechts gegen den Schönberger. Im neuen Kreditvertrag, den Hans
am 25. Juli 1380 mit David Steuss schloß, wurden die Pfänder aufgezählt: die Burg, der
Meierhof, Äcker und Wiesen, Weingärten und Wälder, aber auch das Gericht zu Schönberg, das herzogliches Lehen war. Zinsen sollten keine mehr zum Kapital hinzuwachsen.
Sollte Hans sterben, konnten seine Nachkommen (die er nicht hatte) oder sein Onkel Heinrich von Rauhenstein die Pfänder auslösen. Entscheidend war, daß David Steuss, d. h.
Albrecht III., den neuen Burggrafen einsetzen konnte und ihm die Burg offenzuhalten sei.
1384 starb Hans, und 1387 wurde sein Bruder Albero von Gefolgsleuten der Maissauer
umgebracht.[17] 1388 verfügte der Herzog bereits über Teile des Schönberger Besitzes.

---

[15] MGH SS IX, S. 694 1372 predictus Albertus obsedit castrum prope Lewbs, scilicet Schonberkch.
Tandem dominus Schonbergarus, bonus fautor monasterii, obtulit se duci in graciam.

[16] Karl L e c h n e r , Besiedlungs- und Herrschaftsgeschichte des Waldviertels. Das Waldviertel 7/2
o. J. S. 184.

[17] Bertrand Michael B u c h m a n n / Brigitte F a ß b i n d e r , Burgen und Schlösser in Niederösterreich. Zwischen Gföhl, Ottenstein und Grafenegg (Niederösterreich 17) (St. Pölten-Wien 1990)
S. 116 f.

Als Nutznießer von Darlehen, deren Pfänder verfallen waren, erwies sich am Ende des 14. Jahrhunderts Albero von Puchheim. Mehrfach kaufte er verfallene Güter auf. 1365 nahm er ein Darlehen bei Wiener Neustädter Juden in der Höhe von 118 Pfund auf. Wilhelm und Hans von Puchheim erhielten nach der Vertreibung der Juden aus Österreich 1421 vier Häuser in der Wiener Judenstadt vom Herzog als Geschenk. Gegen ihrer Meinung nach wucherische Geschäftspraktiken der Juden, besonders jener in Wiener Neustadt, suchten Pilgrim und Johann von Puchheim 1428 die Unterstützung Papst Martins V. Am 24. Mai 1428 hatte sich Wilhelm von Puchheim mit den Nachkommen der Gläubiger von 1365 darauf geeinigt, daß Pilgrim und Johann die Schulden bezahlen sollten. Diese ließen vom Papst den Propst von St. Martin in Preßburg zum delegierten Richter in der Angelegenheit einsetzen, in der offenbar der Wucher prinzipiell zur Sprache kam. Die Puchheimer begründeten ihren Wunsch nach päpstlicher Hilfe damit, daß geistliche und weltliche Gönner sich schützend vor die Juden stellten. Der Ausgang der Angelegenheit ist nicht bekannt.[18] Bisher kennt man keine konkreten Kredite, die Georg II. von Puchheim in den Diensten Kaiser Friedrichs III. vor 1453 aufgenommen hat. Bei dem gewaltigen Schuldenkonto des Kaisers von mindestens 21 000 Pfund ist aber anzunehmen, daß auch Juden Darlehen gegeben hatten.[19] Ein kleiner Hinweis ist ein Kredit über 12 Pfund, den ein Diener Georgs II. am 10. Juni 1433 bei Joseph von Himberg in Wiener Neustadt aufnahm.[20]

Diese wenigen Beispiele genügen wohl, um zu zeigen, daß der im Waldviertel ansässige Adel vor allem im 14. Jahrhundert eng mit den führenden jüdischen Geldgebern Österreichs und auch der Steiermark zusammenarbeitete. Die Geschäftsverbindungen zeigen, daß die im Waldviertel selbst ansässigen Juden bei umfangreichen Geschäften keine Rolle spielten.

Die Juden im Waldviertel

Im allgemeinen läßt sich nicht nachweisen, daß die im Waldviertel lebenden Juden Gemeinden bildeten, denn dazu war ihre Zahl zu gering. Eine Ausnahme bildet Eggenburg. Die Gemeinde war hier so festgefügt, daß sie 1338 sogar die von Pulkau ausgehende Verfolgung überstand. Ein Hinweis auf die Gemeinde in Eggenburg ist das Auftreten eines Judenrichters zwischen 1392 und 1417, der identisch mit dem Stadtrichter war, als diese Funktion von Friedrich und Hanns Beheim ausgeübt wurde. Das möglicherweise schon im 14. Jahrhundert entstandene Stadtrecht erwähnt die Existenz einer Synagoge. Um 1400 waren mindestens drei Familien in Eggenburg ansässig. Zusammengenommen ergeben diese Indizien den Eindruck einer Gemeindebildung.[21]

Der bekannteste Geldleiher aus Eggenburg war der auch in Wien tätige David, der in den sechziger Jahren nachweisbar ist. Sein bekanntestes Geschäft war ein Kredit über 164 Pfund Pfennige an Hans den Hauser zu Illmau und Hertel von Weissenbach, wofür ihm die halbe Feste Illmau verpfändet wurde, die ein Lehen des Albero von Puchheim war.[22]

---

[18] NÖLA Urk Nr. 5158. Zur Sache Sabine Weiss, Kurie und Ortskirche. Die Beziehungen zwischen Salzburg und dem päpstlichen Hof unter Martin V. (1417-1431). Bibliothek des Deutschen Historischen Instituts in Rom 76 (Tübingen 1976) S. 413.

[19] Otto Brunner, Land und Herrschaft. Grundfragen der territorialen Verfassungsgeschichte Österreichs im Mittelalter. 5. Auflage (Darmstadt 1973) S. 12 f.

[20] HHStA AUR 1433 VI 10.

[21] Germania Judaica III/1 (wie Anm. 1) S. 284 ff.

[22] Otto Stowasser, Zur Frage der Besitzfähigkeit der Juden in Österreich während des Mittelalters. In: Mitteilungen des Vereins für Geschichte der Stadt Wien 4 (1923) S. 25.

Seine Söhne Mathes, der mit einer Süssl verheiratet war[23], und Merchlein[24] wirkten um 1400 in Wien. Kleinere Darlehen gewährte sein Bruder Isserl.[25] Ein Darlehen gab er zusammen mit zwei weiteren Juden aus Eggenburg, Jeklein und Yzka, möglicherweise gehören auch diesen beiden Juden zur Familie. David war sicher das bedeutendste Familienmitglied, der auch in der Judenschaft großes Ansehen genoß, war er doch unter den Einnehmern der Judensteuer zwischen 1365 und 1379.[26] Isserl gehörte zu einer wohl 1368 aus Österreich geflohenen Gruppe, die 1379 wieder aufgenommen wurde. Das Haupt dieser Gruppe war Musch von Marburg. Isserl war wahrscheinlich mit dieser bekannten Familie verschwägert, wie auch seine in die Steiermark reichenden Geschäftsverbindungen zeigen.

Eine weitere Familie wird durch einen Hausverkauf faßbar. Freudl hatte ein Haus in der Kremsergasse von seinem Vater Nechel geerbt und verkaufte es mit Zustimmung seiner Frau Hendl seinem Schwager Chadgim.[27] Die weiteren nach Eggenburg genannten Juden lassen sich in keinen familiären Zusammenhang einfügen. Vermutlich lebten zur Zeit der Vertreibung der Juden aus Österreich 1420/21 keine Juden in Eggenburg. 1516 wurden die aus Laibach vertriebenen Juden in Eggenburg aufgenommen.[28]

Vor den Ereignissen von 1338 ist in Gars ein Mennlein 1324 nachzuweisen, dessen Sohn Leb am 6. Jänner 1312 den Brüdern Wulfing, Albero und Rapoto von Puchberg ein Darlehen über 150 Pfund gewährte.[29] Das Darlehen war mit einem festen Haus in Puchberg und einem Dorf besichert. Sollte die Bezahlung nicht rechtzeitig erfolgen, hatten die Schuldner das sogenannte Einlager zu leisten. Die drei Brüder mußten in ein ehrbares Gasthaus in Krems kommen und dort solange auf eigene Rechnung leben, bis das Kapital und die Zinsen zurückgezahlt waren. Die Rückzahlung glückte offenbar nicht, denn Puchberg wurde zwischen 1330 und 1347 an Herzog Albrecht II. verkauft.[30] Im Besitz des Hauses waren damals zwei Juden namens Rachim und Manoach, die vielleicht Nachkommen des Leb von Gars waren. Leb übersiedelte später nach Retz, wo er nicht mehr als Kreditgeber erscheint, sondern 1324 und 1331 ein Lehen bzw. Zehentrechte kaufte.[31] Die Tätigkeit des Leb ist einer der wenigen Fälle, da tatsächlich ein im Waldviertel ansässiger Jude ein Darlehen an Waldviertler Adelige gab.

In Horn lebte ein gewisser Jakob, für den 1305 ein Sepher Mizwot Katan geschrieben wurde.[32] Er war auch als Kreditgeber tätig, denn er erhielt 1327 aus dem Verkauf eines Hofes einen Betrag von 12 Pfund, den er als Darlehen gegeben hatte.[33]

[23] HHStA AUR 1394 II/5.

[24] Rudolf Geyer/Leopold Sailer, Urkunden aus Wiener Grundbüchern. Quellen und Forschungen zur Geschichte der Juden in Österreich Band 10 (Wien 1931) S. 391 Nr. 1297 und 400 Nr. 1326.

[25] HHStA AUR 1366 V/14.

[26] Ernst von Schwind/Alphons Dopsch, Ausgewählte Urkunden zur Verfassungs-Geschichte der deutsch-österreichischen Erblande im Mittelalter (Wien 1895) S. 266 Nr. 136.

[27] Stowasser, Besitzfähigkeit (wie Anm. 22) S. 23 und 27.

[28] Germania Judaica III/1 (wie Anm. 1) S. 285.

[29] HHStA AUR 1312 I/6.

[30] An der Anm. 29 genannten Urkunde hängt der hebräische Verkaufsbrief.

[31] HHStA AUR AUR 1324 I/1 und QuGStW I/3 Nr. 2997.

[32] Germania Judaica II/1 (wie Anm. 1) S. 370.

[33] FRA II/21 Nr. 168.

Ein besonders interessanter Mann ist Eisak oder Isak von Raabs, der wahrscheinlich mit dem nach Wiener Neustadt genannten Juden gleichen Namens identisch ist. 1330 gewährte er Heinrich dem Hammer ein Darlehen von drei Mark und 20 Pfennigen.[34] In Raabs hatte der Schuldner Einlager zu leisten. Wegen der Ereignisse 1338 übersiedelte er nach Wiener Neustadt. Möglicherweise stammte sein Vater Baruch aus dieser Stadt. Seine Verbindungen ins Waldviertel blieben aber erhalten: 1340 gab er ein Darlehen von 16 Pfund an Eberhard und Heinrich von Walsee-Drosendorf.[35] Seine Söhne Smerl und Efferl sind uns als Gläubiger des Albero von Puchheim bereits begegnet. Dieses auf den ersten Blick merkwürdige Faktum, daß nämlich der Puchheimer Beziehungen zu Wiener Neustädter Juden hatte, scheint sich also aus der Biografie des Vaters zu erklären. Ein weiterer Jude in Raabs war Abraham, der sich 1351 in Regensburg ansiedelte und dort 1374 noch lebte.[36]

Mehrere Juden sind auch in Weitra nachzuweisen. Am bekanntesten ist Jakob von Weitra, der wahrscheinlich auch in Krems wirkte. Im Jahre 1383 wurde er vom Kellermeister und dem Abt von Stift Zwettl zu einem Darlehen in der Höhe von 80 Pfund gezwungen, nachdem das Kloster durch einen Raubzug der Herrn von Rapottenstein schwere Schäden erlitten hatte. Trotz des erzwungenen Darlehens beschwerte sich der Autor des Kalendarium Zwetlensis über die anfallenden Zinsen.[37] Weniger bekannte Juden waren Smoyel von Weitra[38], dessen Vater Schalom hieß und mit einer gewissen Snorlin verheiratet war. Hendel von Weitra ist nur in Krems nachweisbar.[39]

Aus Zwettl ist ein einziger Jude bekannt. Heinrich der Tuchel aus Reinprechtsbruck nahm 1337 ein Darlehen bei Jeschem von Zwettl auf, für das er seinen Vetter Heinrich als Bürgen stellte.[40] Aus dieser vereinzelten Angabe läßt sich kein Hinweis auf das Umfeld des Jeschem gewinnen. Festzuhalten ist, daß die Erwähnung noch vor das Jahr 1338 fällt.

Das Jahr 1338

Von der Judenverfolgung des Jahres 1338 waren im Waldviertel nach dem Bericht der Zwettler Annalen Horn, Eggenburg und Zwettl betroffen. Ferner sind im Bericht Pulkau, Retz, Znaim und Neuburg (wohl Korneuburg) als Orte des Mordens genannt.[41] Das Martyrologium des Nürnberger Memorbuches verzeichnet allerdings mehr Orte im Waldviertel: Raabs, Gars, Hadersdorf, Rastenfeld, Weiten und Drosendorf.[42] Verkreuzen wir diese Information mit den uns bekannten Personen, läßt sich bestätigen, daß in folgenden unter

---

[34] HHStA AUR 1330 V/14.

[35] HHStA AUR 1340 III/24.

[36] Germania Judaica II/2 (wie Anm. 1) S. 672.

[37] MGH SS 9, S. 695: Nicolaus de Pewgen qui pro tunc erat cellarius, et Michahel abbas predictam summam (80 talenta) receperunt vi a Iudeis in Weytra, videlicet Iacobo Iudeo in Witra, et sic ortum habuit nostra miseria et paupertas, quia usura crescebat de die in diem.

[38] Monumenta Hungariae Judaica IV, S. 57 und HHStA AUR 1416 XII/10.

[39] Herwig Ebner, Ein Urbar der Pfarre Krems aus dem 14. Jahrhundert. In: Mitteilungen des Kremser Stadtarchivs 5 (1965) S. 77, Nr. 310.

[40] Urkunden des aufgelassenen Chorherrenstiftes St. Pölten. Hg. von Josef Lampel. NÖ Urkundenbuch 1 (1890) S. 322, Nr. 275.

[41] MGH SS 9, S. 683.

[42] Dabei bleibt fraglich, ob man Hadersdorf und Weiten als im Waldviertel gelegen bezeichnen kann. Siegmund Salfeld, Das Martyrologium des Nürnberger Memorbuches. Quellen zur Geschichte der Juden in Deutschland 3 (Berlin 1898) S. 241 f.

der Verfolgung leidenden Orten vor 1338 Juden nachweisbar sind: Raabs, Gars, Horn und Zwettl. In der vergleichsweise größeren Ansiedlung Eggenburg sind Juden erst in der zweiten Jahrhunderthälfte faßbar. Ebenso sind Juden vor 1338 in Retz und Pulkau nachzuweisen. Für jüdische Siedler in Hadersdorf, Rastenfeld, Weiten und Drosendorf besitzen wir nur den Nachweis aus dem Martyrologium. Weitra hingegen war von der Verfolgung nicht betroffen, und dies stimmt mit unseren Belegen überein, daß dort Juden erst ab den 1380er Jahren wohnten. Man kann jedenfalls davon ausgehen, daß mit Ausnahme von Eggenburg die Juden im Waldviertel durch die Pulkauer Verfolgung vernichtet wurden. In Weitra gab es nach 1338 einen erstmaligen Ansatz zur Besiedlung durch Juden, dessen Wurzeln nicht aufklärbar sind.

Die Geschichte der Verfolgung selbst wurde erst kürzlich ausführlich bearbeitet, sodaß wir uns auf eine kurze Skizze beschränken können.[43] In der zeitgenössischen Annalistik wird die Sache einfach dargestellt: Weil im Jahre 1338 das christliche Osterfest und das jüdische Paschafest auf einen Termin fielen, wurden die Juden ausgerottet. Nach Ostern wurde im Haus eines gewissen Juden eine blutige Hostie gefunden, die Wunder wirkte und daher von vielen Leuten aus der Gegend verehrt wurde. Deshalb brachten die Christen, durch diese Vorgänge erregt, die Juden in den schon genannten Orten um.[44] Dieser Grundbericht wurde durch andere Mitteilungen ergänzt, z. B. daß die Herzoge die Juden in Wien und Wiener Neustadt erfolgreich schützen konnten, oder daß man auch Schätze, Pfandbriefe und Güter der Juden plünderte.[45] Herzog Albrecht II. traute der Sache nicht und wandte sich an Papst Benedikt XII. und verlangte unter Hinweis auf frühere Betrugsfälle eine strenge Untersuchung. Der bekannteste Fall war Korneuburg 1305, als ein Geistlicher den Juden eine in Blut getauchte Hostie untergeschoben hatte. So ergab sich auch in Pulkau ein wichtiger Gegensatz zum Bericht der Annalisten, denn im herzoglichen Schreiben hieß es, daß die Hostie vor und nicht im Haus des Juden (wohl der 1329 nachzuweisende Merchel)[46] gefunden worden war. Wenn der Herzog auch an einer Entlastung der Juden interessiert war, da sie ja als Geldgeber und Steuerobjekt eine gewisse Bedeutung besaßen, ging es dem Papst und den geistlichen Gelehrten um ganz andere Fragen. Entscheidend war die Frage, ob die Verehrung der Hostie Götzendienst war oder nicht. Der als Gutachter eingesetzte Magister Friedrich von Bamberg erging sich aber in allgemeinen Anschuldigungen gegen die Geldgeschäfte der Juden und äußerte Mißtrauen gegenüber Fürsten, die sich den Judenschutz angelegen sein ließen. Die Verbrennung der Juden durch Ulrich III. von Neuhaus im Zuge dieser Ereignisse lobte er hingegen. Die Sache wurde letztlich mit einem merkwürdigen Kompromiß beigelegt, indem der Bischof neben die angeblich geschändete ein konsekrierte Hostie legen ließ, womit die Frage des drohenden Götzendienstes fürs erste beseitigt war, wenn auch die Theologen in der Nachfolge des Thomas von Aquin auch diese Vorgangsweise mit Recht kritisierten. Mit diesem Hinweis soll nur ganz oberflächlich ein Fragenkomplex angerissen werden, der das Grundsätzliche der Diskussionen um Eucharistie und Transsubstantiationslehre herausstellt.

---

[43] Manfred Anselgruber / Herbert Puschnik, Dies trug sich zu anno 1338. Pulkau zur Zeit der Glaubenswirren (Pulkau o. J.).

[44] MGH SS 9, 683. Anselgruber/Puschnik (wie Anm. 43) S. 41.

[45] Anselgruber/Puschnik (wie Anm. 43) S. 42 f.

[46] Vgl. das in Anselgruber/Puschnik (wie Anm. 43) S. 68 gezeigte Bild des Codex 306 (n. Sign. rot) aus Göttweig mit der Stelle „Anno Domini MCCCXXXVIII in vigilia sancti Vitalis inventa est sacrosancta cruentata hostia iuxta valvas domus Marquardi (=Merchl) Judei in Pulka".

Abb. 32: Juden zerstören die Hostie, Predella des Pulkauer Altares, um 1515/20; Pulkau, Heiligblutkirche.

(Foto: Kunsthistorisches Institut, Wien)

Für die Juden des Waldviertels waren diese Diskussionen wenig hilfreich. Das Morden
hatte stattgefunden, und ein Martyrologium hält die Namen der Orte fest, wo sie wohnten
und ihrem nützlichen und friedlichen Broterwerb nachgegangen waren. Aber die Legende

Abb. 33: Juden werfen Hostie in einen Sumpf, Predella des Pulkauer Altares, um 1515/20; Pulkau, Heiligblutkirche.
(Foto: Kunsthistorisches Institut, Wien)

von der Hostienschändung lebte weiter und fand unter anderem auf dem Altar der Pulkauer Heiligblutkirche ihren Ausdruck (Abb. 32 und 33).

Friedrich Polleroß

100 JAHRE ANTISEMITISMUS IM WALDVIERTEL*

Einleitung

Die Ausstrahlung der Fernsehserie „Holocaust" hat auch im Waldviertel auf Ereignisse der jüngeren Vergangenheit aufmerksam gemacht, die Millionen Menschenleben forderten. Aber die Tatsache, daß der Waldviertler Abgeordnete Georg Ritter von Schönerer einen nicht unwesentlichen Beitrag zur Entstehung des modernen Antisemitismus geleistet hat, und daß diesem 1938 bis 1945 in unserer Heimat ebenfalls mehrere hundert Juden zum Opfer gefallen sind, wurde im Waldviertel bisher kaum zur Kenntnis genommen.

Judenverfolgungen hatte es auch hier bereits früher gegeben, etwa im 14. Jahrhundert in Pulkau (woran die Heiligblutkirche erinnert), in Krems, Zwettl, Horn sowie Eggenburg[1], und im 17. Jahrhundert kam es in Waidhofen zu Aktivitäten gegen die — wie man es 1930 formulierte — *Schmutzkonkurrenz der Juden.*[2] Aber erst das Jahr 1879 kann man als das Geburtsjahr des modernen Antisemitismus als politische Bewegung bezeichnen. Denn damals gründete der Deutsche Wilhelm Marr eine „Antisemiten-Liga", den ersten Verein mit diesem Namen[3], und im Waldviertel war Schönerer *der Erste, der auf ein antisemitisches Programm kandidierte* (Pichl). Damit *ist das Waldviertel gewissermaßen die Wiege des Antisemitismus und der rassischen Volkserneuerung geworden.*[4]

Natürlich kann Schönerers „Radauantisemitismus" nicht mit der Vernichtungspolitik des Dritten Reiches gleichgesetzt werden, aber er bildete wohl eine der Ursachen dafür, daß 1938-45 ein Großteil der Bevölkerung mit Gleichgültigkeit, Schadenfreude oder sogar tatkräftiger Mithilfe reagierte, als der jüdische Nachbar gedemütigt, beraubt und schließlich „abgeholt" wurde.

---

*) Bei diesem Aufsatz handelt es sich um einen Nachdruck der unter dem gleichen Titel als Band 25 der Schriftenreihe des Waldviertler Heimatbundes (Krems 1983) erschienenen Publikation.
Für Auskünfte und Hinweise bin ich einigen nicht genannt werden wollenden Personen sowie folgenden Damen und Herren zu Dank verpflichtet: OSR Leo Böhm (Waidhofen, †), Altbgm. Franz Chaloupek (Gmünd, †), Amtsrat Elfriede Dechant (Horn, †), Frau Maria Föttinger (Geras, †), Dir. Eduard Führer (Waidhofen), VDir. Franz Hofmann (Schrems, †), Ing. Karl Hulka und Gattin (Horn), Hofrat Dr. Artur Lanc (Gmünd, †), VDir. Johann Layr (Schweiggers), Red. Josef Leutgeb (Zwettl, †), GR Erwin Mayer (Horn), Dr. Jonny Moser (Wien), Frau Irma Pazour (Wien, †), Prof. Dr. Walter Pongratz (Wien, †), OStR. Dr. Ingo Prihoda (Horn, †), Dr. Herbert Rosenkranz (Jerusalem), Dechant KR Josef Stadler (Gföhl), Dr. Ulrich Weinzierl (Wien), Univ.-Ass. Dr. Thomas Winkelbauer (Wien) und Stadtamtsdirektor Alfred Wittig (Heidenreichstein).

[1] Anna M. Drabek, Judentum und christliche Gesellschaft im hohen und späten Mittelalter. In: Nikolaus Vielmetti (Hg.), Das österreichische Judentum. Voraussetzungen und Geschichte (Wien-München 1974) 49 f.

[2] Heinrich Rauscher, Juden in Waidhofen an der Thaya. In: Das Waldviertel Nr. 5 (1930) 89 ff.

[3] Peter G. J. Pulzer, Die Entstehung des politischen Antisemitismus in Deutschland und Österreich 1867-1914 (Gütersloh 1966) 47 ff.

[4] R. A. Moißl, Die Ahnenheimat des Führers. Schriftenreihe für Heimat und Volk 1 (St. Pölten o. J.).

Diese Arbeit möchte nun im ersten Abschnitt auf die Bedeutung Schönerers als einen der „Lehrer" Hitlers und als Hauptverursacher einer judenfeindlichen Gesinnung im Waldviertel hinweisen. Im zweiten Teil soll dann die Entwicklung bis zum Einmarsch des „Waldviertlers" Hitler skizziert und schließlich aufgezeigt werden, daß sich der „Holocaust" auch im Waldviertel und für Waldviertler ereignete.

Die Studie beschränkt sich im wesentlichen auf eine Untersuchung des deutschnationalen bzw. nationalsozialistischen Antisemitismus, während die auf der jahrhundertealten Verunglimpfung des jüdischen Volkes als Gottesmörder basierende, später aber aus den gleichen wirtschaftlich-sozialen Problemen genährte Judenfeindschaft christlichsozialer Richtung nur gelegentlich berücksichtigt wurde.

Als Quellen dienten einerseits die Schönererbiographien und nationalsozialistische Literatur, andererseits zeitgenössische Waldviertler Wochenzeitungen. Die daraus wiedergegebenen umfangreichen Zitate sollen nicht nur Informationen, sondern vor allem einen Eindruck vermitteln, mit welchen Mitteln bzw. mit welcher Sprache der Antisemitismus geschürt wurde, der ja bis 1938 vorwiegend auf solche verbale Aktivitäten beschränkt blieb. Die Aussagen der Zeitungsberichte vor und vor allem nach dem Anschluß sind außerdem so eindeutig, daß sich die Behauptung, man hätte von alldem nichts gewußt, für den Waldviertler Durchschnittsleser nur schwer aufrechterhalten läßt, wenngleich der Eindruck natürlich im nachhinein und durch die Konzentration des Materials im Zeitraffer überzeichnet wird.

Die Auffindung von aussagekräftigen Akten mußte hingegen mehr oder weniger dem Zufall überlassen werden, und auch die „oral history" blieb in diesem Fall quantitativ und qualitativ problematisch. Gibt es doch einerseits kaum mehr Informanten mit gutem Gedächtnis über die frühe Zeit, während über die Nazizeit die mündlichen Quellen zwar vorhanden, aber schwierig zu erschließen sind. Die wenigen noch erreichbaren Opfer wollen nicht darüber sprechen, denn „die Erinnerung tut zu weh" (Brief einer heute in England lebenden Waldviertlerin an den Verfasser). Die Täter haben meist ebenfalls kein Interesse, sich an diese Jahre zu erinnern, und die anderen wollen nichts gesehen haben.

Die dadurch schon einseitige Quellenlage wird noch verschärft, da von den Organisationen der Waldviertler Juden — laut Auskunft der Wiener Kultusgemeinde — nur wenig erhalten blieb (Abb. 53, 94, 172 und 194). Ich hoffe allerdings, daß es mir trotzdem gelungen ist, die Entwicklungslinien des deutschnationalen Antisemitismus im Waldviertel ohne allzugroße Verzerrungen zu beschreiben. Für jede Berichtigung von Tatsachen bzw. Kritik an Darstellung und Interpretation der Fakten wäre ich aber dankbar.

Vielleicht kann das Buch außerdem den Anstoß bieten, die immer seltener werdenden mündlichen sowie die schriftlichen Quellen zu diesem Thema in der Lokalgeschichtsschreibung aufzuarbeiten, und in den Heimatbüchern auch die Jahre vor 1945 ausführlich darzustellen. Abschließend möchte der Verfasser auch die Hoffnung zum Ausdruck bringen, daß die Arbeit über die wissenschaftliche Funktion hinaus die Leser anregt, einige Gedanken dem Problemkreis Minderheiten, Randgruppen der Gesellschaft, Vorurteile etc. im Allgemeinen und auch in unserer Zeit zu widmen.

Georg Ritter von Schönerer „Abgeordneter und Antisemit"

Vom Demokraten zum Antisemiten

Georg Ritter von Schönerer (Abb. 34) wurde am 17. 7. 1842 in Wien als Sohn des Eisenbahningenieurs Matthias von Schönerer geboren und übernahm 1869 das väterliche Gut und Schloß Rosenau im Waldviertel. Als Veranstalter von Fortbildungskursen für Bauern und großzügiger Wohltäter war er bald sehr beliebt, und wurde schließlich 1873 als Vertreter des Landgemeindebezirkes Zwettl-Waidhofen/Thaya in den Reichsrat gewählt. Schönerer trat zunächst als radikaler Demokrat auf[5] und beschäftigte sich vor allem mit A g r a r - P o l i t i k .

1877 legte er sein Mandat zurück, kandidierte dann aber doch wieder und wurde mit Zweidrittelmehrheit neuerdings ins Parlament entsandt. Seit dieser Zeit kritisierte er öfters Kirche, Kaiserhaus, Armee, Liberalismus und Kapitalismus, und auch sein Redestil wurde aggressiver. Im März 1878 ließ er erstmals antisemitische Äußerungen hören, als er den Ton der Regierung als *wohl eher in nichtchristlichen Kaffeehaus-Lokalitäten üblich* kritisierte, und vom *Gekläffe der Wiener Juden- und Regierungspresse* sprach.[6] Die Presse bildete wahrscheinlich auch den Ansatzpunkt für den Antisemitismus des Waldviertler Abgeordneten. Denn seine Abneigung gegen den Liberalismus und dessen P r e s s e w e s e n aufgrund ehrlicher Ablehnung der Korruption und verletzter Eitelkeit konnte durch Verallgemeinerung leicht zur Judenfeindschaft führen, da die Wiener Presse damals von jüdischen Herausgebern und Journalisten dominiert wurde.[7]

Während aber diese Äußerungen Schönerers noch kaum beachtet wurden, erhitzte sein N a t i o n a l i s m u s — auch im Waldviertel — die Gemüter, und besonders seine Rede am 18. 12. 1878 mit dem indirekt ausgedrückten Wunsch: „Wenn wir nur schon zum Deutschen Reich gehören würden!" löste einen Skandal aus. Zustimmung erhielt Schönerer vor allem aus Böhmen und von den deutschnationalen Studenten in Wien, die in ihm von jetzt an ihren Vertreter im Parlament sahen.[8]

Schönerer hatte allerdings schon seit 1876 näheren Kontakt zu den B u r s c h e n s c h a f t e n , wo sein Nationalismus bestärkt und er wahrscheinlich auch mit dem ihm ursprünglich fremden Antisemitismus (als Rassismus) vertraut wurde. Die Burschenschaften „Libertas" und „Teutonia" waren auch die ersten, die 1878/79 (!) beschlossen, keine Juden aufzunehmen[9], da sie keine Deutschen seien. Angeregt wurde dies durch Dr. Jaromir Tobiaschek, der sich später als Notar in Spitz niederließ, und einige Mitglieder des Kremser Fechtklubs.[10] Schönerer selbst wurde erst ab 1882 zum Rassen-Antisemiten, er arbeitete noch zu Beginn der 80er Jahre mit Friedjung, Adler und anderen Juden zusammen.

---

[5] Dirk van A r k e l , Antisemitismus in Austria, Phil. Diss. (Leiden 1966) 110.

[6] Jonny M o s e r , Von der Emanzipation zur Antisemitischen Bewegung. Die Stellung Georg Ritter von Schönerers und Heinrich Friedjungs in der Entwicklungsgeschichte des Antisemitismus in Österreich (1848 - 1896), Phil. Diss. (Wien 1963) 39 f.

[7] Matthias W e i ß , Der politische Antisemitismus im Wiener Kleinbürgertum 1867 - 1895. In: Emuna. Horizonte zur Diskussion über Israel und das Judentum 8 (Frankfurt 1973) 97.

[8] Andrew G. W h i t e s i d e , Georg Ritter von Schönerer. Alldeutschland und sein Prophet (Graz-Wien-Köln 1981) 70 ff.

[9] Wolfgang H ä u s l e r , Toleranz, Emanzipation und Antisemitismus. Das österreichische Judentum des bürgerlichen Zeitalters (1782 - 1918). In: Vielmetti (wie Anm. 1) 113.

[10] Eduard P i c h l , (=„Herwig"), Georg Schönerer und die Entwicklung des Alldeutschtumes in der Ostmark, II. Band (Wien 1913) 319.

Abb. 34: Georg Ritter von Schönerer, Postkarte von Hans Breuer in Hamburg; Neupölla, Slg. Polleroß

Als die Legislaturperiode 1879 zu Ende ging, bewarb sich auch der Abgeordnete aus Rosenau wieder um das Mandat. Sein Wahlprogramm enthielt zahlreiche sozialpolitische und demokratische Forderungen und verlangte schließlich: *Überhaupt sind den bisher bevorzugt gewesenen Interessen des beweglichen Kapitales, — und der bisherigen semitischen Herrschaft des Geldes und der Phrase, — die Interessen des Grundbesitzes und der produktiven Hände, sowie die Kräfte und Rechte der ehrlichen Arbeit in Hinkunft mit Entschiedenheit entgegenzustellen und zu fördern.* [11]

Schönerer war damit tatsächlich der erste, der auf ein antisemitisches Programm kandidierte, das sich gegen die liberale Presse und gegen den Kapitalismus richtete. Es handelte sich dabei aber um eine „schizophrene" Form von Antikapitalismus, die zwischen gutem und bösem Kapital unterschied und besonders Kreditwesen und Börse attackierte.

Die Regierung und der Klerus wollten Schönerers Wiederwahl verhindern; es kam daher zu einem sehr heftigen Wahlkampf zwischen diesem und seinen Gegenkandidaten Heinrich Baron Pereira-Arnstein und Baron Roderich Villa-Secca. Die Agitation des Rosenauers wurde vor allem von zahlreichen Waldviertler Geistlichen heftig erwidert. Ein Wahlaufruf in Schönbach schloß mit den Worten: *Wählet niemals Schönerer, — sonst kommt der Fluch über uns und unsere Kinder!* [12] Der Pfarrer von Schönbach als Mitunterzeichner mußte sich daraufhin die Frage gefallen lassen, ob auch er von „unseren Kindern" sprechen könne. Trotz der heftigen Gegenpropaganda wurde Schönerer mit 224 gegen 178 Stimmen gewählt. Die antisemitischen Programmpunkte dürften aber damals noch nicht allzuviel zum Wahlerfolg beigetragen haben.

Dennoch gab es aber wahrscheinlich auch unter der ländlichen Bevölkerung des Waldviertels — neben der traditionellen, religiös motivierten Judenfeindschaft — bereits „moderne" antisemitische Ressentiments, an die ein Wahlredner appellieren konnte. Ursache dafür war wohl zunächst die schlechte wirtschaftliche Lage vieler Bauern, vor allem die *traurige Notlage in den weinbautreibenden Bezirken Krems und Langenlois, Kirchberg am Wagram, Ravelsbach, Spitz und Mautern* [13], die dazu führte, daß *Darlehen, welche jährlich mit 24, 36, 48, ja noch mehr Perzent zu verzinsen sind, in die Grundbücher eingetragen werden.* [14] Die Zahlungsunfähigkeit der Landwirte bewirkte schließlich Exekutionen, die sogenannte „Güterschlächterei". Weil Juden aber wesentlichen Anteil an diesen Geldgeschäften hatten, dauerte es nicht lange, bis man auch im Waldviertel die *Emanzipation der Bauern von den jüdischen Wucherern durch Regelung der landwirtschaftlichen Kreditverhältnisse* [15] forderte (Abb. 35).

Ein anderer Ansatzpunkt für Kritik lag vielleicht im Getreideterminhandel an der Börse. [16] Und die Börse selbst galt ja als Erfindung des jüdischen Kapitals und Verkörpe-

---

[11] Derselbe, I. Band (Wien 1912) 87.

[12] Ebenda 90.
Schönerers Gegenkandidat Baron Pereira-Arnstein entstammte einer der bekanntesten jüdischen Bankiersfamilien des Vormärz in Wien, die seit 1829 die Herrschaft Allentsteig und zeitweise auch die Herrschaften Dobra, Wetzlas und Waldreichs besaßen, und war angeblich auch als einer der „engagiertesten und unglücklichsten Gründer" am Börsenkrach 1873 beteiligt.

[13] Der Bote aus dem Waldviertel, Horn, 49/1. 1. 1880.

[14] Der Bote a. a. O., 6/15. 3. 1878.

[15] Der Bote a. a. O. 138/15. 9. 1883.

[16] Ernst Bruckmüller, Landwirtschaftliche Organisationen im Modernisierungsprozeß. Landwirtschaftsgesellschaften, Genossenschaften und politische Vereine vom Vormärz bis 1914. Geschichte und Sozialkunde 1 (Salzburg 1977) 320 f.

Abb. 35: Verschuldete Bauern und jüdische Kreditgeber, antisemitische Karikatur der Sammlung
Schönerer, um 1880; Zwettl, Stadtmuseum
(Foto: Werner Fröhlich)

rung allen Übels. Als Schönerer einen Waldviertler Bauern dorthin führte, soll dieser aus-
gerufen haben: *Sind denn dies Menschen? Oder sind es wilde Bestien, die da ihr Unwesen
zum Unglück des Volkes treiben?*[17] Besonders der Börsenkrach 1873 hatte bewirkt, daß
sich der Zorn des Volkes gegen die offensichtlich zutage getretene Wirtschaftskorruption
des Liberalismus richtete, als dessen Hauptstützen in Politik und Presse die Juden galten.[18] Der Börsenkrach hatte sich auch im Waldviertel ausgewirkt, da dort z. B. von der
Wiener Wechselbank (Präsident: Baron Königswarter) zahlreiche Aktien verkauft wurden,
und allein im Bezirk Waidhofen wurden die Verluste auf eine Million Gulden geschätzt.[19]
    Eine Ursache für Unstimmigkeiten boten wahrscheinlich auch jüdische Händler, z. B.
Pferdehändler, *welche fast alle dem Stamme Israels angehören,* und solche, die am Zwi-
schenverkauf landwirtschaftlicher Produkte beteiligt[20]) und vielfach zu Kartellen zusam-
mengeschlossen waren (Abb. 36).
    Die Anzahl der Waldviertler mosaischen Glaubens war zwischen 1869 und 1880 von
1180 auf 1639, also um fast 40 % gestiegen. Dennoch blieb der Anteil der Juden an der

---

[17] Rede Schönerers beim o. ö. Bauernverein in Ried. In: Der Bote a. a. O. 139/1. 10. 1883.

[18] Hans Tietze, Die Juden Wiens (Leipzig-Wien ¹1933, ²1987) 208.

[19] Edmund Daniek, Börsenkrisen in Österreich. In: „Aus der Heimat" (1929) Nr. 3, 44 ff.

[20] Der Bote a. a. O., 171/1. 2. 1885. — Ernst Werner Techow, Die alte Heimat. Beschreibung des
    Waldviertels um Döllersheim (Berlin ¹1942, Horn ²1981) 60.

Gesamtbevölkerung des Waldviertels immer unter einem Prozent und ging bereits 1890 wieder auf 1559 Personen zurück.[21] In Horn, wo schon 1843 die neun jüdischen Familien eine Betgemeinschaft mit einem Religionslehrer ins Leben gerufen hatten und auch bald einen Friedhof (Abb. 113) errichteten, wurde am 20. Jänner 1874 eine K u l t u s g e m e i n d e gegründet, zu der bis 1902 auch der Bezirk Hollabrunn gehörte. Sie umfaßte 1908 204 Mitglieder, und der Horner Rabbiner erteilte an den Volks- und Bürgerschulen in Horn und Eggenburg sowie am Horner Gymnasium mosaischen Religionsunterricht. Für die Bezirke Weitra, Gmünd, Zwettl, Waidhofen und Allentsteig wurde 1890 die Kultusgemeinde Waidhofen geschaffen, die vom Rabbiner Dr. Michael Rachmuth betreut wurde.[22]

Vertreter von Kleinbürgertum und Studentenschaft

Zu Beginn der 80er Jahre widmete sich Schönerer vor allem deutschnationaler Propagandatätigkeit und arbeitete gemeinsam mit Heinrich Friedjung, dem späteren Begründer der Sozialdemokratischen Partei Viktor Adler u. a. ein Programm für eine „Deutsche Volkspartei" aus, das 1882 als „Linzer Programm" veröffentlicht wurde. Ziel all dieser Aktivitäten war die Gründung einer Partei, weshalb es verständlich ist, daß Schönerer nach neuen Anhängern suchte. Aufgrund der Erweiterung des Wahlrechtes im Jahre 1882 kamen dazu vor allem die damals erstmals wahlberechtigten „Fünfguldenmänner" in Frage. In dieser kleinbürgerlichen (Wiener) Bevölkerungsschicht war in den letzten Jahren ein w i r t s c h a f t l i c h   b e g r ü n d e t e r   A n t i s e m i t i s m u s entstanden, der 1882 im „Österreichischen Reformverein" eine politische Basis fand. Schon im März dieses Jahres gelang es Schönerer, sich mit antisemitischen und demokratischen Forderungen an die Spitze dieses Vereines zu stellen.[23]

Im selben Monat hielt er auch im Horner Gewerbeverein eine Rede, in der er forderte: *Mache dich frei von den vielen Schmarotzern, welche dich aussaugen; sorge, daß Gesetze geschaffen werden zum Schutz der Schwächeren gegen jene Parasiten, welche des Volkes Mark verzehren und in der Regel nicht christliche genannt werden dürfen. (Stürmischer, anhaltender Beifall.) [...] Ich habe bis jetzt das Wort „Jude" nicht genannt. (Große Heiterkeit.) Freilich gibt es Dinge, welche nicht genannt zu werden brauchen, damit sie das Volk verstehe. (Erhöhte Heiterkeit und Beifall.)*[24]

Zur Entstehung des Antisemitismus im Kleinbürgertum führten vorwiegend wirtschaftliche und soziale Ursachen, da diese Klasse besonders in Wien sehr stark unter sozialen Veränderungen zu leiden hatte. Man machte dafür zunächst den Liberalismus verantwortlich, dessen Gesetzgebung vor allem vom Jahre 1859 (Aufhebung der Zünfte etc.) an als

---

[21] Ergebnisse der Volkszählungen 1869 (Wien 1872), 1880 (Wien 1882) und 1890 (Wien 1892) in den Bezirken Horn, Krems, Waidhofen/Thaya und Zwettl. Eine größere Anzahl von Juden lebte 1880 in den Gerichtsbezirken Eggenburg (109), Horn (138), Kirchberg am Wagram (126), Krems (311), Schrems (194) und Waidhofen (134).
1856 hatte es im VOMB erst 85 Familien mit zirka 400 Seelen gegeben (Hruschka a. a. O. 179).
Zur Geschichte der bedeutendsten Waldviertler Judengemeinde in Krems siehe: Hannelore H r u s c h k a, Die Geschichte der Juden in Krems an der Donau von den Anfängen bis 1838, Phil. Diss. (Wien 1978/79).

[22] Alfons Ž a k, Geistige Kultur im politischen Bezirk Horn (Eggenburg 1908) 69 ff. — Alois P l e s s e r, Beiträge zur Geschichte der Pfarre Waidhofen an der Thaya. In: Geschichtliche Beilagen zum St. Pöltener Diözesanblatt X (St. Pölten 1913) 457.

[23] Whiteside (wie Anm. 8) 81 f.

[24] Der Bote a. a. O., 103 / 1. 4. 1882.

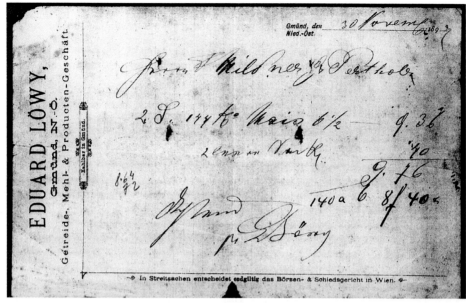
Abb. 36: Rechnung des Landesproduktenhändlers Eduard Löwy in Gmünd, 1899; Privatbesitz
(Foto: Karl Pani)

„Hauptursache dieses Übels"[25] galt, und dann dessen wirtschaftlichen Zwilling, den „Manchester-Liberalismus". Denn die Massenproduktion des Kapitalismus drückte die Preise der Handwerker und lieferte den Hausierern die billige Ware. Davon waren wohl auch jene Bezirke des Waldviertels betroffen, *wo die Weberei betrieben wird* und *wo schon seit längerer Zeit ein Notstand herrscht.*[26]

In den Kleinstädten dürfte aber oft auch der Geschäftsneid auf jüdische Konkurrenten Ursache für antisemitische Stimmung gewesen sein.[27] Über die S o z i a l - und B e r u f s - s t r u k t u r   d e r   W a l d v i e r t l e r   J u d e n liegen noch kaum Untersuchungen vor. In Krems waren sie vor allem als Handwerker und Händler tätig, und zwar besonders im Alt-material-, Landesprodukten-, Branntwein- und Textilhandel.[28] In dieser Branche sorgten die Juden für Ärger bei der Konkurrenz, da sie als erste (auch auf Märkten) Konfektions-ware verkauften und dadurch *die einheimischen Geschäftsleute schädigen und die ländliche Bevölkerung betrügen würden.*[29] Die Juden in Märkten und Dörfern des Waldviertels betätigten sich wohl zum Großteil als Greißler, z. B. in Lengenfeld, Hadersdorf, Etsdorf, Rossatz, Emmersdorf, Krumau[30], Dietmannsdorf, Neupölla (Abb. 25 und 28), auch Großschönau (Zeilinger).

---

[25] Der Bote a. a. O., 85 / 1. 7. 1881.

[26] Der Bote a. a. O., 49 / 1. 1. 1880.

[27] Vgl. dazu die Äußerung des Kremser Antisemitenführers Dr. Stingl (1892): „Die Judenfrage wäre schon lange gelöst, wenn nicht unsere Frauen jedes Bandl beim Juden kaufen würden." (Hruschka, wie Anm. 21, 254)

[28] Ebenda 283.

[29] Kremser Landzeitung vom 27. 10. 1894, zitiert in: Hruschka (wie Anm. 21) 259.

[30] Ebenda 136 ff.

Aber auch das Hausiererproblem war im Waldviertel aktuell, denn *wer einen tieferen Einblick hat in die Tätigkeit der kleinen Juden, der wird wissen, wie sie mit ihren Waren hausieren und damit die Kaufmannschaft ganz wesentlich schädigen.*[31] 1881 sah sich die Bezirkshauptmannschaft Zwettl gezwungen, mitzuteilen, daß *das eigentliche Hausieren [...] nicht geduldet werde.*[32] Drei Jahre später verhaftete man in Horn fünf „Hausierjuden", weil sie gegen eine solche Verordnung verstießen[33] (Abb. 190 und 191).

Neben Liberalismus und Kapitalismus bekämpfte das Kleinbürgertum aber auch den S o z i a l i s m u s aus Angst vor der Proletarisierung und den revolutionären Ideen der Arbeiterschaft. All das wird auch aus dem Resolutionsvorschlag für den Kleingewerbetag am 17. Juli 1881 in Krems ersichtlich, wo man u. a. folgendes forderte: die *Eindämmung jener auf bloße Billigkeit hinzielenden Schwindelindustrie*, Einschränkung des Hausierhandels und Maßnahmen gegen die *Überhandnahme eines gewerblichen Proletariates.*[34]

Anstatt aber nun die Schuld für diese Schwierigkeiten auch bei sich selbst zu suchen, versuchte man Liberalismus, Kapitalismus und Sozialismus in ihren Repräsentanten zu personifizieren und entdeckte so — wie es Schönerer bei einer Generalversammlung des Zwettler Gewerbevereines formulierte — *als Hauptursache das, was man Judentum nennt.*[35] Aufgrund der starken Beteiligung von Juden in Liberalismus, Kapitalismus, aber auch in Hausierertum und Sozialdemokratie konnte dies tatsächlich als logische Begründung erscheinen.[36]

Schönerer verstand es nun recht gut, antisemitische Tendenzen zu verstärken und zu seinen Gunsten einzusetzen. Schon im Mai 1882 legte er im Parlament zahlreiche P e t i t i o n e n aus Wien, aber auch aus dem Waldviertel vor, in welchen Maßnahmen gegen *die soziale Gefahr, welche eine Masseneinwanderung der russischen Juden nach Österreich bedeutet*[37], verlangt wurden.

Mit der Gründung des ,, D e u t s c h n a t i o n a l e n V e r e i n e s" im Sommer 1882 gelang es dem Waldviertler Abgeordneten, den kleinbürgerlichen und den studentischen Antisemitismus unter ein gemeinsames Dach zu bringen. Da jedoch die Judenfeindschaft dieser beiden Gruppen unterschiedliche Ursachen hatte, mußte dies über kurz oder lang zum Rassen-Antisemitismus führen, der in den Juden die Ursache sowohl für nationale als auch für wirtschaftliche Probleme sah. Mit der Devise *Was der Jude glaubt ist einerlei, in der Rasse liegt die Schweinerei* (auf Klebemarken)[38] wurde diese Auffassung deutlich ausgedrückt. Dieser Übergang von einem Antisemitismus aus wirtschaftlichen und sozialen Motiven zu einem R a s s i s m u s, der gleichzeitig die Überlegenheit der germanischen Rasse hervorhob, wurde Schönerers spezielles Charakteristikum, das ihn von den meisten anderen Deutschnationalen und Antisemiten unterschied.[39]

Schönerer selbst bezeichnete sich ab Jänner 1883 als „Abgeordneter und Antisemit" und erreichte durch seinen Radikalismus bald große Popularität, verlor aber dadurch auch

---

[31] Gemeindeausschuß Faber in Krems (1892), zitiert in: ebenda 253.

[32] Der Bote a. a. O., 88/15. 8. 1881.

[33] Der Bote a. a. O., 152/15. 4. 1884.

[34] Der Bote a. a. O., 86/15. 7. 1881.

[35] Der Bote a. a. O., 138/15. 9. 1883.

[36] Vgl. dazu Weiß (wie Anm. 7).

[37] Der Bote a. a. O., 106/15. 5. 1882.

[38] Der Bote a. a. O., 115/1. 10. 1882.

[39] F. L. C a r s t e n, Faschismus in Österreich. Von Schönerer zu Hitler (München 1977) 15.

zahlreiche Mitarbeiter. Die antisemitischen Aktivitäten des Abgeordneten blieben natürlich bei seinen Anhängern im Waldviertel nicht ohne Auswirkung. Im November 1882 erklärte man im „Boten aus dem Waldviertel": *Selbst auf die Gefahr hin, von den „Liberalen" in Acht und Bann getan, und des Rechtsanspruches auf den Titel eines „gebildeten Mannes" verlustig erklärt zu werden, bekennen wir uns offen und unumwunden als Gegner des Judentums, in welcher Gestalt es sich immer findet.*[40] Seit damals erschien fast in jeder Ausgabe dieser Zeitung mindestens ein antisemitischer Artikel oder eine solche Notiz.

Einen ersten Höhepunkt in Schönerers Laufbahn als Antisemit bildete die N o r d b a h n - a f f ä r e in den Jahren 1884 und 1885, als er eine Verstaatlichung dieser Bahnlinie forderte, um sie *vor den Klauen habsüchtiger jüdischer Spekulanten*[41] (Rothschild) zu retten. Unter den zahlreichen Petitionen mit tausenden Unterschriften, die er zur Unterstützung seines Antrages im Parlament vorlegte, befanden sich auch viele aus dem Waldviertel. Schönerer erreichte zwar nicht die Verstaatlichung, aber doch eine Änderung des Gesetzes zugunsten des Staates und damit eine Popularität, die geradezu zu einem Persönlichkeitskult führte. Fotos und Lithographien von ihm wurden verbreitet (Abb. 129), sein Porträt prangte auch auf Briefpapier, Stöcken, Geldbörsen und Pfeifen. Letztere kosteten *für Antisemiten 20 kr., für Juden, Judenknechte, Grammerstädter und Schmierfinken 25 kr.*[42]

Der Erfolg des Abgeordneten aus Rosenau beruhte nicht auf der Überlegenheit seines Programmes, sondern auf der Fähigkeit, die Emotionen seiner Zuhörer zu wecken. Der Appell an das Gefühl anstelle des Verstandes ist ja charakteristisch für den Antisemitismus, besonders in seiner rassischen Ausprägung, da er die Juden als Ursache allen Übels anprangert und damit „seine Anhänger, denen er eine unüberbrückbare Überlegenheit zum Geschenk macht, mit einem missionarischen Fanatismus ausrüstet, der jede Verunglimpfung des Gegners rechtfertigt, ja adelt".[43] Dies zeigte sich schon bei einer Rede Schönerers anläßlich einer Josef II.-Feier in Groß Siegharts, wo er meinte, daß *überhaupt eine vernünftige Behandlung des Staates niemals zur bleibenden Unterordnung einer besseren Rasse unter eine schlechtere führen dürfe.*[44] Er unterschied also bereits 1883 zwischen „Herrenrasse" und „Untermenschen". Die Aufnahme des „Judenparagraphen" in sein Programm anläßlich der Reichsratswahl im Mai 1885 bedeutete nur mehr die Kodifizierung einer schon lange vertretenen Forderung: *Zur Durchführung der angestrebten Reformen ist die Beseitigung des jüdischen Einflusses auf allen Gebieten des öffentlichen Lebens [...] unerläßlich!*[45]

Mit 292 gegen 146 Stimmen erfolgte Schönerers W i e d e r w a h l, obwohl auch diesmal heftig gegen ihn agitiert wurde. Und der Pfarrer von Groß-Globnitz verkündete nach der Wahl, daß jetzt 50 Jahre keine Waldviertler Seele in den Himmel komme.[46] Einige Monate später wurde der Gutsherr aus Rosenau auch in den Zwettler Gemeinderat gewählt: *Ach waih geschrien, war das ä Geserres und ä Gesümms und ä Getös!! Schönerer ist in die*

---

[40] Der Bote a. a. O., 117 / 1. 11. 1882.

[41] Der Bote a. a. O., 152 / 15. 4. 1884 und 154 / 1. 5. 1884 (Beilage).

[42] Der Bote a. a. O., 164 / 15. 10. 1884.

[43] Tietze (wie Anm. 18) 242.

[44] Beilage zum Boten a. a. O., 137 / 1. 9. 1883.

[45] Wahlaufruf der deutschnationalen Partei, Beilage zum Boten a. a. O., 177 / 1. 5. 1885.

[46] Der Bote a. a. O., 179 / 1. 6. 1885.

Gemeindevertretung von Zwettl gewählt. Gewählt gegen den Willen des weisen Salomon und seines Anhanges, der bisher ganz Zwettl beherrschte. [47]

Der Antisemitismus wurde nun zum wichtigsten Faktor in Schönerers Programm, und seine parlamentarischen Anträge richteten sich in erster Linie gegen das Judentum. Aber auch viele Waldviertler Anhänger vertraten in dieser Beziehung die Meinung ihres Abgeordneten, wonach die Juden ebenso wie Tschechen u. a. als nichtdeutsche Nation zu betrachten seien: *Wir sind Deutschnationale, und weil wir das ganz und ohne Rückhalt und Rücksicht sind, sind wir auch Judenfeinde, und müssen es sein, und werden nie aufhören es zu sein* [48]

Das Jahr 1887 brachte einen neuen Höhepunkt in Schönerers Antisemitismus, als er den Antrag für ein „Antisemitengesetz" stellte, das — wie die Anti-Chinese-Bill in Nordamerika — die Einwanderung ausländischer Juden verhindern sollte. Und seiner Meinung nach war es auch nur eine Frage der Zeit *bis die im Inlande vorhandenen Juden unter eine besondere Gesetzgebung gestellt sein werden.* [49]

Nach der Wiederwahl des Abgeordneten Fürnkranz im Landgemeindebezirk Krems-Horn im Mai 1886 und dem Wahlerfolg seines Parteigenossen Ernst Vergani im Städtewahlbezirk Krems-Horn ein Jahr später befanden sich nun sämtliche Wahlbezirke des Waldviertels im Besitz der Schönerianer. [50]

Daher überrascht es auch nicht, wenn Schönerer im Jahre 1888 im Namen von 374 (!) Waldviertler Gemeinden eine „Antisemitische Petition" an den niederösterreichischen Statthalter übermitteln konnte, die folgende Bitte enthielt: *Es mögen in Hinkunft bei Besetzung von Priester-, Richter-, Lehrer-, Notar- und Advokaten-Stellen, sowie bei allen Beamten- und Diener-Anstellungen überhaupt, lediglich Deutsche, nicht aber fremdnationale Bewerber berücksichtigt, keinesfalls aber Juden mit Stellungen obrigkeitlichen Charakters bedacht und in unseren deutschen Landesteil Niederösterreich entsendet werden.* [51] Der Antrag wird anschließend ausführlich begründet, denn *auch schon in dem von uns bewohnten Viertel ober dem Manhartsberg beginnt ganz allmählich eine nationale Umwandlung einzutreten, indem nicht nur eine slavische, sondern auch eine jüdische Einwanderung überhandnimmt, und sogar auch Stellungen mit obrigkeitlichem Charakter mit Juden wiederholt besetzt wurden* [52], *was sich auffälliger Weise bis auf die Kreise der Gendamerie in's Waldviertel erstreckt hat. [. . .] Durch das Slaventum könnte der deutsche Charakter unseres Landesteiles bedroht werden, durch das Judentum aber ist die Gefahr noch größer, denn dieses orientalische Volk trachtet unser heimisches Volk vollständig zu entnationalisieren.* In mehreren *gewiß wahren Worten* wurde schließlich auf die *gefährliche Bedrohung des deutschen Volkes* durch die verderbten und geldsüchtigen *asiatischen Fremdlinge* hingewiesen, denn *in Wahrheit sind die Juden eine fremde Nation und fremde Rasse, die gegen uns weder Humanität noch Toleranz zu üben geneigt ist, sondern es als ihr Stammesrecht betrachtet, uns mit Trug und List auszuplündern und womöglich ganz zu unterjochen.*

---

[47] Der Bote a. a. O., 184 / 15. 8. 1885.

[48] Der Bote a. a. O., 205 / 1. 7. 1886.

[49] Der Bote a. a. O., 217 / 1. 1. 1887.

[50] Pichl II (wie Anm. 10) 287.

[51] Der Bote a. a. O., 243 / 1. 2. 1888.

[52] Schönerer bezog sich hier vielleicht auf jüdische Steuerpächter (z. B. im Gerichtsbezirk Groß-Gerungs) und Mautpächter (z. B. Salomon Patek in Göpfritz, 1888; und in Krems, seit 1866).

Haft und letzte Erfolge

Schöneres antisemitische Euphorie wurde aber bald getrübt und schließlich abrupt eingeschränkt. So brachte ihn Ende 1887 die „Sonn- und Montagszeitung" in Verlegenheit, als sie berichtete, *daß in den Adern der Kinder des großen Judenhassers Georg Ritter von Schönerer unverfälscht jüdisches Blut fließt, denn der Urgroßvater ihrer Mutter war ein sicherer Schmul Leeb Kohn.*[53]

Und als Schönerer am 8. 3. 1888 aus Ärger über eine (zunächst) falsche Meldung vom Tod des deutschen Kaisers in die Redaktion des „Neuen Wiener Tagblattes" eindrang, und es zu einer Rauferei mit den *Schandblattjuden* kam, wurde der Abgeordnete wegen „Verbrechens der öffentlichen Gewalttätigkeit" angeklagt und vom Parlament ausgeliefert. Im Mai wurde Schönerer schließlich in einem mit einer „gewissen Voreingenommenheit"[54] geführten P r o z e ß zu einer schweren Kerkerstrafe von vier Monaten sowie zum Verlust von Adelstitel, Reichsratsmandat und der bürgerlichen Rechte auf fünf Jahre verurteilt.

Daraufhin kam es zu zahlreichen Demonstrationen seiner Anhänger, und in Zwettl waren *die hiesigen Juden so klug, ihre Freude über den Ausgang des Prozesses nicht merken zu lassen; hätten sie ihrer Freude öffentlich Ausdruck gegeben, so wären Ausschreitungen nicht unmöglich gewesen, denn viele Gemüter waren sehr sehr erregt. So mögen denn die Juden und Judenfreunde innerhalb ihrer Behausungen das Tatatam Tatatei nach Herzenslust singen.*[55]

Auch im Waldviertel standen also viele Wähler auf Seite ihres Abgeordneten. Der „Bote aus dem Waldviertel" erklärte: *Dessen mögen sich die Judenknechte versichert halten, daß wir jeden Fußbreit Boden mit aller Zähigkeit verteidigen werden, bis uns der Führer (!) wiedergegeben wird, [. . . und daß wir] den Juden und allen Afterdeutschen noch merkbare Beweise unseres lebenskräftigen Daseins und ungebeugten Kampfesmutes geben werden.*[56]

Vor seinem Haftantritt versandte Schönerer an seine Wählerschaft Abschiedsschreiben mit der Aufforderung: *Bleibt deutsch und treu, dann hat es keine Not! Glaubt der verderbten Judenpresse nichts!*[57] Am 19. August, als der Abgeordnete zur H a f t nach Wien fuhr, waren alle Bahnhöfe von Gmünd bis Wien für die Bevölkerung gesperrt, und Schönerers Zug wurde von Gendarmen begleitet, die ihn in jeder Station mit aufgepflanzten Bajonetten abschirmten. Diese Fahrt, aber auch die Ersatzwahl im Waldviertel zeigten, daß Schönerer aus der Affäre und vor allem aus dem Urteil enormen Gewinn an Popularität[58] gezogen hatte (Abb. 37). Trotzdem kam es in den nächsten Jahren zu einem N i e d e r g a n g s e i n e r P a r t e i , von dem vor allem die Christlichsozialen unter Lueger profitierten, bzw. den sie mitverursachten. Lueger wurde dabei vor allem von Ernst Vergani und dessen Zeitschrift „Deutsches Volksblatt" unterstützt.[59]

Schönerer, der sich nach seiner Enthaftung völlig aus dem politischen Leben zurückgezogen hatte, trat erst wieder Ende Mai 1889 an die Öffentlichkeit. Im September dieses Jahres erwarb er das Geburtshaus des wenige Wochen vorher verstorbenen Waldviertler Dichters Robert Hamerling in Kirchberg am Walde (Abb. 39) und errichtete dort eine Stiftung

---

[53] Waldviertler Nachrichten, 3. Jg. Nr. 1/1. 1. 1888, 6.

[54] Vgl. dazu: Hellwig V a l l e n t i n , Der Prozeß Schönerer und seine Auswirkungen auf die parteipolitischen Verhältnisse in Österreich. In: Österreich in Geschichte und Literatur 16 (1972) 81 - 97.

[55] [56] Der Bote a. a. O., 250/15. 5. 1888.

[57] Pichl II (wie Anm. 10) 490.

[58] Albert F u c h s , Geistige Strömungen in Österreich 1867 - 1918 (Wien ²1978) 183.

[59] Hruschka (wie Anm. 21) 246 und 251.

Abb. 37: Schönerer als Häftling, 1888; Zwettl, Stadtmuseum

Abb. 38: Gedenktafel für Schönerer im Hamerlinghaus, 1892
(Foto: Maria-Theresia Litschauer)

Abb. 39: Hamerlinghaus in Kirchberg am Walde, Postkarte, 1900; Neupölla, Slg. Polleroß

zum Gedenken an *diesen großen völkischen Dichter Deutschösterreichs, der in prachtvoller Sprache die verhängnisvolle Wirkung des Judentums auf die Völker in seinem „Ahasvero" glänzend geschildert, der in seinem „Homunkulus" den jüdisch entarteten Geist des Weltbürgertumes, des modernen Schrifttumes und des Zeitungswesens so naturgetreu und packend vorgeführt* habe.[60]

1890 übernahm Schönerer wieder die Führung der zerstrittenen Partei und versuchte zu retten, was noch zu retten war, allerdings mit nicht sehr großem Erfolg. Als er am 20. 12. 1893 seine bürgerlichen Rechte wieder erhielt, feierte man dies mit einer Festschrift und zahlreichen Kundgebungen, z. B. auch in Horn, Zwettl und Krems, wo man ihn als „Vater des nationalen Antisemitismus" pries.[61] Obwohl Schönerers Partei auch im Waldviertel an Boden verloren hatte, so war doch sein Antisemitismus nach wie vor lebendig, wie ein Artikel der Kremser Landzeitung zu seinem 54. Geburtstag im Jahre 1896 zeigt: *Diese riesige, elementare Volksbewegung, die heute den einst allgewaltigen Judenliberalismus verdientermaßen zum Abscheu der Ehrlichen gemacht hat, sie ist dein Werk! [...] und die antisemitische Bewegung die größte Errungenschaft unseres Jahrhunderts.*[62]

Trotzdem dürfte Schönerer aus Angst vor einer Wahlniederlage im Waldviertel nicht mehr kandidiert haben. Auf Drängen seiner Freunde entschloß er sich aber 1897, sich um das Mandat des Landgemeindebezirkes Eger-Asch-Ellbogen in B ö h m e n zu bewerben. Dort hatte seine Partei aufgrund des wachsenden tschechischen Nationalismus an Bedeutung gewonnen, und Schönerer wurde tatsächlich gewählt.

Es gelang ihm auch noch einmal, sich als Volksführer in Szene zu setzen. Da die Regierung 1897 in Böhmen tschechisch als gleichgestellte Amtssprache einführen wollte, kam es zu heftigen Protesten der deutschen Abgeordneten und schließlich zur Obstruktion der Schönerianer, die immer gewalttätiger wurde. Als es im Parlament zu Schlägereien kam, wurden Schönerer und einige andere deutschnationale und sozialdemokratische Abgeordnete mit Polizeigewalt aus dem Reichsrat entfernt. Die dagegen abgehaltenen Massendemonstrationen führten zum Rücktritt des Ministerpräsidenten Badeni, und Schönerer wurde als derjenige gefeiert, der die Regierung gestürzt hatte.

Im selben Jahr nahm Schönerer auch die „Los-von-Rom"-Politik in sein Programm auf (Abb. 40), die aber im Waldviertel nur auf geringe Zustimmung stieß. Der Erfolg der Reichsratswahl 1901, nach der sich 21 Abgeordnete unter Schönerers Führung zur „Alldeutschen Vereinigung" zusammenschlossen, hielt nicht lange an, und die Kirchenfeindlichkeit sowie die offene Hohenzollernverehrung des Waldviertler Abgeordneten beschleunigten den Zerfall seiner Partei. Bei der Wahl im Jahre 1907 erhielt Schönerer selbst nur mehr einen geringen Teil der gültigen Stimmen seines Wahlbezirkes. Er zog sich dann resigniert auf Schloß Rosenau zurück, um bis zu seinem Tod im Jahre 1921 nur mehr selten in der Öffentlichkeit aufzutreten.

Antisemitische Agitation

Obwohl es Schönerer also — im Unterschied zu Lueger — nicht gelang, seine Judenfeindschaft in dauerhafte politische Erfolge umzusetzen, so sorgte er zweifellos für eine antisemitische Stimmung bei einem Großteil der Waldviertler Bevölkerung. Dies geschah

---

[60] Interpretation von Eduard P i c h l : „Herwig", Georg Schönerer und die Entwicklung des Alldeutschtums in der Ostmark, IV. Band (Wien 1923) 487.

[61] Der Bote a. a. O., 387 / 1. 2. 1894.

[62] Pichl IV (wie Anm. 60) 530.

Zwettl, Talberg

Schönerers »los von Rom«-Kirchlein in ...

Abb. 40 und 41: „Schönerer-Kirchlein" in Zwettl, Postkarte von Schönerer an seine Tochter Anna von Statzer, 1907; Neupölla, Slg. Polleroß

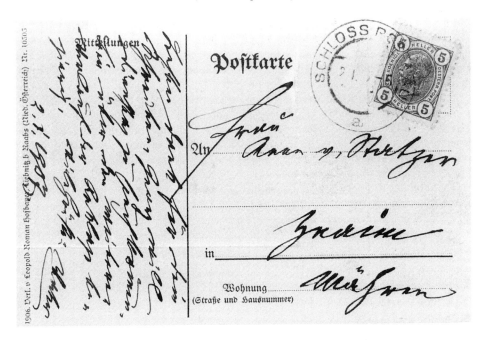

Abb. 42: Schloß Jaidhof, Postkarte 1909; Neupölla, Slg. Polleroß

einerseits durch seine zahlreichen Reden in vielen Waldviertler Orten, andererseits vor allem durch die von ihm geförderten Lokalzeitungen.

Eine davon war der „Bote aus dem Waldviertel" in Horn, der seit 1878 aufgrund seiner deutschnationalen und antisemitischen Propaganda wiederholt beschlagnahmt, und dessen Verleger Ferdinand Berger mehrmals wegen *Aufreizung gegen das Judentum* angeklagt wurde.[63] Neben der regelmäßigen „Annoncierung" der Reden Schönerers reichte der Bogen in dieser Zeitschrift von antisemitischen Leitartikeln bis zu Meldungen folgender Art, die sicher auch nicht ihre Wirkung verfehlten: *Sonntagsruhe. Die jüdischen Krämer in verschiedenen Dörfern des hiesigen Bezirkes lassen an Sonntagen Nachmittags Müller-Frachtwagen mit Körnerfrüchten beladen und versenden. Warum tun sie es nicht am Schabbes? Wie kommen die Christen eines ganzen Dorfes, von denen der Jude lebt, dazu sich in ihren religiösen Gefühlen durch solch eine Mißachtung der Sonntagsruhe beleidigen zu lassen?*[64]

Zum Zielpunkt der Kritik wurden jedoch vor allem die reichen Juden wie Wilhelm Ritter von Gutmann, der Besitzer der Herrschaft Jaidhof (Abb. 42): *St. Leonhard am Walde. Kürzlich gab der bekannte Wiener Kohlenjude und Millionär, der zugleich auch Groß-grundbesitzer im Waldviertel ist, einen Abend, der nach Angaben der Wiener Blätter 42 000 Gulden kostete. [. . .] Wie viel Kummer und Harm hätten mit diesen 42 000 Gulden erleichtert werden können? [. . .]*[65]

Der Tod des Krämers Gabriel Bauer aus Dietmannsdorf während seines Aufenthaltes am Versöhnungstag 1885 in Horn wurde so kommentiert:

Eine Judenleiche. In Horn und dessen Umgebung befinden sich soviele Juden, daß sie sich zu einer Kultusgemeinde zusammengeschweißt haben. Die frische Waldesluft muß den Juden sehr wohl bekommen, denn immer hört man nur von Geburten, selten aber öffnen

---

[63] Pichl IV (wie Anm. 60) 163 f.

[64] Der Bote a. a. O., 200/15. 4. 1886.

[65] Der Bote a. a. O., 389/1. 3. 1894.

Abb. 43: Krems als Zentrum des Deutschnationalismus, kolorierte Postkarte, 1911; Neupölla, Slg. Polleroß

sich die Pforten des hier befindlichen Judenfriedhofes, um die irdische Hülle eines in Abrahams Schoß berufenen Juden aufzunehmen. [...][66]

Daneben fand man im „Boten aus dem Waldviertel" auch „Antisemitische Scherze" und Annoncen für „Antisemitisches Agitationsmaterial".

Die „Österreichische Landzeitung" in Krems trat ebenfalls seit ihrer Gründung 1879 „in deutschnationalem, schönererfreundlichem Sinne auf, und übte besonders bei den Wahlen im Waldviertel großen Einfluß aus".[67] Sie war Schönerer mehrmals zu wenig radikal, nahm aber — unter wechselnden politischen Vorzeichen — bis 1938 eine antisemitische Haltung ein. Von 1890 bis 1907 erschien die „Zwettler Zeitung", die vor allem *die schädlichen Einflüsse einer fremden Rasse beleuchten und die Korruption (Verderbnis) auf allen Gebieten des öffentlichen Lebens, wo dieselbe auf die arischen, hauptsächlich aber auf das deutsche Volk in Österreich verderbend wirkt, bekämpfen* wollte.[68] Die „Kremser-Stadtzeitung", die nur im Jahre 1890 gedruckt wurde, versprach *der Verlogenheit der Judenpresse und der Aussaugung von Volk und Staat entgegenzutreten.*[69]

Bei der Verbreitung von Nationalismus und Antisemitismus spielten aber auch verschiedene V e r e i n e eine große Rolle, so z. B. der 1885 gegründete deutsche Nationalverein in Krems[70], die Gewerbevereine (z. B. in Horn, Krems und Zwettl) und die Schulvereine. Der „Deutsche Schulverein" vertrat ja von Anfang an nationale Interessen, als Schönerer ihn aber in antisemitisches Fahrwasser führen wollte, stieß er auf Widerstand der gemäßig-

---

[66] Der Bote a. a. O., 187/1. 10. 1885.

[67] Pichl IV (wie Anm. 60) 164 f.

[68] [69]) Zeitungsausrufe zitiert in: Pichl IV (wie Anm. 60) 166.

[70] Hruschka (wie Anm. 21) 245.

ten und — auch in Krems — jüdischen Mitglieder. Er gründete daher einen „Schulverein für Deutsche". Zu diesem traten auch mehrere Waldviertler Ortsgruppen über, z. B. die in Neupölla, weil ihnen diese Organisation das Recht zugestand, *über die Aufnahme von Mitgliedern zu entscheiden, so daß Juden der Eintritt in den Verein verwehrt werden kann.*[71] An die Ortsgruppe Schloß Rosenau des „Schulvereines für Deutsche" schrieb Schönerer am 1. 5. 1886 folgende Verse:

> *Kennt ihr das Volk, das die Arbeit haßt,*
> *Belügt, schachert ohne Ruh und Rast,*
> *Dem auch der schmutzigste Vorteil ist recht:*
> *Das ist das bekannte Judengeschlecht!* [72]

Aber auch in der Turnerschaft führte Schönerers Antisemitismus zu Spaltungen zwischen gemäßigten und radikalen Vereinen. „Judenreine" Turnvereine bestanden etwa in Horn und Zwettl, und auch der „Erste Wiener Turnverein", die größte Organisation dieser Art in Österreich, beschloß im April 1887 *nur Deutsche arischer Abstammung* als Mitglieder aufzunehmen. Vorgeschlagen hatte dies der spätere Heimatforscher und Begründer des Drosendorfer Museums Franz Kießling[73] (Abb. 44).

Die Differenzen zwischen den einzelnen Vereinen zeigten sich besonders auf dem V. Kreis-Turnfest im Herbst dieses Jahres in Krems, wo *diese antisemitische Bewegung in der österreichischen Turnerschaft in einer Weise aufgetreten ist, die [...] als geradezu empörend zu bezeichnen ist.*[74]

Ein anderes Mittel zur Verbreitung seiner Ideen sah Schönerer in der Versorgung von Volksbüchereien, die er seit Beginn der 80er Jahre in vielen Orten des Waldviertels aufstellen ließ, mit antisemitischer Literatur. So enthielt beispielsweise die Volksbibliothek in Neupölla sieben judenfeindliche Werke, darunter „Die Judenfrage" des Dr. Dühring (Abb. 134-136) und eine Schrift über Schönerers Prozeß. Schließlich gab es aber auch eine eifrige direkte Propagandatätigkeit mit Flugblättern, Klebemarken, Briefpapier und Karten mit antisemitischen Sprüchen wie „Kauft nicht bei Juden!" und „Ein wahres deutsches Mädchen spricht: ‚Mit Judenjungen tanz' ich nicht!".[75] In einem Zwettler Verlag erschienen 1887 Flugblätter zum Preis von 20 Gulden per 1000 Stück, in denen *in volkstümlichen Tone dem Fremdtum und namentlich dem jüdischen Einfluß scharf zugesetzt* wurde[76], und zwei Jahre später druckte man in Krems eine Flugschrift „Gebet des Antisemiten", die aber beschlagnahmt wurde.[77]

Trotz dieser für die damalige Zeit wohl hervorragenden Werbetätigkeit besaß Schönerer auch im Waldviertel erbitterte Gegner, und es läßt sich kaum feststellen, wie weit die von seiner Partei aufgestellte Behauptung, das Waldviertel wäre antisemitisch, tatsächlich zutraf. Neben dem Klerus, der ihn vor allem wegen seiner Kirchenfeindlichkeit und der Illoyalität gegenüber dem Kaiserhaus bekämpfte, stieß Schönerer auch bei gemäßigten Deutschnationalen auf Kritik, als er begann, *seinen Judenhaß über die gemeinsame deut-*

---

[71] Der Bote a. a. O., 217 / 1. 1. 1887.

[72] Pichl II (wie Anm. 10).

[73] Der Bote a. a. O., 224 / 14. 4. 1887.

[74] Leserbrief des Geschäftsführers der „Deutschen Turnerschaft", zitiert in: Der Bote a. a. O., 238 / 15. 11. 1887.

[75] Pichl IV (wie Anm. 60) 546.

[76] Der Bote a. a. O., 239 / 1. 12. 1887.

[77] Hruschka (wie Anm. 21) 255.

Abb. 44: Franz Kießling (1859-1940), Gemälde von Rudolf Schilbach; Wien, Historisches Museum
(Foto: Museum)

sche Sache zu stellen.[78] Einer der schärfsten Gegner des Abgeordneten war der Waidhofner Gymnasialprofessor Karl Riedel, der Herausgeber der „Waldviertler Nachrichten", der ihn als *Dalay Lama von Zwettl, politischen Clown* und seinen Antisemitismus als *hirnverbrannt* bezeichnete. Schönerer beschimpfte ihn daraufhin als *dem Trunke ergeben* und seine

---

[78] Waldviertler Nachrichten 1. Jg., Nr. 19 / 1. 10. 1886.

Zeitung als *verjudet*. Zu den wenigen engagierten Kämpfern gegen den Antisemitismus vor allem im bäuerlichen Bereich gehörte Josef Steininger, ebenfalls ein Zeitungsherausgeber, der dafür auch Nachteile in Kauf nahm. In Krems lehnte aber auch das eingesessene liberale Bürgertum und dessen Sprachrohr, das „Kremser Wochenblatt", Schönerers Antisemitismus als pöbelhaft ab.[79]

Das tatsächliche Verhalten der Waldviertler ihren jüdischen Mitbürgern gegenüber kann man ebenfalls nur schwer beurteilen, aber schon ihre Ansiedlung wurde oft nicht gerne gesehen. So beschloß etwa die Zwettler Gemeindevertretung 1856 den Branntweinhändler Samuel Schidloff auszuweisen, was aber vom Bezirksamt verhindert wurde.[80] Auch als sich 1884 in Mödring bei Horn ein Jude niederlassen wollte, lehnten dies die Dorfbewohner ab. Der „Bote aus dem Waldviertel" berichtete unter dem Titel „Mödring (Antisemitisches)" darüber, notierte auch, daß *die bäuerliche Bevölkerung nunmehr bereits vorsichtiger zu werden scheint* (aufgrund der Propaganda Schönerers?) und schlug schließlich vor: *Man sollte den Juden, wie es Bismarck den Sozialdemokraten angetragen hat, eine Provinz zur Verwaltung übergeben, wo sie ganz unter sich wären, dann würden sie zur Überzeugung kommen, daß sie nicht alle schachern können, sondern daß auch schwere physische Arbeitsleistung notwendig ist, vor welcher auch der ärmste Jude bekanntermaßen eine gewaltige Scheu hat.*[81]

Als Schönerer 1885 Gemeinderat in Zwettl wurde, berief er eine Wählerversammlung ein, bei der u. a. gefordert wurde, den inmitten der Stadt befindlichen jüdischen Branntweinschank zu entfernen, und daß *die Vorstehung der Gemeinde jede weitere Ansiedlung von Juden in der deutschen Stadt Zwettl nach Kräften hintanhalte.*[82]

Drei Jahre später eroberten die Antisemiten, die auch unter diesem Namen kandidierten, alle Mandate des 3. Wahlkörpers (Kleingewerbe und kleiner Grundbesitz) im Kremser Gemeinderat.[83] 1892 wurden zwar nur mehr zwei Kandidaten wiedergewählt, aber diese nützten jede Gelegenheit zu antisemitischer Agitation. So lehnten sie den Verkauf eines Grundstückes zum Bau einer Synagoge (Abb. 114) ab: *Es wird gesagt, wir dürfen nicht gehässig sein. Ja, wer tut denn den Juden etwas? Sie sollen nur uns nichts tun. Ich hasse keinen Juden, aber ich sage, der Boden ist christlich-germanisch und da hat kein Jude etwas zu schaffen.*

Als die Gutsverwaltung Jaidhof (Isak Wolf Freiherr von Gutmann) ein gemeindeeigenes Grundstück zur Errichtung einer Rebschule pachten wollte, sprachen sich Dr. Stingl und Josef Faber ebenfalls dagegen aus: *Wegen so lausiger 20 Gulden sollen wir doch nicht den Juden ein neues Tor nach Krems öffnen. Wir sind doch keine Judenschutztruppe. Kein Jude tut etwas umsonst, er wird also sicher die Reben teuer verkaufen.*

1889 zerschlugen Mittelschüler in Krems die Fenster eines jüdischen Kaufhauses, doch handelte es sich dabei wohl eher um einen antisemitischen Lausbubenstreich. Dagegen wurde eine Demonstration von ca. 100 Kremser Antisemiten im Herbst d. J. vom „Kremser Wochenblatt" als erster wirklicher Antisemitenskandal angesehen.[84]

---

[79] Franz Fux, Josef Steininger — ein revolutionärer Bauer — seiner Zeit voraus. In: Das Waldviertel (1970) 23 f.; Hruschka (wie Anm. 21) 249.

[80] Josef Leutgeb, „Holocaust" auch für Zwettler Juden. In: Zwettler Kurier, Nr. 17 (Mai 1979) 8 f.

[81] Der Bote a. a. O., 168 / 15. 12. 1884.

[82] Der Bote a. a. O., 188 / 15. 10. 1885.

[83] Hruschka (wie Anm. 21) 250 ff.

[84] Ebenda 256 f.

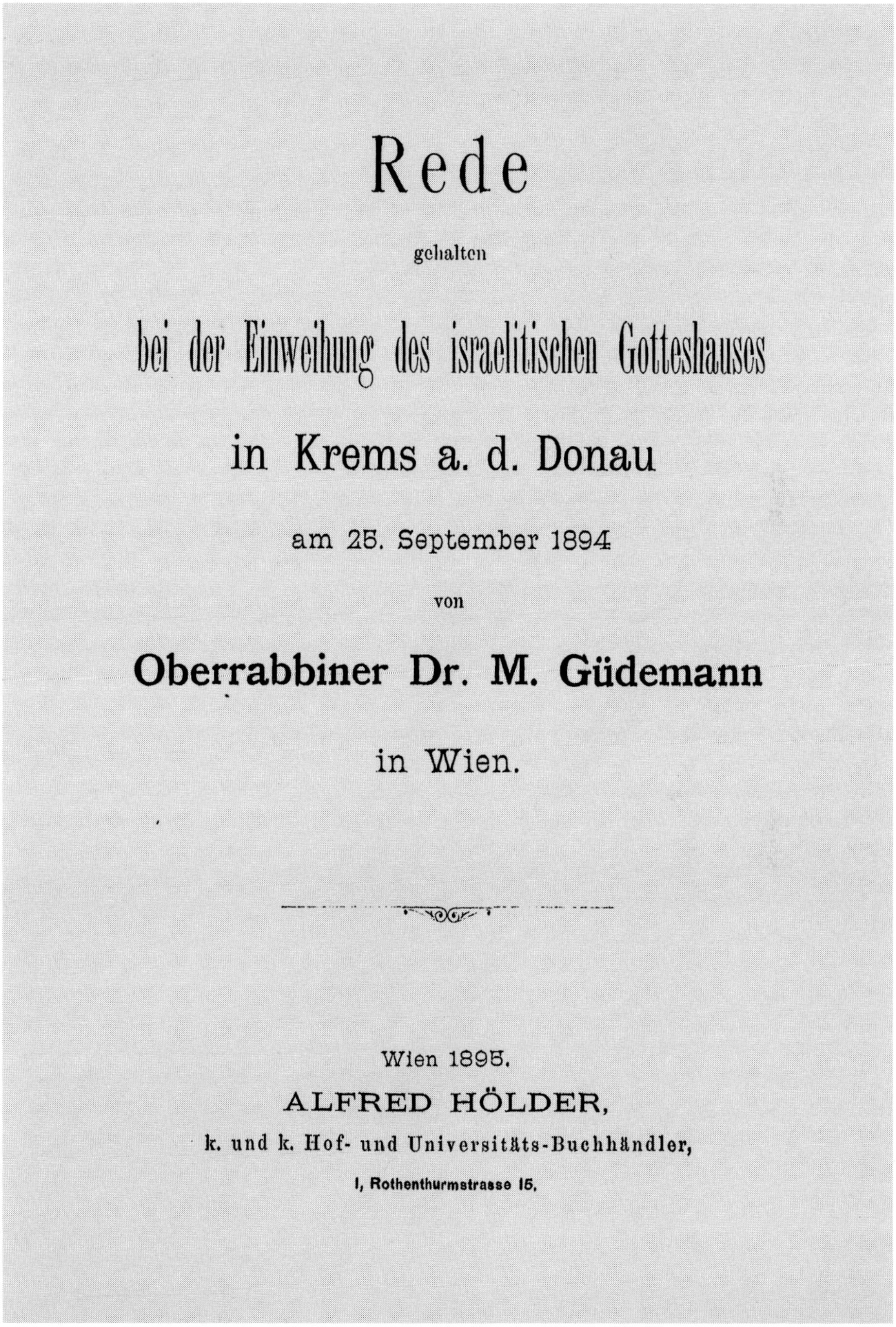

Rede

gehalten

bei der Einweihung des israelitischen Gotteshauses

in Krems a. d. Donau

am 25. September 1894

von

Oberrabbiner Dr. M. Güdemann

in Wien.

———————

Wien 1895.

ALFRED HÖLDER,

k. und k. Hof- und Universitäts-Buchhändler,

I, Rothenthurmstrasse 15.

Abb. 45: Eröffnungsrede der Kremser Synagoge von Dr. Moritz Güdemann, 1895; Wien, ÖNB
(Foto: ÖNB)

Abb. 46: Max Ritter von Gutmann (1857-1930), Besitzer der Herrschaft Jaidhof; Wien, Bildarchiv
(Foto: Bildarchiv der Österreichischen Nationalbibliothek)

1890 kam es auch im Gerichtsbezirk Groß-Gerungs zu einer Aktion antisemitischer Wirte und Fleischhauer unter Führung Schönerers gegen einen Juden, der die Verzehrsteuer für Wein und Fleisch gepachtet hatte. Man schränkte den Konsum von Wein und Fleisch ein und verleidete dem Pächter das Geschäft auch *durch Ausübung verschiedener antisemitischer Roheiten.*[85] Als dieser zurücktrat, gab Schönerer ein „antisemitisches Festmahl".

Andererseits wurde beispielsweise der Vorsteher der Horner Kultusgemeinde, Abraham Schlesinger, 1885 Mitglied der Handelsgenossenschaft dieser Stadt[86], und in Neupölla war der jüdische Kaufmann Alois Biegler (Abb. 71) Vorsitzender der Gewerbegenossenschaft und von 1894-1938 Vorstand eines Rauchklubs.[87]

Der Antisemitismus, der in den Waldviertler Kleinstädten vor allem beim Kleinbürgertum (3. Wahlkörper) und den deutschnationalen Studenten Anklang fand, dürfte also damals vorwiegend auf verbale Aktivitäten einer Minderheit beschränkt geblieben sein, die aber gelegentlich schon die Forderung nach der „Endlösung" vorwegnahmen; etwa als der Christlichsoziale Ernst Schneider 1893 auf einer Versammlung seiner Partei in Krems ein „Schußgeld für Juden" verlangte.[88] So hatte der nationalsozialistische Autor Henke leider nicht ganz Unrecht, als er 1940 behauptete: *die Ahnenheimat des Führers wurde durch Georg Ritter von Schönerer zur Geistesheimat des erbitterten Kampfes gegen das Judentum.*[89]

Abb. 47: Denkmal für die Gefallenen des I. Weltkrieges auf dem jüdischen Friedhof in Krems
(Foto: Friedrich Polleroß)

---

[85] Pichl IV (wie Anm. 60) 469.

[86] Der Bote a. a. O., 171 / 1. 2. 1885.

[87] Friedrich B. Polleroß, Geschichte des „Rauchklub Neupölla", in: Zwettler Kurier (wie Anm. 80) 46-51.

[88] Friedrich Heer, Der Glaube des Adolf Hitler (München 1968) 70.

[89] Otto Henke, Die Juden in Niederdonau (= Schriftenreihe für Heimat und Volk 16 [St. Pölten 1940]).

Adolf Hitler „unser Führer — ein Waldviertler"

In seinem letzten Brief diktierte der fast völlig erblindete Schönerer: *Die Geschichte wurde niemals von den Massen gestaltet, sondern von einzelnen großen Männern. Für die Jetztzeit scheinen solche noch nicht geboren zu sein.*[90] *Daß dem deutschen Volke noch zu seinen Lebzeiten die gewaltigste Führernatur seiner Geschichte bereits geschenkt war, konnte er freilich damals noch nicht ahnen.*[91]

Der Vater des hier genannten Adolf Hitler stammte aus dem Waldviertel[92], wo Adolf 1908 auch einige Wochen verbrachte, bevor er nach Wien übersiedelte.[93] Als Hitler nach Wien kam, um Maler zu werden, sah er — nach eigener Angabe — *im Juden nur die Konfession und hielt deshalb aus Gründen menschlicher Toleranz die Ablehnung religiöser Bekämpfung auch in diesem Falle aufrecht.* Doch bald wußte er zu seiner *inneren glücklichen Zufriedenheit schon endgültig, daß der Jude kein Deutscher war* und er *begann sie allmählich zu hassen.*[94] Obwohl Schönerer damals nicht mehr öffentlich auftrat, so war es doch vor allem dessen Alldeutsche Partei mit ihrer *richtigen Vorstellung von der Bedeutung des Rassenproblems* sowie der *richtigen Erkenntnis des Zieles der Judenfrage und der Bedeutung des Nationalgedankens*[95], die Hitlers Wandlung zum Antisemiten wesentlich beeinflußte (Abb. 61).

Als der Rosenauer nach dem Weltkrieg bedauerte, daß *noch keine gesunde Volksbewegung in Erscheinung getreten sei,* hatte Adolf Hitler bereits beschlossen, Politiker zu werden, und er trat sogar noch zu Lebzeiten Schönerers als Redner im Waldviertel auf, etwa am 10. 10. 1920 in Gmünd: *Im Kinosaal Gmünd erschien der damals noch unbekannte Adolf Hitler als Redner. Hitler sprach damals über die Versklavung des deutschen Volkes durch die Friedensverträge und die über uns gekommene Zinsknechtschaft. In seiner wuchtigen Art schlug er die zahlreich erschienenen Sozis völlig in seinen Bann; der sozialdemokratische Gegenredner Richard Forbelsky erlitt damals eine klägliche Abfuhr. [...] Am nächsten Abend sollte er übrigens in Groß Siegharts sprechen. Die Roten ließen ihn aber nicht mehr reden, weil er ‚Ausländer' war. Ihre Führer witterten die Gefahr!"*

Gmünd war das Zentrum des Nationalsozialismus im oberen Waldviertel, denn hier bestand schon vor dem Krieg ein „Nationaler Arbeiterverein", der im März 1919 in die „Deutsche Arbeiterpartei" überging. Ein Jahr später wurde eine Ortsgruppe der NSDAP unter Kreisobmann Staudenbacher begründet, der bald darauf Ortsgruppen in Kirchberg/Walde, Litschau, Schrems, Weitra, Groß-Gerungs, Waidhofen, Hoheneich, Heidenreichstein, Hirschbach, Zwettl und Raabs folgten.[96]

---

[90] E. V. v. Rudolf, (= Rudolf von Elmayer-Vestenbrugg), Georg Ritter von Schönerer. Der Vater des politischen Antisemitismus. Von einem, der ihn selbst erlebt hat (München 1936) 130.

[91] Hanns Schopper, Georg Ritter von Schönerer, ein Vorläufer des Nationalsozialismus. Schriftenreihe für Heimat und Volk, hrsg. vom Gaupresseamt ND der NSDAP Nr. 2 (St. Pölten o. J.) 18.

[92] Vgl. dazu: Karl Merinsky, Hitler-Ahnen aus dem Döllersheimer Gebiet. In: Franz Trischler (Hg.), Zwischen Weinsberg, Wild und Nebelstein. Bausteine zur Heimatkunde des Hohen Waldviertels (Zwettl 1974) 137 - 152.

[93] Franz Jetzinger, Hitlers Jugend; Phantasien, Lügen — und die Wahrheit (Wien 1956) 27.

[94] Adolf Hitler, Mein Kampf, 305 - 306. Auflage (München 1938) 56 u. 66 f.

[95] Ebenda 133 f.

[96] Landzeitung 13 / 29. 3. 1939, 17.

Die zweite Hochburg der Partei entstand in K r e m s :

Beim großen Zusammenbruch im Herbst 1918 rissen zunächst Juden und andere orts-
fremde Elemente die Führung in beiden Städten Krems und Stein an sich. Der Retter von
Krems aus dieser schmählichen Lage wurde aber Adolf Hitler selbst, der durch seine Rede
am 13. Oktober 1920 im Hirschensaale das nationale Fühlen und Handeln wieder zum
Durchbruch brachte. [...] Immer stärker trat aber bald in diesen Kämpfen die national-
sozialistische Bewegung hervor, deren Ursprungsquelle die im Jahre 1919 zu Krems gegrün-
dete Ortsgruppe der Deutschen Arbeiterpartei ist. Hier bildete sich eines der wichtigsten
Zentren der nationalsozialistischen Bewegung für die ganze Ostmark.[97]

In Krems soll Hitler ebenfalls „mit großem Erfolge" gesprochen haben[98], und bei der
drei Tage später durchgeführten Wahl zur Nationalversammlung erreichten die Nationalsozialisten im Waldviertel schon über 5000 Stimmen (5 %).

Der Antisemitismus in der Gründungsphase der Republik

Obwohl also die NSDAP im Waldviertel noch relativ unbedeutend war, kam es damals
auch hier zu einem Anschwellen des Antisemitismus. So kommentierte etwa der Pfarrer
von Brand den Untergang der Monarchie folgendermaßen: *Trauern braucht das Volk nicht*
um die Monarchie, denn was die von diesen eingesetzten und gehalten jüdischen Zentrale
an Volkswucher und Bedrückung geleistet haben, ist himmelschreiend. [...] Freilich sind
auch in der neuen Republik die Juden obenan, vielleicht noch mehr als in der alten Monar-
chie, aber es hat jetzt doch das Volk mehr Recht und über kurz oder lang wird der Volkswille
auch das Judenregiment wegfegen.[99] Bemerkenswert ist vor allem die Anti-Habs-
burg-Einstellung diese Klerikers und die Prophezeiung von der „Selbsthilfe" der Bevölkerung, die wir noch einige Male finden werden.

Viele Schönerianer und auch die „Deutschösterreichische Landzeitung" hatten damals
in der G r o ß d e u t s c h e n V o l k s p a r t e i eine neue politische Heimat gefunden. Deren
politische Ziele waren der Anschluß an Deutschland *(Eins muß das ganze Volk werden, ein*
Volk, ein Reich!) sowie *der ernste Kampf gegen das Judentum, besonders die rücksichtslose*
Befreiung unseres Volkes von den Ostjuden.[100] Diese Partei, in der sich „am ausgeprägten und ausführlichsten alle Vorurteile und Feindbilder des rassischen Antisemitismus"
wiederfanden[101], erreichte bei den Wahlen zur Nationalversammlung 1920 über 14000
Stimmen (13 %) im Waldviertel.[102]

---

[97] Hans P l ö c k i n g e r , Krems, die Donaustadt. Die Städte des Reichsgaues ND Nr. 5 (St. Pölten
1943) 40.

[98] Heinrich H o f f m a n n , (Hg.), Wie die Ostmark ihre Befreiung erlebte (Berlin 1940) 29.

[99] Memorabilienbuch der Pfarre Brand, zitiert in: Franz B i n d e r , Marktgemeinde Waldhausen
(Waldhausen 1979) 49 f.

[100] Wahlaufruf der Großdeutschen Volkspartei, in: Deutsch-österreichische Landzeitung 40/
30. 9. 1920, 1.

[101] Karl S t u h l p f a r r e r , Antisemitismus, Rassenpolitik und Judenverfolgung in Österreich nach
dem Ersten Weltkrieg. In: Vielmetti (wie Anm. 1) 147.

[102] Ergebnisse der Wahl vom 17. 10. 1920 (Landzeitung 43/21. 10. 1920): Großdeutsche Volkspartei
14153, Christlichsoziale 59858, Sozialdemokraten 19470, D.-ö-Bauernpartei 12003, Nationalsozialisten 5078, Christlichnationale 446 und Jüdischnationale 183 Stimmen (zirka 20 Prozent der
Waldviertler Juden). Die meisten Stimmen erreichten die Jüdischnationalen im Kremser Bezirk
(101), also dort, wo auch der Antisemitismus am stärksten gewesen sein dürfte.

Abb. 48: Eduard Löwy, Landesproduktenhändler in Gmünd, um 1920/25; Privatbesitz

Die weitaus stärkste Partei wurde bei diesen Wahlen die Christlichsoziale Partei mit fast 60 000 Stimmen. Und bei dieser spielte der Antisemitismus damals ebenfalls eine nicht unwesentliche Rolle und äußerte sich besonders in deren Vorfeldorganisationen.[103] Einer dieser Vereine, der Katholische Volksbund, hatte auch im Waldviertel mehrere Ortsgruppen, die vor allem *praktisches Christentum* und *Unterdrückung des verderblichen Einflusses des Judentumes in allen staatlichen Einrichtungen* anstrebten.[104] Der Antisemitismus der Christlichsozialen Partei wurde auch im Wahlkampf hervorgehoben: In einem Informationsblatt nannte man u. a. folgendes als Entscheidungshilfen für die Wahl und besondere Kennzeichen dieser Partei: *Sie ist unter allen Parteien die einzige, welche das volksausbeuterische Judentum zielbewußt und planmäßig bekämpft. [...] Die christlichsoziale Partei ist die einzige judenreine Partei, die sozialdemokratische aber ist stark verjudet.*

Das dritte große politische Lager, die Sozialdemokratie (fast 20 000 Stimmen), scheint auch im Waldviertel das einzige gewesen zu sein, das den Antisemitismus nicht auf seine Fahnen geschrieben hatte. So sprach sich deren Waidhofner Lokalorganisation gegen die „Abschaffung" eines Ostjuden aus dieser Stadt aus.[105] In Krems vertraten zwei Juden diese Partei im Gemeinderat[106], und einer von ihnen, Josef Weiß, wurde sogar zum Bezirksparteiobmann gewählt.

Unter solchen Voraussetzungen ist es nicht verwunderlich, daß in den Lokalzeitungen immer wieder antisemitische Artikel und Leserbriefe erschienen. Ein anonymer Autor aus Heidenreichstein schrieb z. B. folgendes: *Die einzige Rettung vor der jüdischen*

---

[103] Vgl. dazu: Anton Staudinger, Christlichsoziale Judenpolitik in der Gründungsphase der österr. Republik. In: Jahrbuch für Zeitgeschichte 1978 (Wien 1979) 11 - 48. Der christlichsoziale Antisemitismus entwickelte sich aus der religiös motivierten Judenfeindschaft katholischer Gruppen und dem Antiliberalismus klerikal-konservativer Kreise in den achtziger Jahren des 19. Jahrhunderts in Verbindung mit dem wirtschaftlich begründeten Antisemitismus des Kleinbürgertums (Häusler, wie Anm. 9, 109 ff.) und fand auch im Waldviertel Eingang. So verfolgte etwa das 1870 gegründete katholische Kremser Volksblatt (später Kremser-Zeitung) „klar antisemitische Tendenzen" (Hruschka wie Anm. 21, 244), und um 1900 stellte der Christlichsoziale Geßmann am Kamp in Gars eine riesige Tafel mit der Aufschrift „Hunden und Juden ist das Baden verboten!" auf (Landzeitung 31 / 3. 8. 1932, 27).

[104] Landzeitung 39 / 28. 9. 1920, 7.

[105] Landzeitung 26 / 24. 6. 1920, 7.

[106] Hruschka (wie Anm. 21) 262.

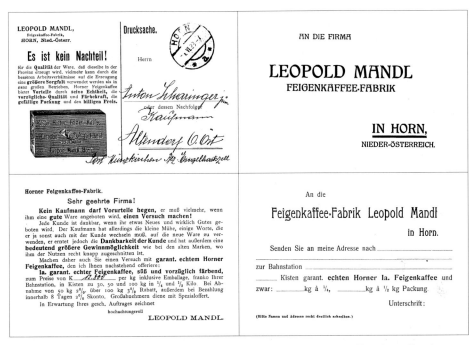

Abb. 49: Werbepostkarten der Firma Mandl in Horn, 1923; Neupölla, Slg. Polleroß

Gefahr wäre die, daß ein jeder Deutsche jegliche Verbindung mit Juden und Judenstämmlingen abbricht [...], kurz, vollständiger Boykott der Juden.[107]

Manche Waldviertler Gemeinden gingen auch bald vom verbalen zum „praktischen Antisemitismus" über. Anlaß dafür bot die Zunahme von jüdischen Sommergästen im Krems- und Kamptal[108] und der Aufenthalt von Ostjuden. So verzeichnete die Landzeitung z. B. im Bezirk Zwettl eine *Judeninvasion.* Durch diese *Mauscheln* seien etwa in Groß-Haslau die Lebensmittelpreise so stark gestiegen, daß es für einheimische Arbeiter *ganz und gar ausgeschlossen ist, für ihre Familienmitglieder die nötige Kost aufzutreiben.*[109] Der Autor hoffte schließlich, daß auf dem Katholikentag in Zwettl eine Entschließung angenommen werde, wonach *die Ostjuden gezwungen werden, binnen zwei oder drei Tagen den Bezirk Zwettl zu verlassen. Wenn nicht, so wird sich die Bevölkerung auf eine andere Art und Weise helfen müssen.*

Auch Schwarzenau wurde damals *mit echten reinrassigen Juden aus Galizien beglückt,* die das Schloß kauften. *Man erwartete täglich die Grundsteinlegung zu einem Tempel,* doch zur Freude der Schwarzenauer wurde diese *Mischpoche* im Herbst 1922 in ihre Heimat abgeschoben, und *ganz Israel ist darüber aufgebracht, daß man nun so edle Menschen, die sich nach Schwarzenau gezogen haben, um hier Wohltaten größten Stiles an der Menschheit zu vollziehen, so arg behandeln will.*[109a]

---

[107] Landzeitung 16 / 15. 4. 1920, 6.

[108] Landzeitung 33 / 12. 8. 1920, 8.

[109] Landzeitung 35 / 26. 8. 1920, 7.

[109a] Landzeitung 44 / 16. 11. 1922, 6.

Ebenso dachte man auch in Zöbing und der Gemeinderat faßte schon im März 1920 den Beschluß, die Beherbergungsbetriebe aufzufordern, keine Juden aufzunehmen.[110] Eine ähnliche Aufforderung erging im Sommer d. J. an die Wirte in Maria Taferl, denn *Maria Taferl ist der berühmteste Wallfahrtsort NÖ. und nicht ein Judentempel.*[111] Die Landzeitung berichtete unter dem Titel „Juden-Ausweisung" über diese Affäre: Da es eine Anzahl von Juden *in angeborener Zudringlichkeit* vorzog, trotzdem im Ort zu bleiben, fand *unter gewaltiger Beteiligung aller Bevölkerungsschichten* auf dem Hauptplatz eine *Antisemiten-Versammlung* statt, bei der der Obmann des *deutsch-arischen Verbandes* in Korneuburg sprach: *Stürmische nicht endenwollende Zustimmung [...], als er den Juden zurief: „[...] Hebt euch hinweg von hier, denn der Boden, auf dem ihr steht, ist uralt deutscher Boden!"* Schließlich wurde eine Entschließung angenommen, wonach man die Juden des Ortes verwies und ihnen mitteilte: *Die Geduld ist zu Ende, ziehet die Folgerungen aus der furchtbaren Erbitterung, welche die Bevölkerung erfaßt hat, denn niemand wäre in der Lage, für etwaige Ereignisse die Verantwortung zu übernehmen.*[112]

Ein Jahr später wollten die Großdeutschen in Zwettl unter Hinweis auf einen solchen Beschluß in Jahrings ein Verbot jüdischer Sommergäste erwirken, was aber vom Gemeinderat abgelehnt wurde.[113] Die aktiven Antisemiten waren also nach wie vor im Waldviertel in der Minderheit, und das Verhältnis zwischen jüdischer und nichtjüdischer Bevölkerung meistens ein gutes. Dies beweist auch folgende Meldung unter dem Titel „Erwache!" aus Heidenreichstein:

Das hiesige katholische Vereinshaus wurde vor kurzer Zeit in jüdische Hände verkauft. So also sieht der christlich-soziale Antisemitismus aus. Wir haben hier in Heidenreichstein schon mehr als genug Juden, wir brauchen keine neuen mehr. Man ist hier scheinbar nicht orientiert darüber, was die Juden dem deutschen Volke schon geschadet haben und daß sie niemals wirklich im Interesse des deutschen Volkes handeln, sondern immer nur im eigenen und dem ihrer Rasse. Denn sonst könnten die Heidenreichsteiner nicht so ruhig zusehen, wie Juden sich breit machen und die Juden würden nicht denselben Zulauf haben und dasselbe Ansehen genießen, wie das scheinbarerweise hier der Fall ist.[114]

Auch jene Wirte des Kamptals wurden in einem „Mahnruf" kritisiert, die „das Volk Juda" mit Nahrung versorgten, und noch glücklich seien, *wenn ein Mauscheles dir zulächelt und dem weiblichen Geschlecht die Wangen tätschelt und das Kinn streichelt.*[115] Auch 1922 hatte der „praktische Antisemitismus" kaum Fortschritte gemacht, und in Waidhofen/Thaya erinnerte sich jemand *mit Schaudern* an die jüdischen Sommergäste des Vorjahres, und bedauerte, daß ein Aufruf erfolglos geblieben war. *Aber heuer wird die Sache*

---

[110] Landzeitung 13/25. 3. 1920, 8.

[111] Jonny M o s e r, Die Katastrophe der Juden in Österreich 1938-1945 — ihre Voraussetzungen und ihre Überwindung. In: Studia Judaica Austriaca V, Der Gelbe Stern in Österreich (Eisenstadt 1977) 94.

[112] Landzeitung 34/19. 8. 1920, 8.

[113] Josef L e u t g e b, Zwettl von 1919 bis 1930. In: Festschrift zum Zwettler Sommerfest 1980, 61.

[114] Landzeitung 9/26. 2. 1920, 5.

[115] Landzeitung 38/16. 9. 1920, 6.
Hier finden wir schon das Vorurteil vom „lüsternen Juden", das auch in Hitlers „Mein Kampf" aufscheint. 1930 taucht es wieder in einer „Warnung!" aus Gmünd auf: „Unsere lieben Waldviertler Mädels sind zu gut, um Wüstlingen (meist Juden) der Großstadt zum Opfer zu fallen" (Landzeitung 49/3. 12. 1930, 21).

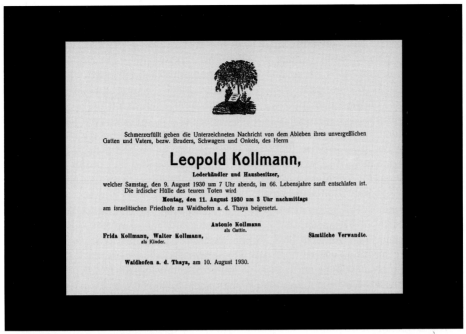

Abb. 50: Parte für Leopold Kollman in Waidhofen/Thaya, 1930; Neupölla, Slg. Polleroß

Abb. 51: Grabsteine der Familien Löwy und Kollmann auf dem jüdischen Friedhof in Waidhofen/
Thaya, 1930
(Foto: Friedrich Polleroß)

gegen die Juden und die gewissenlosen Vermieter kräftig angepackt werden [...] Es seien daher alle Vermieter ernstlich gewarnt, jüdische Sommergäste aufzunehmen [...]. [116]

Neben den (neu)reichen jüdischen Wiener Sommerfrischlern, die als Kriegsgewinnler und Schieber galten, wurde damals vor allem die Tätigkeit jüdischer *Holzschieber und Wucherer* (z. B. der Österr. Holz- und Wald- Aktienindustriegesellschaft) im Waldviertel zur Zielscheibe (antisemitischer) Kritik, da man sie für den Mangel und die Verteuerung von Brennholz verantwortlich machte. [117] Anlaß zu Antipathien boten vielleicht auch jüdische Getreidehändler, obwohl der Appell bei Eröffnung des Zwettler Lagerhauses 1923 an die Bauern, mit den „Körndljuden" keine Geschäfte mehr zu machen, eher auf zufriedene Geschäftsbeziehungen hinweist. [118] 1922 war die Steiner Firma Mengemann, Löwenkron und Comp. in einen Betrugs- und Kettenhandel verwickelt und wurde von der Landzeitung heftig attackiert. Der Kremser Gemeinderat Weiß, der als Mitgesellschafter ebenfalls kritisiert wurde, legte daraufhin sein Mandat zurück. [119]

Der Antisemitismus kam jedoch bei dieser Kampagne nur unterschwellig zum Ausdruck und spielte überhaupt in der Berichterstattung eine geringere Rolle als früher. Die Landzeitung hatte sich den Untertitel „Republikanische Blätter für das deutschösterreichische Volk" zugelegt und war besorgt, weil *Konjunkturerscheinungen* (wie Weiß) *den Gegnern der Republik und der Demokratie Gelegenheit bieten, gegen die neuerrungene Staatsform zu laufen.* [119] Daß die Landzeitung aber noch immer ihr antisemitisches Image pflegte, zeigt die Veröffentlichung folgenden Leserbriefes: *Achtung! Ein galizischer Jude namens David Stein [...] ist in Krems eingenistet. [...] Also liebe Landzeitung trage Sorge, daß diese Judengesellschaft aus Krems und Österreich verschwindet.* [120]

Mit der Konsolidierung der innenpolitischen Situation und der Verminderung des Flüchtlingsproblemes scheint der Antisemitismus wieder an Aktualität verloren zu haben. In der Landzeitung erschienen zwar immer wieder antisemitische Leitartikel gegen die *ostgalizischen Bankvampire* und gegen die *jüdischen Aufwiegler,* die nur die Aufgabe hätten, *mit den Arbeitermassen einen physischen Wall zu errichten, hinter dem sich das blutsaugende Geschäft des Großkapitals möglichst ungestört vollziehen kann.* [121] Aber es gab nur selten ein Echo in Form von Lokalberichten bzw. Leserbriefen, die Kritik an im Waldviertel ansässigen oder urlaubenden Juden und deren Gastgebern übten.

Für Aufregung sorgte beispielsweise ein jüdischer Vertreter der Grazer Firma J. Isidor Orminana, der von mehreren Waldviertlern Vorauszahlungen kassierte und keine Ware lieferte [122], sowie das Engagement eines *libanon-adeligen Regisseur-Phänomens* für eine Theateraufführung in Eggenburg, da man nicht verstand, daß sich *ein von altersher deutsch eingestellter Verein ausgerechnet einen Juden als Regisseur zulegt.* Der Autor wies das Argument, *er ist ja kein Jud, er ist getauft,* mit den Worten: *Und ein getaufter Zulukaffer*

---

[116] Landzeitung 31 / 3. 8. 1922, 6.

[117] Landzeitung 19 / 6. 5. 1920; 37 / 9. 9. 1920 und 47 / 18. 11. 1920.

[118] Landzeitung 41 / 7. 10. 1920, 8 — Leutgeb, Zwettl von 1919 bis 1930 (wie Anm. 113) 65.

[119] Landzeitung 5 / 2. 2. 1922, 2 — Landzeitung 11 / 16. 3. 1922, 3.
Die Landzeitung wollte oder konnte damals nicht auf Annoncen jüdischer Kremser und Wiener Firmen verzichten.

[120] Landzeitung 42 / 2. 11. 1922, 3.

[121] Landzeitung 11 / 13. 3. 1924, 1; Landzeitung 22 / 29. 5. 1924, 1.

[122] Landzeitung 50 / 15. 12. 1927, 28.

ist auch kein Hund! zurück und kritisierte die *nationale Lauheit* der älteren Generation, die *vom Deutschtum faselt und beispielsweise jahraus, jahrein am Kartentisch den Itzig und Veitl zum Spielpartner sich erwählt, alles des unvermeidlichen Geschäftes halber. Reizende Vorbilder für die Jugend!*[123] Das Engagement für die „progressive" NSDAP scheint also damals teilweise auch eine Trotzreaktion der „Nachkriegsgeneration" gegen das wenig ideale Verhalten ihrer „konservativen" Väter gewesen zu sein.

Aufgrund der Spaltung der österreichischen Nationalsozialisten auf dem Parteitag im Sommer 1923 in Salzburg und der Verhaftung Hitlers nach dem Novemberputsch war der Aufschwung der Partei unterbrochen worden. Nach der N e u g r ü n d u n g d e r N S D A P in Deutschland im August 1925 hatten auch *die Landesparteien der NSDAP Steiermark, Kärnten, Tirol, Oberösterreich und Waldviertel (!) sich mit ihren Verbänden geschlossen der Führung Adolf Hitlers unterstellt.* [124] Die einzelnen Ortsgruppen der Partei waren in Bezirksgruppen (z. B. Zwettl) zusammengefaßt, über denen die Kreisparteileitung in Krems und die Landesleitung in Linz standen.

Als eine der Ursachen für das rasche Fußfassen der NSDAP im Waldviertel und ihre späteren Erfolge kann wohl eine Kontinuität von Schönerers Alldeutscher Partei und deren Wählerpotential angenommen werden. Die Kontinuität war ja nicht nur eine ideologische (z. B. die Unterscheidung von „schaffendem" und „raffendem" Kapital) und eine terminologische („arisch", „judenrein", „verjudet", „Kauft nicht bei Juden!", „Heil!"), sondern vielfach auch eine personelle. Schon 1920 wurde Schönerer bei einer Wahlversammlung der Großdeutschen in Gmünd von einem NSDAP-Mitglied als erster Nationalsozialist bezeichnet[125], und der Schönerer-Biograph Pichl schrieb über die Anfänge der NSDAP folgendes: *Über den wahren, wirklichen, in seiner Größe noch nicht erfaßten Hitler waren zunächst nur wenige unterrichtet [. . .] und so beschränkten sich die Alldeutschen im wesentlichen darauf, bei den Wahlen nationalsozialistisch zu stimmen und die NSDAP zu unterstützen.* [126]

Für viele Schönerianer bildete aber wohl die Großdeutsche Partei zunächst die politische Vertretung, und man trat erst später zur NSDAP über. So hatten etwa in der Gemeinde Brand bei den Landtagswahlen 1919 noch die Großdeutschen die relative Mehrheit, 1932 aber schon die Nationalsozialisten[127], und auch bei den Gemeinderatswahlen 1932 in Krems vermerkte die Landzeitung ein starkes Abwandern der Wähler aus dem Lager der Großdeutschen zur NSDAP.

Der Antisemitismus als Antimarxismus

Mit der zunehmenden Polarisierung der österreichischen Innenpolitik häuften sich auch im Waldviertel die meist antisemitisch gefärbten Attacken gegen die sozialdemokratische Partei und den *Austro-Fascismus (!)* des Schutzbundes, denn diese würden Österreich *die Diktatur des „Proletariates" aufzwingen, die natürlich nichts anderes wäre als die Diktatur der Herrn Bauer, Breitner und der anderen Judengenossen.* [128]

---

[123] Landzeitung 21 / 26. 5. 1927, 20.

[124] Hoffmann (wie Anm. 98) 40.

[125] Landzeitung 41 / 7. 10. 1920, 6.

[126] Pichl, Volksausgabe a. a. O., 200.

[127] Binder (wie Anm. 99) 51, 61.

[128] Landzeitung 10 / 10. 3. 1927, 1; Landzeitung 13 / 31. 3. 1927, 1.
Tatsächlich waren bis zu 80 Prozent der sozialistischen Intellektuellen jüdischer Herkunft, und

Gegen diesen *drohenden Bolschewismus in Österreich* schlossen sich vor den Wahlen im April 1927 Christlichsoziale, Großdeutsche, NSDAP und Mittelständische Volkspartei zusammen und erreichten 65 % der Stimmen.[129] Besonders die Ereignisse vom 15. Juli 1927 (Justizpalastbrand), woran die Landzeitung vor allem *die erbarmungslose, feige und bestialische Niederknüppelung und Mißhandlung wehrlos gemachter Polizisten und verdächtiger „Bourgeois" — mit Ausnahme natürlich noch so satt gefressener Juden* verurteilte[130], wurde als Anfang des Bolschewismus hingestellt, dessen tatsächliche und vermeintliche Greueltaten in Rußland besonders ausführlich beschrieben wurden. Dabei tat sich vor allem der Abgeordnete Zippe aus Laa/Thaya als Demagoge hervor: *In Kiew allein wurden über 40 000 Menschen geschlachtet, deren berühmteste Henkerin die Jüdin Rosa Schwarz war. Der größte Bluthund aber war der Jude Apfelbaum (Sinowjew). Die Kamarilla, die Rußland regierte, die den Bolschewismus brachte, bestand zu 75 % aus Juden, 15 % Letten, Ungarn und Chinesen und 10 % Russen. Lest die Namen der Bluthunde, der „Befreier des russischen Volkes", der „Vertreter der Arbeiter- und Bauernregierung", die Menschenblut in Strömen fließen ließen! Uljanow (Lenin), Bronstein (Trotzki), Rosenfeld (Kamenew), Apfelbaum (Sinowjew), Katz (Kamkow), Sobelsohn (Radek), Rosenblum, Löwensohn, Rappoport, Elisohn, Goldmann, Bleichmann usw. in lieblichster Abwechslung! [...] Das ist das wahre Gesicht des Bolschewismus, der auch unser harrt und der am 15. Juli in Wien seinen Anfang nahm. Seht auf zu den Führern der Arbeiterschaft in Deutschösterreich, sind das Proletarier, sind das Arbeiter? Es sind die Volksgenossen der russischen Bluthunde! Vergleichet die Namen und die Rasse! Gehören die derzeitigen Führer dem deutschen Volke an? Dr. Deutsch, Dr. Bauer, Dr. Danneberg, Dr. Eisler, Austerlitz, alle diese gehören demselben Volke an, wie die russischen Volkskommissäre.*[131]

Die in Zwettl erscheinenden „Waldviertler Nachrichten" agitierten damals ebenfalls *christlich-national* gegen die *jüdischen Bonzen Bauer, Deutsch, Ellenbogen, die roten Terroristen*, die mit *Gummiknütteln und talmudistischen Drehs* ihre Herrschaft zu begründen versuchten, und deren Endziel *die Zerstörung des bürgerlichen Staates und die Errichtung einer Proletarierrepublik unter jüdischer Führung* sei. Man müßte die Arbeiter, die von *fremdrassigen Mauldreschern* mißbraucht würden, aus *den Klauen asiatischer und hebräischer Weltverbesserer* befreien.[131]

Eine Folge dieser Kampagne war das sprunghafte Ansteigen der Zahl von „Selbstschutzverbänden" im Waldviertel. Die ersten Heimwehren waren zwar schon 1924

---

ein großer Teil der österreichischen Juden wählte auch diese Partei. Die Ursache dafür ergab sich aus der Tatsache, daß zwei der drei großen Parteien, die in der achtziger Jahren des 19. Jahrhunderts aus der alten liberalen Partei hervorgingen, nämlich Deutschnationale und Christlichsoziale, einen immer radikaler werdenden antisemitischen Kurs einschlugen, sodaß viele Juden ins Lager der Linksparteien abgedrängt wurden. Die sozialistische Einstellung zahlreicher Juden zählte daher „nicht nur zu den Ursachen, sondern zugleich zu den Folgen des Antisemitismus" (Coudenhove-Kalergi 1935): Vgl. dazu Sylvia Maderegger, Die Juden im Österreichischen Ständestaat 1934-1938 (Wien-Salzburg 1973) 73 ff.

[129] Ergebnis der Nationalratswahl vom 24. 4. 1927 im Waldviertel: Einheitsliste 91 668 Stimmen, Sozialdemokraten 34 347, Landbund 11 515 und Völkischsozialer Block 3585 (Landzeitung 17/28. 4. 1927, 2).

[130] Landzeitung 31/4. 8. 1927, 1.

[131] Landzeitung 49/8. 12. 1927, 1.
Waldviertler Nachrichten Nr. 1/15. 6. 1927; Nr. 14/28. 10. 1927; Nr. 26/6. 2. 1928 und Nr. 66-67/8. 1. 1929.

gegründet worden (z. B. Groß-Heinrichsschlag, Gschwendt)[132]), aber erst im Herbst 1927 folgten die Städte Horn und Eggenburg sowie die Märkte Gars und Gföhl. Allein im Bezirk Zwettl wurden innerhalb von drei Monaten 22 neue Heimwehren gegründet, sodaß der Bezirksleitung bereits über 1500 Mann unterstanden.[133])

Die Heimwehrbewegung zeigte sich von Anfang an antisemitisch.[134]) Auch ihr Führer Starhemberg sparte 1930 bei einer Rede in Krems nicht mit Angriffen gegen die *jüdischen Parasiten*, die *Falloten in den jüdischen Schmierstuben* und *degenerierte Kaffeehausjournalisten und jüdische Schmierenkomödianten, die uns an das Ausland verrieten und zur Ausbeutung dem internationalen Kapital hinwarfen.*[135])

Ähnlich äußerte sich auch der Waldviertler Gauwerbeleiter Dr. Faber bei der Heimwehrgründung in Trandorf: *Das reichste Land Europas zum ärmsten des Festlandes zu machen, ist fürwahr ein Kunststück, dessen nur der zersetzende Geist der ostjüdischen Verführer fähig war.*[136])

Rassenantisemitismus

Neben dieser Form des Antisemitismus als Anti-Marxismus gewann aber auch wieder der pseudowissenschaftliche Rassismus an Bedeutung, der in den 20er Jahren besonders von Studenten vertreten wurde, und von Akademikern, die in ihrer Jugend Mitglieder der schönerertreuen Burschenschaften waren. Einer von diesen, Dr. Beydi von der Ferialverbindung „Waldmark", sprach auch bei der Überführung der Leiche Schönerers nach Friedrichsruh im März 1922 in Rosenau und *rühmte den Heimgegangenen mit Recht als den ersten Vorkämpfer des Rassenantisemitismus.*[137]) Ein anderer Burschenschafter, Dr. Ursin, inzwischen zum Abgeordneten der Großdeutschen Volkspartei avanciert, hielt wenige Wochen später in Krems und anderen Orten Vorträge über *das interessante Gebiet der Judenfrage*, wobei er bedauerte, daß es *geradezu eine Schonzeit für die Juden gebe*, und er führte schließlich eine „Herrenmenschen"- Ideologie in Reinkultur vor:

Die Rasseneigenschaften des echten Germanen sind hoher, schlanker Wuchs [...], blaue Augen, [...] das Streben nach Wahrheit, [...] Tollkühnheit, Zähigkeit und gefühlvolles Wesen [!]. [...] Demgegenüber seien die Rasseneigentümlichkeiten der Juden hager [...], gekrümmter Rücken, meist steilabfallender Schädel, vorstehende Backenknochen, krumme Nase, häufig Plattfüße, [...]. Der Jude leiste auch nichts hervorragendes auf dem Gebiet der Forschung, glaube an nichts [...] und sei frivol, [...] zersetzend, [...] neige zum Kommunismus, nicht aber zum Anarchismus.

Der Redner wies schließlich auf die „Verjudung" der englischen Politik, des Freimaurertums, des Jesuitentums *(Nicht wenige Päpste waren jüdischer Herkunft)* (!) und der Christlichsozialen Partei hin, bevor er die *geradezu fürchterlichen Beschlüsse des jüdischen Geheimbundes, der „Weisen von Zion"* besprach, die *unbeschränkte Weltherrschaft* anstrebten, und in Österreich „unblutig" zur Herrschaft gelangt seien. Abschließend meinte Dr. Ursin: *Wenn man das Judentum bekämpfen will, so kann dies am besten durch*

---

[132]) Landzeitung 47/24. 11. 1927, 12.

[133]) Landzeitung 38/22. 9. 1927; Landzeitung 40/6. 10. 1927, 18; Landzeitung 42/20. 10. 1927, 22; Landzeitung 47/24. 11. 1927, 11 und Landzeitung 51/22. 12. 1927, 29.

[134]) Stuhlpfarrer (wie Anm. 101) 147.

[135]) Landzeitung 13/26. 3. 1930, 2.

[136]) Landzeitung 1/1. 1. 1930, 7.

[137]) Landzeitung 14/6. 4. 1922, 7.

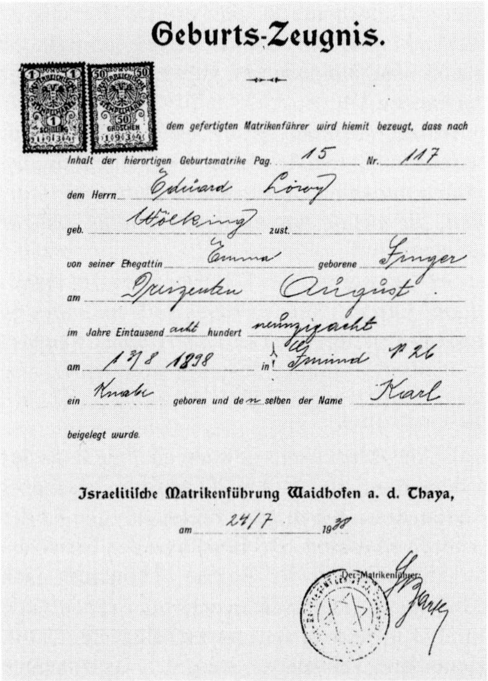

Geburts-Zeugnis.

dem gefertigten Matrikenführer wird hiemit bezeugt, dass nach

Inhalt der hierortigen Geburtsmatrike Pag. *15*   Nr. *117*

dem Herrn *Eduard Löwy*

geb. *Wöcking*   zust.

von seiner Ehegattin *Emma* geborene *Finger*

am *Dreizehnten August*

im Jahre Eintausend *acht* hundert *neunzigacht*

am *13 8 1898* in *Gmünd N 26*

ein *Knabe* geboren und de n selben der Name *Karl*

beigelegt wurde.

Israelitische Matrikenführung Waidhofen a. d. Thaya,

am *24/7* 19*38*

Der Matrikenführer:

Abb. 53: Stampiglie der Kultusgemeinde Horn; Privatbesitz

Abb. 52: Geburtsurkunde der Kultusgemeinde Waidhofen/Thaya für Karl Löwy aus Gmünd, 1938; Privatbesitz

Abb. 54: Grabmäler der Familien Wengraf (Krems) und Schafranek (Etsdorf) auf dem jüdischen Friedhof in Krems an der Donau
(Foto: Friedrich Polleroß)

106

Pflege der Rassenhygiene erfolgen. Die Heirat eines Juden oder einer Jüdin ist unbedingt verwerflich. [138]

Zwei Monate später verkündete Hitler in Wien, daß das *Deutsche Volk dazu berufen sei, die Führung im Kampfe gegen die Weltbestrebungen des Judentumes zu übernehmen.* [139] Einige Jahre später erschien ein anonymes Flugblatt mit dem Titel „Einige Streiflichter auf den Einfluß fremden Rassentumes auf Sprache und Sitte im deutschen Volke"[140], in dem der Autor den *verwirrenden Einfluß* kritisiert, den die *Östlichen* auf Sprache und *Arische Denkungsweise* ausüben würden. Er weist u. a. *auf die auch den Ariern häufig geläufigen Worte wie: Rebach, Geserres, Mischpoche, Meschugge, mies, Ganef usw. hin. Da aber die sprachliche Verfremdung zur geistigen, diese zur seelischen führt, ja führen muß, so muß gerade im Zeichen des Hakenkreuzes auch gegen fremdvölkische Einflüsse auf sprachlichem Gebiete Stellung genommen werden, umsomehr, da es viele Deutsche gar nicht mehr empfinden oder merken, wie sehr bereits, durch das von Israel durchsetzte Schrifttum, in allen Wissenszweigen, die deutsche Sprache, der deutsche Geist, die deutsche Seele ent- deutscht worden ist.*

Abschließend werden auch noch einige modische „Unsitten" angeprangert, die Merk- male „niederer Rassen" kopieren, wie Kahlscheren des Kopf- und Barthaares (!) sowie dunkle Hautfarbe, und *besonders die am meist undeutschem Sporte (!) ihre Freude haben- den Deutschen setzen dann einen gewissen Stolz darein, recht dunkelhäutig zu erscheinen.* Dieses mit einem Hakenkreuz signierte Pamphlet wurde vom ,,B u n d d e r G e r m a n e n" herausgegeben, was ebenfalls die Kontinuität von Schönerianern zu Nationalsozialisten belegt. Denn dieser ursprünglich *nichtpolitische völkische Verein* war 1893 *nach Schöne- rers Grundsätzen* gegründet worden und hatte 1912 folgende Ortsgruppen im Waldviertel: „Deutsche Grenzwacht" in Gmünd, „Friesen" in Schloß Rosenau, „Robert Hamerling" in Kirchberg/Walde, „Siegfried" in Oberndorf-Raabs und „Waldmark" in Horn. [141]

Der Antisemitismus wurde aber im Waldviertel nicht nur durch Parteipropaganda und politische Agitation, sondern auch durch unpolitische Zeitschriften geschürt. So erschien etwa 1928 in der Zeitschrift „Aus der Heimat", der Vorläuferin des „Waldviertels", ein Arti- kel von Johann Proißl über die Juden als *auserwählte Schmarotzer und arbeitslose Mitfres- ser.* Zur Unterstützung seiner antisemitischen Thesen zog der Autor sogar die Bibel, Jesus und Karl Marx heran. [142]

Aber auch die Turnvereine bildeten wie schon zu Schönerers Zeiten eine Basis des Anti- semitismus, und es gab beispielsweise in Gars einen „deutschen (arischen) Turnverein". Ebenso deutschnational gaben sich die Kremser Pfadfinder, die 1930 eine Einladung zu einem Vortrag nur an *arische Eltern und deren Jungen* richteten.

Wahlerfolge der NSDAP

Das Jahr 1930 brachte schließlich den ersten großen Wahlerfolg für die NSDAP, die bei der N a t i o n a l r a t s w a h l am 9. November 13 347 Stimmen (10 %) im Waldviertel gewin- nen konnte. Das kontinuierliche Anwachsen der Stimmenzahl läßt sich auch am Beispiel

[138] Landzeitung 16/20. 4. 1920, 3 f.

[139] Hoffmann (wie Anm. 98) 29.

[140] Flugblatt im Besitz des Verfassers.

[141] Pichl IV (wie Anm. 60) 121.

[142] Aus der Heimat, Nr. 7, 1928, 56 f: Johann P r o i ß l , Die Unterjochung der schaffenden Arbeit durch das überstaatliche Leihkapital.

Abb. 55: Werbezettel für antisemitische Zeitschrift der Nationalsozialisten, 1932; Neupölla, Slg. Polleroß
(Foto: Gudrun Vogler)

der Stadt Krems erkennen, wo die Partei 1927 638 Stimmen, bei der Gemeinderatswahl 1928 840 und im Jahr 1930 bereits 1224 Stimmen (15 %) erreichen konnte.[143]

Bald vertrat auch der Kremser Heimatschutzverband unter Kreisführer Dr. Herbert Faber immer deutlicher nationalsozialistische Ideen, und man wollte *in Kampfgemeinschaft mit allen Völkischgesinnten den Anschluß an das deutsche Vaterland, das dritte deutsche Reich erkämpfen.* Diese Politik stand im Gegensatz zu jener der eher christlichsozial und proösterreichisch orientierten Heimwehrführer Starhemberg und Julius Raab, weshalb man sich stärker dem steirischen Heimwehrführer Pfrimer anschloß. Dieser übernahm im Mai 1932 die Führung des „Deutschen Heimatschutzverbandes" und unterstellte diesen Adolf Hitler.[144]

Indessen gewann die NSDAP immer mehr an Stimmen und gab sich siegessicher, z. B. in Schwarzenau, wo man riet, man solle sich ja nicht einbilden, *die Sturmflut der Freiheitsbewegung Hitlers, die das ganze Volk der Deutschen auf der weiten Erde in ihren Tiefen erfaßt hat, werde um Schwarzenau einen Bogen schlagen und so aus diesem Ort eine Insel der Seligen (!) machen, auf der ein Jude die deutschen Bewohner weiter nach Herzenslust kommandieren könnte.*[145]

---

[143] Ergebnis der Nationalratswahl vom 9. 11. 1930 im Wahlkreis 10: Christlichsoziale 72 014 Stimmen. Sozialdemokraten 32 768, Schoberblock 13 811 und Heimatblock 8214 (Landzeitung 46 / 12. 11. 1930, 3 und 5).

[144] Landzeitung 2 / 13. 1. 1932, 5; Landzeitung 3 / 20. 1. 1932, 5 und Landzeitung 21 / 25. 5. 1932, 1.

[145] Landzeitung 4 / 27. 1. 1932, 21; bei dem „Juden" handelte es sich um den sozialdemokratischen Gemeinderat Engel.

Der Wahlkampf für die Landtagswahl am 24. 4. 1932 wurde wieder mit großem Einsatz geführt, und als dabei die Sozialdemokraten den Rassismus der Nazis angriffen und von der *Frau als Zuchtstute im dritten Reich* sprachen, erwiderte man in der Landzeitung: *Den jüdischen Bonzen ist eben nichts heilig, auch nicht das Heiligste des Menschen, wenn es gilt zersetzend, entsittlichend und schweinisch für die Erhaltung ihrer Macht zu kämpfen.* [146]

Die Nationalsozialisten kämpften laut Wahlaufruf für *soziale Gerechtigkeit, die jeder ehrlich schaffenden Arbeit ihren gerechten Lohn [...], jedem raffenden Schieber und Wucherer aber den Galgen verbürgt; gegen den Kapitalismus der Juden [...]; für das Christentum, dessen reine Idee heute von den Christlichsozialen zum parteipolitischen Aushängeschild herabgewürdigt wird; gegen den Bolschewismus, mit dessen Wegebereitern und Verbündeten, den Austromarxisten und Juden, gerade die Christlichsoziale Partei im besten Einvernehmen lebt. Wir Nationalsozialisten fordern: [...] Verbot der Einwanderung volks- und rassefremder Elemente, [...] wirksamen Schutz für arische Geschäftsleute durch schärfste Besteuerung der volksfremden Geschäftswelt, besonders der jüdischen Großwarenhäuser und Aktiengesellschaften. [...] Wiedereinführung der Todesstrafe, auch für Verbrecher am Volkswohl!* [147]

Die NSDAP konnte gegenüber 1930 ihre Stimmenanzahl verdoppeln und erreichte in Waldviertel und Wachau 26 649 Stimmen (20 %) sowie in zahlreichen Orten wieder die relative Mehrheit (z. B. in Pöggstall 232 von 488 Stimmen). [148]

Der Erfolg der Partei zeigte sich aber auch bei zahlreichen Gemeinderatswahlen im Waldviertel — 1932/33 erhielten u. a. die Städte Krems, Stein, Zwettl und Gmünd nationalsozialistische Bürgermeister [149] sowie durch den Übertritt großdeutscher, christlichsozialer und sozialdemokratischer Gemeinderäte zur NSDAP. [150]

Der Siegeszug der Nazis beruhte nicht zuletzt auf dem Einsatz modernster Propagandamittel. So wurden die Reden Hitlers ab 1932 z. B. in den Städten Horn und Krems mit Lautsprechern auf öffentlichen Plätzen übertragen [151], und in Krems, Eggenburg und Gmünd wurden NS-Filme vorgeführt, die sich gegen die *Lügen der Judenpresse* richteten und die *ihre werbende Kraft nicht verfehlten* (z. B. „Hakenkreuz über Österreich", „Adolf Hitler, der Schmied des deutschen Schicksals", „Adolf Hitlers Flug über Deutschland"). [152]

Bereits im Juli 1932 ernannte die Gemeinde Autendorf bei Drosendorf *den Führer der gewaltigsten Freiheitsbewegung aller Zeiten, den Sohn unseres Heimatlandes Österreich (!)* Adolf Hitler zum Ehrenbürger. [153] Ein Monat später folgte die Gemeinde Groß Poppen im *Zeichen unwandelbarer Treue* diesem Beispiel. [154] Der Ehrenbürger bedankte sich wenige Jahre später mit der Aussiedlung dieses und 40 weiterer Orte seiner „Ahnenheimat"! Aber

---

[146] Landzeitung 15 / 13. 4. 1932, 3.

[147] Landzeitung 16 / 20. 4. 1932, 9.

[148] Landzeitung 17 / 27. 4. 1932, 2; Landzeitung 18 / 4. 5. 1932, 23.

[149] Landzeitung 26 / 29. 6. 1932, 6; Landzeitung 21 / 24. 5. 1933, 3; Landzeitung 14 / 5. 4. 1933, 28 und Landzeitung 17 / 26. 4. 1933, 25.

[150] Landzeitung 16 / 19. 4. 1933, 28.

[151] Landzeitung 7 / 15. 2. 1933, 5.

[152] Landzeitung 22 / 1. 6. 1932, 4; Landzeitung 14 / 5. 4. 1933, 28 und Landzeitung 23 / 7. 6. 1933, 25.

[153] Landzeitung 28 / 13. 7. 1932, 29.

[154] Techow (wie Anm. 20) 77.

auch in Horn äußerte man schon damals seinen Stolz über Adolf Hitler, denn *heute in der Zeit des furchtbarsten Niederbruches schenkte das Waldviertel dem gesamten deutschen Volke den besten seiner Söhne als Retter aus Schmach und Not, aus Elend und Knechtschaft.* [155]

Der Verbreitung des Antisemitismus diente auch die Zeitschrift „Der Weltkampf" des NSP-Verlages, für die im Waldviertel geworben wurde (Abb. 55). Diese seit 1924 erscheinende „Monatschrift für Weltpolitik, völkische Kultur und die Judenfrage aller Länder" wandte sich an jeden, der *die verderbliche Rolle des Marxismus, dieses Vortrupps der Hochfinanz erkannt hat; wer helfen will, daß nicht ein wurzelloses Parasitenvolk uns vollends aussaugt, verproletarisiert und zum Sklaven seiner Willkür macht; [...und] wer für sittliche und moralische Sauberkeit seines Volkes kämpft, auf daß nicht das artfremde Judentum unsere Jugend völlig vergiftet [...].*

Die Judenfeindschaft fand vor allem aber auch durch die Unterorganisationen der Partei Verbreitung. So attackierte man bei einer SA-Versammlung in Groß-Siegharts vor allem den *internationalen jüdischen Kapitalismus* und die *Sozialdemokratie, deren Führer Juden statt arischer Arbeiter seien.* [156] Bei Hitlerjugend und SA machte man die Jugendlichen auch mit Hilfe von Liedern mit antisemitischem Gedankengut vertraut. Eines davon, „Der kleine Sturmsoldat", umfaßte u. a. folgende Strophen:

> *War einst ein junger Sturmsoldat*
> *ja dazu war er bestimmt,*
> *daß er sein Weib und Kind verlassen mußt', geschwind'*
> */: Soldaten, Kameraden, haut's die Juden*
> *stellt's die Pfaffen an die Wand:/*
>
> *Wenn der Sturmsoldat ins Feuer geht*
> *ja dann hat er frohen Mut*
> *und wenn das Judenblut vom Messer spritzt*
> *ja dann geht's nochmals so gut*
> */: Soldaten, Kameraden, haut's die Juden*
> *stellt's die Pfaffen an die Wand:/.*

Neben der SA hatte auch die NS-Bauernschaft bereits in den zwanziger Jahren zahlreiche Anhänger gefunden. Deren Aufruf zur Bauernkammerwahl 1932 richtete sich besonders gegen *jüdische Banken und Börsen, jüdische Ausbeuter des Produkten-, Vieh-, Gemüse- und Weingroßhandels.* [157] Vor allem die Viehhändler wurden mehrmals zum Zielpunkt der Kritik, z. B. bei einer Kundgebung des Reichsverbandes der Viehhändler Österreichs in Krems. Denn *der ansässige Händler kann oft nur mit Hilfe einer jüdischen Großfirma in Wien, der er liefert, die Bewilligung zur Marktbeschickung erhalten [...und die] ungarischen Juden machen die Geschäfte.* In Pöggstall sorgte ein *echter, koscherer, polnischer Jud aus Wien,* namens Abeles, der durch Vermittlung der Bauernkammer als Vieheinkäufer tätig war, für Aufregung, weil er die Preise drückte. [158] Bei der Wahl erhielten die NS-Bauern immerhin 4334 Stimmen (16 %) im Waldviertel.

---

[155] Landzeitung 31 / 3. 8. 1932, 27.

[156] Landzeitung 44 / 2. 11. 1932, 25.

[157] Landzeitung 15 / 13. 4. 1932, 21; kritisiert wurde z. B. die „Deutschösterr. Wirtschaftsverband für Viehverkehr AG", an der auch die Landes-Landwirtschaftskammer beteiligt war.

[158] Landzeitung 1 / 4. 1. 1933, 25 und Landzeitung 15 / 12. 4. 1933, 28.

Aber auch die Gewerbetreibenden, die bereits Schönerer und Lueger mit antisemitischen Parolen gewinnen konnten, sollten in der NSDAP ihre Vertretung finden, da doch die Christlichsoziale Partei eine großkapitalistische Partei geworden sei, eine Partei des Großgrundbesitzes, des zumeist jüdischen Großhandels, der Großindustrie und der jüdischen Importeure (Meinl AG), und ihre Funktionäre *judenliberale Ämter-Kumulierer und Vielfachverdiener* seien. [160] Ziele dieser NS-Handels- und Gewerberinge, z. B. in Horn, waren — nach den Worten Hitlers — die *Schaffung eines gesunden Mittelstandes (!)* und der Kampf gegen das *finanz-kapitalistisch-parlamentarisch-demokratische System.* [161]

Die Gewerbetreibenden fürchteten wahrscheinlich die Konkurrenz jüdischer Großkaufhäuser sowie der Konsum-Genossenschaften, und man wünschte (in Zwettl) auch, *daß die jüdische Gesellschaft von unseren Märkten verschwindet, die dem arischen Handels- und Gewerbetreibenden Verdienst und Brot wegnimmt* und die Käufer *in schändlichster Weise* betrüge. [162]

Nicht zuletzt aber schürte die Landzeitung, die immer mehr zum Organ der Waldviertler Nationalsozialisten geworden war, den Antisemitismus, der kaum Angriffsmöglichkeiten bei Waldviertler Juden fand und sich vor allem gegen die *großkapitalistische jüdische sozialdemokratische Partei Österreichs, Großaktiengesellschaft m.b.H.*, gegen die *Bank- und Börsenjuden und ihren korrupten Preßanhang* in Wien sowie gegen die *marxistischen Revolutionsjuden* in Rußland richtete. [163] Die Kritik an der Presse erreichte wenige Tage vor dem Verbot der NSDAP ihren Höhepunkt in einem fettgedruckten Aufruf: *Hinaus mit der deutschfeindlichen Presse! Hinaus mit der jüdischen Presse, die gestern den Marxisten half, und heute den schwarzgelben Legitimisten dient.* [164]

Die Wahl Adolf Hitlers zum Reichskanzler löste auch bei den Waldviertler Nazis eine Begeisterung aus, und in Krems, Horn sowie Zwettl wurden Fackelzüge abgehalten[165], während man sich in kleineren Orten mit bescheideneren „Hitlerkundgebungen" begnügte. In Horn sah man Hitlers großes Verdienst durch diesen Wahlerfolg darin, *daß er mit seiner mächtig angeschwollenen Volks- und Freiheitsbewegung nicht nur Deutschland, sondern ganz Europa von der asiatischen jüdischen Pest* und dem *wuchernden jüdisch-marxistischen Unkraut gerettet hat.* [166] Ähnliche Gedanken dürfte ein Gmünder gehegt haben, der unter Hinweis auf die große Zahl von Juden in Europa und besonders in Österreich fragte: „Wo ist Hitler?" [167]

Trotz dieses starken Zuwachses der NSDAP dürfte aber der Antisemitismus vor allem auf verbale Aktivitäten beschränkt geblieben und das Verhältnis zu den jüdischen Mitbürgern bei der Mehrheit der Waldviertler nach wie vor ein gutes gewesen sein, wie aus folgender Meldung der Landzeitung hervorgeht:

---

[159] Landzeitung 16/20. 4. 1932, 3.

[160] Aufruf an die „deutsch-arischen" Handels- und Gewerbetreibenden in Horn: Landzeitung 39/28. 9. 1932, 27.

[161] Landzeitung 36/7. 9. 1932, 27 und Landzeitung 38/21. 9. 1932, 27.

[162] Landzeitung 46/3. 10. 1932, 29.

[163] Landzeitung 25/22. 6. 1932, 7; Landzeitung 12/22. 3. 1933, 1 und Landzeitung 20/17. 5. 1933, 1.

[164] Landzeitung 23/7. 6. 1933, 26.

[165] Landzeitung 6/8. 2. 1933, 7 und Landzeitung 7/15. 2. 1933, 27 sowie 39.

[166] Landzeitung 13/29. 3. 1933, 27. — Zu Hitlers Geburtstag 1933 brachte die Landzeitung die Ahnentafel und das erste Kinderfoto des Führers.

[167] Landzeitung 16/19. 4. 1933, 25.

Abb. 56: Textilgeschäft Schwarz in Gmünd; links Franz Chaloupek, rechts der jüdische Verkäufer Ernst Toch aus Schrattenberg, 1933; Neupölla, Slg. Polleroß

Antisemitismus. Die Anschuldigungen, daß Völkische bzw. deren Frauen fleißig bei Juden einkaufen, wollen nicht verstummen. Von den Christlichsozialen ist man ja Judenfreundschaft nach gerade schon gewohnt. Aber daß sogar Hakenkreuzler in Judengeschäften aus- und eingehen sollen, ist doch kaum zu glauben, obwohl es behauptet wird. Man erbringe also auch den Beweis, die Folgen werden nicht auf sich warten lassen. [168]

Das einzige Beispiel aktiven Antisemitismus, das ich in der Landzeitung im Jahr 1932 finden konnte, gab eine Parteigenossin aus Groß-Siegharts, die die Aufforderung eines *Judenjingel* zum Tanz in — wie der Bericht betont — höflicher Form zurückwies. [169]

Der Antisemitismus wurde aber auch von einem Krumauer herangezogen, als er gegen die Linienführung des Autobusses nach Gars (statt nach Krems) eintrat und gegen die Idolsberger wetterte, denn *für die überall bekannten Garser Sommergäste ist uns unser deutsches Krumau zu gut. Lieber keine Verbindung und allfällig ein paar Touristen weniger, als daß uns diese östlichen Gebräuche und Sitten eingeschleppt werden.* In Idolsberg wies man die Behauptung, man wünsche die Krumau-Garslinie aus judenfreundlicher Gesinnung, entrüstet zurück: *Unsere nationale Gesinnung ist nicht schlechter als die der Krumauer, und gerade die judenfeindliche NSDAP-Bewegung macht bedeutende Fortschritte. Wir werden durch die schlechte Verbindung die Juden nicht abhalten können [. . .] Vielmehr werden wir sie durch unser Verhalten abhalten. [. . .] Der ,liebe Ort Gars' gibt trotz seiner ostarischen Sommergäste den Krumauern und uns allen ein nachahmungswürdiges Beispiel,*

---

[168] Landzeitung 31 / 3. 8. 1932, 21.
[169] Landzeitung 31 / 3. 8. 1932, 21.

denn Gars besitzt eine Ortsgruppe der NSDAP, und sogar eine, allerdings noch schwache,
SA-Mannschaft [. . .][170]

Inzwischen hatte aber auch der Rassismus, der die Juden als „Untermenschen"[171] bezeichnete, im Waldviertel an Bedeutung gewonnen. In Krems wurden Vorträge für Rassenkunde abgehalten, und die Landzeitung empfahl ihren Lesern das Buch „Moralbiologie, Judenfrage und Volkswirtschaft" von Franz Kaiser aus Scheibbs, der die Überzeugung vertrat, *die Schöpfung kennt nur Herren und Knechte. Deutsche, es ist Hochverrat an Eurer Bestimmung, wenn ihr nicht Herren sein wollt!*[172]

Natürlich wollten auch die Waldviertler Nazis Herren sein, es wurden bereits Prügel und Enteignung angekündigt. So erklärte man in Raabs: *Wir Waldviertler Nazi haben harte Köpfe, aber auch harte Fäuste, wenn es darauf ankommt; [. . .] Juden hörigem Gesindel und Untermenschen werden wir unsere Faust zeigen*[173], und in Krems: *Der Wiener Landtagspräsident Fischer erfand das Märchen, die Nationalsozialisten würden den Invaliden empfehlen, ihren Mut durch Selbstmord zu beweisen. Nein, nicht dies wollen sie, aber sie würden die ostgalizischen Wucherer enteignen und das Vermögen den Invaliden geben!*[174]

Diese Gesinnung und die Auffassung, *das demokratisch-parlamentarische Parteisystem und die hemmungslose Herrschaft des Kapitals, vor allem des jüdischen Leihkapitals, sind schuld*[175], sowie die Ankündigung Pfrimers in Krems, daß der *Deutsche Heimatschutzverband gemeinsam mit den Nationalsozialisten das System brechen wird*[176], zeigen, daß man bereits 1932 den Weg in Richtung Diktatur und „Endlösung" eingeschlagen hatte.

Die antisemitischen Äußerungen und Aktivitäten blieben natürlich auch den Betroffenen nicht verborgen, und manche ahnten schon das kommende Unheil und wanderten aus. Denn aus Deutschland kamen bereits die ersten Meldungen von einem *großzügigen Boykott* aller jüdischen Geschäfte und der Entlassung aller jüdischen Richter und Rechtsanwälte in Preußen.[177] Allein in Krems verlor die Kultusgemeinde von 1930 bis März 1938 55 der knapp 100 Steuerzahler[178], doch die Mehrheit der Waldviertler Juden fühlte sich nach wie vor als Österreicher wie alle anderen auch und dachte nicht daran, die Heimat zu verlassen.

Die Waldviertler Juden in den dreißiger Jahren

Die Zahl der Waldviertler Juden war damals bereits wesentlich geringer als zu Schönerers Zeiten, ihr Anteil an der Gesamtbevölkerung betrug nur 0,5 %. Im Jahre 1930 wurden 782 Bürger jüdischer Konfession gezählt, vier Jahre später gab es nur mehr 649.[179]

Waidhofen war zur größten Kultusgemeinde geworden und umfaßte die Bezirke Gmünd, Zwettl, Pöggstall und Waidhofen mit mehr als 300 Seelen und 100 Steuerzahlern.

---

[170] Landzeitung 9/2. 3. 1932, 8 und Landzeitung 10/9. 3. 1932, 8.

[171] Landzeitung 8/24. 2. 1932, 2: Bericht über die blutrünstige Tätigkeit der jüdischen Bolschewiken in Rußland und die Regung des Antisemitismus.

[172] Landzeitung 23/8. 6. 1932, 30.

[173] Landzeitung 40/3. 10. 1932, 29.

[174] Landzeitung 16/20. 4. 1932, 5.

[175] Landzeitung 41/12. 10. 1932, 26: Werbeaufruf für die NSDAP in Horn.

[176] Landzeitung 24/15. 6. 1932, 6.

[177] Landzeitung 14/5. 4. 1933, 2.

[178] Hruschka (wie Anm. 21) 270 f.

[179] Schematismus der Diözese St. Pölten 1930; Volkszählung 1934.

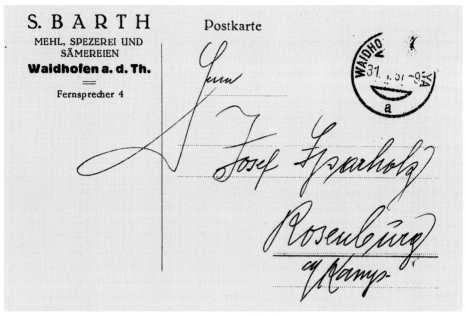

Abb. 57: Geschäftspostkarte von Samuel Barth in Waidhofen/Thaya, 1937; Neupölla, Slg. Polleroß
(Foto: Karl Pani)

Die Kremser Kultusgemeinde betreute die Bezirke Krems, Gföhl, Langenlois, Mautern und Pöchlarn mit 200 Seelen und 70 Steuerzahlern. In Krems bestand auch eine zionistische Ortsgruppe. Die Kultusgemeinde in Horn umfaßte den ganzen politischen Bezirk mit 250 Seelen und 50 Steuerzahlern[180] (Abb. 53).

Die Berufs- und Sozialstruktur der Waldviertler Juden[181] dürfte sich nicht wesentlich von der allgemeinen Situation in Österreich unterschieden haben. Es dominierten nach wie vor H a n d e l s b e t r i e b e mit den Schwerpunkten Textilien (Mandl, Schwarz [Abb. 56], Kohl u. Co. in Gmünd; zwei Familien Adler in Horn, Klein in Zwettl, Schwarz in Weitra, Knopp in Litschau, Löwy in Schrems; Reich und Gebrüder Kollmann in Heidenreichstein, Fürnberg in Eggenburg, Schlesinger in Gars), Leder- und Fellhandel (Abb. 50) (Pollatschek in Horn, Schlesinger in Gars, Schick und Fischer in Eggenburg, Reich in Gmünd, Schwarz in Weitra, Schön und Meister in Groß Siegharts), Vieh- und Produktenhandel (Blau, Fleischmann und Kummermann in Horn; Löwy und Kellner in Eggenburg, Barth in Waidhofen [Abb. 57], Meister in Groß-Siegharts) sowie Altwaren (Grünwald in Zwettl, Stein in Horn, Schön und Schick in Groß-Siegharts, Kolb in Heidenreichstein).

---

[180] Löbel T a u b e s — Chajim B l o c h (Hg.), Jüdisches Jahrbuch für Österreich (Wien 1931/32) 8 f., 90 f., 96. — Hugo G o l d , Geschichte der Juden in Österreich (Tel Aviv 1971) 50, 89 f., 103 f.

[181] Zur Berufsstruktur vgl.: Maderegger (wie Anm. 128) 220 f.; Hruschka (wie Anm. 21) Anhang 367 ff.; Leo B ö h m , Waidhofen/Thaya. In: Gold a. a. O., 89 f. und Leutgeb, „Holocaust" (wie Anm. 80); Heinrich R a u s c h e r, Die Industrie des Waldviertels. In: Das Waldviertel, hrsg. von Eduard Stepan 6 (Wien 1929) 117, 134, 145 ff.
Weitere Hinweise verdanke ich einigen in anderem Zusammenhang zitierten Zeitungsberichten sowie vor allem mündlichen Informationen, aber es können weder Vollständigkeit noch Fehlerlosigkeit beansprucht werden.

In den kleineren Orten führten die Juden vor allem Greißlereien: Fischer in Sallingberg, Biegler in Neupölla (Abb. 58), Mandl in Röhrenbach, Engel in Schwarzenau, Zinner in Dobersberg, Morawetz in Heinreichs, Schön in St. Bernhard, Spira in Langschlag, Biegler in Dietmanns, Gutmann in Geras, Schafranek und Lustig in Hadersdorf; Rowitschek, Wozacek sowie Wertheimer in Litschau. Die Familie Schlesinger betrieb schon eine Art Ladenkette mit Geschäften in Horn, Frauenhofen, Altenburg, Dietmannsdorf, Brunn an der Wild und Oberndorf bei Raabs, die durch gemeinsamen Einkauf günstigere Preise bieten konnten als ihre nichtjüdischen Konkurrenten.

Neben seltenen Handwerkern (Schuster Polonsky und Neufeld in Gmünd) existierten mehrere Getränkehersteller: Mandl in Horn (Abb. 49), Schidloff in Zwettl (Abb. 199), Löwy und Pollatschek in Schrems, Spitz in Weitra und Glaser in Heidenreichstein (seit 1860).

Im Bereich der Industriebetriebe dominierte ebenfalls der Textilsektor, z. B. die Firma Löwy, Kessler und Askonas in Schrems, Schüler und Co. AG in Litschau (1894 gegründet, 300 Mitarbeiter), in Groß Siegharts die Fa. Weis und die Teppich- und Möbelstoffwerke AG Hohenberg (200 Beschäftigte). In Heidenreichstein bestanden die 1880 errichtete Honig AG („Patria"), die größte Baumwollfabrik Österreichs mit 850 Mitarbeitern, die Strickwarenfabrik David Goldfeld (seit 1916, 80 Arbeiter) und die Sockenerzeugung Erwin Goldreich (1925, 60 Beschäftigte). Löwy & Winterberg aus Prag betrieben 1890-1926 eine Dampfsäge in Schwarzau bei Weitra und seit 1924 eine in Joachimstal mit 45 Arbeitern. Die Mühldorfer Graphitbergbau AG war der bedeutendste Betrieb seiner Art im Waldviertel und beschäftigte 70 Menschen.

In jüdischem Besitz befanden sich außerdem Einstein & Mannaberg in Waidhofen, die von 1911-1927 mit maximal 60 Arbeitern jährlich bis zu acht Millionen Eßbestecke erzeugten, die Möbelfabriken MÖFA (Altbach) in Eggenburg, Adler in Krems (Stilmöbel) und BOBBIN in Gmünd (seit 1923, bis zu 200 Mitarbeiter) sowie die 1882 gegründete Firma Eisert, die in Heidenreichstein bis zu 1000 Menschen Arbeit gab.

Der mustergültig geführte Gutsbetrieb Schwarzenau-Haslau (760 ha) im Besitz von Albrecht Schey, Dr. Alfred Porada-Rapaport und Wolf Lagstein beschäftigte 30 bis 60 Mitarbeiter und lieferte u. a. Kindermilch nach Wien.[182] Die Herrschaft Jaidhof (Abb. 42), mit ca. 10000 ha neben den Habsburgern der größte Großgrundbesitz im Waldviertel, bot 300 Menschen eine Verdienstmöglichkeit, und der Besitzer Max von Gutmann galt als sehr sozial.

Manche dieser Firmen haben aber zweifellos auch die hohe Arbeitslosigkeit ausgenützt, um die Löhne zu drücken. Dennoch dürften die jüdischen Firmen dabei nicht „kapitalistischer" gehandelt haben als die nichtjüdischen Unternehmer, da es in der Landzeitung fast keine diesbezügliche Kritik gab. Angegriffen wurden nur eine „polnische Judenkompagnie" in Gmünd, die 1930 eine Fabrik eröffnete, aber bald zugrunde ging und keine Löhne auszahlte[183], sowie — nach dem Anschluß — die Heidenreichsteiner Firmen, deren Methoden *zum Himmel stanken. Die Firma Goldreich z. B. beschäftigte unzählige Arbeiter, die in keiner Sozialversicherung angemeldet waren. Arbeiter unter 40 S Monatsverdienst mußten dem Gesetze nach nicht angemeldet werden. Der Jude gab einfach den Arbeitern nicht mehr Arbeit, stellte dafür mehr ein, die Spesen des Betriebes verringerten sich dadurch gewaltig, der Jude verdiente schön und konnte obendrein einen billigeren*

---

[182] Adolf Bräuer, 50 Jahre Marktgemeinde Schwarzenau (Schwarzenau 1980) 87, 102 f.

[183] Landzeitung 8 / 19. 2. 1930, 21.

Abb. 59: Glocke zur Ordination von Dr. Emmerich Gold in Gmünd, Conrathstraße 31, 1989
(Foto: Maria-Theresia Litschauer)

Abb. 58: Geschäft der Familie Biegler in Neupölla, um 1935; Privatbesitz

Preis machen. Ob die Arbeiter hungerten war ihm gleichgültig. Eine andere jüdische Firma wieder zwang die Arbeiter, einen Teil ihres kargen Wochenlohnes in Form von Erzeugnissen entgegen zu nehmen.[184] Die Firmen Eisert und Honig hingegen bauten für ihre Arbeiter sogar eigene Siedlungen in Heidenreichstein.

In der Berufsstruktur der Waldviertler Juden läßt sich aber gegenüber den achtziger Jahren des 19. Jahrhunderts eine wichtige Änderung feststellen, nämlich ein hoher Anteil an A k a d e m i k e r n . Dabei handelte es sich einerseits um Ärzte, z. B. den ersten Primar des neuen Waidhofner Krankenhauses Seligman, die Praktiker Dr. Steinitz und Dr. Langbank in Horn, Dr. Kohn in Kirchberg/Wagram, Dr. Gold in Gmünd (Abb. 59), Dr. Krammer in Schrems, Dr. Smolka in Waidhofen, Dr. Hechter in Heidenreichstein und Dentist Mahler in Gars, andererseits um Juristen. Bekannt sind die Rechtsanwälte Dr. Fränkel in Zwettl, Dr. Klein in Eggenburg, Dr. Woryzek in Schrems, Dr. Adler in Litschau, Dr. Perger in Horn, Dr. Wiener in Waidhofen, Dr. Pollak, Dr. Friedmann, Dr. Glaser und Dr. Ullmann in Gmünd sowie Notar Dr. Fernbach (Vater des Musikers Johannes Fehring) in Geras. Allein in Gmünd gab es bis zu drei jüdische Anwälte, und 1930 waren die nationalen Kreise sehr erfreut, *außer den beiden hier ansässigen volksfremden Advokaten nun endlich auch einen arischen Rechtsvertreter zu Rate ziehen zu können.*[185]

---

[184] Landzeitung 16 / 19. 4. 1939, 18.
[185] Landzeitung 32 / 6. 8. 1930, 17.

Verbot der NSDAP

Nach einem Sprengstoffattentat am 19. Juni 1933 in der Nähe von Krems, bei dem 30 Hilfspolizisten zum Teil schwer verletzt wurden, verhängte man über Krems, Stein und Mautern den Ausnahmezustand. SS-, SA- und das HJ-Heim — in der Judengasse — sowie die Druckerei Faber wurden besetzt, und dutzende Waldviertler, darunter Dr. Faber und der SA-Führer Ernst Högn, wegen Hochverrat verhaftet. Dieser Anschlag bot schließlich der Regierung, die seit der Ausschaltung des Parlaments im März mit Hilfe des kriegswirtschaftlichen Ermächtigungsgesetzes regierte, den Anlaß, die Nationalsozialistische Partei in Österreich zu verbieten. [186]

Damit wurde der Aufschwung der Partei unterbrochen, die bei den Gemeinderatswahlen in Gmünd im Frühjahr 1933 bereits 36,6 % der Stimmen erhalten hatte, um 5 % mehr als bei der Wahl des Vorjahres. Zu diesem Erfolg trug nicht zuletzt die wirtschaftliche Notlage dieses Gebiets bei, die sich u. a. in Arbeitslosendemonstrationen äußerte und die von der NS-Propaganda geschickt ausgenützt wurde: *Seitdem Hitler in Deutschland regiert, sind um 80000 Arbeitslose weniger, also die Zahl nimmt ab, Hitler hält sein Wort.* [187]

Der Bürgerkrieg im Februar 1934 förderte wieder die antimarxistische Spielart des Antisemitismus: *Schwere Blutschuld trifft die jüdischen Führer [. . .] Sie trifft der Fluch tausender Menschen, ja des ganzen Volkes.* Und die Landzeitung brachte Leitartikel über *das Geschmeiß der jüdischen Einbläser, Führer und Mitläufer,* die die Arbeiter verraten hätten. [188]

Im Waldviertel kam es damals zu keinen blutigen Auseinandersetzungen. Nur in Schrems demonstrierten hunderte Menschen gegen die Verhaftung des Landtagsabgeordneten Junker, was aber zu weiteren Festnahmen führte. Die Aufhebung der Sozialdemokratischen Partei machte die Bestellung von Gemeindeverwaltern in Heidenreichstein, Schrems, Gmünd, Sigmundsherberg, Krems und Zwettl notwendig. [189]

Der Ständestaat

Nach der Selbstauflösung der Christlichsozialen Partei wurde die „Vaterländische Front" zur einzigen politischen Vertretung. Im Mai 1934 trat die neue ständische Verfassung in Kraft. Die Regierung und die Vaterländische Front verhielten sich zwar in offiziellen Äußerungen korrekt gegenüber den Juden, denn die Unabhängigkeit Österreichs war seit 1933 ein Hauptanliegen aller jüdischen Gruppen, und Starhemberg sowie seine Heimwehr wurden auch von jüdischen Financiers kräftig unterstützt. Dennoch duldeten die Verantwortlichen die Diskriminierung von Juden durch untergeordnete Organe und antisemitische Agitation in der — sonst streng zensurierten — Presse, solange sie nicht nationalsozialistisch und damit „staatsfeindlich" war. [190]

So wurde beispielsweise in der Programmschrift des „Reichsbundes der katholischen deutschen Jugend Österreichs" von Pugnahar die Erreichung der Vollbürgerschaft der Juden als *schadenbringender Irrtum der Aufklärungs- und liberalen Zeit* bezeichnet, und der Kampf gegen die *unerträgliche Macht der Juden in Wirtschaft, Presse und geistigen Berufen* durch Boykott gefordert. Aber auch Leopold Kunschak hielt es *an der Zeit, in der*

[186] Landzeitung 25/5. 7. 1933, 5 f.; Landzeitung 26/28. 7. 1933, 1 f.

[187] Landzeitung 1/4. 1. 1933, 25; Landzeitung 12/22. 3. 1933, 25; Landzeitung 17/26. 4. 1933, 25.

[188] Landzeitung 8/21. 3. 1934, 1 f.; Landzeitung 10/7. 3. 1934, 1.

[189] Landzeitung 24/13. 6. 1934, 9; Landzeitung 12/21. 3. 1934, 21.

[190] Vgl. dazu Maderegger (wie Anm. 128).

Judenfrage mit der Vogel-Strauß-Politik zu Ende zu kommen und sie einer Lösung auf dem Boden der Vernunft und des Rechtes zuzuführen, ehe die Lösung dem Bereich hemmungsloser Brutalität überantwortet ist. Zu diesem Zweck publizierte er einen Gesetzesentwurf — der bereits 1919 ausgearbeitet, aber von Seipel abgelehnt worden war —, der einen Numerus Clausus für die *nationale Minderheit* der Juden vorsah. [191]

Walter Herrmann, der in der Landzeitung über diese antisemitischen Aktivitäten regierungstreuer Politiker berichtete, informierte die Leser auch darüber, daß *gerade Juden selbst das vernichtendste Urteil über ihre eigene Nation fällten,* z. B. der *junge Wiener Philosoph* Weininger (ein Jude, dessen pathologischer Antisemitismus im Selbstmord endete). Der Autor verurteilte außerdem das *Freimaurerjudentum* (in Frankreich) und nannte schließlich Luegers Antisemitismus einen *Wegweiser für die Zukunft.* [192]

Es konnte also auch die Landzeitung, die jetzt wieder mit Christlichsozialen und Heimwehr versöhnt war, ihren Antisemitismus unzensuriert verbreiten und z. B. gegen den *artfremden Geist der Filmjuden* in Hollywood sowie gegen die *Übergriffe des zugewanderten Judentumes* (in Palästina), *das in seiner Raff- und Beutegier alles an sich zu reißen und das erbgesessene arabische Volk auch um Grund und Boden zu bringen versucht,* in Leitartikeln herziehen. [193] Die Kremser Firma Tuma warb bereits 1936 mit dem Prädikat „Arisches Geschäft".

Die Haltung der Kirche war ebenso wie jene des Staates durch Zwiespältigkeit gekennzeichnet. Der Rassenhaß wurde zwar aus verständlichen Gründen [194] weitgehend abgelehnt, aber Äußerungen von Geistlichen über die *angeborene sittliche Minderwertigkeit der Juden* oder ihre *schlimmen Erbanlagen* führten zum selben Ergebnis. [195] Auch der Judenmissionar Pater Bichlmair beklagte den *ungeheuren Schaden,* den das deutsche Volk durch den jüdischen Geist erlitten hätte, forderte ein *Zurückdrängen des zersetzenden Einflusses* durch *Minderheitsgesetz* und *Arier-Paragraphen* und erklärte, daß *die Kirche Ehen zwischen Juden und Christen als unerwünscht betrachten müsse.* [196]

Der Rektor der Anima in Rom, Bischof Dr. Hudal, der für eine Verständigung mit den Nazis eintrat, bezeichnete den Bolschewismus als *Seelenhaltung, in der ein stark nihilistischer Zug des von allen religiösen Bindungen losgelösten dekadenten Judentums* hervortrete, meinte aber, man werde in Wien *eine andere Lösung finden müssen als jene im Reich, um überflüssige Härten zu vermeiden.* Verständlicherweise bekundete der NS-Ideologe Rosenberg Zustimmung zu solchen Äußerungen, was auch die Landzeitung ihren Lesern nicht vorenthielt. [197]

Es gab aber auch in der katholischen Kirche Männer, die den „Rassenwahnsinn" der Nazis aufs entschiedenste ablehnten, wie D. J. H. Sußmann: *Der Nationalsozialist aber bildet sich im Ernst ein, auf äußerliche physische Merkmale hin eine ganze große Menschengruppe in e i n e geistige und seelische Schablone pressen zu können, was genauso hirnris-*

---

[191] Maderegger a. a. O., 172, Staudinger (wie Anm. 103) 36 f.

[192] Landzeitung 12 / 18. 3. 1936, 1 f.

[193] Landzeitung 7 / 12. 2. 1936, 1; Landzeitung 22 / 27. 5. 1936, 1.

[194] Ich möchte in diesem Zusammenhang nur darauf hinweisen, daß Schönerer seine Los-von-Rom-Bewegung u. a. damit begründete, „daß die Judenbibel kein deutsches sittlich-religiöses Buch ist und der Stifter des Christentums als Sohn einer Rassejüdin und Nachkomme Davids usf. kein Arier ist" (Pichl IV, wie Anm. 60, 385).

[195] Maderegger (wie Anm. 128) 132 ff.

[196] Landzeitung 13 / 25. 3. 1936, 12.

[197] Landzeitung 43 / 21. 10. 1936, 7; Landzeitung 45 / 4. 11. 1936, 13; Maderegger a. a. O. 138.

sig ist, als wenn man regelmäßig aus Schönheit auf Weisheit und Güte schließen wollte. Abgrundtiefe Blödheit verraten auch gewöhnlich die absprechenden Urteile über andere Nationen und die hochmütigen über die eigene. Diesen Nationalismus machte der Autor auch für den Weltkrieg sowie die daraus resultierenden Leiden der Nachkriegszeit verantwortlich, und er hielt es für *durchaus denkbar, daß der Christ mit dem Bolschewiken* (moralisches Übel) gegen den *bestialischen* (damals noch *nicht im Sinne von Bestialität, sondern in dem etwas harmloseren von Bestialismus, also viehisch dumm*) Nationalsozialisten, der in der Verfolgung seiner Machtziele *übrigens gar nicht primitiv, sondern recht raffiniert* sei, gemeinsame Sache macht.

Ein „Provinzler" aus Zwettl sprach sich daraufhin entschieden gegen diese *öffentliche Beleidigung der deutschen Bevölkerung Österreichs* aus. Für ihn war der Bolschewismus nur *ein Rachefeldzug des Judentums gegen das Christentum, als Vergeltung gegen die allerdings schlechte Behandlung der Juden bis in die Zeit des Humanitätsdusels hinein.* [198]

Die NSDAP in der Illegalität

Das Verbot der NSDAP wurde im Waldviertel bald hintergangen, denn im September 1933 beschlossen die Parteigenossen F. Aigner, Guggenberger, Österreicher, Rohrhofer, Dum und Tüchler in Weinzierl die Wiederherstellung der Partei in Form einer „illegalen Organisation". Die SA verfügte bereits im Jänner 1934 wieder über 209 Mann sowie 120 Infanteriegewehre, und ab April d. J. erschienen auch illegale Zeitungen („Kremser Beobachter", „Horner Beobachter"). [199]

Im Frühjahr 1934 starteten die Nationalsozialisten eine S p r e n g s t o f f o f f e n s i v e , die auch das Waldviertel nicht verschonte. So wurden im März in Schwarzenau, Friedersbach und anderen Orten Bölleranschläge verübt und Häuser mit Hakenkreuzen beschmiert. Die Täter wurden zu mehrjährigen Haftstrafen verurteilt. Im Sommer planten mehrere Raabser Nazis, darunter der Apotheker und der Zahnarzt, Sprengstoffattentate auf Fabriken und E-Werke, was mit mehreren Monaten Gefängnis geahndet wurde. [200]

Den Höhepunkt dieser T e r r o r a k t i v i t ä t e n der Nationalsozialisten bildete der Putschversuch am 25. Juli 1934, bei dem Bundeskanzler Dollfuß ermordet wurde. Obwohl die Regierung mit drakonischen Strafen gegen die Nationalsozialisten vorging — so wurde ein Bursch, der ein Dollfuß-Plakat mit Spottversen geziert hatte, zu sechs Wochen Arrest verurteilt —, nahmen die „Illegalen" bald wieder ihre Tätigkeit auf. Zu diesen Aktivitäten zählten, z. B. bei der SS in Stein, auch Vorträge über Rassenkunde. [201] Im Sommer 1936 wurden erneut dutzende SS- und SA-Führer aus Gmünd, Weitra, Schrems und anderen Orten wegen Hochverrats zu mehrmonatigen Gefängnisstrafen verurteilt. [202]

Zu den damals Inhaftierten gehörten auch der Kremser Josef Leopold, der von 1927 bis 1934 die Gauleitung Niederösterreich und von 1935 bis Februar 1938 die Landesleitung der NSDAP in Österreich innehatte, sowie der ebenfalls aus der Donaustadt stammende und mit 19 Jahren SS-Mann gewordene Walter Reinhart, der in der Haft erkrankte und im Landesgericht Wien starb.

---

[198] Landzeitung 43 / 21. 10. 1936, 28; Landzeitung 46 / 11. 11. 1936, 14.

[199] Landzeitung 6 / 8. 2. 1939, 12.

[200] Landzeitung 32 / 6. 8. 1934, 13; Landzeitung 33 / 15. 8. 1934, 11; Landzeitung 34 / 22. 8. 1934, 13.

[201] Landzeitung 33 / 16. 8. 1933, 17; Landzeitung 26 / 24. 6. 1936, 7.

[202] Landzeitung 28 / 8. 7. 1936, 9; Landzeitung 29 / 15. 7. 1936, 6 und 10.

Österreichischer BEOBACHTER

Organ der N. S. D. A. P. in Oesterreich

Folge 10 | 14. März 1937 | 2. Jahrg.

Habsburgerpleite ...

Es war Ende Februar, als Otto v. Habsburg seine Schwester Adelheid auf der Reise von Steenockerzeel nach Oesterreich begleitete. An der Grenze in Buchs mußte er zurückbleiben. Legitimistische Blätter wußten zu berichten, daß er wehmütig in seine Heimat hinüberblickte.

„In seine Heimat?" Ja haben denn die Habsburger eine Heimat?

Otto aspiriert auf den ung. Thron, er würde auch auf den belgischen oder siamesischen aspirieren, wenn er dazu irgendwelche Erfolgsaussichten hätte. So ist es auch bei seiner Mutter. Sie entstammt einem ital. Geschlecht, ihre Verwandten kämpfen im Weltkrieg teils im ital. teils im belg. und franz. Herr, sie selbst war Kaiserin von Oesterreich und jetzt will einer ihrer Brüder Kaiser von Spanien werden.

Es kommt diese Herrschaften durchaus nicht darauf an, welches Volk sie mit ihrer Herrschaft beglücken. Sie gleichen darin ihren eifrigsten Agitatoren, den Juden, die sich überall wohlfühlen, wo sie gut verdienen und die überall die sind, die gerade noch zum Glück des Volkes gefehlt haben. Sie sind wurzellos und bereiten sich darauf vor, ein Volk zu führen, indem sie dessen Sprache erlernen. So hat Otto v. Habsburg deutsch und ung. gelernt und bestünden in Siam irgendwelche Aussichten, so würde er eben siamesisch lernen.

So kommt es, daß die Habsburger immer als Fremde empfunden werden. In Oesterreich sind Juden und Freimaurer die eifrigsten Agitatoren der Restauration. Nicht zufällig ist der polit. Führer des legit. Verbandes Judenstämmling. Die Einheitlichkeit der Parolen ist erstaunlich. So verbreiten in der Vorwoche Juden die Behauptung, bei den kommenden engl. Krönungsfeierlichkeiten werde bereits Otto Oesterreich vertreten.

Ebenso klar sind die außenpol. Interesse, die dem Habsburgergedanken im Vordergrund dienen. Die Furcht vor einer Stärkung des deutschen Volkes durch ein nationales Oesterreich läßt die Deutschenhasser im „legitimistischen Gedanken" finden lassen. Alle ideologischen Bedenken wurden zurückgestellt und die freisinnigen Demokraten rufen nach der Habs-

burgerrestauration in Oesterreich. Je deutschfeindlicher eine Zeitung ist, desto wärmer ihre Sympathien für Habsburg.

Wir aber haben kein Interesse, uns das zu nehmen, was der Feind will.

Und auch in Deutschland hört die Habsburgerfrage dort auf, wo sie interessiert. Frage zu sein, wo Paris und London den öst. Volk ein gegen Deutschland gerichtetes Trutzsystem aufzwingen wollen.

Die größte Rolle im legitimist. Konzept spielte seit je Italien. Mit Hilfe ithl. Bajonette hofften die saubersten Patrioten den Willen des deutschen Volkes in Oesterreich zu beugen und die Intervention Deutschlands zurückzuwünschen.

Der Ausbau der deutsch-ital. Beziehungen hat nun allen diesen Hoffnungen ein Ende bereitet. Nachdem wiederholte Äußerungen offizieller ital. Privatmeldungen abgetan wurden, liegt nunmehr eine Meldung for, die wir im Wortlaut zitieren:

Unter dem Titel:

„Wir bestätigen und präzisieren", schreibt Mussolinis Intimus Gayda im offiziellen „Giornale d'Italia" vom 1. März.

„Weder in den römischen Protokollen, noch in dem Abkommen vom 11. Juli 1936 ist von einer Restauration der Rede. Es besteht kein Akt und keine Äußerung der italienischen Diplomatie, die die Meinung rechtfertigen würde, daß Italien die Restauration der Habsburger begünstigte. Der Ansicht, daß die Wiedereinsetzung der Dynastie allein innerhalb einer Unabhängigkeit Oesterreichs zu wahren, ist entgegenzuhalten, daß die Restauration eine dramatische Situation in Europa schaffen könnte."

Und damit diese Erklärung nicht wieder als Privatmeldung abgetan werde, fügt Gayda ausdrücklich hinzu:

„Zwischen diesen klaren Worten und der Haltung der ital. Regierung besteht kein Widerspruch."

Wenn die Juden und der Regentschaft Ottos auf die Errichtung eines schwarzgelben Thrones in Jerusalem in Erwägung ziehen,

sation übernahm der „autoritäre" Kriegsopferverband Mobilar, acht Schreibmaschinen und 1742 S. Die Produktionswerkstätte G. m. b. H. in Wien X, Schleiergasse 17, wurde bis Frühjahr 1935 völlig heruntergewirtschaftet bis zur Leistungsunfähigkeit, nachdem ihr der „autoritäre" Verband 98.000 S abgenommen hatte. Dann versuchte Freiherr von Wieser das grundgerichtete Unternehmen zur Sicherstellung für seine Ansprüche. 81.000 S wurden zu verwerten. Leider vergeblich. 81.000 S wurden herausgeschunden durch die Verpachtung verschiedener Kinos an die jüd. „Kiba". Denn Ergatterung von Bargeld war die Losung. An Beiträgen wurden am armen Teufeln 105.000 S abgenommen. An Weihnachtshilfe erhielten sie von der Regierung 114 498S S.

Mit diesen Aktiven führte die „aut." Wirtschaft in einem einzigen Jahr zu einem Defizit von

$$391.437 \cdot 43 \text{ S}$$

Von den riesigen Beträgen von mehr als 600.000 S wurden an hungernde Kriegsopfer ausbezahlt

sage und schreibe 13.595 S

Das restliche Geld haben die „autoritären" Herren und Parasiten in krimineller Lotterwirtschaft verpulvert.

Der Verbandsdir. Seckel konnte für angebliche Passiven liquidieren, soviel er wollte. Wieser genehmigte alles. Dafür eröffnete Seckel dem Herrn Baron ein Privatkonto und zahlte ihm für eine Privatreise nach Genf 5000 S aus. An Gehältern bezogen die angestellten Parasiten in einem Jahr 121.000 S. Dazu noch 13.893 S außerord. Zuwendungen, die alle den Invaliden gestohlen wurden.

Wie weit die krim. Verwegenheit ging, zeigt die Führung der Sterbeversr., die der „aut." Verband betrieb. Von den Mitgliedern eingezahlte Beträge in der Höhe von 20.000 S wurden einfach nicht abgeführt.

So stand es um die „aut." Geldgebarung im März 1935. Für Fey und Wieser war nichts mehr zu holen. General Czulik und Direktor Tischer versuchten in der Verband fortzuführen. Der Zusammenbruch mußte den Behörden bekanntgegeben werden. Eine Bereinigung des Skandals war nicht möglich. Obgleich keine Aktiven vorhanden waren, hat der Ausgleichsverwalter eine Quote von 40 v. H. vorgeschlagen. Dazu war der Fall, daß das Sozialministerium die Mittel bereitstellte.

Die Kriegsopfer haben somit errahnen, aut. Führung ist auf. Sumpf.

III. Der neue Skandal.

Das erlassene Kriegsopferverbandsgesetz bestimmt des weiteren, daß die Kriegsbeschädigten in einem „Einheitsverband" mit Oeffentlichkeitsrecht zu organisieren sind. Das heißt, daß den „Ersten Bürgern des Staates" als Dank das Koalitionsrecht entzogen wird, zahlreit. Damit beginnt ein neuer Skandal. Autoritär ernannte Führer dieses schwarzgelben Einheitsverbandes ist Obst. von Waldstätten. Jetzt ist dieser notorische Ehrgeizling, der vom Kaiser Karl zum Operationschef ernannt wurde, als die Kamarilla den

Feldmarschall von Hözendorf beseitigt hatte, am Zuge, sich der Kriegsopfer zu seinen Zwecke zu bedienen. Der Beitritt zu diesem Verband ist ein freiwilliger. Um aber keine Mitglieder sich melden werden Erpressungsmaßnahmen ins Werk gesetzt. Bei diesen offenkundigen Wien, Magistratsabteilung XI, also eine öffentliche Behörde verweigert jede charitative Fürsorge von amtlichen Mitteln, wenn die Mitgliedsbeiträge nicht nachweisen kann. Hoffentlich finden sich Invalide, die durch Klage beim Bundesgerichtshof der schrankenlosen Willkür ein Ende machen!

IV. Die großen Fischzüge.

Noch ganz andere Schiebungs-und Diebstahlsmöglichkeiten sind gegeben auf Kosten der schwersten Kriegsopfer, die dauernd in Anstalts- und Spitalspflege stehen. Wir sprechen absichtlich nicht klarer, da wir trotz aller angewandten Materials, die Zeit noch nicht für gekommen halten, ganz deutlich zu werden.

Mit 1.5 pro Tag muß ein alleinlebender Invalide auskommen, mit 3 S muß er eine ganze Familie erhalten. 7.50 S pro Kopf und Tag, die das Sozialministerium als Verpflegssatz zahlt, kann den Anstaltsinvaliden nur eine Hungerration in kaum genießbarem Zustand geliefert werden. Jüdische Lieferanten haben aus der Possigg vor einiger Zeit in Untersuchung. Er konnte sich als geübter Verbrecher herauswinden. Anzeige an die Staatsanwaltschaft wurde wegen der größe des Skandals nicht erstattet. Der Mitschuldige Ministerialrat und Leiter der Ministerialabt., stab der hochge Herzschlags. Jedermann weiß, daß er bei solchen Geschäften ist. Je länger das „autoritäre" System verwaltet, desto dreckiger wird der hochgehende Schmutz, gezeugt von den Parasiten. Wissen sie doch, daß die Oeffentlichkeit mundtot gemacht ist und jedes Verbrechen vertuscht werden muß, um die Empörung gegen das System nicht noch mehr zu steigern.

Den Kriegsopfern rufen wir zu: Heraus aus dem Sumpf der „autoritären" Organisation! Solange die Invalidenversorgung nicht so wie im Reiche nationalsozialistisch geordnet ist, bleibt Ihr Opfer des Krieges, auch Opfer der „autoritären" Gauner!

Kauft nicht bei Juden!

Abb. 60: „Österreichischer Beobachter", Parteizeitung der NSDAP, 1937; Neupölla, Slg. Polleroß

Aber auch das konnte den Eifer der Nazis kaum bremsen, und die illegale Pressezentrale in Krems (Weinkeller Kaltenbrunner, Konditorei Strobl) produzierte nach wie vor Flugblätter und Klebemarken.[203] Sogar in der Strafanstalt Stein erschien eine nationalsozialistische Zeitschrift, das „Westflügel-Horn". Dieses Blatt veröffentlichte auch folgendes antisemitische Gedicht, das durch äußerste Brutalität gekennzeichnet ist, über die Lage in Palästina:

Wo Juden in der Luft zerreißen,
Und Tommys in die Buxen scheißen,
Wo Araber die Bomben schmeißen,
Dort möcht ich nicht gern ‚Itzig' heißen.

Wo in den Himmel Brücken fliegen,
Hebräer in den Särgen liegen,
Araber Steuerstreiks verfügen,
Und Juden ‚Weltgewissen' lügen.

Das Westflügelhorn überzeugungsvoll spricht:
Wetzt die Messer fürs jüdische Wanzengezücht.
Jagt zum Teufel das britische Hochgericht,
Sonst freuen uns die ganzen schönen Leichen nicht. [204]

---

[203] Otto Reich von Rohrwig, Der Freiheitskampf der Ostmark-Deutschen — Von St. Germain bis Adolf Hitler (Graz-Wien-Leipzig 1942).

[204] Maderegger (wie Anm. 128) 206 f.

Eine Verbesserung der Lage der „Illegalen" brachte das Juliabkommen 1936 durch eine Amnestie für Nationalsozialisten und eine wirtschaftliche Annäherung an Deutschland. Wenig Anlaß zur Freude gab dies natürlich bei den österreichischen Juden. Die Landzeitung berichtete in einem Artikel „Enttäuschtes Judentum" darüber: *Das Abkommen vom 11. Juli 1936 vernichtete die jüdischen Hoffnungen auf Rache: es offenbart die Unabhängigkeit Österreichs von dem Einflusse der Judenmacht.* Der Artikel erregte sogar die Aufmerksamkeit des zionistischen Hauptorgans „Die Stimme", das die Landzeitung als eines der *führenden Hetzorgane* bezeichnete.[205]

Die Vorstellungen der Landzeitung und ihrer nationalsozialistischen Leser über die Zukunft Österreichs und Europas wurden im August 1936 folgendermaßen formuliert: *Die Befreiung der Völker von judemokratischen (!) Vorstellungen und Einrichtungen ist der erste und entscheidende Schritt zur Befreiung der Völker vom völkerverhetzenden jüdischen Einflusse und die Voraussetzung für einen wirklichen europäischen Frieden!*[206]

„Was Schönerer sein Leben lang gewollt und erstrebt hat, ist herrliche Wirklichkeit geworden"

25 Jahre, nachdem Schönerer seine letzte öffentliche Rede mit den Worten *Alldeutschland ist und war mein Traum! Ein Heil dem Bismarck der Zukunft, dem Retter der Deutschen und Gestalter Alldeutschlands! Heil Bismarck II., Heil ihm, dreimal Heil!*[207], beendet hatte, erfüllten sich seine Wünsche. Am 12. März 1938 marschierten Hitlers Truppen in Österreich ein, und die „Ostmark" wurde dem Deutschen Reich angeschlossen. Der Jubel darüber war im Waldviertel genauso groß wie überall.[208]

Auch in Horn ging es wie am Schnürchen. Aus dem kleinen Häuflein Unentwegter wurde eine große Mehrheit [. . .] § 1 heißt heute und in den kommenden Tagen: es wird gesäubert, Juden, Halbjuden, Vierteljuden haben heute nichts mehr zu lachen.[209]

Die Zeitschrift „Das Waldviertel" würdigte dieses Ereignis ebenfalls: *Wenn heute das ganze deutsche Reich stolz auf seinen Befreier blickt, so kann vor allem das kleine mit Glücksgütern keineswegs gesegnete Waldviertel die freudige Genugtuung empfinden, daß aus seinem Blut und Boden der größte deutsche Führer hervorgegangen ist.*[210]

Schon Ende März verkündete Göring ein „Gigantisches Aufbauprogramm für Österreich", aus dem deutlich hervorgeht, daß die „historische Mission" nur Vorwand für die wirtschaftliche und militärische Ausbeutung Österreichs war. Unverzüglich in Angriff genommen werden sollten die unmittelbare und die mittelbare Aufrüstung, die Nutzung der Wasserkraft, die Hebung der österreichischen Bodenschätze und eine gewissenhafte Abholzung in den Alpen. Der Zynismus der neuen Machthaber äußerte sich u. a. in folgen-

---

[205] Landzeitung 34/18. 8. 1936, 1; Landzeitung 37/9. 9. 1936, 1 f. „Die Erregung der Juden ist verständlich, denn aus Deutschland meldete man damals, daß Juden keine führenden Stellungen mehr bekleiden dürfen, und die Errichtung eines Reichsausschusses zum Schutz des deutschen Blutes, der für die genehmigungspflichtigen Heiratsanträge von jüdischen Mischlingen ersten Grades zuständig sein wird" (Landzeitung 1/1. 1. 1936, 8; Landzeitung 8/19. 2. 1936, 2).

[206] Landzeitung 34/19. 8. 1936, 2.

[207] Pichl IV (wie Anm. 60) 77.

[208] Vgl. dazu: Josef Leutgeb, Vor 40 Jahren. Aus Österreich wird die Ostmark. In: Zwettler Sommerfestschrift 1978, 37 ff. Landzeitung 11/16. 3. 1938, 1 ff.

[209] Landzeitung 12/23. 3. 1938, 10.

[210] Walter Pongratz in: Das Waldviertel, 11 (1938) Folge 5, 65.

der Passage: *Wir helfen insofern, als jetzt das Reich als die Zentralführung auch hier Direktiven und Weisungen zu geben hat, die Ausführung aber und die Gestaltung liegt in Euren eigenen fleißigen Händen.*[211]

Die Volksabstimmung am 10. April brachte — nicht zuletzt aufgrund der Erklärung der „Bischöfe für den Nationalsozialismus"[212] — auch im Waldviertel einen fast 100%igen Erfolg. Die Kreise Krems und Pöggstall sprachen sich mit 99,975 % für den Anschluß aus: *Mit diesem Bekenntnis stehen sie an der Spitze der Kreise Niederösterreichs. [...] Das Waldviertel zeigte wiederum, daß es „deutsch" durch und durch ist. Was würde der alte Kämpfer Schönerer sagen?*[213]

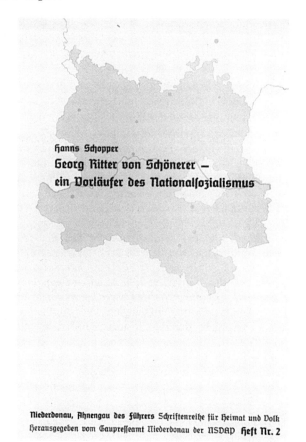

Abb. 61: Schönerer als Vorläufer des Nationalsozialismus, Titelblatt von Heft 2 der Schriftenreihe „Niederdonau, Ahnengau des Führers", St. Pölten 1938; Neupölla, Slg. Polleroß
(Foto: Karl Pani)

---

[211] Landzeitung 13/30. 3. 1938, 1.

[212] Ebenda.

[213] Landzeitung 15/11. 4. 1938, 3; Landzeitung 15/20. 4. 1938, 9.

Auch im Waldviertel „zu wenig Gerechte"

Mit dem Anschluß wurden in Österreich die 1935 geschaffenen „Nürnberger Gesetze" wirksam, *die einen scharfen Trennungsstrich zwischen [...] deutschem und jüdischem Blut ziehen. [...] Der Jude ist Fremdkörper im deutschen Volksleben und untersteht als solcher der Fremdengesetzgebung: er kann nicht Volksgenosse sein. Zugleich erhielt der deutsche Volksgenosse in den Nürnberger Gesetzen die ihm gebührende Ehrenstellung.*[214]

Damit waren die gesetzlichen Grundlagen für die Diskriminierung der jüdischen Bevölkerung geschaffen, die auch sofort spürbar wurde. In Krems wurde noch in der Nacht vom 11. auf den 12. März der Kultuspräsident festgenommen, die Kultusgelder wurden beschlagnahmt. Verhaftet wurden aber zunächst nur politisch exponierte Juden. So wurde z. B. am 2. Mai in Eggenburg *der jüdische Anwalt und Kommunist Dr. Klein nach Wien (Landesgericht) abtransportiert. Wir können nur sagen Gott sei Dank! Herzlichen Abschied nahmen die noch frei herumlaufenden Glaubensgenossen und — dies soll hier besonders vermerkt werden — Frau B., [...] eine Ultratschechin [...] und eine besonders Treue aus der Bürgerspitalgasse. [...] Der stumme bekannte Gruß bestätigte die Verbundenheit, mit welcher man leider noch immer zu diesem Volksbeglücker steht.*[215]

Aber auch jene, die nicht verhaftet wurden, bekamen die Auswirkungen der Nazidiktatur zu spüren. Noch im März wurden *auch in Gmünd alle jüdischen Geschäfte durch Anbringen von großen Zetteln mit der Aufschrift „Jüdisches Geschäft"* erkenntlich

Fortsetzung der Kremser Ortsnachrichten.

Joel Hirsch und Sohn in Haft. Am 8. Juni wurden von der Gestapo der jüdische Pferdehändler Joel Hirsch in Krems, dessen Sohn Josef Hirsch und der jüdische Rechtsanwalt Dr. Paul Brüll in Haft genommen und nach Wien gebracht. In den letzten zwei Nummern der „Kremser Zeitung" wurde über das schändliche Treiben des Pferdehändlers berichtet und Zuschriften von Geschädigten veröffentlicht. Der Pferdehandel ist ein von den Juden bevorzugtes Geschäft; denn es gibt ihnen reichliche Gelegenheit, ihre angeborene Schlauheit, ihren Hang zu Lug und Trug anzuwenden und den Käufer hineinzulegen. Joel Hirsch hat sich dabei noch eine besondere Praxis zurechtgelegt. Er begnügte sich nicht mit dem Profit, den er bei Pferdekäufen erzielte, sondern ging darauf aus, seine Opfer vollkommen auszuplündern. Für eine Schuld von 1000 S mußte so mancher Bauer, der sich mit Hirsch eingelassen hatte, Haus und Hof im Werte von 2000 S . . . verlieren! Aber Hirsch verlangte noch mehr!

Die Teufelskratze des Juden Joel Hirsch

Abb. 62: Zeitungsbericht über die Verhaftung des Kremser Pferdehändlers Joel Hirsch, Kremser Zeitung vom 17. 6. 1938

---

[214] Landzeitung 16 / 22. 4. 1938, 2.

[215] Landzeitung 19 / 11. 5. 1938, 11.

Abb. 63: Das Hakenkreuz geht über Gars-Thunau auf, Postkarte des Verlages Georg Obenaus, 1938;
Neupölla, Slg. Polleroß

*gemacht. Alle werden dadurch ihre Kunden verlieren, denn die Parole heißt: „Kauft nur bei
Ariern!" Wie wir hören, wollen manche Juden Gmünd verlassen. Nur wissen sie nicht
wohin. Auch die jüdischen Kaufhäuser in den Städten der Umgebung z. B. in Schrems, Weitra, Litschau u. a. tragen ähnliche Bezeichnungen.*[216]

Im Mai erklärte man Gars amtlich zur arischen Sommerfrische (Abb. 64 und 65):

*Über Beschluß der Gemeindeverwaltung ist Juden der Besuch öffentlicher Parkanlagen,
der Strandbäder, sowie Parken von Kraftfahrzeugen auf öffentlichen Straßen und Plätzen
ausnahmslos verboten. Damit wird einem lang gehegten Wunsch der Garser Bevölkerung
Rechnung getragen. Das herrliche Garser Bad war in der Systemzeit das reinste Judena-
quarium, und es war wenig ergötzlich anzusehen, wie unter eintönigem Getrommel die jüdische Resi Stahl den krummbeinigen Jüngels die Anfangsgründe der rhythmischen Tanzkunst
beibrachte. Auch die vier Tennisplätze [...] sind für Juden nicht zugänglich. In einem weiteren Aufruf der Gemeinde werden Gasthof- und Hotelbesitzer sowie Vermieter von Sommerwohnungen aufgefordert, keine Juden zu beherbergen. Es ist daher zwingendes Gebot für
alle, ihre Wohnräume nur an arische Sommergäste zu vermieten und von Wohnungssuchen-
den ohne jede Scheu den Nachweis seiner Abstammung zu verlangen. [...] Phönixheim,
Waldpension, und wie sie alle heißen mögen, bildeten das Eldorado für die Juden. Bei
Kirchweihfesten, Jahrmärkten etc. dürfen jüdische Marktfahrer keine Verkaufstände auf-
richten.*[217]

Auch von staatlicher Seite folgten immer neue schikanöse Verordnungen: ab Juli mußten Judenvermögen angemeldet werden, ab 1. August durften Juden keine arischen Hausgehilfinnen unter 45 Jahren beschäftigen[218] etc. Mit 1. Oktober 1938 wurden die Juden ver-

---

[216] Landzeitung 13 / 30. 3. 1938, 9 f.

[217] Landzeitung 22 / 1. 6. 1938, 11.

[218] Landzeitung 28 / 13. 7. 1938, 7; Landzeitung 31 / 3. 8. 1938, 12.

124

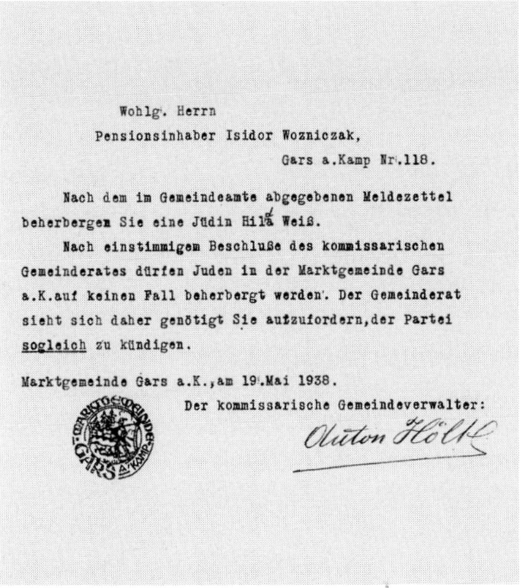

Wohlg. Herrn
Pensionsinhaber Isidor Wozniczak,
Gars a.Kamp Nr.118.

Nach dem im Gemeindeamte abgegebenen Meldezettel beherbergen Sie eine Jüdin Hild Weiß.

Nach einstimmigem Beschluße des kommissarischen Gemeinderates dürfen Juden in der Marktgemeinde Gars a.K. auf keinen Fall beherbergt werden. Der Gemeinderat sieht sich daher genötigt Sie aufzufordern, der Partei sogleich zu kündigen.

Marktgemeinde Gars a.K., am 19. Mai 1938.

Der kommissarische Gemeindeverwalter:

Anton Höltl

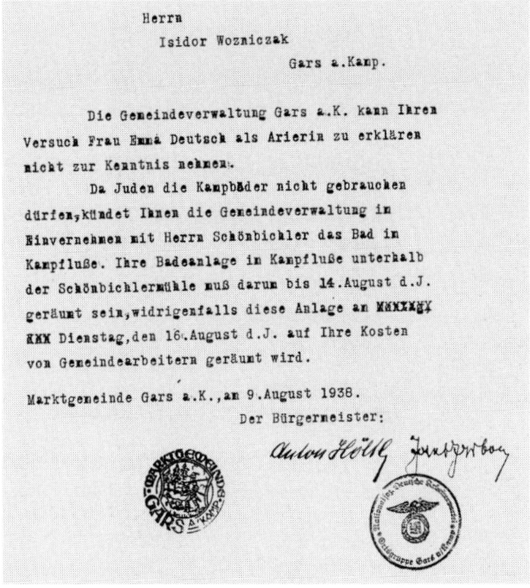

Herrn
Isidor Wozniczak
Gars a.Kamp.

Die Gemeindeverwaltung Gars a.K. kann Ihren Versuch Frau Emma Deutsch als Arierin zu erklären nicht zur Kenntnis nehmen.

Da Juden die Kampbäder nicht gebrauchen dürfen, kündet Ihnen die Gemeindeverwaltung im Einvernehmen mit Herrn Schönbichler das Bad im Kampfluße. Ihre Badeanlage im Kampfluße unterhalb der Schönbichlermühle muß darum bis 14. August d.J. geräumt sein, widrigenfalls diese Anlage am XXXXXX XXX Dienstag, den 16. August d.J. auf Ihre Kosten von Gemeindearbeitern geräumt wird.

Marktgemeinde Gars a.K., am 9. August 1938.

Der Bürgermeister:

Anton Höltl

Abb. 64 und 65: Zwei Schreiben des Garser Bürgermeisters Anton Höltl an den Pensionsinhaber Isidor Wozniczak bezüglich des Beherbergungsverbotes für Juden, 1938; Gars/Kamp, Privatbesitz

pflichtet, die Ausstellung einer Kennkarte zu beantragen, und sogar nichtpolitische Vereine blieben von antijüdischen Maßnahmen nicht verschont: So wurden die neuen Satzungen der Krahuletzgesellschaft in Eggenburg *gesetzesmäßig auf das Führerprinzip und den Arierparagraphen abgestimmt* und der Verein für Landeskunde schloß ebenfalls *Juden oder jüdische Mischlinge im Sinne der 1. Vdg. zum Reichsbürgergesetz vom 14. November 1935* von der Mitgliedschaft aus.[219]

Dennoch hatten sich zahlreiche Waldviertler ihre Menschlichkeit noch bewahrt, weshalb sie sich den Zorn der Nazis zuzogen und in Zeitungsberichten angeprangert wurden: *Kauft nicht bei Juden! Dieser Aufruf wird fast ganz befolgt, bis auf einige Unentwegte. Aber auch diesen wird in der nächsten Zeit in irgendwelcher Form das Hineinhuschen in das Judengeschäft durch das Hintertürl verleidet werden. [...] Die Bäckerei H. in Horn liefert täglich der Jüdin Schlesinger in Frauenhofen Brot und Kleingebäck, obwohl der Bäckerbube schon öfters angestänkert wurde. H. gibt sich doch als Nationalsozialist! [...] Weiß er nicht, daß der, der einem Juden liefert, gerade so ein Volksschädling ist, wie der, der bei Juden kauft? [...] Wer des Profites wegen mit Juden Geschäfte macht, ist kein Volksgenosse und stellt sich mit den Juden auf die gleiche Stufe. Dies mögen auch die Selcher, die bei der gleichen Jüdin die Wurstwaren abliefern, zur Kenntnis nehmen. Beim Biertisch allein, und wenn man sich auch noch so braun gibt, fördert man keine Idee!*[220]

In Fels am Wagram war es ebenfalls ein Bäcker, der *aufreizende Geschäfte* tätigte und ein jüdisches Kaufhaus belieferte. Und auch in Krems gab es *noch immer Leute, die diese Parasiten und Volksausbeuter in Schutz nehmen und ob ihres jetzigen Schicksals bedauern.*[221]

---

[219] Verordnung der Bezirkshauptmannschaft Zwettl vom 14. November 1938, ZL. XI-601/4. — Jahresbericht der Krahuletzgesellschaft 1938/39, 2. — Satzungen des Vereines für Landeskunde von Niederdonau und Wien. In: Unsere Heimat (1939) 71.

[220] Landzeitung 25/22. 6. 1938, 11.

[221] Landzeitung 23/8. 6. 1938, 15; Landzeitung 32/10. 8. 1938, 5.

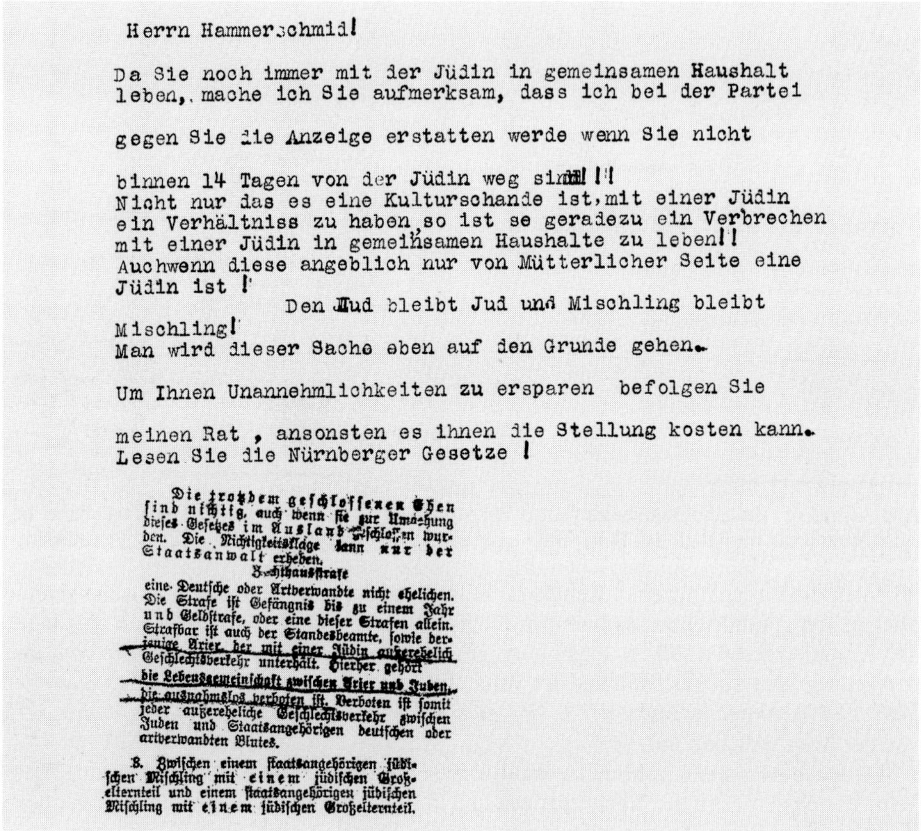

Herrn Hammerschmid!

Da Sie noch immer mit der Jüdin in gemeinsamen Haushalt leben,. mache ich Sie aufmerksam, dass ich bei der Partei

gegen Sie die Anzeige erstatten werde wenn Sie nicht

binnen 14 Tagen von der Jüdin weg sind!!!
Nicht nur das es eine Kulturschande ist, mit einer Jüdin ein Verhältniss zu haben, so ist se geradezu ein Verbrechen mit einer Jüdin in gemeinsamen Haushalte zu leben!!
Auchwenn diese angeblich nur von Mütterlicher Seite eine Jüdin ist!
Den Jud bleibt Jud und Mischling bleibt Mischling!
Man wird dieser Sache eben auf den Grunde gehen.

Um Ihnen Unannehmlichkeiten zu ersparen befolgen Sie

meinen Rat, ansonsten es ihnen die Stellung kosten kann.
Lesen Sie die Nürnberger Gesetze!

Die trotzdem geschlossenen Ehen sind nichtig, auch wenn sie zur Umgehung dieses Gesetzes im Ausland geschlossen wurden. Die Nichtigkeitsklage kann nur der Staatsanwalt erheben.

Zuchthausstrafe

eine Deutsche oder Artverwandte nicht ehelichen. Die Strafe ist Gefängnis bis zu einem Jahr und Geldstrafe, oder eine dieser Strafen allein. Strafbar ist auch der Standesbeamte, sowie derjenige Arier, der mit einer Jüdin außerehelich Geschlechtsverkehr unterhält. Hierher gehört die Lebensgemeinschaft zwischen Arier und Juden, die ausnahmslos verboten ist. Verboten ist somit jeder außereheliche Geschlechtsverkehr zwischen Juden und Staatsangehörigen deutschen oder artverwandten Blutes.

3. Zwischen einem staatsangehörigen jüdischen Mischling mit einem jüdischen Großelternteil und einem staatsangehörigen jüdischen Mischling mit einem jüdischen Großelternteil.

Abb. 66: Anonymer Drohbrief gegen den Schwiegersohn von Alois Biegler mit Hinweis auf die von den Nürnberger Gesetzen verbotenen Mischehen, Wien 1938; Neupölla, Slg. Polleroß

In Gmünd begnügte man sich nicht mit Warnungen in der Zeitung, sondern ging tatkräftig gegen „Judenfreunde" vor. Kunden der Firma Schwarz wurden angepöbelt und mit Schildern, die die Aufschrift *Ich arisches Schwein kaufe bei einem Juden ein!* trugen, über den Hauptplatz getrieben. Unter den Betroffenen befand sich auch der 80jährige Schneidermeister Wallenberger. In diesem Klima der Feindseligkeit und des Neides erlebten natürlich gegenseitige Bespitzelung und Denunziantentum eine Hochblüte, wie auch folgende Meldung aus Raabs zeigt: *Wiederholt wurde darauf hingewiesen, in welch volksschädigender Weise die Juden die Bevölkerung ausbeuten. Diese wiederholten Aufklärungen scheinen auf unserem Boden nicht zu wirken, denn sonst könnte es nicht vorkommen, daß z. B. am Pfingstmontag in einem Zeitraume von einer Stunde 23 Personen das Judengeschäft Gottfried Schlesinger in Oberndorf aufsuchen, um dort ihre Einkäufe zu tätigen. Es sind dies die deutschen Volksgenossen: Führer, Sedlak, Jordan, Weiß, Hemmer, Fidi, Waclavek, Pfeiffer, „der Russensepp" (Bediensteter im Pfarrhofe), Dorn aus Oberndorf, Safer, Pelikan, Riegler aus Pfaffendorf, Göd aus Lindau, Bauer, Andres aus Lindau, Klang aus Koggendorf, Andres aus Liebnitz. Wenn dies so weiter geht, so könnte es auch bei uns vorkommen, daß die Käufer beim Verlassen des Judengeschäftes einen zweckdienlichen Stampiglienaufdruck bekommen, damit sie noch länger eine Erinnerung an ihre Judenfreundlichkeit haben.*

Aufgrund der Namensgleichheit kam es dabei zu einer Verwechslung, weshalb Franz und Aloisia Sedlak in der Landzeitung verlauten ließen, *daß wir im jüdischen Geschäft nicht einkauften.*[222]

Aber auch bewußte Verleumdungen scheinen nicht selten gewesen zu sein. Deshalb sahen sich der Postamtsdirektor A. Freud in Weitra und Tierarzt Dr. Heinze in Neupölla genötigt, alle zu warnen, die behaupten würden, man sei „Judenstämmling".[223]

Arisierungen und Mißhandlungen

Zu den Maßnahmen, die Göring bei der schon erwähnten Rede ankündigte, zählte auch die „Arisierung des Geschäfts- und Wirtschaftslebens", und noch im März wurden die Gmünder Firmen Löwy, Reich und J. Schwarz (Abb. 56) *unter arische Leitung* gestellt.[224] In Krems wurde ebenfalls im März das *bekannte Kohnhaus am Josef Leopoldplatz [. . .] für Kanzleizwecke der nationalsozialistischen Führung unseres Bezirkes angefordert und bereits am 17. d. nach Hissung der Hakenkreuzfahne und einer kurzen Ansprache durch Oberlehrer Wiltum seiner Bestimmung übergeben. Das Warengeschäft im Hause wird noch weitergeführt.*[225]

Die Aneignung jüdischen Eigentums fand bei den Österreichern solchen Anklang, daß sich Gauleiter Bürckel schon Anfang Mai 1938 veranlaßt sah, die Arisierung unter seine zentrale Leitung zustellen. Denn *eine gewisse Sorte von Volksgenossen glaubt jedoch mit der Notwendigkeit der Arisierung eine Eigenspekulation verbinden zu müssen [...], mit anderen Worten: sie neigen sehr dazu, sich jüdische Gepflogenheiten zu eigen zu machen.*[226]

Im Juni wurde die Firma Bobbin in Gmünd arisiert, Anfang August wurde die Farbenhandlung Mandl in Horn aufgelassen, während die dazugehörige Tankstelle an Cafétier Burger überging.[227] Die mechanische Strickerei der Fa. Löwy in Schrems wurde *nach dem Verschwinden* des Geschäftsinhabers der Führung des Illegalen Felix Haberl übertragen, und in Litschau arisierte man die Wirkwarenfabrik Schüller u. Co. Einer der neuen Besitzer war der Wiener Polizeipräsidentenstellvertreter Fitzthum.[228]

Das Schloß Jaidhof funktionierte man damals zu einem Gauschulungszentrum um (Abb. 68), und auf dem Grund der Herrschaft Schwarzenau entstanden Gehöfte für die durch die Errichtung des Truppenübungsplatzes Döllersheim in Hitlers „Ahnenheimat" heimatlos gewordenen Bauern. Ebenso gefragt wie Betriebe waren auch Wohnungen aus jüdischem Besitz. Die Delogierung traf die Eigentümer meist noch härter. So wurde Anfang 1942 in Krems die 72jährige Hermine Müller, geb. Diamant, verhaftet und dem Sondergericht überstellt, weil sie bei Arisierung ihrer Wohnung geäußert hatte, *daß man ihr lieber solche Pillen geben möge, wie die Irren in der Heilanstalt sie bekommen.*[229]

[222] Landzeitung 24 / 15. 6. 1938, 12; Landzeitung 26 / 29. 6. 1938, 13.

[223] Landzeitung 20 / 18. 5. 1938, 9; Landzeitung 23 / 8. 6. 1938, 13.

[224] Landzeitung 13 / 30. 3. 1938, 9.

[225] Landzeitung 12 / 23. 3. 1938.

[226] Landzeitung 18 / 4. 5. 1938, 2.

[227] Landzeitung 25 / 22. 6. 1938, 9; Landzeitung 31 / 3. 8. 1938, 11.

[228] Landzeitung 49 / 7. 12. 1938, 17; Otto M ö l z e r, 40 Jahre Stadt Schrems (Schrems 1976) 56, 146. Landzeitung 23 / 7. 7. 1939, 18.

[229] Gestapo-Tagesbericht Nr. 11 / 27. 1. 1942; Dokumentationsarchiv des Österreichischen Widerstandes Wien, 5733a.

KOHN GELD

„..werde Ihnen machen ä Ausnahmspreis"

DIESE ZEIT IST VORBEI!

Der anständige Deutsche Kaufmann hat feste Preise und handelt nicht

Abb. 67: Karikatur auf die „Arisierungen", Kremser Wochenpost vom 12. 3. 1939

Die jüdischen Bankkonten wurden gesperrt, die Besitzer bekamen nur einen monatlichen Betrag *zum Zwecke der Lebensführung* ausbezahlt. Samuel Barth aus Waidhofen erhielt z. B. RM 200,— monatlich. Die Gebühren für den bankmässigen Verkehr wurden für Juden erhöht. Die Demütigungen und Schwierigkeiten, die aus diesen Bestimmungen resultierten, gehen auch aus einem Ansuchen hervor, das Martha Dorn an die Vermögensverkehrsstelle richtete, um von ihrem Konto in Waidhofen Geld zu bekommen (Abb. 181):

Ich bin konfessionslos und aber nichtarischer Abstammung und bin seit dem Jahre 1928 mit einem Arier verheiratet. Durch den Verkauf des von meinen Eltern geerbten Hauses bin ich den monatlichen Zinsertrag verlustig geworden. Mein Mann Alexander Dorn hatte bis vor kurzem noch eine Stellung bei einer nichtarischen Firma, die aber durch die jüngsten Ereignisse gesperrt wurde, er daher jetzt ohne Stellung ist. Wir haben auch ein sieben Monate altes Kind und haben gerade jetzt wo der Winter vor der Tür steht verschiedene Anschaffungen zu machen. Ich bitte daher für meinen Mann und mich aus oben angeführten Sperrkonto um eine monatliche Zuweisung von RM 400,— welchen Betrag ich nur für den Lebensunterhalt verwenden werde. Ich danke im Voraus für die gütige Erledigung meines Ansuchens auch im Namen meines Mannes und Kindes. Mit vorzüglicher Hochachtung: Martha Dorn.[230]

Genehmigt wurden aber nur RM 200,— „bis auf Widerruf".

Diese brutalen Übergriffe, aber auch die staatlich verordneten Repressionen, stießen natürlich bei Teilen der Bevölkerung auf Ablehnung. Das Regime setzte daher seine Propaganda maschinerie auch zur Rechtfertigung antisemitischer Maßnahmen ein, und um die Juden als Wurzel allen Übels anzuprangern. Dabei kam naturgemäß der Landzeitung, die den Untertitel „nationalsozialistische Blätter" führte, eine wichtige Rolle zu. Seit September 1938 erschien sie in neuer Gestaltung und *mit der besonderen Aufgabe, [...] den Geist nationalsozialistischer Weltanschauung in alle Bevölkerungskreise links der Donau zu tragen.* Seit damals gab es eine eigene Spalte mit dem Titel „Kampf dem Judentum", die zeigen sollte, *daß es den Juden heute nicht nur in Deutschland ‚nicht gut geht', sondern daß man ihrer in allen Ländern überdrüssig wird, weil sie für die Menschheit überflüssig sind.*[231]

---

[230] Schreiben der Landeshauptmannschaft Niederdonau / Dienststelle für Vermögensverkehr an die Sparkasse Waidhofen, 13. 2. 1939, Zl. L. A. II/6-628/2. Rundschreiben des Ostmärkischen Sparkassen- und Giroverbandes vom 2. 12. 1940. Ansuchen von Martha Dorn an die Vermögensverkehrsstelle im Ministerium für Wirtschaft und Arbeit / Abteilung Finanzen, Dezember 1938. Schreiben der Vermögensverkehrsstelle an die Sparkasse Waidhofen, 5. 12. 1938.

[231] Landzeitung 37 / 14. 9. 1938, 1 f.

Abb. 68: Das „arisierte" Schloß Jaidhof als Gauschulungsburg der NSDAP, Postkarte 1942;
Neupölla, Slg. Polleroß

Neben dieser Rubrik, die die Juden als *Träger der Verwesung* und *Eitererzeuger* hinstellte, wurden auch regelmäßig längere antisemitische Artikel publiziert. So schrieb Pfarrer Korn aus Gscheidt über „Kirche und Judenfrage" und empfahl, *die letzte Äußerung Pius XI. über die Rassenfrage nur als Privatmeinung eines 8ljährigen Mannes aufzufassen, der eben die neue Zeit und ihre Forderungen nicht versteht.*[232] Andere Artikel beriefen sich auf Dostojewsky, Thomas von Aquin sowie Arnold Zweig, und man propagierte auch Bücher von Pfarrer Gaston Ritter und Alfred Rosenberg.[232]

Als besonderes Verbrechen galt der intime Umgang mit Juden, und „Rassenschande" wurde hart bestraft. In Eggenburg griff die Bevölkerung aber zunächst zur Selbsthilfe: *„Ich bin der Geliebte einer Jüdin!", „Wer kauft beim Geliebten einer Jüdin noch ein?". So kann man am Geschäftslokal des Fleischhauermeisters Ucnik in großen Lettern geschrieben sehen. Die längste Zeit konnten wir schon beobachten, daß dieser ehrenwerte Mann mit der Tochter des Viehjuden Löwy ein Liebesverhältnis unterhält. [...]. Dieses Gerede kam schließlich auch der Gendarmerie zu Ohren, die Albertine Löwy einvernahm. Diese gab nun ohne weiteres zu, daß es zwischen ihr und U. am 4. Juli im Walde nächst Eggenburg zu Zärtlichkeiten gekommen sei. Nun hatte sich Paul U. unter der Anklage wegen Rassenschande im Sinne des Gesetzes zum Schutz des deutschen Blutes und der deutschen Ehre [...] zu verantworten.*

Es war dies der erste Rassenschande-Prozeß in Niederdonau.[234] Ein halbes Jahr später wurde der Monteur Petrus Rotlauer aus Schönberg *wegen Verbrechens der Rassenschande,*

---

[232] Landzeitung 40 / 5. 10. 1938, 5.

[233] Landzeitung 37 / 14. 9. 1938, 2; Landzeitung 38 / 21. 9. 1938, 15.

[234] Landzeitung 30 / 27. 7. 1938, 11; Landzeitung 38 / 21. 9. 1938, 18.

weil er ein schon seit 1937 andauerndes Liebesverhältnis mit der Volljüdin Leontine Kolberg auch noch nach dem Inkrafttreten der Gesetze zum Schutze des deutschen Blutes und der deutschen Ehre fortgesetzt hatte, vom Landesgericht in Krems zu 15 Monaten Gefängnis verurteilt.[235] Eine wichtige Rolle *in der gesamten Juden- und Mischlingsfrage* spielte auch das Rassepolitische Amt, dessen Leiter Dr. Anton Dyk bis 1938 als Arzt in Krems wirkte.[236]

Abwanderung und Ausweisung

Die gesetzlichen Schikanen, der wirtschaftliche Boykott und die gesellschaftliche Ächtung machten ein Verbleiben in kleineren Orten nahezu unmöglich, da bald niemand mehr wagte, die Juden mit den notwendigsten Lebensmitteln zu versorgen. Immer mehr Familien waren daher gezwungen, nach Wien oder ins Ausland abzuwandern. Anfang Mai übersiedelte die Horner Familie Glaser in die Tschechoslowakei, und der Bericht darüber schloß mit dem Wunsch: *Hoffentlich folgen die anderen noch hier wohnhaften Israeliten seinem Beispiel und verschwinden bald aus unserer Stadt.*[237]

Die Horner Kultusgemeinde bestand damals nur mehr aus 35 und jene in Waidhofen aus 80 Mitgliedern. In Krems gab es zwar noch 116 Kultusmitglieder, deren Lage aber ebenfalls sehr schlecht war, da ihnen die Verdienstmöglichkeiten entzogen waren.[238] Im Juni 1938 wurde das Bethaus in Waidhofen aufgelöst, die Thorarollen sowie die Tempelgeräte wurden der Kultusgemeinde Wien übergeben.[239]

Im Mai war auch der jüdische Friedhof in Horn verwüstet worden, und drei Monate später gab es noch immer *keine greifbaren Anhaltspunkte zur Feststellung der Täter. Es ist jedoch nicht ausgeschlossen, daß die Beschädigung des israelitischen Friedhofes von Kommunisten vorgenommen wurde, um die N. S. D. A. P. zu mißkreditieren.*[240]

Am 18. September 1938 wurde den Horner Juden von der Kreisleitung befohlen, binnen 24 Stunden die Stadt zu verlassen. *Der hiesige Notar wurde von der Judenschaft bevollmächtigt, ihren Realbesitz zu veräußern. Der Tempel wurde der Gemeinde gespendet. Für den Besitz, es sind dies vor allem Häuser mit Geschäftskonzessionen, sind bereits Käufer vorhanden; ein Teil der Häuser wird wahrscheinlich von der Gemeinde für Wohnzwecke und Amtsräume erworben werden. Die Aktion verlief (von einigen mehr heiteren als tragischen Zwischenfällen, die besonders durch Frauen hervorgerufen wurden) ruhig. Die Bevölkerung steht dem Ereignis von kleinen Minderheiten abgesehen (rote Richtung, Ratenkäufer) sympathisch gegenüber.*[241] (Abb. 110)

Vier Tage später erhielten die Juden in Gmünd den gleichen Befehl. *War ein Jude mit einer Arierin verehelicht, so konnte die Frau und die Kinder hierbleiben. Die Ausweisung*

---

[235] Landzeitung 11 / 15. 3. 1939, 9.

[236] Landzeitung 23 / 8. 6. 1938, 3; Landzeitung 1 / 4. 1. 1939, 4.

[237] Landzeitung 19 / 11. 5. 1938, 10.

[238] 2. Wochenbericht der Israelitischen Kultusgemeinden vom 17. 5. 1938.

[239] Herbert Rosenkranz, Verfolgung und Selbstbehauptung. Die Juden in Österreich 1938-1945 (Wien-München 1978) 91.

[240] Schreiben der Gestapo Wien an den Reichskommissar für die Wiedervereinigung, 23. 8. 1938, Yad Vashem-Archiv Jerusalem, Sign. Rk, 105 (2025).

[241] Bericht der SD-AuSt. Horn an den SF-UA Wien, 19. 9. 1938, Yad Vashem-Archiv Jerusalem, Sign. 0-5/24-4; Rosenkranz a. a. O., 92. Erika Weinzierl, Zu wenig Gerechte. Österreicher und Judenverfolgung 1938-1945 (Graz 1969) 57.

Abb. 69: Reisepaß des Deutschen Reiches für Karl und Magdalene Löwy aus Gmünd mit „J", 1938;
Privatbesitz

geschah aus Sicherheitsgründen und zum Schutz der Betroffenen. Der Arzt Dr. Gold hat Gmünd endgültig verlassen. Er soll einstweilen nach Wien übersiedelt sein und gedenkt später nach Prag zu reisen. Ob er dort bleiben kann, ist bei den dermaligen Verhältnissen wohl zweifelhaft. Aber auch hier sind Personen, welche sagen, das Vorgehen gegen die Juden sei etwas hart. Denen sei aber gesagt, daß die Juden immer Volksfeinde waren. [...] Es gibt keine unschuldigen Juden, wie manche behaupten. Besonders hier an der Grenze mußte man umfangreiche Vorsichtsmaßregeln ergreifen, da die Juden mit den Kommunisten und Tschechen in Verbindung standen. Sie mußten deshalb von der Grenze entfernt werden. Nun ist dies endlich restlos gelungen.[242]

Einige der Gmünder Juden zogen in die Tschechoslowakei. Am 1. 2. 1939 wurde aber auch dort *ein Gesetz erlassen, wonach alle jüdischen Emigranten binnen 6 Monaten das Staatsgebiet verlassen müßten. Es werden also die Herren wieder auswandern müssen. Sie mag eben niemand mehr.*[243]

Die Kultusgemeinde Waidhofen wurde ebenfalls im September 1938 aufgelöst. 1940 sollte auch der jüdische Friedhof (Abb. 75 und 187) aufgelassen werden. Man plante zunächst die Errichtung eines Bienenstandes, doch beschloß die Gemeinde erst 1943 den Verkauf der 116 Grabsteine (Schätzwert: RM 14070,—). Aber auch dazu kam es nicht[244] (siehe Dokument im Anhang).

Die Kremser Kultusgemeinde mußte den Tempel der Stadtgemeinde schenken, nachdem er als Flüchtlingslager beschlagnahmt worden war: *Für die weitere Unterbringung der sudetendeutschen Flüchtlinge stellte die Kreisleitung der NSDAP den Judentempel der NSV zur Verfügung. Er wurde so am Samstag noch geräumt und am Sonntag von den Juden der Stadtgemeinde geschenkt.*[245]

Die „Reichskristallnacht"

Die Ermordung eines deutschen Botschaftsangehörigen im November 1938 in Paris bot dem Hitler-Regime einen Anlaß, die Gangart gegen die Juden zu verschärfen. Es kam zu „Spontanmaßnahmen" der Bevölkerung sowie neuen gesetzlichen Schikanen:

Spontan hat das deutsche Volk sich am Judentum in Deutschland gerächt für das Verbrechen, welches das Weltjudentum in Paris begangen hat. Das Judentum hat geschossen — das Judentum wird bestraft. Und zwar hart bestraft, weil eine Großmacht wie Deutschland es sich einfach nicht bieten lassen darf, von diesen Weltparasiten herausgefordert zu werden. Den spontanen Vergeltungsmaßnahmen des Volkes sind die gesetzlichen, einschneidenden Maßnahmen gefolgt. Vorerst einmal dürfen Juden keine Theater, Konzerte, Tanzvorführungen und Ausstellungen kultureller Art mehr besuchen. Die Juden sind für uns Fremde und unsere Kultur ist nicht für sie. Eine weitere Verordnung schließt die Juden aus dem deutschen Wirtschaftsleben aus, verhält sie zur Wiedergutmachung der Schäden, welche durch die Empörung des Volkes über die Hetze des internationalen Judentums gegen das nationalsozialistische Deutschland am 11. September und 10. November an jüdischen Gewerbetreibenden und Wohnungen entstanden ist. Die Versicherungsansprüche von Juden werden zugunsten des Reiches beschlagnahmt. Jeder Waffenbesitz ist den Juden verboten. Zudem

---

[242] Landzeitung 39/28. 9. 1938, 18; Landzeitung 47/23. 11. 1938, 17.

[243] Landzeitung 7/15. 2. 1938, 17.

[244] Antrag auf Errichtung eines Musterbienenstandes an das Kultusreferat der Landesregierung vom 4. 4. und 19. 4. 1940, NÖ Landesarchiv Wien — Gemeinderatssitzung vom 8. 9. 1943.

[245] Landzeitung 38/21. 9. 1938, 15.

Abb. 70 und 71: Ida und Alois Biegler, Kaufleute in Neupölla, 1938; Privatbesitz

haben die deutschen Juden in ihrer Gesamtheit in Form einer Geldbuße von einer Milliarde Reichsmark die Strafe für den ruchlosen Mord in Paris auferlegt bekommen.[246]

Während der „Reichskristallnacht" wurden auch in Krems auf höheren SS-Befehl zahlreiche Fenster und Türen eingeschlagen.[247] Zu den staatlich verordneten Schikanen kamen auch im Waldviertel Ü b e r g r i f f e von Seiten der Bevölkerung. Es ist allerdings fast nicht möglich, darüber genauere Informationen zu erhalten. Die Aktivisten schweigen aus verständlichen Gründen, die schweigende Mehrheit will nichts gesehen haben, und die Opfer wollen ebenfalls nicht darüber sprechen. Denn „die Erinnerung tut zu weh." Zu Mißhandlungen und Plünderungen soll es angeblich aber nur in einigen Orten gekommen sein, wie in Krems, Gmünd und Neupölla. Dort wurde der Kaufmann Leopold Biegler mit Frau und Tochter (Abb. 70 und 71) in der Nacht aus dem Haus geholt und mit Peitschen und Stöcken unter „Jude verrecke im eigenen Drecke!"-Rufen durch den Markt getrieben. Fensterscheiben wurden eingeschlagen, die Greißlerei wurde ebenso wie jene von zwei Spitzer Juden geplündert. Auch das Schloß Jaidhof wurde zu einem „Selbstbedienungsladen", aus dem biedere Waldviertlerinnen korbweise böhmisches Leinen und andere nützliche Dinge wegschafften.

In einem Artikel „Geistiger Gasschutz" verteidigte Adalbert Volck diese Vorgangsweise: *Niemals können und dürfen wir schwankend werden, in dem Entschluß, vergeltende Gerechtigkeit an der jüdischen Menschheitsgeisel zu üben. [...] Hat Christus nicht selbst Gewalt gegen die Juden angewandt, als sie aus dem „Bethaus" eine „Mördergrube" gemacht hatten? Glaubt noch ein mit Vernunft begabter Mensch, daß der Jude sich wandeln könnte und wollte?*[248]

---

[246] Landzeitung 46/16. 11. 1938, 2.

[247] Rosenkranz (wie Anm. 239) 160.

[248] Landzeitung 47/23. 11. 1938, 3.

Während man also einerseits den „Rassejuden" Christus zur Rechtfertigung des Antisemitismus heranzog, lehnte man andererseits den katholischen Religionsunterricht ab, weil er *verhängnisvoll mit der Geschichte des jüdischen Volkes verbunden ist. Wir Deutschen tragen unseren eigenen Gottglauben im Herzen und brauchen dafür kein altes Testament.*[249]

„Mit Stumpf und Stiel die Juden ausrotten"

Das Ziel all dieser Maßnahmen wurde schon im November 1938 offen deklariert:

Wir haben ein Interesse, die Juden endgültig und baldigst bis auf den letzten Juden-Goff los zu haben. Ohne jede Barmherzigkeit. Entweder gehen sie und die sogenannte liberale Welt öffnet den Kindern Israels ein „gelobtes Land", oder sie werden den letzten Rest des jüdischen Vermögens, den sie in Deutschland besitzen, auffressen und dann verrecken. Wir haben kein Mitleid mit ihnen, wir in der Ostmark am wenigsten. [...] Jeder Deutsche, der heute mit dem jüdischen Gesindel noch irgend welches Mitleid empfindet, gefährdet die Existenz des eigenen Volkes. Mit Stumpf und Stiel die Juden ausrotten, nicht nur in Deutschland, sondern in ganz Europa. Das ist die Parole der Zukunft für die junge, die nationalsozialistische Generation![250]

Aber erst durch die Errichtung des Generalgouvernements in Polen erhielt man ein „Reservat" für die Juden. Noch im September 1939 wurden die ersten deutschen Juden nach Polen deportiert, darunter 1500 aus Wien. Im Frühjahr 1941 folgten weitere 5000, von denen viele durch Hunger und Zwangsarbeit zugrunde gingen. Mit der schon im Jänner 1939 von Hitler angekündigten „Vernichtung der jüdischen Rasse in Europa" wurde allerdings erst im Zuge des Rußlandfeldzuges begonnen. Am 31. Juli 1941 wurde Heydrich mit der „Durchführung der angestrebten Endlösung der Judenfrage" beauftragt, im Oktober wurde den Juden die Auswanderung verboten. Bei der „Wannsee-Konferenz" im Jänner 1942 wurden die organisatorischen und administrativen Richtlinien des Massenmordens beschlossen.[251] Von Herbst 1941 bis Kriegsende wurden noch über 40 000 Juden aus Wien in die Konzentrationslager Łódź, Minsk, Theresienstadt, Auschwitz und Mauthausen deportiert, von denen nur wenige überlebten.

Die Verhältnisse in den Konzentrationslagern konnten natürlich nicht vollständig geheimgehalten werden, durch das Wachpersonal drangen gelegentlich Informationen an die Öffentlichkeit. Unter diesen Wachmannschaften befanden sich auch Waldviertler. Schon im April 1938 wurden mehrere SSler aus Gmünd in Dachau eingesetzt und waren *begeistert von ihrem neuen Beruf.*[252] Im August 1939 ging ein Rundschreiben der Reichsführung SS *vertraulich, sehr eilig!* an alle Kriegskameradschaften des Bezirkes Zwettl, um Männer über 45 Jahre zur Bewachung von Konzentrationslagern anzuwerben.[253] Auch von diesem Angebot haben wohl manche Gebrauch gemacht. Die Massenerschießungen von russischen Juden blieben im Waldviertel ebenfalls nicht ganz unbekannt, und ein Soldat sandte sogar Fotos eines jüdischen Massengrabes in seine Heimat (Abb. 163 und 164).

---

[249] Landzeitung 48/30. 11. 1938, 7; vgl. dazu Anm. 194.

[250] Landzeitung 48/30. 11. 1938, 4.

[251] Stuhlpfarrer (wie Anm. 101) 160 f.

[252] Landzeitung 19/11. 5. 1938, 9.

[253] Willibald Pröll — Johann Layr u. a., Heimatbuch der Marktgemeinde Schweiggers (Schweiggers 1978) 343 f.

Abb. 72: Anni Schwarz aus Gmünd, um 1935; Neupölla, Slg. Polleroß

Deshalb versuchten manche Juden, sich der Deportation zu entziehen, um so ihr Leben zu retten. Einigen gelang es, als „U-Boot" zu überleben, viele wurden aber von der Gestapo aufgegriffen, darunter im Herbst 1942 der 1877 in Zwettl geborene Ingenieur Gustav Mandl[254] und der 1883 in Langschlag geborene Kaufmann Alfred Spira.[255] Einige ahnten die ihnen drohenden Greuel und verübten bald nach dem Anschluß Selbstmord, wie der Geraser Kaufmann Gutmann mit seiner Gattin und der sechsjährigen Tochter.

Andere wiederum gingen freiwillig in die Deportation und damit in den Tod, wie Ida Biegler aus Neupölla. Sie hatte irrtümlich keinen Evakuierungsbefehl erhalten, wollte aber ihren Gatten und ihre Tochter nicht im Stich lassen (Abb. 160-163). Leopold, Ida und Ella Biegler wurden vermutlich in Łódź ermordet. Aber auch zahlreiche andere Waldviertler Familien fanden ein tragisches Ende. Von der Gmünder Familie Schwarz wurden die Eltern ebenfalls im Osten ermordet, Tochter (Abb. 72) und Schwiegersohn von der SS in Frankreich erschossen, deren Kinder in ein spanisches Kloster gesteckt.

Von den vier Zwettler Familien überlebten nur zwei. Die Schidloffs wurden im KZ vergast, die Familie von Rechtsanwalt Fränkel konnte noch nach Frankreich flüchten, wurde aber dort verhaftet und endete ebenfalls in den Gaskammern.[256] Das gleiche Schicksal traf auch Mutter und Tochter Schlesinger aus Frauenhofen, den Rechtsanwalt Klein und seinen Bruder Milan, einen Kohlenträger, sowie die Familie Fürnberg in Eggenburg. Ein Gedenkstein auf dem Kremser Judenfriedhof erinnert an die Ausrottung der Familie

---

[254] Gestapo-Tagesbericht vom 6.-9. 11. 1942, 4; Dokumentationsarchiv des österreichischen Widerstandes in Wien, 5733/f.

[255] Gestapo-Tagesbericht Nr. 7 vom 20.-23. 11. 1942, ebenda.

[256] Gold (wie Anm. 180) 104.

Schafranek aus Etsdorf (Abb. 54). Regina Schafranek wurde gemeinsam mit ihren drei Kindern, zwei Schwiegerkindern und zwei Enkelkindern 1944 in Polen ermordet.[257] Von der weitverzweigten Familie Mandl, deren Mitglieder u. a. in Weitra, Horn und Gmünd ansässig waren, kamen 55 Personen in den Gaskammern um.

Wie viele Waldviertler Juden von den Nationalsozialisten ermordet wurden, läßt sich nicht feststellen. In ganz Österreich fielen 65000 Personen, ein Drittel der in Österreich lebenden Juden, dem „Holocaust" zum Opfer.

Judenlager im oberen Waldviertel

Als die Juden aus halb Europa evakuiert wurden, konnten die Vernichtungslager die Massen nicht mehr bewältigen. Man errichtete Zwischen- und Arbeitslager, darunter auch einige im oberen Waldviertel. Diese dienten für ungarische Juden, die in das Konzentrationslager Theresienstadt gebracht werden sollten.

Im Frühsommer 1944 traf erstmals ein Transport von ungarischen Juden in Gmünd ein, die bei der Kartoffel-AG arbeiten mußten. Drei von diesen wurden Anfang März 1945, in der Nacht vor dem Abtransport ins KZ, vom Gmünder Amtsarzt Dr. Lanc, dem Tierarzt Dr. Krisch und dem Hoheneicher Gerbermeister Weißensteiner unter Einsatz ihres Lebens vor dem sicheren Tod gerettet.[258] 64 Juden aus Gmünd waren in den letzten Kriegsmonaten im Sägewerk der Fa. Ing. Knapp in Weitra beschäftigt. Sie überlebten teilweise im Waldviertel, teilweise im KZ Theresienstadt, weil die Verbrennungsöfen wegen Überlastung gegen Kriegsende nicht mehr betriebsfähig waren, als der Transport dort eintraf.

In Groß Siegharts waren von Juli 1944 bis April 1945 ca. 100 jüdische Arbeitskräfte, Männer, Frauen und Kinder, bei zwei Textilfirmen beschäftigt.[259] Mehrere davon starben damals und wurden auf dem Pfarrfriedhof der Stadt beigesetzt.

Ein Lager mit jüdischen Arbeitern bestand auch in Alt-Hart, damals im Kreis Waidhofen, heute in Tschechien gelegen. Dort wurde die Beerdigung eines Säuglings am örtlichen Friedhof aber von der Bevölkerung abgelehnt, und der Gemeindearzt Dr. Pollak aus Piesling hat sich *natürlich geweigert,* dem ungarischen Arzt Medikamente und Spritzen zu überlassen.[260]

In Schrems war eine unbekannte Anzahl von ungarischen Juden in einem Steinbruch beschäftigt. Ein Schüler, der ihnen einmal Lebensmittel zuwarf, wurde daraufhin von seiner Englischlehrerin gezüchtigt. Unterstützung erhielten diese bedauernswerten Menschen auch von einer seit Dezember 1943 bestehenden Gruppe von Freiheitskämpfern im Oberen Waldviertel, die neun Untergruppen mit 95 Mitgliedern umfaßte. Sie halfen den Juden durch die Bereitstellung von Medikamenten.[261]

Am 22. Dezember 1944 traf in Gmünd ein Zug mit 1700 ungarischen Juden ein, die sich aufgrund der furchtbaren Transportbedingungen in Viehwagen in einem erbärmlichen Zustand befanden. Siebzehn hatten die Strapazen nicht überlebt. Die übrigen wurden unter

[257] Hruschka (wie Anm. 21) Anhang 207.

[258] Artur Lanc, Das Schicksal der ungarischen Juden in Gmünd 1944/45. In: Friedrich B. Polleroß (Hg.), Kamptal-Studien 4 (Gars/Kamp 1984) 197-210.

[259] Schreiben der Stadtgemeinde an den int. Suchdienst in Arolsen, 6. 10. 1975, DÖW.

[260] Schreiben des Landrates (staatl. Gesundheitsamt) an den Reichsstatthalter, 13. 7. 1944, NÖ Landesarchiv — Wien.

[261] Österr. Liga demokr. Freiheitskämpfer, Bericht Nr. 309, 15. 5. 1946: Tätigkeitsbericht von Franz Ennslein, Führer der Gruppe Oberes Waldviertel; DÖW 8393.

Pol 22.-1/2   Gmünd,am 25.8.1944

An den
            Herrn Reichsstatthalter in N.D.
                  in   Wien I.

Betrifft:Arbeitseinsatz
        von Juden.   Ea.   - 3. SEP. 1944
Bezug:DÖ.Zl.I a-1240 v-22-VII-1944   Pr.

      In Entsprechung des obangeführten Runderlasses berich-
te ich,daß die im hiesigen Verwaltungsbereich untergebrachten
Juden,welche sich,abgesehen von den nur vereinzelt vorkommenden
Berufen wie Uhrmacher,Buchdrucker,Glaserer,Fabriksleiter,Klavier-
lehrer,Rechtsanwälte,vorwiegend aus ehemaligen Kaufleuten rekru-
tieren,fleißig und arbeitswillig sind,so daß bisher nicht der
geringste Anlaß zu irgend welchen polizeilichen Einschreitungen
gegeben war.
      Die in letzterer Zeit gemachten Erfahrungen haben wohl
gelehrt,daß sich die im hiesigen Kreise in der Landwirtschaft
tätigen Juden ziemlich unbeholfen erweisen,jedoch für die Straßen-
erhaltungsarbeiten sowie in den einzelnen Fabriksbetrieben ganz
gut bewährt haben und sind durch diese Aktion sicherlich schon
viele deutsche Kräfte eingespart worden,die wieder anderweitig
nutzbringender eingesetzt werden können.
      So arbeiten z.B.Juden bei der Fa.Stölzle,Aktiengesell-
schaft für Glasindustrie in Altnagelberg, Kreis Gmünd Niederdonau derart fleißig,daß die genannte Firma beabsichtigt,falls es
im Bereich der Möglichkeit liegt und von maßgebender Stelle die
hiefür notwendige Zustimmung erhält,noch eine weitere Anzahl von
jüdischen Arbeitskräften in ihrem Betriebe einzustellen.
      Schließlich ist noch zu erwähnen,daß die Judenlager
strengstens überwacht werden,die Disziplin vollstens aufrecht
erhalten wird,die hygienischen Anordnungen striktest beachtet
werden und somit die Zahl der erkrankten Juden durchschnittlich
höchstens 4 % beträgt.
      Die Sterblichkeitsziffer ist kaum nennenswert,da bis-
her nur ein Jude namens"Gottdiener Eduard" im 61.Lebensjahr am
11.August 1944 zu Heidenreichstein verstorben ist.

                        Der Amtsleiter:
                        I.V:

Abb. 73: Bericht des Landrates Gmünd über den Arbeitseinsatz von ungarischen Juden im Bezirk
         Gmünd, 1944; Wien, NÖ Landesarchiv
                        (Foto: Szalbolcs Szita)

unmenschlichen Bedingungen im Getreidespeicher hinter dem Finanzamt untergebracht.
Dr. Lanc schildert seine Eindrücke am Vortag des Weihnachtsfestes so:
      Bei tiefen Minusgraden lagen dort in dem riesigen Raum auf schütterster Strohlage 1700
Menschen in mangelhafter Bekleidung. In der Mitte der Längsseite war ein großes Tor, in

Abb. 74: Baracke in Gmünd, in der 1944/45 485 ungarische Juden zugrunde gingen, sowie das 1970 errichtete Denkmal
(Foto: Maria-Theresia Litschauer)

dem die Wachmannschaft postiert war. Ein einziger großer Koksofen befand sich in diesem riesigen Raum. [. . .] Alle litten an Ruhr, waren zu Skeletten abgemagert, und fast alle waren so geschwächt, daß sie die seitlich des Lagers angelegte Latrine nicht erreichen konnten. Alle Augenblicke drehten sie sich um ihre Längsachse, streiften die Hosen hinunter und setzten ihre Stühle ab, bzw. das Stuhlwasser.[262]

Zu diesen Lagerbedingungen kamen auch manchmal Folterungen hinzu. So wurden Juden an Lichtmasten gebunden, wo sie viele Stunden nackt stehen mußten, während ihnen alle paar Sekunden Wassertropfen aus einer speziellen Vorrichtung auf den Kopf fielen.[263]

Unter diesen Umständen verstarben täglich 10 bis 15 Menschen — am 9. Februar 1945 waren es sogar 39 —, die auf pietätloseste Weise beerdigt wurden: Denn diese *nur mit Haut überzogenen Skelette wurden nackt, in den unmöglichsten Stellungen auf Hand- oder offene Pferdewagen geworfen und zum Friedhof in Gmünd III geführt und dort oberflächlich verscharrt.*[264]

Bei einer Versammlung Anfang Februar 1945 im Kinosaal nahm Kreisleiter Lukas zu diesen Vorgängen Stellung: *Ich kann ihnen die erfreuliche Mitteilung machen, daß von den 1700 Untermenschen, die wir zu ertragen haben, bereits 370 weniger existieren. Auch dieses Problem wird bald gelöst sein.*[265]

---

[262] Lanc, Schicksal (wie Anm. 258) 200 f.

[263] Tonbandgespräch mit Leopold Anderl in Gmünd 1979, aufgezeichnet von Thomas Winkelbauer, Wien.

[264] Lanc, Schicksal (wie Anm. 258) 201.

[265] Ebenda 202.

138

Der Kreisleiter sollte recht behalten. Bis zum Abtransport der Juden am 16. Februar starben weitere 115 Personen, und die übrigen wurden im KZ Theresienstadt von den Schergen Hitlers hingemordet. Unter den 485 (!) Menschen, die in eineinhalb Monaten in Gmünd an Kälte, Hunger und Mißhandlungen elendiglich zugrundegingen, befanden sich Männer und Frauen aller Bevölkerungsschichten — Hilfsarbeiter und Akademiker, Künstlerinnen und Fabrikarbeiterinnen, Gewerbetreibende und Industrielle — im Alter von 15 bis 75 Jahren[266] (siehe Dokument im Anhang) (Abb. 205).

---

[266] Die Namen der Opfer wurden — nach Genehmigung des Landrates — mit „deutscher Gründlichkeit" ins Sterbebuch des Gmünder Standesamtes eingetragen (siehe Dokument im Anhang). Zur Erinnerung an diese Ereignisse wurde 1970 ein Mahnmal errichtet: Gmünder Kulturbrief und Stadtnachrichten, 17. Jg. Juni 1970, Folge 6; Erich Fein, Die Steine reden (Wien 1975) 168.

Dokumentenanhang

Dokument 1

Verzeichnis der Grabsteine des jüdischen Friedhofes in Waidhofen an der Thaya, 1943

Die Liste wurde zusammengestellt, da die Stadtgemeinde Waidhofen die Auflassung des Friedhofes und den Verkauf der Grabsteine beabsichtigte. Dies kam jedoch nicht zustande (Stadtarchiv Waidhofen/Thaya).

Abb. 75: Der jüdische Friedhof in Waidhofen/Thaya, dessen Grabsteine 1943 verkauft werden sollten
(Foto: Friedrich Polleroß)

Am Judenfriedhofe
befindliche Denkmäler.

			RM
1.Reihe	1	Leopold Stukhart(Granit)	300
	2	Leopold Kollmann (Granit)	450
	3	Agnes Löwy (")	200
	4	Hermann Löwy "	180
	5	Julie Hermann "	160
2.Reihe	6	Laura Kollmann "	300
	7	Theresia Schick (Marmor)	140
	8	Elsa Kollmann (Granit)	250
3.Reihe	9	Amalia Löffner "	300
	10	Wilhemine Wottizky "	270
	11	Josef Reichmann (Marmor)	60
	12	Adolf Winter (Granit beschädigt)	120
4.Reihe	13	Albert Fleischmann (Granit)	600
	14	Moritz Hochwald	70
	15	Hermann Sinaiberger (Granit)	150
	16	Julius Bergmann "	120
6.Reihe	17	David Kohn (Marmor)	70
	18	Josefa Waldes (Granit)	80
	19	Jda Zucker "	300
	20	Gisela Pächter "	150
	21	Theresia Dubsky "	180
		S u m m a RM	4540

140

				RM	
7. Reihe	22	Robert Feller (Granit)			80
	23	Samuel Zinner "			80
	24	Mathilde Zinner "			80
8. Reihe	25	Adolf Mandl "			50
	26	Rosalia Gratzinger "			80
	27	Siegmund Wottizky "			180
	28	Therese Stark "			80
	29	Salomon Stark "			70
9. Reihe	30	Julie Schenker "			50
	31	David Lipinsky "			80
10. Reihe	32	Moritz Schneider "			350
	33	Edmund Emanuel Rind "			80
11. Reihe	34	Arthur Schweizer "			380
	35	Rosalia Schwarz "			180
	36	Juda Schwarz "			150
12. Reihe	37	Sophie Buchbinder "			80
13. Reihe	38	Paula Guttmann "			80
	39	Karoline Winter "			70
	40	Dr.Berthold Wiener "			150
	41	Julie Koditschek (Marmor)			10
	42	Therese Robitschek (Granit)			60
14. Reihe	43	Moritz Teller "			100
	44	Marie Schneider "			80
			Summa	RM	2520

	45	Moritz Schneider	(Granit)	80
	46	Emma Löwy	"	70
	47	S.K. Rezek	"	150
	48	Therese Deutsch s.s.	"	250
15. Reihe	49	Pauline Sinaiberger	"	80
	50	Leopold Hirsch	"	150
	51	Johanna Berger	"	80
	52	Karoline XXXXX Langer	"	80
	53	Otto Löwy	" beschädigt	150
	54	Eduard Schwarz	(Granit)	120
16. Reihe	55	Fanny Hirschkron	"	50
	56	Johanna Kohner	"	50
	57	Emilie Dubsky	"	140
	58	Donath Bick	(Marmor)	10
	59	Emilie Zimmer	(Granit) schadhaft	80
	60	Therese Guttmann	"	80
17. Reihe	61	Leopold Kohner	"	50
	62	Elise Weiss	"	100
	63	Amalie Graf	(Marmor)	30
	64	Leopold Sinaiberger	(Granit)	150
	65	Philipp Bechinsky	"	120
	66	Jgnaz Schweizer	"	300
18. Reihe	67	Simon Weidmann	"	80
	68	Fanny Fürst	"	150
	69	Adolf Fürst	"	100
			Summa RM	2700

142

	70	Amalie Wantsch	(Granit)	RM	70
	71	Therese Jedlinsky	"		100
	72	Julie Rezek	(Marmor)		20
19. Reihe	73	Max Singer	(Granit)		80
	74	Dorothea Feucht	"		70
	75	Jakob Dubsky	"		150
	76	Sophie Dubsky	"		200
	77	Siegfried Sonnenschein	(Marmor)		30
20. Reihe	78	Leopold Schön	(Granit)		120
	79	Johanna Singer s.s.	"		250
	80	Lazar Hirschkron	"		50
	81	Benjamin Stampfer	"		80
	82	Abraham Mautner	"		90
21. Reihe	83	Charlotte Fürst	"		140
	84	Jacob Fürst	"		140
	85	Leopold Winter	"		80
	86	Dorothea Zucker	"		100
	87	Berta Hirschkron	"		80
	88	Josephine Winter	"		80
22. Reihe	89	Markus Gratzinger	"		80
	90	Gabriel Hübsch	"		120
	91	Moritz Mandl	"		60
	92	Marie Fuchs	"		60
	93	Cäcilia Stuckhart	(Marmor)		30
	94	Markus Färber	(Granit)		80
23. Reihe	95	Rosalia Löwy	"		80

S u m m a : RM 2440

					RM	
	96	Johanna Färber	(Granit)		RM	100
	97	Emanuel Färber	"			100
24. Reihe	98	Eva Bechinsky	"			80
	99	Johanna Mautner	" beschädigt			50
	100	Fanny Weidmann	" schadhaft			40
25. Reihe	101	Charlotte Kohn	(Marmor) ,			30
	102	Emanuel Hirschkron	(Granit)			30
	103	Jakob Singer	(Marmor)			30
	104	Theresia Singer	"			30
	105	Simon Schweizer	(Granit)			80
	106	Josef Löb Fürst	(Marmor)			80
	107	Abraham Jedlinsky	(Granit)			80
	108	Sophie Beer	"			80
26. Reihe	109	Gabriel Löwy	"			60
	110	Jrma Löwy (Kind)	"			50 ✓
27. Reihe	111	Rudolf Fürst	"			50
	112	Seligmann Biegler	"			20
	113	Alois Fürst	"			120
28. Reihe	114	Emma ~~WEISS~~ Weiss	"			80 ✓
	115	1 Granitblock ,stark beschädigt				60
	116	Heinrich Morawetz	(Granit)			

Seite 5.) S u m m a	RM	1250
" 4.) "	"	2440
" 3.) "	"	2700
" 2.) "	"	2520
" 1.) "	"	4540
Total Summa	RM	13450
		620
		14070

Dokument 2

Verzeichnis der in der Zeit vom 22. Dezember 1944 bis zum 16. Februar 1945 im Durchgangslager Gmünd „Getreidespeicher" verstorbenen ungarischen Juden

Nach dieser Liste wurden die Toten mit Genehmigung vom 12. Jänner 1945 unter den Nummern 481 bis 965 in das Sterbebuch des Standesamtes Gmünd vom Jahr 1945 eingetragen (Archiv des Standesamtes Gmünd).

In der Liste wurden gegenüber dem Original bzw. der Transkription in der ersten Auflage meiner Publikation vermutliche Fehler sowohl bezüglich der Namen als auch bezüglich der Todesursachen korrigiert. Dafür sei Frau Ilona Krause und Herrn Univ.-Doz. Dr. R. N. Braun (†) herzlich gedankt. In seinem Schreiben vom 8. Februar 1984 führte der damalige Leiter des Instituts für Allgemeinmedizin in Brunn an der Wild dazu folgendes aus:

„Auf den Seiten I—XI finden sich einige medizinische Unkorrektheiten, die wahrscheinlich auf die Handschrift des Eintragenden zurückzuführen sind oder falsch geschrieben sind, z. B. Euterocol (statt Enterocolitis). Luberoc soll wohl heißen Tuberkulose. Congetotov könnte eventuell Congestionen heißen. An sich heißt das gar nichts. Es kam aber wohl nur darauf an, dem Verrecken irgendeine genehme Bezeichnung zu geben. Fereunsoja könnte Pneumonia (Lungenentzündung) heißen. Jusuffcord dagegen heißt Herzinsuffizienz = Insufficientia cordis. Fonagatio könnte (11. 1.) Congelatio = Erfrierung heißen. Insuff. col. heißt wohl Darminsuffizienz. Das gibt es zwar als Todesursache nicht. Es ist aber möglich, daß die Beschauärzte dazu aufgefordert wurden, die Ablebensursachen etwas bunter zu gestalten. Möglicherweise haben sie auch Phantasienamen eingetragen (fonagatio). Jus. cort. sollte auch Herzinsuffizienz heißen. (Insufficientia cordis). Myodr. cort. meint Myodegeneratio cordis, ein Allerweltsbegriff, ‚Herzmuskelentartung'. Cly.: Dazu kann ich nichts sagen. Eventuell könnte es Ty (Typhus) heißen. Aber an Typhus, Ruhr sind wahrscheinlich ohnedies die meisten zugrunde gegangen, soweit sie nicht verhungert sind. Myostrg: meint wohl wieder Myodegeneratio cordis. Eine bedrückende Aneinanderreihung von Lügen."

Verstorbene Juden Gmünd II.

	Name	Beruf	Wohnung	Geboren am	Gestorben	Diagnose
1	Weber Samu	Schneider	Bpest.	1879, 28/VIII.	1944, 22/XII.	Cachexie
2	Schatz Jenö	Zahntechn.	Bpest.	1886, 22/XI.	1944, 22/XII.	Cachexie
3	Glasel Ede	Beamter	Bpest.	1887, —	1944, 23/XII.	Cachexie
4	Gerö Sándorné	Friseurin	Bpest.	1888, —	1944, 23/XII.	Cachexie
5	Kraus Emilie	Friseurin	Bpest.	1898, —	1944, 24/XII.	Cachexie
6	Benier Hanna	Sängerin	Bpest.	1901, 10/XII.	1944, 24/XII.	Cachexie
7	Steiner Robert	Kaufmann	Kürt	1902, 29/VI.	1944, 24/XII.	Cachexie
8	Dr. Lengyel Làszlo	Advokat	Bpest.	1889, 21/II.	1944, 24/XII.	Cachexie
9	Dr. Földes Geza	Advokat	Bpest.	—	1944, 24/XII.	Cachexie
10	Heimovics Béla	Advokat	Bpest.	1890, 20/VIII.	1944, 24/XII.	Cachexie
11	Zala Stefan	Beamter	Bpest.	1890, 20/VIII.	1944, 24/XII.	Cachexie
12	Kalben Artur	Beamter	Bpest.	1887, —	1944, 24/XII.	Cachexie
13	Schréber Ernö	Beamter	Bpest.	1899, 2/V.	1944, 24/XII.	Cachexie
14	Gerönhelyi Kornél	Beamter	Bpest.	1894, 17/VII.	1944, 24/XII.	Cachexie

Name	Beruf	Wohnung	Geboren am	Gestorben	Diagnose
15 Schön Géza Viktor	Beamter	Bpest.	1881, 1/VIII.	1944, 25/XII.	Cachexie
16 unbekannt	—	—	—	1944, 25/XII.	Cachexie
17 Lakatos Ernö	Schlosser	Bpest.	1885, 13/VI.	1944, 25/XII.	Cachexie
18 Storn Dezsö	Kaufmann	Bpest.	1890, —	1944, 25/XII.	Cachexie
19 Papp Vera	Hilfsarb.	Bpest.	1890, —	1944, 25/XII.	Cachexie
20 Krammer Aladar	Kaufmann	Bpest.	1887, 13/VII.	1944, 25/XII.	Cachexie
21 Friedmann Kálmán	Kaufmann	Bpest.	1889, 7/IX.	1944, 25/XII.	Cachexie
22 Popper Béla	Buchbinder	Bpest.	1888, 8/X.	1944, 25/XII.	Cachexie
23 Goldschmid Michael	Kaufmann	Bpest.	1896, 3/I.	1944, 27/XII.	Cachexie
24 Dr. Gottlieb Jószef	Arzt	Nagyleta	1895, 6/IX.	1944, 27/XII.	Cachexie
25 Waktor Arnolde	Privat	Bpest.	1879, —	1944, 27/XII.	Cachexie
26 unbekannt	—	—	—	1944, 27/XII.	Cachexie
27 Reich Alexander	Beamter	Bpest.	1884, 19/X.	1944, 29/XII.	Cachexie
28 Schwimmer György	unbekannt	Bpest.	—	1944, 29/XII.	Colitis
29 Spitzer Ferenc	unbekannt	Bpest.	Gruppe B.2.	1944, 30/XII.	Marasmus
30 Lustig Jószef	Beamter	Bpest.	1894	1944, 30/XII.	Colitis
31 Dr. Gäber Dezsö	Beamter	Bpest.	1887, X/I.	1944, 30/XII.	Colitis
32 Fik Armin	Kaufmann	Bpest.	1884, —	1944, 30/XII.	Colitis
33 Fischer Max	Näher	Bpest.	1890, 10/IV.	1944, 30/XII.	Marasmus
34 Schpicht Jószef	Kaufmann	Bpest.	1889, —	1944, 30/XII.	Colit.
35 Marktbreit Auholz	Taglöhner	Bpest.	1884, —	1944, 30/XII.	Marasmus
36 Fischl Karel	Kellner	Bpest.	1890, —	1944, 31/XII.	Marasmus
37 Hermanny Jószef	unbekannt	Bpest.	1920, —	1944, 31/XII.	Colit.
38 Glaser Johann	Privat	Bpest.	1892, —	1944, 31/XII.	Colit.
39 Ginszther Imre	Schüler	Bpest.	1925, 11/II.	1944, 31/XII.	Colit.
40 Wermser Istvan	Kaufmann	Bpest.	1893, —	1944, 31/XII.	Marasmus
41 Band Lajos	Kaufmann	Bpest.	1882, —	1944, 31/XII.	Marasmus
42 Hermann Regina	Privat	Bpest.	1899, 20/X.	1944, 31/XII.	Colitis
43 Lichtmann Gyula	Ingenieur	Bpest.	1893, —	1945, 1/I.	Marasmus
44 Mór Zakariás	Hilfsarb.	Bpest.	1902, —	1945, 1/I.	Colitis
45 Lányi Sándor	unbekannt	Bpest.	1895, 23/XI.	1945, 1/I.	Colitis
46 ohne Dokumente	—	—	—	1945, 1/I.	Marasmus
47 ohne Dokumente	—	—	—	1945, 1/I.	Marasmus
48 Levant Dezsö	Beamter	Bpest.	1894, —	1945, 1/I.	Marasmus
49 Goldberger Miklós	Elektriker	Csepd	1897, —	1945, 2/I.	Marasmus
50 Müller, eine Frau	Privat	Bpest.	1897, —	1945, 2/I.	Marasmus
51 Back Jószef	Kellner	Bpest.	1886, —	1945, 2/I.	Marasmus
52 Hartmann Imre	Gärtner	Bpest.	1893, —	1945, 2/I.	Marasmus
53 Fedor Samu	Monteur	Bpest.	—	1945, 2/I.	Marasmus
54 Mautner, eine Frau	—	—	—	1945, 2/I.	Marasmus
55 Fried Mano	Lederarb.	Bpest.	1893, —	1945, 2/I.	Colitis
56 Puryen Simon	—	Bpest.	—	1945, 2/I.	Colitis
57 Rosenstein, Jószef	—	Bpest.	60 Jahre	1945, 2/I.	Colitis
58 Ziegler Alfréd	Beamter	Bpest.	1891, —	1945, 3/I.	Marasmus
59 Bernath Armin	Buchdrucker	Bpest.	58 Jahre	1945, 3/I.	Euterocol.
60 Révész József	Fabriksarb.	Bpest.	1893, —	1945, 3/I.	Maras.

Name	Beruf	Wohnung	Geboren am	Gestorben	Diagnose
61 Dr. Kálmán Nándor	Advokat	Bpest.	1883, —	1945, 4/I.	Colitis
62 unbekannte Leiche	—	Bpest.	—	1945, 4/I.	Colitis
63 unbekannte Leiche	—	Bpest.	67 Jahre	1945, 4/I.	Colitis
64 Steiner Andor	Beamter	Bpest.	1894, —	1945, 4/I.	Cachexie
65 Laub Lajos	Handelsagt.	Bpest.	1897, —	1945, 4/I.	Euterocol.
66 Boros Lajosné	—	Bpest.	1898, —	1945, 4/I.	Euterocol.
67 Wein Abrahám	—	Bpest.	24 Jahre	1945, 4/I.	Maras.
68 Deutsch Miklós	Fabriksarb.	Bpest.	1905, —	1945, 4/I.	Marasmus
69 Reiss Ferenc	—	Bpest.	—	1945, 5/I.	Cachexie
70 Frank Mária	—	Bpest.	1929, —	1945, 5/I.	Euterocol.
71 Roth Káspár	Beamter	Bpest.	1886, —	1945, 5/I.	Maras.
72 Klein Salamone	—	Bpest.	1894	1945, 5/I.	Lubercol.
73 Rosinger Sándor	Kaufmann	Bpest.	1889, —	1945, 5/I.	Maras.
74 Winkler Gyözö	Lederhändler	Bpest.	1890, —	1945, 5/I.	Cacha.
75 Krausz Miklós	Anstreicher	Bpest.	1898, —	1945, 5/I.	Marasmus
76 Stark Simon	Schneider	Bpest.	1885, —	1945, 5/I.	Marasmus
77 Angyal Adolf Albert	Spediteur	Bpest.	1892, —	1945, 5/I.	Cachexie
78 Balmt Arnni	—	Bpest.	—	1945, 5/I.	Euterocol.
79 Fried Ferenc	Handelsang.	Bpest.	1884, —	1945, 6/I.	Marasmus
80 Polacsek Jenöné	Privat	Bpest.	56 Jahre	1945, 6/I.	Colitis
81 Dr. Strasser Ernö	Advokat	—	1887, —	1945, 6/I.	Colitis
82 Wéber Tibor	—	Bpest.	30 Jahre	1945, 6/I.	Marasmus
83 Weisz Lajos	Agent	—	1897, —	1945, 6/I.	Colitis
84 Klein Tibor	Schneider	—	—	1945, 6/I.	Marasmus
85 Goldmann Gizella	—	—	1891, 6/X.	1945, 6/I.	Marasmus
86 Eisler Géza	Taglöhner	—	1901, —	1945, 6/I.	Euterocol.
87 Hahn Jenö	Beamter	—	1899, —	1945, 6/I.	Marasmus
88 Lakos Lipot	—	Bpest.	56 Jahre	1945, 6/I.	Marasmus
89 Rayna (Rehberg)	Agent	—	1891, —	1945, 6/I.	Colitis
90 Goitem Armin	Uhrmacher	—	1879, —	1945, 6/I.	Colitis
91 Födes Jószef	Buchhalter	—	1891, —	1945, 6/I.	Marasmus
92 Guttmann Rudolf	—	—	18 Jahre	1945, 6/I.	Cachexie
93 Srilapp Aladár	Agent	—	1888, —	1945, 6/I.	Cachexie
94 Dr. Kovács Hedvig	Arzt	—	1899, —	1945, 6/I.	Marasmus
95 Berczi Béla Karoy	Beamter	—	1886, —	1945, 7/I.	Marasmus
96 Nemucin Dezsö	Kaufmann	—	1894, —	1945, 7/I.	Euterocol.
97 Hölzl Isidor	Tapezierer	—	—	1945, 7/I.	Marasmus
98 Weitzenfeld Dezsö	Beamter	Bpest.	1898, —	1945, 7/I.	Marasmus
99 Reich Erzsébet	—	—	38 Jahre	1945, 7/I.	Marasmus
100 Spielmann Simon	Peitschenfb.	Bpest.	67 Jahre	1945, 7/I.	Marasmus
101 Singer Endre	Eisendreher	—	1922, —	1945, 7/I.	Euterocol.
102 Zwillinger Dezsö	Taglöhner	—	1885, —	1945, 7/I.	Marasmus
103 Schwartz Henrik	Hilfsarb.	Bpest.	1893, —	1945, 7/I.	Euterocol.
104 Luncer —	—	Bpest.	58 Jahre	1945, 7/I.	Marasmus
105 Kattler Lipót	Hutmacher	Bpest.	1887, —	1945, 9/I.	Marasmus
106 Goldsmisol Lipót	—	Bpest.	1898, —	1945, 9/I.	Marasmus

Name	Beruf	Wohnung	Geboren am	Gestorben	Diagnose
107 Varadi Lajos	Schauspiel.	—	1895, —	1945, 9/I.	Congetotov
108 Faragó Sarolta	—	Bpest.	1898, —	1945, 9/I.	Colitis
109 Ernö Lukács	—	—	1887, —	1945, 9/I.	Marasmus
110 Glaser Lászlo	Privat	Bpest.	—	1945, 10/I.	Pereunsonia
111 Schwarcz Loani	Taglöhner	Bpest.	1885, —	1945, 10/I.	Marasmus
112 Fisch Sándorné	Privat	Bpest.	51 Jahre	1945, 10/I.	Jusuff cordis
113 Ungár Nándor	Kellner	—	1885, —	1945, 10/I.	Marasmus
114 Berger Gyula	Kaufmann	Bpest.	1891, —	1945, 10/I.	Colitis
115 Wéber Simon	Hilfsarb.	Bpest.	59 Jahre	1945, 10/I.	Jusuff cord.
116 Székey Imre	Apotheker	Bpest.	1885, —	1945, 10/I.	Fereuns.
117 Bodansky Nándor	Kaufmann	—	1889, —	1945, 10/I.	Marasmus
118 Merule Miksa	Privat	Bpest.	1892, —	1945, 10/I.	Jusuff cord.
119 Back Gizella	Privat	Bpest.	56 Jahre	1945, 10/I.	Jusuff cord.
120 Ciratti Viktor	Privat	Bpest.	47 Jahre	1945, 10/I.	Marasmus
121 Kurz Ignác	Hausierer	—	1881, —	1945, —	Marasmus
122 Fuchs Lajos	—	—	1880, —	1945, 11/I.	Jusuff Cort.
123 Winkler Ignáz	Holzhändl.	—	35 Jahre	1945, 11/I.	Euterocol.
124 Kulka Miklós	Schriftst.	—	1902, —	1945, 11/I.	Euterocol.
125 Nádor Fülöp	—	Bpest.	57 Jahre	1945, 11/I.	Jusuff Colit.
126 Fekete Jószef	—	—	1886, —	1945, 11/I.	Euterocol.
127 Krausz Jánosné	—	—	46 Jahre	1945, 11/I.	Marasmus
128 Székey Gyula	Beamter	—	1891, —	1945, 11/I.	Marasmus
129 Rostas Ferenc	—	Bpest.	51 Jahre	1945, 11/I.	Fonagatio
130 Schönfeld Sándor	Privat	Bpest.	64 Jahre	1945, 11/I.	Euterocol.
131 Rosenbaum Sándor	Beamter	Bpest.	1893, —	1945, 11/I.	Euterocol.
132 unbekannter Mann	—	—	—	1945, 12/I.	Marasmus
133 Kremsier Gyula	Privat	Bpest.	1901, —	1945, 12/I.	Marasmus
134 Greiner Rezsö	Bankdir.	Bpest.	1887, —	1945, 12/I.	Jusuff Colit.
135 Glück Israel Dav.	Taglöhner	Bpest.	1894, —	1945, 12/I.	Euterocol.
136 Klein Dezsö	Privat	Bpest.	1898, —	1945, 12/I.	Jusuff Colit.
137 Bárány Árpád	Kraftwgl.	Bpest.	1902, —	1945, 12/I.	Euterocol.
138 Schwarcz Andor	Taglöhner	Bpest.	1898, —	1945, 12/I.	Marasmus
139 Jungrein Salamon	Agent	Bpest.	1915, —	1945, 12/I.	Jusuff colitis
140 Fischer Mack	Kürschner	Bpest.	1889, —	1945, 13/I.	Marasmus
141 Deutsch Ernö	Beamter	—	1903, —	1945, 13/I.	Euterocol.
142 Varga Károly	Kaufmann	—	1891, —	1945, 13/I.	Jusuff colitis
143 Krausz Iván	Bankbeamter	—	1891, —	1945, 13/I.	Marasmus
144 Manksch Ernö	Beamter	—	1890, —	1945, 13/I.	Euterocol.
145 Heller Vilmos	Taglöhner	—	1880, —	1945, 13/I.	Marasmus
146 Roth Ferenc	Privat	Bpest.	54 Jahre	1945, 13/I.	Marasmus
147 Hoffer Sándor	Handelsang.	—	1902, —	1945, 13/I.	Marasmus
148 Gross Henrk	Privat	Bpest.	48 Jahre	1945, 14/I.	Jusuff colitis
149 Meigyr Károly	Kolporteur	Bpest.	1895, —	1945, 14/I.	—
150 Heilig Miklós	Fabr.Arb.	—	1886, —	1945, 14/I.	Marasmus
151 Biró Aladár	Kraftwgf.	Bpest.	1885, —	1945, 14/I.	Marasmus
152 Hlinger Jószef	Privat	Bpest.	61 Jahre	1945, 14/I.	Cogelatio

Name	Beruf	Wohnung	Geboren am	Gestorben	Diagnose
153 Halm Lajosné	Privat	Bpest.	1895, —	1945, 14/I.	Losoff colitis
154 unbekannter Mann	—	—	—	1945, 14/I.	Marasmus
155 unbekannte Frau	—	—	—	1945, 14/I.	Marasmus
156 Takács Micháy	Privat	Bpest.	1891, 28/VIII.	1945, 14/I.	Marasmus
157 Hermann László	Beamter	—	1890, —	1945, 15/I.	Marasmus
158 Szép Poppe	Privat	Bpest.	33 Jahre	1945, 15/I.	Jusuff colitis
159 Guttmann Endre	Kaufmann	Bpest.	1889, —	1945, 15/I.	Euter.
160 Stempler Sámuel	Kaufmann	—	1889, —	1945, 15/I.	Jusuff colitis
161 Büchler Paul	Beamter	—	—	1945, 15/I.	Marasmus
162 Bella Kezsöfi	Privat	Bpest.	1870, —	1945, 15/I.	Jusuff colitis
163 Elisa Skin	Privat	Bpest.	1870, —	1945, 15/I.	Cachexio
164 Paul Büchler	Beamter	Bpest.	—	1945, 15/I.	Marasmus
165 Hahn Zsigmond	Kaufmann	Bpest.	1891, —	1945, 16/I.	Marasmus
166 Stein Sámuel	Kaufmann	Bpest.	1892, —	1945, 16/I.	Jusuff colitis
167 Kiss Dezsö	Händler	Bpest.	1895, —	1945, 16/I.	Jusuff colitis
168 Moskoatb Samu	Kaufmann	Bpest.	1886, —	1945, 16/I.	Jusuff colitis
169 Székey Dávid	Kaufmann	Bpest.	1872, —	1945, 16/I.	Marasmus
170 Ellinger Josefa	Privat	Bpest.	61 Jahre	1945, 16/I.	Euterocol.
171 Weisz Pál	Privat	Bpest.	1890,	1945, 16/I.	Euterocol.
172 Katz Monz	—	Bpest.	1891, —	1945, 17/I.	Euterocol.
173 Mirag Mihály	Buchhalter	Bpest.	1877, —	1945, 17/I.	Jusuff cordis
174 Kössler Norbert	Lederhändl.	Bpest.	1887, —	1945, 17/I.	Cachexie
175 Jellinek Adolf	Agent	Bpest.	1886, —	1945, 17/I.	Marasmus
176 Diamant Jószef	Uhrmacher	Bpest.	1891, —	1945, 17/I.	Jusuff cortis
177 Stern Zoltán	Beamter	Bpest.	1902, —	1945, 17/I.	Marasmus
178 Lukás Ernö	Kaufmann	Bpest.	1882, —	1945, 17/I.	Euterocol.
179 Neuman Hunk	Hilfsarb.	Bpest.	1895, —	1945, 17/I.	Euterocol.
180 Goldschmid Nándor	Kellner	Bpest.	1892, —	1945, 17/I.	Euterocol.
181 Tvarc Miksa	Buchbinder	Bpest.	1884, —	1945, 17/I.	Marasmus
182 Nádas Armand	Beamter	Bpest.	1885, —	1945, 17/I.	Marasmus
183 Török Viktor	Beamter	Bpest.	1867, —	1945, 17/I.	Marasmus
184 Reschmann Sándor	Kaufmann	Bpest.	1881, —	1945, 17/I.	Jusuff.
185 Heller Vilnaos	—	Bpest.	—	1945, 17/I.	Marasmus
186 Weisz Jószef	—	Bpest.	1889, —	1945, 17/I.	Jusuff cortis
187 Szirmann Kanuth	Kaufmann	Bpest.	52 Jahre	1945, 17/I.	Jusuff cortis
188 Fuchs Ignác	Schneider	Bpest.	1885, —	1945, 18/I.	Jusuff.
189 Jzakovics Gyula	Privat	Bpest.	1885, —	1945, 18/I.	Marasmus
190 Engel Ede	Agent	Bpest.	1887, —	1945, 18/I.	Marasmus
191 Simon Vehuv	Stubenmaler	Bpest.	1887, —	1945, 18/I.	Marasmus
192 Sipos Arthur	Beamter	Bpest.	1887, —	1945, 18/I.	Marasmus
193 Combek Lajos	Privat	Bpest.	1891, —	1945, 19/I.	Marasmus
194 Strausz Johann	Kaufmann	Bpest.	44 Jahre	1945, 19/I.	Euterocol.
195 Ingar Jószef	—	Bpest.	1894, —	1945, 19/I.	Euterocol.
196 Landel Andreas	Apotheker	Bpest.	1892, —	1945, 19/I.	Euterocol.
197 Poganyi Ferenc	Spediteur	Bpest.	1896, —	1945, 19/I.	Euterocol.
198 Reschfeld Elunes	Spediteur	Bpest.	1900, —	1945, 19/I.	Euterocol.

Name	Beruf	Wohnung	Geboren am	Gestorben	Diagnose
199 Farkas Jenö	Bankbeamter	Bpest.	1888, —	1945, 19/I.	Euterocol.
200 Singer Istrami	Privat	Bpest.	42 Jahre	1945, 20/I.	Euterocol.
201 Pongracz Andrel	Buchhalter	Bpest.	54 Jahre	1945, 20/I.	Euterocol.
202 Lehner Iréne	Näherin	Bpest.	1899, —	1945, 20/I.	Euterocol.
203 Kurcz Sándor	Friseur	Bpest.	1892, —	1945, 20/I.	Euterocol.
204 Stumer Jenö	Friseur	Bpest.	1894, —	1945, 20/I.	Jusuff cortis
205 Károy Leo	Beamter	Bpest.	1887, —	1945, 20/I.	Marasmus
206 Polgar Kárel	Lederarb.	Bpest.	1887, —	1945, 20/I.	Marasmus
207 Frack Miklósé	Beamtin	Bpest.	48 Jahre	1945, 21/I.	Euterocol.
208 Balázs János	—	Bpest.	53 Jahre	1945, 21/I.	Marasmus
209 Ungar Béláné	—	Bpest.	1889, —	1945, 21/I.	Marasmus
210 Braun Jószef	Mechaniker	Bpest.	1889, —	1945, 21/I.	Marasmus
211 Sámson Rezu	—	Bpest.	1893, —	1945, 21/I.	Marasmus
212 Grünfeld Miksa	Arzt	Bpest.	52 Jahre	1945, 21/I.	Marasmus
213 Lengyel Sándor	Klempner	Bpest.	1911, —	1945, 21/I.	Marasmus
214 Schlesinger	Kaufmann	Bpest.	1907, —	1945, 21/I.	Marasmus
215 Somogy Jószef	—	Bpest.	60 Jahre	1945, 21/I.	Marasmus
216 Deri Ferenc	Fleischer	Bpest.	1877, —	1945, 21/I.	Jusuff cortis
217 Ungár László	—	Bpest.	17 Jahre	1945, 21/I.	Marasmus
218 Jeigehy István	Agent	Bpest.	1885, —	1945, 21/I.	Marasmus
219 Grossmann	Privat	Bpest.	57 Jahre	1945, 21/I.	Marasmus
220 Szöke Ernö	—	Bpest.	—	1945, 21/I.	Marasmus
221 Kohn Josefa	Privat	Bpest.	43 Jahre	1945, 21/I.	Marasmus
222 Buchwald Janke	Privat	Bpest.	62 Jahre	1945, 21/I.	Jusuff cortis
223 Schwarz Elett	Beamter	Bpest.	1890, —	1945, 21/I.	Jusuff cortis
224 Blockner Jószef	—	Bpest.	1891, —	1945, 21/I.	Marasmus
225 Braun Iris	Mechaniker	Bpest.	1889, —	1945, 21/I.	Marasmus
226 Ungar Béláné	Privat	Bpest.	1889, —	1945, 21/I.	Marasmus
227 Greiner Erzsébet	Privat	Bpest.	54 Jahre	1945, 21/I.	Marasmus
228 Stein Josefa	Privat	Bpest.	1894, —	1945, 21/I.	Marasmus
229 Lázár Béla	Fleischer	Bpest.	1881, —	1945, 21/I.	Marasmus
230 Lamp Gyula	—	Bpest.	1890, —	1945, 21/I.	Marasmus
231 Lax	—	Bpest.	54 Jahre	1945, 22/I.	Marasmus
232 Schwarz Hugo	Gaswart	Bpest.	1898, —	1945, 22/I.	Marasmus
233 Perlusz Jenö	Agent	Bpest.	1890, —	1945, 22/I.	Marasmus
234 Földes Sándor	—	Bpest.	1895, —	1945, 22/I.	Marasmus
235 Landau Iréne	Privat	Bpest.	1901, —	1945, 22/I.	Euterocol.
236 Fuchs Rezsö	Fabriksarb.	Bpest.	1889, —	1945, 22/I.	Euterocol.
237 Vidor Béla	—	Bpest.	—	1945, 22/I.	Euterocol.
238 Buchler Miksa	—	Bpest.	1887, —	1945, 22/I.	Euterocol.
239 Schück Hans	Gastwirt	Bpest.	1896, —	1945, 22/I.	Euterocol.
240 Vidor Béla	Agent	Bpest.	1892, —	1945, 22/I.	Euterocol.
241 Funck June	Arzt	Bpest.	1900, —	1945, 22/I.	Euterocol.
242 Bokros Béla	Schullehrer	Bpest.	1885, —	1945, 22/I.	Euterocol.
243 Müller Kez	Privat	Bpest.	—	1945, 23/I.	Marasmus
244 Fried Bernhard	—	Bpest.	51 Jahre	1945, 23/I.	Jusuff cortis

Name	Beruf	Wohnung	Geboren am	Gestorben	Diagnose
245 Hermann Krausz	Privat	Bpest.	1888, —	1945, 23/I.	Marasmus
246 Richter Arthur	Lehrer	—	1899, —	1945, —	Jusuff cortis
247 Timár Jószef	Inspektor	Bpest.	1886, —	1945, 24/I.	Marasmus
248 Takaros Mihály	Kaufmann	Bpest.	1882, —	1945, 24/I.	Marasmus
249 Rosenberger	Hilfsarb.	Bpest.	1889, —	1945, 24/I.	Marasmus
250 Greiner Arium	Holzhändler	Bpest.	1881, —	1945, 24/I.	Marasmus
251 Löwy Sándor	Kaufmann	Bpest.	1884, —	1945, 24/I.	Marasmus
252 Klein Jenöné	—	—	1885, —	1945, 24/I.	Euterocol.
253 Rózsa Elek.	Kellner	Bpest.	1888, —	1945, 24/I.	Marasmus
254 Herz —	—	—	—	1945, 24/I.	Marasmus
255 László Jenöné	—	—	57 Jahre	1945, 25/I.	Marasmus
256 Zerkwitz Rósa	Strickerin	Bpest.	1895, —	1945, 25/I.	Marasmus
257 Pogány Elenora	Privat	Bpest.	1898, —	1945, 25/I.	Jusuff cortis
258 Dénes Josefine	Beamtin	Bpest.	1888, —	1945, 25/I.	Marasmus
259 Eckstein Leo	Beamter	Bpest.	1895, —	1945, 25/I.	Marasmus
260 Fried Jap.	Eisenhändl.	Bpest.	1884, —	1945, 25/I.	Marasmus
261 Pfeifer Lepot	Kaufmann	Bpest.	48 Jahre	1945, 25/I.	Marasmus
262 Bodaszky Nandor	Kaufmann	Bpest.	1889, —	1945, 25/I.	Marasmus
263 Fedor László	Beamter	Bpest.	1898, —	1945, 25/I.	Marasmus
264 Schick Sándor	Gastwirt	Bpest.	1896, —	1945, 25/I.	Euterocol.
265 Wiesel Izsák	Beamter	Bpest.	1896, —	1945, 25/I.	Euterocol.
266 Strausz Ernö	Bankbeamter	Bpest.	1898, —	1945, 25/I.	Euterocol.
267 Kulpin Ferenc	Privat	Bpest.	1893, —	1945, 25/I.	Euterocol.
268 Eisinger Lajos	Kellner	Bpest.	1890, —	1945, 26/I.	Euterocol.
269 Fedor Martin	Taglöhner	Bpest.	1902, —	1945, 26/I.	Euterocol.
270 Somló Jenö	Weinhändl.	Bpest.	1884, —	1945, 26/I.	Euterocol.
271 Àldos Dezsö	Fotograf	Bpest.	1891, —	1945, 26/I.	Euterocol.
272 Goldarg Ferenc	—	Bpest.	23 Jahre	1945, 26/I.	Euterocol.
273 Motuar Pál	Ingenieur	Bpest.	46 Jahre	1945, 26/I.	Euterocol.
274 Maschansker	Musiker	Bpest.	1896, —	1945, 26/I.	Euterocol.
275 Barammjar Margit	Privat	Bpest.	1899, —	1945, 26/I.	Euterocol.
276 Markus Jakob	Fabriksarb.	Bpest.	1879, —	1945, 27/I.	Marasmus
277 Steininger Vi.	Kassierer	Bpest.	1888, —	1945, 27/I.	Euterocol.
278 Kálmán Gizela	Privat	Bpest.	1905, —	1945, 27/I.	Euterocol.
279 Moskoats Mend.	Kürschner	Bpest.	1894, —	1945, 27/I.	Myodr.co.
280 Schal Márton	Markthändl.	Bpest.	1904, —	1945, 27/I.	Euterocol.
281 Bettelheim Jenöné	Privat	Bpest.	45 Jahre	1945, 27/I.	Marasmus
282 Frabatos Endre	Kaufmann	Bpest.	57 Jahre	1945, 27/I.	Marasmus
283 Ehrengraber Her.	Kaufmann	Bpest.	—	1945, 27/I.	Marasmus
284 Klein Karoly	—	Bpest.	1898, —	1945, 27/I.	Myodr.co.
285 Gottlieb Jenö	—	Bpest.	42 Jahre	1945, 27/I.	Euterocol.
286 Lamje Sándor	—	Bpest.	51 Jahre	1945, 27/I.	Jusuff cortis
287 Bár Emanuel	Kaufmann	Bpest.	1885, —	1945, 27/I.	Marasmus
288 Holländer Ella	Privat	Bpest.	1917, —	1945, 27/I.	Euterocol.
289 Weiszenstein	Kaufmann	Bpest.	58 Jahre	1945, 27/I.	Euterocol.
290 Schwarz Gyula	—	Bpest.	64 Jahre	1945, 28/I.	Euterocol.

Name	Beruf	Wohnung	Geboren am	Gestorben	Diagnose
291 Steiner Jószef	Beamter	Bpest.	1896, —	1945, 28/I.	Jusuff cortis
292 Landau Irén	Privat	Bpest.	1901, —	1945, 28/I.	Euterocol.
293 Jago Lajosné	Privat	Bpest.	1886, —	1945, 28/I.	Euterocol.
294 Hermann Andor	Goldarb.	Bpest.	1886, —	1945, 28/I.	Euterocol.
295 Reismann Mark	Stubenmaler	Bpest.	1889, —	1945, 28/I.	Euterocol.
296 Fischer Istra	Beamter	Bpest.	1900, —	1945, 28/I.	Euterocol.
297 Fischer Dezsöné	Privat	Bpest.	57 Jahre	1945, 28/I.	Euterocol.
298 Friedmann Vilmos	Buchhalter	Bpest.	1885, —	1945, 28/I.	Euterocol.
299 Herczog Jenö	—	Bpest.	—	1945, 28/I.	Euterocol.
300 Szakár Ferenc	Inkassant	Bpest.	1886, —	1945, 28/I.	Euterocol.
301 Lancz Margit	Privat	Bpest.	1882, —	1945, 28/I.	Euterocol.
302 Erös István	—	Bpest.	17 Jahre	1945, 28/I.	Euterocol.
303 Lantos Palxe	Privat	Bpest.	1896, —	1945, 29/I.	Euterocol.
304 Rosenfeld Aladár	Kraftfahrer	Bpest.	1890, —	1945, 29/I.	Euterocol.
305 Gábor Miklós	Handelsgeh.	Bpest.	1899, —	1945, 29/I.	Euterocol.
306 Róna László	Drogist	Bpest.	1917, —	1945, 29/I.	Euterocol.
307 Friedmann Sigfried	—	Bpest.	—	1945, 29/I.	Euterocol.
308 Gelb Anna	Privat	Bpest.	54 Jahre	1945, 29/I.	Euterocol.
309 Fischer Dezsö	Kellner	Bpest.	1894, —	1945, 29/I.	Euterocol.
310 Raab Nándor	Advokat	Bpest.	1889, —	1945, 30/I.	Euterocol.
311 Reich Gyula	Schlosser	Bpest.	1888, —	1945, 30/I.	Euterocol.
312 Makk Miksa	Privat	Bpest.	1902, —	1945, 30/I.	Jusuff cortis
313 Schöntag Lipot	Kaufmann	Bpest.	58 Jahre	1945, 30/I.	Euterocol.
314 Marer Jenö	Markthändl.	Bpest.	1891, —	1945, 30/I.	Euterocol.
315 Grünfeld Mör	Kellner	Bpest.	1895, —	1945, 30/I.	Euterocol.
316 Feldmann Mör	Handelsang.	Bpest.	1881, —	1945, 30/I.	Marasmus
317 Gáspár Karoly	Beamter	Bpest.	1896, —	1945, 30/I.	Marasmus
318 Suramp Leo	Kaufmann	Bpest.	1888, —	1945, 30/I.	Marasmus
319 Schwarcz Gando	Kaufmann	Bpest.	1897, —	1945, 30/I.	Marasmus
320 Weisz Sámuel	Privat	Bpest.	55 Jahre	1945, 31/I.	Marasmus
321 Glück Miklás	—	Bpest.	55 Jahre	1945, 31/I.	Marasmus
322 Klein Lajosné	Fabriksarb.	Bpest.	1890, —	1945, 31/I.	Euterocol.
323 Weisz Miklás	Kaufmann	Bpest.	1888, —	1945, 31/I.	Marasmus
324 Burger Mo	Kaufmann	Bpest.	1893, —	1945, 31/I.	Euterocol.
325 Berger Sámuel	Kellner	Bpest.	1893, —	1945, 31/I.	Marasmus
326 Hoffmann Herm.	Reisender	Bpest.	1895, —	1945, 31/I.	Marasmus
327 Breier Jószef	Eisenbahner	Bpest.	1884, —	1945, 31/I.	Marasmus
328 Blau Jenö	—	Bpest.	1891, —	1945, 31/I.	Jusuff.
329 Singer István	Ingenieur	Bpest.	1915, 16/9	1945, 1/II.	erschossen
330 Rutt Eai	Privat	Bpest.	1888, —	1945, 1/II.	Marasmus
331 Fritz Rosi	Privat	Bpest.	1897, —	1945, 1/II.	Euterocol.
332 Benedek Vilmos	Privat	Bpest.	1894, —	1945, 1/II.	Jusuff.
333 Gerö Malvin	Korporateur	Bpest.	1902, 24/12	1945, 1/II.	Euterocol.
334 Leovics Tibor	Privat	Bpest.	1882, —	1945, 1/II.	Marasmus
335 Fried Rezsöné	Privat	Bpest.	1887, —	1945, 1/II.	Marasmus
336 unbekannt	—	—	—	1945, 1/II.	Marasmus

Name	Beruf	Wohnung	Geboren am	Gestorben	Diagnose
337 unbekannt	—	—	—	1945, 1/II.	Marasmus
338 unbekannt	—	—	—	1945, 1/II.	Marasmus
339 unbekannt	—	—	—	1945, 1/II.	Marasmus
340 Deutsch Szelich	Prokurist	—	1894, —	1945, 1/II.	Marasmus
341 Földes Elemér	Agent	Bpest.	1892, 22/11	1945, 1/II.	Marasmus
342 Szcelz Lajos	Drechsler	Bpest.	1894, 23/12	1945, 1/II.	Marasmus
343 Goldstein	—	Bpest.	1880, —	1945, 1/II.	Marasmus
344 Tolnay Anna	Privat	Bpest.	1899, —	1945, 2/II.	Marasmus
345 Gabanzi Miklás	Agent	Bpest.	1895, —	1945, 2/II.	Marasmus
346 unbekannt	—	—	—	1945, 2/II.	Marasmus
347 Wertheimer Moni	Schneider	Bpest.	1888, —	1945, 2/II.	Marasmus
348 Klingenberger Sand.	Händler	Bpest.	1884, 13/4	1945, 2/II.	Marasmus
349 Kranz Jószef	Verkäufer	—	1886, 19/3	1945, 2/II.	Marasmus
350 Stern Ferenc	Uhrmacher	Bpest.	1891, 15/10	1945, 2/II.	Marasmus
351 Bernáth Dávid	Tischler	Bpest.	1889, —	1945, 3/II.	Marasmus
352 Szilágy Aladár	Agent	Bpest.	1888, —	1945, 3/II.	Marasmus
353 Sverely Gabriela	Privat	Bpest.	1907, —	1945, 3/II.	Marasmus
354 Eisenberg Rör	Spediteur	Bpest.	1884, —	1945, 3/II.	Marasmus
355 Rosenberg Sándor	—	Bpest.	—	1945, 3/II.	Marasmus
356 Friedmann Manó	Agent	Bpest.	1889, —	1945, 3/II.	Cly.
357 Ofner Ferenc	Anstreicher	Bpest.	1900, —	1945, 3/II.	Jusuff.
358 Glück Miklós	Privat	Bpest.	1901, —	1945, 3/II.	Euterocol.
359 Groser Anna	Beamte	Bpest.	1898, —	1945, 3/II.	Euterocol.
360 Kärolz Gottfried	—	Bpest.	1879, —	1945, 4/II.	Marasmus
361 Krall Cjzal	Beamter	Bpest.	1886, —	1945, 4/II.	Marasmus
362 Guttmann Pál	—	Bpest.	1880, —	1945, 4/II.	Marasmus
363 Lentz Dóra	Näherin	Bpest.	1891, —	1945, 4/II.	Euterocol.
364 Winkler Pál	Ingenieur	Bpest.	1898, —	1945, 4/II.	Marasmus
365 Kreismann Lajos	Kassierer	Bpest.	1892, —	1945, 4/II.	Jusuff.
366 Wallenstein	Buchbinder	Bpest.	1922, —	1945, 4/II.	Euterocol.
367 Gottlieb Euche	Agent	Bpest.	1891, —	1945, 4/II.	Euterocol.
368 Kaiser Ultan	Beamter	Bpest.	1890, —	1945, 5/II.	Euterocol.
369 Höflich Arinin	—	Bpest.	1886, —	1945, 5/II.	Euterocol.
370 Erdis Frigyes	Spinnarb.	Bpest.	1918, —	1945, 5/II.	Euterocol.
371 Kilmann Gizella	Fabr.Arb.	Bpest.	1905, —	1945, 5/II.	Euterocol.
372 Sasclo Árpád	Fabr.Führer	Bpest.	1885, —	1945, 5/II.	Marasmus
373 Samson Rezsöné	Privat	Bpest.	1899, —	1945, 5/II.	Euterocol.
374 Wahl Viktor	Ingenieur	Bpest.	1887, —	1945, 5/II.	Marasmus
375 Reiner Armine	Schneiderin	Bpest.	1888, —	1945, 5/II.	Jusuff.
376 unbekannte	—	—	—	—	Jusuff.
377 unbekannte	—	—	—	—	Jusuff.
378 Acél Josefa	Privat	Bpest.	1894, —	1945, 6/II.	Marasmus
379 Machstein Antal	Schneider	Bpest.	—	1945, 6/II.	Marasmus
380 Radö Juliana	Privat	Bpest.	1897, —	1945, 6/II.	Marasmus
381 Löwy Ernö	Magazineur	Bpest.	1896, —	1945, 6/II.	Marasmus
382 Kaller Viktor	Elektriker	Bpest.	1894, —	1945, 6/II.	Marasmus

Name	Beruf	Wohnung	Geboren am	Gestorben	Diagnose
383 Landau Sámuel	Käufer	Bpest.	1907, —	1945, 6/II.	Marasmus
384 Nagy Leo	Reisender	Bpest.	1888, —	1945, 6/II.	Myostrg.
385 Abend László	Arbeiter	Bpest.	1928, —	1945, 6/II.	Marasmus
386 Löwy Richard	Kaufmann	Bpest.	1892, —	1945, 6/II.	Euterocol.
387 Feßeto Armand	Beamter	Bpest.	1888, —	1945, 6/II.	Marasmus
388 Scheszön Titmar	Advokat	Bpest.	—	1945, 6/II.	Marasmus
389 Ennyedi Stein	Beamter	Bpest.	1891, —	1945, 6/II.	Marasmus
390 Gedö Morior	—	Bpest.	1887, —	1945, 6/II.	Marasmus
391 Silberschutz Richard	—	Bpest.	1922, —	1945, 6/II.	Marasmus
392 Weros Jenö	—	Bpest.	1884, —	1945, 6/II.	Marasmus
393 Liditt Ödon	Buchhalter	Bpest.	1888, —	1945, 6/II.	Marasmus
394 Kelmann Sándor	Beamtin	Bpest.	1917, —	1945, 6/II.	Marasmus
395 Kovács Zoltán	Reisender	Bpest.	1887, —	1945, 6/II.	Marasmus
396 Adler Johanna	Privat	Bpest.	1892, —	1945, 6/II.	Marasmus
397 Somogy Elisabeth	Schneiderin	Bpest.	1897, —	1945, 6/II.	Marasmus
398 Barta Ferenc	—	Bpest.	1890, —	1945, 6/II.	Marasmus
399 Steiner Jószef	Beamter	Bpest.	1886, —	1945, 6/II.	Marasmus
400 Rosenberg Miklás	Beamter	Bpest.	1885, —	1945, 6/II.	Marasmus
401 Ruchovsky Loise	Privat	Bpest.	1889, —	1945, 6/II.	Marasmus
402 Herzfeld Sigmundine	Beamtin	Bpest.	1889, —	1945, 7/II.	Marasmus
403 Hirschhorn Anast.	Privat	Bpest.	1879, —	1945, 7/II.	Marasmus
404 Fuchs Jószef	Beamter	Bpest.	1893, —	1945, 8/II.	Marasmus
405 Glaser Edith	Beamtin	Bpest.	1910, —	1945, 8/II.	Marasmus
406 Kovács Gyula	Kaufmann	Bpest.	1891, —	1945, 8/II.	Marasmus
407 Erös Josefa	Privat	Bpest.	1888, —	1945, 8/II.	Marasmus
408 Varga Dezsö	Dienstbote	Bpest.	1913, —	1945, 8/II.	Marasmus
409 Berger Dita	Kassierer	Bpest.	1884, 24/III.	1945, 8/II.	Euterocol.
410 Kulpin Ferenc	Kaufmann	Bpest.	1887, —	1945, 8/II.	Jusuff.
411 Schuger Mor.	Beamter	Bpest.	1896, 17/IX.	1945, 9/II.	Euterocol.
412 Engländer Ernö	Lederarb.	Bpest.	1923, —	1945, 9/II.	Euterocol.
413 Grosz László	Kassierer	Bpest.	1894, 24/IX.	1945, 9/II.	Euterocol.
414 Hermann Sándorne	Privat	Bpest.	1885, —	1945, 9/II.	Marasmus
415 Reschofsky Leo	Postbeamter	Bpest.	1887, —	1945, 9/II.	Marasmus
416 Löwinger György	—	Bpest.	1927, 21/VI.	1945, 9/II.	Marasmus
417 Lázár Rezsö	Beamter	Bpest.	1897, —	1945, 9/II.	Marasmus
418 Adler Mörne	Privat	Bpest.	1878, —	1945, 9/II.	Marasmus
419 Benere Ármin	Privat	Bpest.	1897, —	1945, 9/II.	Marasmus
420 Friedmann Ignácz	Hilfsarb.	Bpest.	1895, 11/XI.	1945, 9/II.	Marasmus
421 Mawsi Imre	Prokurist	Bpest.	1890, 15/VII.	1945, 9/II.	Marasmus
422 Nussbaum Lili	Privat	Bpest.	1922, 7/IV.	1945, 9/II.	Euterocol.
423 Hübscher Imre	—	Bpest.	1900, 23/IX.	1945, 9/II.	Euterocol.
424 Fortat Róbert	Übersetzer	Bpest.	1901, —	1945, 9/II.	Euterocol.
425 Gans Bertolan	Beamter	Bpest.	1889, 10/VIII.	1945, 9/II.	Euterocol.
426 Miklas Jenöné	Arbeiter	Bpest.	1903, —	1945, 9/II.	Euterocol.
427 Klein Jakob	Arbeiter	Bpest.	1894, 9/III.	1945, 9/II.	Euterocol.
428 Sinaj Rózsa	Schneiderin	Bpest.	1909, —	1945, 9/II.	Jusuff.

Name	Beruf	Wohnung	Geboren am	Gestorben	Diagnose
429 Holländer Teicuer	Kaufmann	Bpest.	1887, —	1945, 9/II.	Jusuff.
430 Loostauer Margit	Beamtin	Bpest.	1889, 26/X.	1945, 9/II.	Jusuff.
431 Stevesi Lajosné	Beamtin	Bpest.	1891, —	1945, 9/II.	Jusuff.
432 Práger Sándor	Redakteur	Bpest.	1901, 27/V.	1945, 9/II.	Euterocol.
433 Wottitz Jószef	Tischler	Bpest.	1889, 9/III.	1945, 9/II.	Marasmus
434 unbekannt	—	Bpest.	—	1945, 9/II.	Marasmus
435 Zerkowitz	Arzt	Bpest.	1899, —	1945, 9/II.	Marasmus
436 Frühof Jahabuc	—	Bpest.	1897, —	1945, 9/II.	Marasmus
437 Ehrenfeld Moi	—	Bpest.	1903, 8/VIII.	1945, 9/II.	Marasmus
438 Klopfer Eerus	Beamter	Bpest.	1891, 28/V.	1945, 9/II.	Marasmus
439 Schwartz Róza	Privat	Bpest.	1903, —	1945, 9/II.	Marasmus
440 Weisz Ödön	Kappenm.	Bpest.	1898, —	1945, 9/II.	Euterocol.
441 Schwarcz Jerad	Tempeldiener	Bpest.	1879, 4/IV.	1945, 9/II.	Euterocol.
442 Faragó Manó	Wirtsbesitzer	Bpest.	1889, —	1945, 9/II.	Euterocol.
443 Mavas Margit	Beamtin	Bpest.	1903, 23/III.	1945, 9/II.	Euterocol.
444 Rosenfeld Leo	Beamter	Bpest.	1891, 20/V.	1945, 9/II.	Euterocol.
445 Vadász Gjörp	Kaufmann	Bpest.	1893, —	1945, 9/II.	Marasmus
446 Galacutis Sámuel	Privat	Bpest.	1900, —	1945, 9/II.	Euterocol.
447 Jarotovies	Privat	Bpest.	1896, —	1945, 9/II.	Myodr.cart.
448 Sterely István	Rabbi	Bpest.	1916, —	1945, 9/II.	Marasmus
449 Daniel Gáspár	Beamtin	Bpest.	1898, —	1945, 9/II.	Euterocol.
450 Pavias Béla	Mathematiker	Bpest.	1886, —	1945, 12/II.	Marasmus
451 Roth Butalon	Zahntechn.	Bpest.	1886, —	1945, 12/II.	Marasmus
452 Rottenberg Jos.	Arbeiter	Bpest.	1895, —	1945, 12/II.	Marasmus
453 Fengö Andor	Beamter	Bpest.	1903, —	1945, 12/II.	Marasmus
454 Silbermann Hermann	Künstler	Bpest.	1892, —	1945, 13/II.	Marasmus
455 Roth Lipótné	Privat	Bpest.	—	1945, 13/II.	Marasmus
456 Roth Markné	Apothekerin	Bpest.	1890, —	1945, 13/II.	Marasmus
457 Wilhelm Elsa	Fabr.Arb.	Bpest.	1915, —	1945, 13/II.	Euterocol.
458 Balajthi Jenöne	Privat	Bpest.	1880, —	1945, 13/II.	Marasmus
459 Stern Lajos	Schuhmacher	Bpest.	1895, —	1945, 13/II.	Marasmus
460 Hajós Sándor	Beamter	Bpest.	1896, —	1945, 13/II.	Marasmus
461 Kiss Gyula	Drucker	Bpest.	1891, —	1945, 14/II.	Marasmus
462 Tauber Sámuel	Arbeiter	Bpest.	1888, —	1945, 14/II.	Marasmus
463 Stern Odor	Reisender	Bpest.	1883, —	1945, 14/II.	Marasmus
464 Drucker Zoltán	Beamter	Bpest.	1890, —	1945, 14/II.	Marasmus
465 Adler Miksa	Hilfsarb.	Bpest.	1885, —	1945, 14/II.	Marasmus
466 Baranyai Janka	Privat	Bpest.	1903, —	1945, 14/II.	Euterocol.
467 Österreicher Havas	Beamtin	Bpest.	1892, —	1945, 16/II.	Euterocol.
468 Hartmann Miksa	Drucker	Bpest.	1891, —	1945, 16/II.	Marasmus
469 Lipschitz Major	Rabbi	Bpest.	1888, —	1945, 16/II.	Marasmus
470 Strasser Sándor	Privat	Bpest.	1898, —	1945, 16/II.	Marasmus
471 Halnus Benö	Kaufmann	Bpest.	1890, —	1945, 16/II.	Marasmus
472 Steiner Rörsi	Privat	Bpest.	—	1945, 16/II.	Marasmus
473 Marton Rörsi	Kaufmann	Bpest.	1890,—	1945, 16/II.	Marasmus
474 Schwarcz Göce	Hausherr	Bpest.	—	1945, 16/II.	Marasmus

Name	Beruf	Wohnung	Geboren am	Gestorben	Diagnose
475 Kanitz Iwro	Ingenieur	Bpest.	1889, —	1945, 16/II.	Marasmus
476 Nuszbaum Anna	Privat	Bpest.	1919, —	1945, 16/II.	Marasmus
477 Littmann Lajosné	Privat	Bpest.	1888, —	1945, 16/II.	Marasmus
478 Lázár Sajo	—	Bpest.	1887, —	1945, 16/II.	Marasmus
479 Rotor Zsigmund	Holzhändler	Bpest.	1885, —	1945, 16/II.	Marasmus
480 Lampel Manorö	Privat	Bpest.	1901, —	1945, 16/II.	Marasmus
481 unbekannter Mann	—	Bpest.	—	1945, 16/II.	Marasmus
482 unbekannte Frau	—	—	—	1945, 16/II.	Marasmus
483 Gans Elisabeth	Filmlabor.	Bpest.	1908, —	1945, 16/II.	Marasmus
484 Simö Rózsi	—	Bpest.	1902, —	1945, 16/II.	Marasmus
485 Schnitzer Moritz	—	Bpest.	1904, —	1945, 16/II.	Marasmus

II. Lokalmonographien

Burghard Gaspar

ZUR GESCHICHTE DER JUDEN IN EGGENBURG SEIT DEM SPÄTMITTELALTER

Das Eggenburger Stadtrecht

Die schriftliche Fassung des Eggenburger Stadtrechts (Banntaidings) fällt laut Ludwig Brunner in die Zeit zwischen 1301 bis 1306. Es ist zum einen Teil auf Gewohnheitsrecht, zum anderen auf gebotenes Recht (Gesetze der Landesherren) zurückzuführen.[1] Die Juden werden hier in vier Punkten angesprochen:

38. man soll auch den Juden verbieten, daß sie keiner täg viech sollen kaufen in ihren heusern dan offenbar an dem markt. Allen Bürgern war ausnahmslos verboten, eine Ware außer am Markttag zu verkaufen, da dadurch unter anderen die Stadt um ihre Abgaben gebracht wurde. Dies wurde hier den Juden ausdrücklich untersagt.

39. sie sollen auch alle ihre güter, die instent und zu der statt gehören, das sollen sie alle jahr in den pantadingen ruchen, was sie instent. Dieser Punkt betraf die Abgaben, welche sie für die Güter der Stadt zu leisten hatten, und deren Höhe alljährlich an Gerichtstagen bestimmt wurde.

65. burgrecht, daß ihr hausfrauen und ihr söhn niemand innemen soll ohne ihren willen weder juden noch christen. Hier behielten sich die Stadträte das Recht vor, zu bestimmen, wer das Bürgerrecht erhalten solle, gleichgültig ob es sich um Juden oder Christen handelte.

80. die statt hat auch das recht von alter her, daß die juden überall nur 3 heuser haben sollen und ihr schul. was sie ihrer mehr haben, da sie ingesessen seynd und die ihn(en) verstanden seynd und von ihren wegen öde ligen, da sollen sie von leyden als andere burger von ihren heusern. Die Juden mußten auch für Häuser, die ihnen als Pfand verfallen waren (= ihn verstanden waren) und die leer standen, Steuern zahlen. Daraus könnte hervorgehen, daß die Juden keinen Besitzbeschränkungen unterworfen waren, da sie außer drei Häusern und ihrer Synagoge *(schul)* auch mehrere Häuser besitzen konnten, für die sie, wie die anderen Bürger, Abgaben zu leisten hatten, und ihnen in diesem Punkt gleichgestellt waren.[2] Ludwig Brunner wiederum meint, daß die Juden von altersher in der Stadt nur drei Häuser und eine Synagoge haben durften und ein weiteres Haus aber, wenn ihnen ein solches als Pfand verfallen waren, bis zum Verkauf öde liegengelassen werden mußte, sie aber davon alle Abgaben zu leisten hatten.[3]

Ausgangspunkt der schwersten Judenverfolgung in Österreich vor der Vertreibung 1420/21 war ein angebliches Hostienwunder in Pulkau. Im Jahre 1338 fielen das christliche Osterfest und das jüdische Pesachfest auf den gleichen Termin. Das war bereits Anlaß genug, die Juden zu verdächtigen, mit der christlichen Hostie Unfug getrieben zu haben. So fand man in Pulkau vor dem Hause eines Juden eine angeblich blutige Hostie, die außer-

---

[1] Ludwig B r u n n e r, Eggenburg. Geschichte einer niederösterreichischen Stadt (Eggenburg 1933), 1. Band S. 91 ff.

[2] Leopold M o s e s, Die Juden in Niederösterreich (Wien 1935), S. 124 ff.

[3] B r u n n e r, (wie Anm. 1) 1., S. 92.

dem noch Wunder gewirkt haben soll. Bald wurde sie Gegenstand der Verehrung, auch in den umliegenden Gebieten. Die Juden in Pulkau wurden getötet und eine Reihe jüdischer Gemeinden in Südmähren und Niederösterreich wurde zerstört. In den Tagen um das St. Georgsfest wurden die Juden in Retz, Znaim, Horn, Eggenburg, (Kloster)Neuburg und Zwettl verbrannt.[4] In Eggenburg dürfte *Metel* ein Opfer dieses Pogroms gewesen sein, denn genau 30 Jahre nach diesen Ereignissen, am 28. Mai 1368, bestätigte Herzog Albrecht III., *daß er 40 Pfund Pfennige, welche sein Schilter Chunz und dessen Hausfrau Margret, Metlein dem Juden von Egenburg schuldeten und welche ihm, da Metel der Jud flüchtig geworden war, mit aller anderen Habe desselben zugefallen waren, dem Schilter von seinem Lohne abgezogen habe.*

In jenen Zeiten mußte mit der endgültigen Verfügung über das Vermögen eines Verschollenen so lange zugewartet werden, wie die nach Landrecht mit 30 Jahren und ein Tag festgesetzte Haftpflicht bei Liegenschaften und Gülten dauerte. Rechnet man diese 30 Jahre von der Bestätigung im Jahre 1368 ab, so kommt man in das Jahr des Pogroms 1338.

Im Jahre 1370 sollten auf Befehl Herzog Albrecht III. die Juden in allen Städten gefangengesetzt, ihre Güter eingezogen und sie selbst durch Feuer hingerichtet werden. Viele Juden waren daraufhin geflohen, darunter auch *Isserlein* von Eggenburg. Von ihm ist bekannt, daß ihn die Herzoge Albrecht III. und Leopold III. später wieder aufnahmen, nachdem sie ihn mit einer jährlichen Steuer von 10 Goldgulden belegt hatten.

Am 6. Februar 1394 wird *Mathes der Jude,* ein Sohn *Davids von Egenburg,* mit *Suzzel,* seiner Hausfrau genannt, da sie einen Weingarten an *Herrn Fridreichen von Gars, Pfarrern daselbst,* verkaufen.

Aus einer Urkunde des Jahres 1408 wird berichtet, daß *der Jude Nächlein* ein Haus besaß, welches an der Ecke der Kremser- und der Hundsgasse (heute Ecke Kremserstraße / Bogengasse) lag. An dessen Stelle steht heute das Stadthotel. Von *Nächlein* kam das Haus an seinen Sohn *Freudl,* welcher am 13. Juli des gleichen Jahres die Hälfte seines Hauses an seinen Schwager *Chadgim* und dessen Hausfrau, seine Schwester *Chendel,* verkaufte.[5]

Am Ende des 14. Jahrhunderts war den Juden Eggenburgs noch ein angesehener, christlicher Bürger, *Fridreich der Behem,* als Judenrichter vorgesetzt worden, welcher 1392 und 1405 in diesem Amt bezeugt ist. Der Judenrichter war Einnehmer der Judensteuer, führte das Judenbuch und entschied als Vorsitzender des aus Christen und Juden bestehenden Judengerichts — als solches nur in der Steiermark nachgewiesen — auch Streitigkeiten zwischen Angehörigen dieser beiden Gruppen. Als Gerichtsort war normalerweise der Platz vor der Synagoge bestimmt.[6] Auf *Fridreich* folgte *Hans der Behem,* welcher in der Funktion als Judenrichter 1408 und 1417 angeführt wird. Er dürfte dieses Amt bis zu dessen Erlöschen 1420 bekleidet haben, da 1420 bzw. 1421 Herzog Albrecht V. alle Juden aus ganz Österreich *auf ewig* vertreiben ließ.[7] Als Grund ist wohl die Geldnot des Herzogs anzunehmen, welche durch die Hussitenkriege entstanden ist, denn nur die armen Juden wurden aus Österreich (das war das Gebiet des heutigen Ober- und Niederösterreichs, mit Ausnahme des Innviertels und des Gebietes um Wiener Neustadt) vertrieben, die reichen wur-

[4] Klaus Lohrmann (Hg), 1000 Jahre österreichisches Judentum, Ausstellungskatalog (Eisenstadt 1982), S. 307, Bericht über die Hostienschändung und Judenverfolgung des Jahres 1338 in den Annales Zwetlenses (Cod. Zwetl. 315).

[5] Brunner (wie Anm. 1) 1., S. 122/123.

[6] Lohrmann (wie Anm. 4) S. 29 ff., Die Judenordnung Herzog Friedrichs des Streitbaren.

[7] Brunner (wie Anm. 1) 1., S. 123.

den vor ihrer Verbrennung noch gefoltert, damit sie die Verstecke ihrer Schätze preisgaben.[8]

In den Regesten über Privaturkunden im NÖ Landesarchiv findet man folgendes über Eggenburg erwähnt: *Am 1. Mai 1369: Haus oder Hawser zu Ilmaw und Hertel von Weissenbach schulden David dem Juden zu Eggenburg und seinen Erben bis zum St. Martinstag 164 Pf. Steht die Schuld länger, so gehen alle Wochen auf 1 Pfund 6 Pfennige und David kann die Summe von da ab bei Strafe des Einlagers in erhöhen.*

Im Judenbuch der Scheffstraße zu Wien, d. i. das Satzbuch der Scheffstraße für Verpfändungen bei Geldgeschäften zwischen Juden und Christen, wird bereits in der Eintragung 268, vom 5. Mai 1407 bis 11. November, Josef von Eggenburg erwähnt. Wörtlich heißt es hier: *Item Hanns und Kathrey sein hausfrau, und Thaman und Anna sein Hausfrau, Rüger seligen des vaszicher sün, schullen all unverschaidenlich gelten Joseppen dem Judenn von Egenburg und sein erben 16 Pf. Wienner Pfenig auff sand Mertentag, der schierist chumpf, und habent im dofür ze phannt gesatzt ir haus, gelegen zenachst der Ennserin haus, und fürbass auff daz pfunt albochen fünff helbling zu gesöch. Dazz ist geschechen am Auffert tag am Phincztag anno etc. septimo fol. 137 a.*

Im Jahre 1415 verzeichnet der Amtsschreiber in Pulkau in Rechnungen von Amtsleuten des Schottenstiftes Wien den *Baruch jud in Egenburg* mit 12 Pfennig Zehent.[9]

Kaiser Maximilian hatte am 1. Jänner 1515 der Stadt Laibach gegen Geld einen Freibrief erteilt, die Juden auszuweisen und daß diese in Österreich unter der Enns durchziehen dürfen. Als man nun eine neue Heimat für sie suchte, erteilte der Kaiser von Weyssenhorn aus der *Judischait aus unser stat Layback* schriftlich die Erlaubnis, nach Eggenburg zu ziehen und sich dort haushäbig niederzulassen. Zugleich befreite er ihre dort zu erbauenden Häuser auf drei Jahre von jeglichen Abgaben und Belastungen.[10]

Maximilian I. erließ am 24. Mai 1518 das Innsbrucker Libell, dessen auf die Juden Eggenburgs bezüglicher Passus lautet: *Als auch I. M. die Juden zu Layback geurlaubt, hat inen I. M. gen Egenburg erlaubt, mit der Meynung stäts da zu plaiben, sunder allein darumb, dass sy nit in andere Land ziehen, bis sy sich mit iren Freunden an den Grenzen sovil bewerben mugen by inen underzukommen, als auch nur schier beschehen, und ir Zeit zu Egenburg pald aus ist, alsdonn werden sy von dannen geschafft.*[11]

Zuletzt wird 1540 der Jude Symon in den Ratsprotokollen Eggenburgs erwähnt, als er eine Forderung von 64 Pfund Pfennigen an den Nachlaß des Bürgers *Sigl Rot* beim Rate geltend machte und dieser in seiner Sitzung am 12. März 1540 der Witwe auftrug, die Schuld zurückzuzahlen.[12] Nun sollte es mehr als dreihundert Jahre dauern, bis die Stadt Eggenburg wieder jüdische Bürger hatte.

Judenplatz und Judengasse

Der Platz hinter dem heutigen (seit 1792) Pfarrhof führt seit langem den Namen Judenplatz. Das Alter dieser Bezeichnung läßt sich nicht verläßlich feststellen. 1378 stand dort das Haus des Priesters *Niklas des List;* damals führte der Platz noch keinen besonderen

[8] Lohrmann (wie Anm. 4) S. 34 ff., Die Vertreibung der Juden.

[9] Henry H. Metzger, Untergegangene Judengemeinden. In: Hugo Gold, Geschichte der Juden in Österreich. Ein Gedenkbuch (Tel Aviv 1971), S. 105, 106.

[10] Brunner 1., S. 124 und S. 308/309.

[11] Metzger, Untergegangene Judengemeinden (wie Anm. 9) S. 106.

[12] Stadtarchiv Eggenburg, Ratsprotokoll 1540, fol. 89.

Abb. 76: Eggenburg, Blick vom Judenplatz in die untere Judengasse (früher Freimannsgasse) um 1900. Im Gebäude rechts, dem späteren Jugendheim, soll sich früher ein jüdisches Bethaus befunden haben.

(Foto: Slg. Gaspar, Grafenberg)

Namen. Wohl aber kommt die Benennung Judenplatz in Aufzeichnungen aus der zweiten Hälfte des 16. Jahrhunderts vor, als dort mit großer Wahrscheinlichkeit keine jüdischen Familien mehr lebten. Jedoch ist denkbar, daß 1516 sich hier Laibacher Juden ansiedelten, welche aber bald wieder vertrieben wurden. Aus der Zeit um die Jahrhundertwende stammt eine mündliche Überlieferung, wonach es früher Juden, die zu Handelsgeschäften nach Eggenburg kamen, untersagt war, das Stadtinnere zu betreten. Sie mußten den Weg benützen, der vom Egentor entlang der Stadtmauer auf den Judenplatz und von diesem jenseits des Kirchenplatzes wieder längs der Mauer zum Lederertor führte. Im 17. Jahrhundert lebte auf dem Judenplatze der Freimann, die Gasse, die von dort zum Stadtplatz führte, heute Judengasse, hieß damals Freimannsgasse (Abb. 76).

Juden durften auch nicht ohne weiteres zum Stadttore hereingelassen werden, sondern mußten gemäß Ratsbeschluß vorher beim Bürgermeister angemeldet werden und von diesem die Erlaubnis zum Betreten der Stadt erhalten. Zuwiderhandeln wurde mit einem Dukaten Strafe geahndet. Zu dieser Zeit war der Pferdehandel fast gänzlich in den Händen der Juden, obwohl sie dabei nicht im geringsten begünstigt waren, denn in Eggenburg hatten sie vielmehr für jedes Pferd eine größere Abgabe zu leisten als andere Händler.

Vom Sommer 1718 an war den Juden von Seiten des Magistrates das Betreten der Stadt überhaupt gänzlich verboten. Hatte ein Jude mit einem Lederer oder sonst jemanden ein Geschäft abzuwickeln, so mußte der Bürger zu ihm vor das Tor gehen und draußen den

Alldeutſche Jungmannſchaft „Normannia"
Eggenburg

Obige Korporation gibt ſich die Ehre, zu ihrem

7. Stiftungs-Feſte

einzuladen.

Ort: Gaſthof „Zum goldenen Löwen" (Pribitzer)

Zeit: Samstag, den 6. Ernting (Auguſt) 1927, halb 9 Uhr abends

Eintrittsgebühr: S 1·50   Korporierte S 1·—

Muſik: Quintett des Deutſchen Turnvereines Horn

Hans Klein × × ×   Joſef Kahler ×

Halb 9 Uhr Feſtkommers   11 Uhr Farbenkränzchen

Zutritt nur Arier!

Anſchrift: Fritz Bauer, Eggenburg, Nieder-Öſterreich.

F. Berger in Horn.

Abb. 77: Bereits im Jahre 1927 gestattete man nur „Ariern" Zutritt zu manchen Veranstaltungen, wie hier zum 7. Stiftungsfest der „Alldeutschen Jungmannschaft Normannia" im Gasthof „Zum Goldenen Löwen" in Eggenburg am 6. August 1927. Einer der Unterzeichner dieser Einladung, Dr. Hans Klein, war bis in die Siebzigerjahre Oberlandesgerichtsrat und Vorsteher des Bezirksgerichtes Horn.
(Slg. Gaspar, Grafenberg)

Handel abschließen. Nicht einmal das Josefinische Toleranzedikt erschloß den Juden die Stadt; erst die zweite Hälfte des 19. Jahrhunderts brach den Bann.[13]

Jüdische Familien in Eggenburg vom Ende des 19. Jahrhunderts bis zum Jahre 1938

Wie aus den Meldeprotokollen zu ersehen ist, stammte die Hälfte der jüdischen Familien, die in diesem Jahrhundert in Eggenburg lebte, aus Schaffa in Mähren, wo es seit 1670 eine blühende Judengemeinde gab. Wenn sie nach dem nahen Znaim oder nach Eggenburg fuhren, pflegten die Schaffaer Juden noch um 1910 zu sagen, „Ich geh' über die Mauer." Denn bei Schaffa handelte es sich um eine autonome Gemeinde mit eigenem Bürgermeister und diesem Ausspruche nach auch wohl eine diese umgebenden Mauer.[14] Sicherlich durch diese Handelsbeziehungen siedelten sich nach der Mitte des 19. Jahrhunderts die jüdischen Familien aus Schaffa in Eggenburg an (Fischer, Fürnberg, Kellner, Schick). Die anderen kamen mit Ausnahme der Familien Löwy und Stein berufsbedingt zum Großteil aus Wien.

Die jüdischen Familien lebten vor 1938 in Eggenburg als Kaufleute, Viehhändler, Leder- und Fellhändler, Beamte, einer von ihnen war Rechtsanwalt, ein anderer Bauingenieur. Sie waren wohlhabend und hatten auch Hausbesitz. Im Gegensatz zu anderen Kauf-

---

[13] B r u n n e r (wie Anm. 1) 1., S. 125/126.

[14] Elisabeth K o l l e r - G l ü c k , Die Judenfreiheit von Schaffa. In: NÖ Kulturberichte, November 1990.

Abb. 78: Das im Jahre 1912 errichtete Wohn- und Geschäftshaus von Heinrich Fischer in Eggenburg, Rathausstraße Nr. 8 (rechts), aufgenommen um den 10. April 1938. Heinrich Fischer handelte mit Leder und vor allem mit Schusterzubehör. In diesem Haus war nach 1945 auch eine Zeitlang die russische Kommandantur untergebracht.
(Foto: Archiv d. Krahuletz-Museums)

leuten verkauften sie ihre Waren manchmal billiger, bisweilen auch auf Kredit. Nach dem Anschluß wurde ihr Besitz eingezogen, die Geschäfte wurden „arisiert" und von Nationalsozialisten geführt. Ihr Besitz wanderte zumeist in die Häuser der Parteimitglieder.

Die schrecklichste Maßnahme der nationalsozialistischen Machthaber des Bezirkes aber war die unmenschliche Vertreibung der jüdischen Mitbürger. Am 18. September 1938 wurde den Horner Juden von der Kreisleitung der NSDAP — Hauptverantwortlicher war Kreisleiter Karl Hofmann, ein Eggenburger, der 1945 bei Freistadt mit seiner Familie Selbstmord beging — befohlen, die Stadt innerhalb von 24 Stunden zu verlassen. [15] Diese Maßnahme traf auch für die jüdischen Mitbürger in Eggenburg zu. Zunächst flüchteten die meisten nach Wien, soferne sie nicht schon vorher verhaftet worden waren. Hier verliert sich von vielen die Spur, Familien wurden auseinandergerissen, manchen gelang die Emigration oder sie konnten untertauchen, für viele war es aber der Anfang vom Ende.

Der Eggenburger Bürgermeister von 1938-1945, der Rechtsanwalt und Schriftsteller *Dr. Eduard Kranner,* schrieb in der Zeit des Nationalsozialismus, was er von der Geschichte der Juden in dieser Stadt zu wissen glaubte: [16] *Weit weniger von leiblicher Mühsal*

---

[15] Erich R a b l, Der jüdische Friedhof in Horn. In: Kläranlage Horn. Beiträge zur Geschichte des Taffatales. Mühlen. Riedenburg. Jüdischer Friedhof (Horn 1990), S. 59 f.

[16] Eduard K r a n n e r, Die Stadt Eggenburg. Niederdonau, Ahnengau des Führers , Schriftenreihe für Heimat und Volk, Herausgegeben vom Gaupresseamt Niederdonau der NSDAP, Sonderreihe: Die schöne Stadt in Niederdonau, Heft Nr. 2 (St. Pölten 1941), S. 9.

und Arbeit beladen waren die Bewohner eines entfernten nordwestlichen Winkels an der alten Stadtmauer. Dort stehen drei Häuser — sie sind jetzt noch zu sehen —, die waren wohl einstens verrufen, verachtet, verflucht. Sie stehen daher geduckt wie das böse Gewissen, scheu, dürftig und verschlossen. Durch fensterlose Abmauerungen ihrer engen Höfe ist den Blicken entzogen, was sich im Innern begibt. Die Fenster sind nach innen gerichtet. Hier hausten einmal gemiedene Wichte, die das Licht scheuten und die Nähe der Menschen; und wohl auch deren

Abb. 79: Die Frucht- und Getreidehandlung des Max Breier in Eggenburg in der Rathausstraße Nr. 19, 1899.
(Foto: Slg. Gaspar, Grafenberg)

Rache. Es ist das Ghetto. Wo Lebensströme kraftvoll pulsen, will der Schmarotzer auch nicht fehlen. Was und wieviel an Ueblem die Juden auf ihr Gewissen damals häuften, läßt sich ja ahnen. Es ist wohl das alte Lied, älter gar als die Psalmen Davids. Streng waren daher die Stadtgesetze Alt-Eggenburgs gegen die Juden. Sie durften nur im Ghetto drei Häuser bewohnen, durften die Stadt nur ausnahmsweise an Markttagen für einige Stunden zur Tageszeit betreten, durften die übrige Zeit nur durch das Wallgäßchen zu ihren Behausungen gehen. Im Jahre 1338 wurden alle Juden wegen Wuchers erschlagen. Aber das Ghetto war bald darauf wieder von Juden bewohnt. Herzog Albrecht III. gab 1370 den Befehl, alle Juden zu töten. Aber es heißt in einem zeitgenössischen Bericht: Männer der Gottesgelahrsamkeit erwirkten beim Herzog für die Juden die Gnade, daß sie nicht getötet, sondern verächtlich, d. h. rechtlos gemacht wurden. Im Jahre 1420 wurden alle Juden ‚auf ewig‘ vertrieben, weil sie an die Hussiten, deren wüste Heerhaufen mordend und plündernd durch dieses deutsche Land zogen, Waffen verhandelt hatten. Es dauerte jedoch mehr als ein halbes Jahrtausend, bis sie wirklich für ewig vertrieben wurden, nämlich im Jahre 1938.

Als Quellen für die Angaben über die jüdischen Bewohner Eggenburgs seit der zweiten Hälfte des 19. Jahrhunderts dienten die Meldejournale Eggenburgs, welche seit 1901 größtenteils vorhanden sind, sowie die „Gräber Eintheilung am israelitischen Friedhofe in Horn" (Stadtarchiv Horn). Aufgrund der 1895 genehmigten Statuten umfaßte die Kultusgemeinde Horn unter anderen auch das Gebiet des Gerichtsbezirkes Eggenburg, hatte seit

Egon Fischer
geb. 4. 4. 1911
(Zweiter
von rechts)

Elsa Fischer
geb. 23. 5. 1907
(Zweite
von rechts)

Heinrich Stein
geb. 5. 9. 1891
(rechts)

Abb. 80: Ausflug von Eggenburger Geschäftsleuten und Gewerbetreibenden nach Brünn im Jahre 1932. Mit dabei waren der einundzwanzigjährige Egon Fischer und seine um vier Jahre ältere Schwester Elsa sowie ihr Onkel, der Holzhändler Heinrich Stein.

(Foto: Slg. Gaspar, Grafenberg)

166

1872 eine eigene Synagoge und auch einen eigenen Friedhof, auf dem nun auch Eggenburger ihre letzte Ruhe fanden.

Einige von diesen, welche in Eggenburg lebten, in den Meldejournalen jedoch nicht aufzufinden waren, wurden hier bestattet. Ihre Namen sollen hier erwähnt werden:

Hermine B r e y e r , geb. L ö w y , verstorben am 25. 7. 1893[17]
Siegfried B r e i e r , verstorben am 17. 9. 1908[18]
Flora W i n t e r n i t z , verstorben am 22. 11. 1936[19]
Fritz Z e i l i n g e r , verstorben am 19. 2. 1922[20]
Barbara K l e i n , verstorben am 7. 12. 1931[21]
Johann F ü r n b e r g , verstorben am 29. 4. 1902[22]
Paul E n d e w e l d , (Erziehungsanstalt d. Gemeinde Wien), verstorben am 22. 4. 1928[23]
Marie R e i c h m a n n , verstorben am 5. 2. 1888[24]
Rosalie B a u e r , verstorben am 29. 6. 1895[25]
Fani K r a u p a , verstorben am 28. 4. 1897[26]

Im „Österreichischen Zentralkataster" aus dem Jahre 1903 (Verlag Alexander Dorn, Wien) findet man unter Eggenburg (S. 80-82) Max B r e i e r als Getreide- und Mehlhändler, Jakob F ü r n b e r g als Goldarbeiter und Produktenhändler sowie Dorothea Fürnberg, geb. K r a u p a , als Trödler angeführt. Sicherlich bestanden zwischen diesen und den gleichnamigen Obgenannten verwandtschaftliche Beziehungen (Abb. 79).

In der Folge werden die jüdischen Mitbürger in Eggenburg, soweit sie nach dem Studium aller vorhandenen Meldejournale und verschiedener Protokolle erfaßt werden konnten, in alphabetischer Reihenfolge, nach Familien geordnet, angeführt:

Altbach

A l t b a c h *Walter*, geb. 17. 12. 1924 in Eggenburg, wh. Kremserberg Nr. 13 (früher Kremserberg Gasse 251), Vater war in der Möbelfabrik Jäckel (MÖFA) als Betriebsleiter angestellt, der Bruder von Walter emigrierte nach Argentinien. Walter Altbach lebt heute in Lima. Es war der Familie möglich, nach Amerika zu emigrieren. Im Oktober 1964 erfuhr man, daß Frau Altbach mit dem jüngeren Sohn in Buenos Aires lebte, und daß der ältere Sohn in Graz als Dolmetsch eingesetzt war.[27]

---

[17] Stadtarchiv Horn, Hs. 19/13: Gräberverzeichnis des Friedhofes der Israelitischen Kultusgemeinde Horn, 42/1, 2. Reihe links, Nr. 3.

[18] Gräberverzeichnis (wie Anm. 17) 2. Reihe links, Nr. 14.

[19] Gräberverzeichnis (wie Anm. 17) 3. Reihe links, Nr. 9.

[20] Gräberverzeichnis (wie Anm. 17) 3. Reihe rechts, Nr. 6.

[21] Gräberverzeichnis (wie Anm. 17) 3. Reihe rechts, Nr. 15.

[22] Gräberverzeichnis (wie Anm. 17) 4. Reihe links, Nr. 5.

[23] Gräberverzeichnis (wie Anm. 17) 4. Reihe rechts, Nr. 4.

[24] Gräberverzeichnis (wie Anm. 17) 5. Reihe, Nr. 4.

[25] Gräberverzeichnis (wie Anm. 17) 5. Reihe, Nr. 7.

[26] Gräberverzeichnis (wie Anm. 17) 5. Reihe, Nr. 9.

[27] Eva Gruber, verh. Zeindl, schrieb im Schuljahr 1989/90 am Aufbaugymnasium der Erzdiözese Wien in Hollabrunn die Fachbereichsarbeit aus Geschichte und Sozialkunde „Gesellschaftliche Ausgrenzung der Juden in Eggenburg vom Mittelalter bis zur Neuzeit". Hier S. 22/23.

Abb. 81: Ernst Fischer (1928) besuchte in Eggenburg die Volksschule und trat 1933/34 ins Gymnasium Horn über. Er emigrierte nach 1938 nach Amerika, studierte Medizin, hatte eine Privatklinik und lebt heute in Florida.

(Foto: Slg. Bachmayer, Eggenburg)

Fischer

Fischer *David,* geb. 12. 3. 1840 in Schaffa/Mähren, mos., verheiratet mit *Charlotte,* geb. *Kraus,* geb. am 18. 10. 1841 in Piesling, Mähren, Beruf: Privatier, wohnhaft seit 1873 in Eggenburg, Rathausstraße (8) 111, Heimatrecht erworben durch Verleihung (Gemeinderatsbeschluß vom 30. 8. 1907), gestorben am 28. 9. 1919 in Eggenburg, seine Gattin starb 1934. Beide sind auf dem jüdischen Friedhof in Horn beigesetzt.[28]

Sohn: (1) Fischer *Samuel,* Lederhändler, geb. 18. 3. 1869 in Roseldorf, mos., verheiratet am 18. 6. 1905 in Nikolsburg mit *Ida,* geb. *Schweinburg* (geb. 28. 8. 1878 in Laa an der Thaya), wohnhaft seit 1873 in Eggenburg, Rathausstraße (8) 111, Heimatrecht erworben 1907 durch Verleihung (Gemeinderatsbeschluß vom 31. 8. 1907), gestorben am 16. 1. 1918 in Wien, k. k. Militärseelsorge. Ida Fischer ist unter dem NS-Regime umgekommen.

Kinder: (1A) *Helene,* geb. 14. 6. 1906 in Eggenburg, ledig, mos., gest. 19. 12. 1926, Eggenburg. Sie ist auf dem jüdischen Friedhof in Horn beigesetzt.[29]

(1B) *Frieda* , geb. 30. 1. 1910 in Eggenburg, mos., Heimatrecht vom 23. 8. 1930, Staatsangehörigkeit am 26. 11. 1941 verloren gem. § 2 d. 11. Verordnung zum RBG vom 25. 11. 1941., Beruf: Beamtin, zuletzt wohnhaft in Wien XII, heute wohnhaft in London.

(1C) *Walter,* geb. 7. 8. 1907 in Eggenburg, mos. verh. mit *Berta,* geb. *Platschek,* geb. am 27. 11. 1913, zuletzt wohnhaft in Wien I., Staatsangehörigkeit verloren gem. § 2 d. 11. Verordnung d. RGB v. 25. 11. 1941. Mit Beschluß des Landesgerichtes für ZRS in Wien rechtskräftig vom 2. 11. 1948, AZ 4872633/48-6 für tot erklärt. Auch er ist unter dem NS-Regime umgekommen.[30]

(2) Fischer *Heinrich,* geb. am 19. 12. 1878 in Eggenburg, mos., Kaufmann (Lederhandlung und Oberteilerzeugung), wohnhaft seit Geburt in Eggenburg, Rathausstraße (8) 111, Heimatrecht erworben durch Verleihung (Gemeinderatsbeschluß vom 12. 1. 1926) am 12. 1. 1926, verstorben am 14. 9. 1937 in Eggenburg. Er wurde auf dem jüdischen Friedhof in Horn beigesetzt.[31] Am 3. 6. 1906 heiratete er *Bertha,* geb. Stein, geb. am 6. 9. 1882 in

---

[28] Standesamt Eggenburg, Meldekartei, F, Nr. 196 und Anmerkung 16, 2. Reihe rechts, Nr. 9 und 10.

[29] Gräberverzeichnis (wie Anm. 17) 3. Reihe rechts, Nr. 12.

[30] Standesamt Eggenburg, Meldekartei F, Nr. 196 und 202, sowie Meldeprotokoll L, Zl. 106.

[31] Gräberverzeichnis (wie Anm. 17) 1. Reihe links, Nr. 19.

Rodingersdorf, mos., Heimatrecht gem. § 2 d. 11. Verordnung d. RBG v. 26. 11. 1941 erloschen, und am 29. 11. 1944 für verloren erklärt. Sie blieb bis 1941 („versorgt von lieben Nachbarn"[32]) in Eggenburg und emigrierte dann nach Südamerika (Abb. 78).

Kinder: (2A) *Elsa,* geb. am 23. 5. 1907 in Rodingersdorf, mos. verheiratet am 21. 10. 1934 in Wien mit *Erwin Sensel* aus Kindberg, Stmk., dort geboren am 12. 9. 1906, mos., Beruf.: Kaufmann, wohnhaft in Kapfenberg. Beide zogen 1938 von Kapfenberg nach Wien, Erwin Sensel emigrierte 1939 nach Südamerika, Elsa folgte 1940. Am 18. 8. 1993 besuchte Elsa Fischer de Sensel mit ihrem Mann Erwin, ihrem Sohn und dessen Frau ihr ehemaliges Elternhaus, Rathausstraße 8, in Eggenburg.

(2B) *Egon,* geb. am 4. 4. 1911 in Eggenburg, mos., Heimatrecht gem. obzitierter Paragraphen erloschen, als verloren erklärt 29. 11. 1944, emigrierte getrennt von Elsa bzw. Mutter. Er lebt heute in Florida.

(2C) *Ernst,* Dr., geb. 10. 4. 1922 in Eggenburg, mos., trat im Schuljahr 1933/34 von der VS Eggenburg ins Gymnasium Horn über, studierte später und lebt heute ebenso in Florida[33] (Abb. 81).

Fürnberg

Fürnberg *Sigmund,* geb. 1861 in Schaffa/Mähren, in Brunn a. d. Wild gestorben, verheiratet mit *Anna,* geb. *Altmann,* geb. 24. 3. 1866 in Verbotz, früher wohnhaft in Brunn a. d. Wild, mos., Kaufmannswitwe, in Eggenburg gemeldet seit 24. 11. 1926, Kremser Straße 18.

Der Familie gehörte ein Textilgeschäft in der Kremserstraße 18. Im Jahre 1938 lebte dort *Anna Fürnberg* mit ihren Kindern *Siegfried, Moritz* und *Rosa. Moritz* war vom März bis Juli 1938 inhaftiert, 1939 emigrierte er nach Palästina, von dort reiste er nach Bolivien, wo sein Bruder *Siegfried* Geschäftsmann war. Am 22. April 1949 kehrte er nach Eggenburg zurück. Er bekam das Haus zurück und baute das Geschäft wieder auf. Seine Mutter *Anna* starb 1944 in Theresienstadt, seine Schwester *Rosa* wurde nach dem Osten deportiert und blieb verschollen[34] (Abb. 82).

Kinder: (1) *Rosa,* geb. 1902 in Brunn a. d. Wild, mos.

(2) *Siegfried,* geb. 18. 4. 1904 in Brunn a. d. Wild, mos., Beruf: Kaufmann, wohnhaft seit 21. 11. 1926 in Eggenburg, Kremserstraße (18) 140, Heimatrecht erworben durch Verleihung (Gemeinderatsbeschluß vom 1. 12. 1936, Zl.1458/36) am 21. 11. 1936, verheiratet am 5. 7. 1936 mit *Ilse,* geb. am 17. 9. 1912 in Hollabrunn, geb. *Skutetzky,* mos., wohnhaft seit 1938 in Wien I.,Schulerstraße 18/13., Ilse war ab 17. 8. 1936 kurz in Eggenburg gemeldet.

(3) *Moritz,* geb. 29. 9. 1905 in Brunn a. d. Wild, mos., Beruf: Kaufmann, wohnhaft seit 21. 11. 1926 in Eggenburg, Kremserstraße (18) 140, Heimatrecht erworben durch Verleihung (Gemeinderatsbeschluß vom 13. 1. 1937), erloschen durch Tod am 4. 10. 1958 (gest. an den Folgen eines Schlaganfalles), verheiratet **a)** am 16. 8. 1937 in Wien, Pfarre S. M. Rotunda mit *Helene,* geb. am 8. 1. 1917 in Eggenburg, röm. kath., geb. *Kernerknecht,* Ehe geschieden, verheiratet **b)** am 18. 1. 1951 in Eggenburg mit *Erika Schischa,* geb. 13. 5. 1925 in Wien, mos., Hausfrau, Tochter des Adolf und der Selma Schischa, geb. Gerstl., Ehe geschieden am 9. 1. 1953. Sie zog am 8. 1. 1953 nach London.

---

[32] Laut mündl. Angabe ihrer Tochter Elsa am 18. 8. 1993.

[33] Schulmatrik VS Eggenburg, 4. Bd., 1924-38, Nr. 262, sowie Standesamt Eggenburg, Meldekartei, F, Nr. 197.

[34] Gruber (wie Anm. 27) S. 23.

Abb. 82: In Eggenburg, Kremser Straße 18, hatten die Brüder Moritz und Siegfried Fürnberg ihr Geschäft, wo es neben Textilien auch Radios, Fahrräder etc. zu kaufen gab. Auf diesem Foto, welches um den 10. April 1938 aufgenommen wurde, ist erkennbar, daß über die Geschäftsschilder mit dem Namen der Brüder Fürnberg Plakate mit dem Spruch „Dem Führer unser Ja am 10. April" geklebt wurden.

(Foto: Archiv d. Krahuletz-Museums)

Weitere Mitglieder der Familie Fürnberg:

Helene Fürnberg, israel., Witwe, aus Wien, war mit Tochter Henriette ab 16. 7. 1902 in Eggenburg gemeldet.

Fanni Fürnberg, geb. 19. 3. 1899 in Eggenburg, gest. 29. 10. 1976 in Wien I.

Berta Fürnberg, geb. 1904 in Weinburg, NÖ., mos., ledig.

Ilse Fürnberg, geb. 17. 9. 1912 in Hollabrunn, mosaisch, verh., zuständig nach Brunn an der Wild, war am 17. 8. 1936 in Eggenburg gemeldet.

Hans Fürnberg, geb. am 27. 9. 1928 in Wien, ledig, konfessionslos, österr. Staatsangehörigkeit, Beruf: Dolmetscher, Sohn des Armin Fürnberg (geb. 6. 5. 1893 in Theras) und der Theresia, geb. Weichselbaum (geb. 22. 10. 1901 in Kremsier). Sowohl die Eltern als auch Hans Fürnberg lebten noch im Jahre 1953. [35]

Friedel Fürnberg, geb. am 16. 5. 1902 in Eggenburg, gestorben am 27. 4. 1978 in Moskau. Er war ab 1919 Mitglied der Kommunistischen Partei, 1922-26 Sekretär des Kommunistischen Jugendverbands Österreichs, von 1924 bis zu seinem Tod Mitglied des Zentralkomitees der KPÖ, von 1926-32 Sekretär in der Kommunistischen Jugendinternationale in Moskau, von 1932-71 Sekretär des Zentralkomitees der KPÖ. Er flüchtete 1936 nach Moskau. Im Jahre 1944 war er Mitbegründer des 1. österreichischen Freiheitsbataillons in Slowenien. Schließlich war Friedel Fürnberg von 1946 bis 1977 Mitglied des Politbüros der KPÖ. [36]

Hirsch

Hirsch *Adolf,* geb. 21. 4. 1863, mos., Bankbeamter, war vorerst (von 15. 5. 1916 bis 14. 7. 1916) bei Franz Wandl, Luegerring 1 gemeldet, verheiratet seit 20. 1. 1895

---

[35] Standesamt Eggenburg, Meldeprotokoll J, laufende Zahl 18306 — 18309, 18732, K, laufende Zahl III/573, C, laufende Zahl 4552, M, sowie Meldekartei, Buchstabe F, Nr. 1191 und 1192.

[36] Richard u. Maria Bamberger, Ernst Bruckmüller, Karl Gutkas (Hg), Österreich Lexikon, (Wien 1995) Band I, S. 363.

Abb. 83: Eine der Villen der noch vor dem Ersten Weltkrieg errichteten Eggenburger Gartenstadt, nämlich das Haus Wolfkersbühelstraße 25, gehörte dem Bankbeamten Adolf Hirsch und seiner Gattin Sidonie. Adolf Hirsch pendelte täglich mit der Franz-Josefs-Bahn von Eggenburg nach Wien zu seiner Arbeitsstätte. Enge Beziehungen pflegten die Hirschs zu den Kindern der Familie Löwy.
(Foto: Slg. Gaspar, Grafenberg)

(Malaczka, Minsk) mit *Sidonie,* Tochter des *Jakob Klein* und der *Berta, geb. Werner,* lebte mit ihr bis 14. 7. 1916 in Wien, anschließend in Eggenburg, wo er das Haus Gartenstadt Nr. 371, heute Wolfkersbühelstraße 25 erworben hatte (Abb. 83). Am 15. 9. 1938 meldeten sie sich nach Wien II, Obere Donaustraße 85 ab, kamen beide ins KZ Theresienstadt, wo Adolf Hirsch verstarb und seine Gattin Sidonie überlebte. Sie kehrte als einzige Jüdin nach dem Krieg wieder nach Eggenburg zurück. Da in ihrem Haus in der Gartenstadt in der Zwischenzeit deutsche Offiziere gewohnt hatten und von ihrer ehemaligen Einrichtung nichts mehr vorhanden war, wurden ihr von der Gemeinde Möbel zur Verfügung gestellt.[37] Sie starb am 9. Oktober 1950. Ihr Grab ist an der Nordostecke des Eggenburger Friedhofes gelegen.[38]

Kellner

Kellner *Adolf,* geb. 2. 11. 1875 in Röschitz, NÖ., mosaisch, Sohn des *Leopold Kellner* und dessen Gattin *Katharina, geb. Pisker,* beide mosaisch, zuständig nach Schaffa/Mähren, heiratete am 8.12 1908 in Hötzelsdorf *Sidonie, geb. Deutsch,* geb. am 9. 6. 1884 in Sallapulka, mosaisch. *Adolf* Kellner wohnte seit 1903 in Eggenburg, Hornerstraße (18) 187 und war von Beruf Pferdehändler. Er erwarb das Heimatrecht 1924 durch Verleihung (Gemein-

---

[37] Stadtarchiv Eggenburg, Stadtpolizeiamt, Zl. 1728/47.

[38] Standesamt Eggenburg, Meldeprotokoll G, laufende Zahl 16664.

Eggenburger Stadtnachrichten.

15. April 1938, Seite 10

13. Mai 1938, Seite 10

Personales. Für Dr. Heinrich Klein, bisher Rechtsanwalt in Eggenburg, wurde von der Rechtsanwaltskammer in Wien Herr Dr. Eduard Kranner, Rechtsanwalt in Eggenburg, mit der mittlerweiligen Vertretung amtlich betraut. In allen schwebenden Rechts= und Darlehensangelegenheiten, welche bei Herrn Dr. Klein früher in Behandlung waren, erteilt somit nunmehr Herr Dr. Eduard Kranner die nötigen Auskünfte.

Kommissarische Verwalter.

Um allen Deuteleien von vornherein zu begegnen und sie für die Zukunft zum Schweigen zu bringen, veröffentlichen wir nachstehend die Liste aller jener jüdischen Geschäfte und Betriebe im Bezirke Eggenburg, die unter kommissarischer Verwaltung stehen.

Eggenburg: Stein Heinrich, Holz- u. Kohlengroßhandel (kommissarischer Verwalter Baumaterialienhändler Bisinger Alois, Eggenburg);

Fischer Berta, Häute=, Leder= u. Fadernhandel (kommissarischer Verwalter Handlungsgehilfe Anton Waschak, Eggenburg);

Schick Sigmund, Häute und Lederhandel (kommissarischer Verwalter Handlungsgehilfe Karl Ertl, Eggenburg);

Löwy Hugo, Viehhändler (kommissarischer Verwalter Fleischhauermeister Joh. Schmid, Eggenburg).

Kainreith: Fürnberg Richard, Gemischtwarenhandel (kommissarischer Verwalter Josef Rockenbauer, Handlungsgehilfe, Sigmundsherberg).

Kettau: Rott Ing. Emil, Gutsbesitzer (kommissarischer Verwalter Besti Josef, Wirtschaftsadjunkt, Kattau);

Zogelsdorf: Herczeg Stefan, Gutsbesitzer (kommissarischer Verwalter Karl Mayer, ehem. Gutspächter, dzt. Pulkau).

Folge 19
6. Mai 1938

In den Akten der Kanzlei des Dr. Heinr. Klein, früher Rechtsanwalt in Eggenburg, liegen teils seit langer Zeit, teils seit kurzem eine große Anzahl von Urkunden, Dokumenten und sonstigen Papieren, die für die Namensträger von Belang sind, jedoch in den Akten des Dokt. Klein nutzlos liegen und aufbewahrt werden müssen. Es ergeht an alle diesbezüglich Interessierten die dringende Aufforderung, ehestens derlei Papiere und Urkunden in der Kanzlei des Herrn Dr. Ed. Kranner abzuholen.

"Eggenburger Zeitung" Nr. 19

Jüdischer Schuldenmacher. Milan Klein, derzeit in Haft beim Kreisgericht in Krems, hat eine Menge Schulden bei verschiedenen Geschäftsleuten und Privaten gemacht, die im Vertrauen auf seinen angeblich zahlungskräftigen Bruder Dr. Heinrich Klein ihm gepumpt haben. Milan Klein ist als Nichtstuer und Zunichtgut allgemein in bester Erinnerung. Wer sich durch ihn geschädigt fühlt und wer von ihm Geld zu kriegen hat, möge dies, wenn er zu seinem Gelde kommen will, ehestens dem Gendarmerieposten Eggenburg anzeigen.

Folge 28
8. Juli 1938

Anmeldung des Vermögens von Juden in Niederdonau. Die Vermögensverkehrstelle der Landeshauptmannschaft Niederdonau teilt mit, daß gemäß der Verordnung über die Anmeldung des Vermögens von Juden diese Anmeldung auf den von der Bezirkshauptmannschaft anzufordernden Drucksorten zu erfolgen hat. Die ausgefüllten Verzeichnisse sind bis spätestens 16. d. M. der zuständigen Bezirkshauptmannschaft zu übermitteln.

Abb. 84: Berichte in den Eggenburger Stadtnachrichten der „Eggenburger Zeitung", 1938, jüdische Mitbürger betreffend.
(Archiv d. Krahuletz-Museums)

172

deratsbeschluß vom 4. 8. 1924) und starb am 4. 7. 1933 in Eggenburg. Er ist, wie auch sein Vater Leopold, auf dem jüdischen Friedhof in Horn begraben.[39]

Kinder: *Friedrich,* geb. 14. 3. 1910 in Eggenburg, mosaisch

Marianne, geb. 18. 5. 1912 in Eggenburg, (mosaisch) röm. kath., verheiratet in Eggenburg am 20. 6. 1932 mit *Johann Mainhall,* Wien.[40]

Von Frau Kellner fehlt seit ihrer Verhaftung im Jahr 1938 jede Spur. Ihr Sohn war in einem Bergwerk in Belgien eingesetzt, ihre Tochter, die mit einem „Arier" verheiratet war, konnte in Wien untertauchen. Sie kehrte nach 1945 zurück, blieb aber nicht in Eggenburg wohnhaft.[41]

Klein

K l e i n Dr. *Heinrich,* Rechtsanwalt, wohnhaft in Eggenburg, Bürgerspitalgasse Nr. 1, in Untermiete, mosaisch, hatte zwei Brüder. *Ludwig,* geb. 14. 2. 1893, konfessionslos, zuletzt (1935) in Wien XX wohnhaft, war Vertragsbediensteter der Gemeinde Wien. Milan, geb. 12. 11. 1907 in Wien XII, mosaisch, war Oberteilherrichter und Gelegenheitsarbeiter und lebte ab 30. 3. 1934 bei seinem Bruder. Dr. Klein und sein Bruder Milan wurden im März 1938 verhaftet. Auf dem Meldezettel Nr. 728 von Milan steht als Tag des Ausziehens und voraussichtlich nächster Aufenthaltsort: *März 1938/Kreisgericht Krems.*[42] Als seine Vermieterin, Marie Sonntag, Dr. Klein, der für seine Wohltätigkeit, besonders Kindern gegenüber, bekannt war, in der Haft besuchte, sagte er immer wieder: „Aber ich habe doch gar nichts gemacht!" Die Landzeitung vom 11. 5. 1938 berichtet dazu, daß am 2. Mai in Eggenburg *der jüdische Anwalt und Kommunist Dr. Klein nach Wien (Landesgericht) abtransportiert wurde. Wir können nur sagen Gott sei Dank! Herzlichen Abschied nahmen die noch frei herumlaufenden Glaubensgenossen und — dies soll hier besonders vermerkt werden — Frau B., [...] eine Ultratschechin [...] und eine besonders Treue aus der Bürgerspitalgasse. [...] Der stumme bekannte Gruß bestätigte die Verbundenheit, mit welcher man leider noch immer zu diesem Volksbeglücker steht.*

Dr. Klein hatte sein Büro auf dem Hauptplatz Nr. 2. Auch der Häuserbau der armen Leute auf dem Lettenfeld soll von ihm finanziert worden sein.[43] Über Anfrage eines Wiener Rechtsanwaltes am 2. Jänner 1947 zwecks Todeserklärung von Dr. Heinrich Klein, daß dieser in Eggenburg seinen ständigen Wohnsitz gehabt habe und von hier nach Auschwitz deportiert worden sei, wurde ihm vom Bürgermeister mitgeteilt, daß *Dr. Heinrich Klein unmittelbar nach Einmarsch der Hitlertruppen verhaftet und lt. aufliegender Rechnung der Autofirma Goldberger am 2. Mai 1938 der Haftanstalt in Krems eingeliefert worden ist. Seither fehlt hierorts von Dr. Klein jede Spur.*[44] Am 19. April 1947 wurden Ludwig Klein Möbelstücke seines verschollenen Bruders Dr. Heinrich Klein, welche im Wachzimmer deponiert worden waren, ausgefolgt.[45]

---

[39] Gräberverzeichnis (wie Anm. 17) 2. Reihe links, Nr. 20, und 3. Reihe rechts, Nr. 10.

[40] Standesamt Eggenburg, Meldekartei Buchstabe K, Nr. 414.

[41] Gruber (wie Anm. 27) S. 24.

[42] Standesamt Eggenburg, Meldezettel vom 5. 6. 1935 und 20. 6. 1937 und Meldezettel Nr. 728 (Meldekartei) vom 30. 3. 1934.

[43] Gruber (wie Anm. 27) S. 24.

[44] Stadtarchiv Eggenburg, Tgb. Nr. 71/47.

[45] Stadtarchiv Eggenburg, Stadtpolizeiamt, Empfangsbestätigung vom 19. 4. 1947.

Abb. 85: Der stellvertretende Vorstand der Bahnerhaltungssektion Eggenburg, Bau-Kommissär
Ing. Moritz Kobler, der 1913 nach Wien übersiedelte.
(Foto: Archiv d. Krahuletz-Museum)

Kobler

Kobler *Moritz*, geb. 30. 4. 1868, in
Oswiezin (Auschwitz), Galizien, mos.,
Beruf: Ingenieur, Hofrat, verheiratet seit
8. 9. 1903 in Wien mit *Dorina, geb. Nat-
hanson,* geb. am 12. 4. 1880 in Botosani,
Rumänien, mosaisch. Ing. Kobler war in
Eggenburg Baukommissär und Vorstand-
stellvertreter der Bahnerhaltungssektion
und lebte mit seiner Familie bis 1913 hier
(Abb. 85). Heimatrecht erworben durch
Verleihung (Gemeinderatsbeschluß vom
4. 4. 1913). Ab 1. 11. 1913 lebte Ing. Kobler in Wien VI. Gumpendorferstraße
125 und war später Hofrat.
    Sohn: (1A) Kobler *Alfons,* geb. am
22. 4. 1906 in Eggenburg, mos., Beruf
Ingenieur, verheiratet seit 6. 3. 1932 in
Wien mit *Josefine, geb. Tolnauer,* geb.
am 1. 10. 1910 in Sarajevo, S. H. S., mosaisch, Heimatrecht erworben durch Abstammung 1913, wohnhaft seit 1. 11. 1913
in Wien III.[46] Er emigrierte 1941 nach
Palästina, nachdem er laut Auskunft des
israelischen Außenministeriums durch
das Naturalisationsdekret vom 20. März
1941, Nr. 53216 die palästinensische
Mandatsbürgerschaft erworben hat.[47]

Löwy

Löwy *Hugo,* geb. 7. 2. 1884 in Steinbach, Bez. Gmünd, NÖ., mosaisch. Er war von
Beruf Viehhändler und heiratete am 10. 1. 1909 in Gmünd *Elisabeth, geb. Zeilinger,* (geb.
am 27. 2. 1889 in Groß Schönau, mosaisch). Seit 1. 11. 1913 lebten sie in Eggenburg, Hornerstraße (9) 185 (Abb. 86). Heimatrecht erworben am 3. 12. 1913 durch Verleihung (Gemeinderatsbeschluß vom 4. 12. 1923). Wie die Familie Hirsch wurden sie am 16. 9. 1938
nach Wien II, Obere Donaustraße 85 abgemeldet. Elisabeth wurde am 14. 2. 1950 für tot
erklärt.
    Kinder: *Rudolf,* geb. am 11. 4. 1910 in Groß Schönau, mos., ledig, 1938 nach Spanien
emigriert, am 10. 3. 1986 wurde für ihn zuletzt ein Heimatschein ausgestellt.
    Johann, geb. am 15. 4. 1912 in Groß Schönau, mos., ledig, Fleischhauer, 1938 nach
Palästina emigriert.
    Albertine, geb. am 30. 6. 1922 in Eggenburg, mos., ledig. Sie war von Beruf Anstalts-
pflegerin und ebenso ab 16. 9. 1938 in Wien II., Obere Donaustraße 85, gemeldet. Ihre

---

46) Standesamt Eggenburg, Meldekartei, Buchstabe K, Nr. 427 und 428.

47) Bezirkshauptmannschaft Horn, Zl. II-844/2 vom 2. 12. 1952.

Todeserklärung ist mit dem Datum vom 8. 5. 1945 versehen.[48] Ihr Verhältnis mit dem Eggenburger Fleischhauermeister Paul U. führte 1938 zum *1. Rassenschandeprozeß in Niederdonau*, wobei Paul U. unter Anklage *wegen Rassenschande im Sinne des Gesetzes zum Schutz des deutschen Blutes und der deutschen Ehre zu verantworten* gestellt wurde.[49] Die Eltern wurden mit ihrer Tochter nach Polen deportiert.[50]

Schick

Schick *Sigmund*, geb. am 8. 1. 1866 in Schaffa/Mähren als Sohn des *Jakob Schick* und der *Sali, geb. Kurz,* wohnhaft in Schaffa. Er war von Beruf Kaufmann (Lederhändler), ‚mosaisch‘ und heiratete am 21. 8. 1894 *Emilie, geb. Goldstein*

Abb. 86: Das Haus des Viehhändlers Hugo Löwy in Eggenburg, Horner Straße 9 (Mitte), befand sich schräg gegenüber dem des Pferdehändlers Adolf Kellner (Horner Straße 18). Auch dieses Bild wurde um den 10. April 1938 aufgenommen.

(Foto: Archiv d. Krahuletz-Museums)

(geboren am 6. 8. 1874 in Grainbrunn / Zwettl). 1894 zog er nach Eggenburg und erwarb hier das Haus Hauptplatz (24) 61 (Abb. 87). Das Heimatrecht wurde ihm durch Gemeinderatsbeschluß vom 26. 8. 1912 verliehen.

Söhne: *Robert,* geb. 16. 3. 1895 in Waidhofen an der Thaya, mosaisch. Er war von Beruf Bundesbahnrevident und wohnte seit 7. 3. 1922 in Wien XV. Das Heimatrecht erwarb er 1912 durch Abstammung in Eggenburg. Am 2. 2. 1933 wurde er laut M. B. A. — XV/Sch 51/1933, Eig. Pr. Zl. 141/1933 in den Heimatverband der Gemeinde Wien aufgenommen und heiratete am 3. 9. 1922 in Wien *Theresia, geb. Mayer* (geb. am 12. 8. 1897 in Wien, mos.)

Leopold, geb. 7. 3. 1896 in Eggenburg, mos.

Johann, geb. 25. 2. 1898 in Eggenburg, (mos.) konfessionslos, Beruf: Sozialversicherungsbeamter, wohnhaft seit 1918 in Wien V. Das Heimatrecht hat er in Eggenburg im Jahre 1912 erworben, es ist am 20. 2. 1929 erloschen, da ab diesem Zeitpunkt MBA. V/8961 Wien

---

[48] Standesamt Eggenburg, Meldekartei, Buchstabe L, Nr. 509.

[49] Friedrich B. Polleroß, 100 Jahre Antisemitismus im Waldviertel. Schriftenreihe des Waldviertler Heimatbundes 25 (Krems 1983), S. 83 f.

[50] Gruber (wie Anm. 27) S. 24.

Abb. 87: Das Gebäude Hauptplatz Nr. 24 (Mitte), neben der Preßvereinsdruckerei gelegen, war Wohn- und Geschäftshaus der Familie Schick, welche hier einen gutgehenden Häutehandel betrieb.

(Foto: Slg. Gaspar, Grafenberg)

Abb. 88: Auf diesem Foto, einer Klasse der Bürgerschule Eggenburg, aufgenommen im Jahre 1911 von Georg Hiesberger, sehen wir links Karl Schick, zur Rechten Otto Schicht.

(Foto: Slg. Gaspar, Grafenberg)

zuständig. Er heiratete am 13. 2. 1923 in Wien, Mag. Abt. 50, *Leopoldine, geb. Ruzicka* (geboren am 7. 2. 1900 in Wien XIII., Pfarre Penzing, konfessionslos). Laut Eggenburger Meldeprotokoll L, laufende Zahl 286 war er in der Zeit von 13. bis 22. 8. 1937 in Eggenburg und noch als verheiratet vermerkt, im selben Meldeprotokoll L, laufende Zahl 821 ist er am 6. 6. 1938 mit seinem Sohn *Kurt* bei *Sigmund Schick* gemeldet, als Religion ist evangelisch, und als Stand verwitwet vermerkt. Nach Wien meldete er sich mit seinem Sohn *Kurt* (geb. 25. 5. 1924 in Wien, mosaisch) am 20. 9. 1938 ab.

Karl, geb. 8. 7. 1899 in Eggenburg, mosaisch, war von Beruf Kaufmann und wohnte seit seiner Geburt in Eggenburg, Hauptplatz 24, später Kapistranring (1) 413 und Villenstraße bzw. Museumsplatz 356. Das Heimatrecht hat er 1912 durch Abstammung erworben. Er heiratete am 8. 8. 1926 in St. Pölten *Grete, geb. Metzl* (geboren am 30. 6. 1908 in St. Leonhard am Forst, mosaisch) (Abb. 88 und 89).

Der Sohn von Karl und Grete Schick, *Herbert,* geb. 14. X. 1928 in Wien, mosaisch, übersiedelte im August 1938 nach Wien. Zuletzt wurde für ihn am 23. 8. 1949 ein Heimatschein ausgestellt. Sein damaliger Beruf war Filmtechniker, seine damalige Adresse Paris.[51]

---

[51] Meldekartei Standesamt Eggenburg, Buchstabe Sch, Nr. 735, 736, 737, 738.

Abb. 89: Im „Club der Bürgersöhne" trafen sich die Söhne der Eggenburger Wirtschaftstreibenden. Auf diesem Bild aus den Zwanzigerjahren erkennen wir in der 2. Reihe als zweiten von rechts Karl Schick, rechts neben ihm steht Otto Schicht. In derselben Reihe steht als vierter von links Franz Hofmann, der Bruder des späteren Kreisleiters Karl Hofmann.

(Foto: Slg. Gaspar, Grafenberg)

Am 30. 8. 1938 sind in Wien 130 jüdische Mitbürger, darunter die Familie Schick aus Eggenburg, zur englischen Kirche übergetreten *(Robert, Leopold, Johann, Sigmund, Emilie Schick)*, am 31. 8. 1938 traten *Kurt, Leopoldine, Herbert, Karl und Grete Schick* über.[52]

Als Beispiel, wie die Übernahme jüdischer Geschäfte im Jahre 1938 durch die Nationalsozialisten vor sich ging, ist einer Niederschrift zu entnehmen, welche 1945 mit einem ehemaligen Angestellten der Fa. Schick aufgenommen wurde. *Leopold M.* gab folgendes zu Protokoll: *Ich bin bereits im Jahre 1924 bei der Fa. Schick, Häute- und Fellhandel in Eggenburg, Hauptplatz 24 eingetreten und habe dort bis zum Umbruch 1938, als Chauffeur gearbeitet. Die Fa. Schick war jüdisch und hatte daher beim Umbruch durch die Nationalsozialisten viel zu leiden. Ich kannte durch meine 14 Jahre die Fa. als reell, wurde gut bezahlt und war auch der Dienstgeber immer zufrieden. Aus diesem Grunde wollten Sigmund und Karl Schick, als sie sahen, daß ihnen das Geschäft genommen wird, mich als Inhaber haben. Dies ging aber trotz Bemühungen nicht, weil es hieß, daß dies nur ein Illegaler bekommen könne und außerdem von den Eggenburger Parteibonzen der Karl E. dafür schon bestimmt war. Karl E. war bis dahin Handelsangestellter bei der Fa. August Gamerith in Eggenburg und kam dann tatsächlich im April 1938 als kommissarischer Leiter zu uns. Als solcher hat er vom April bis September 1938 ungefähr 1900,— RM an Gebühren, die die Fa. Schick bezahlen mußte, erhalten. Diesen Betrag habe ich genau in Erinnerung*

---

[52] Tel. Auskunft am 5. 7. 1994 von Ing. Gruber, Wien.

und muß darüber sogar noch eine Bescheinigung in meinem Besitz haben. E. hat nebenbei noch sein Gehalt bei der Fa. August Gamerith bezogen und kam täglich nur auf Kontrolle zu uns. In der letzten Zeit jedoch ist er auch in den Rayon mitgefahren und hat selbst Einkäufe getätigt. Jedenfalls hatten die Firmeninhaber Schick nichts mehr im Geschäft zu reden und mußte alles von E. eingesehen und bewilligt werden. Im September 1938 übernahm dann E. ganz das Geschäft. Er kam eines Tages mit dem Gewerbeschein in das Geschäft, übernahm dasselbe und forderte gemeinsam mit dem damaligen Kreisleiter Hofmann den Schick auf, Eggenburg am nächsten Tag zu verlassen. Die ganze Einrichtung und die beiden Autos verblieben im Besitz des E. Wie und unter welchen Bedingungen diese Sachen E. übertragen wurden, weiß ich nicht. Ich möchte hier nur noch bemerken, daß E. den Gewerbeschein erhalten hat, ohne die geringsten Fachkenntnisse zu besitzen [...].[53]

Bezeichnend dafür, wie wenig sich die Gesinnung mancher Bürger geändert hatte, beweist ein Ausspruch, der bis in die späten Fünfzigerjahre in einem Eggenburger Kaffeehaus, aber auch an den Wirtshaustischen der Umgebung beim Kartenspiel durchaus geläufig war: „Pik ist Atout, und der Schick ist a Jud'!".[54]

Im Februar 1946 kam eine Anfrage an das Stadtpolizeiamt Eggenburg, *ob etwas über die Mutter der Brüder Hans und Karl Schick bekannt sei, die 1942 nach Theresienstadt deportiert wurde, und was man über den Bruder der beiden Obigen, Robert Schick, der mit seiner Frau Risa, geb. Mayer, im Dezember 1941 weggeschafft wurde, wisse?* Auf dieses Schreiben mußte geantwortet werden, daß über die Genannten nichts in Erfahrung gebracht werden konnte und *die Familie Schick im Herbst 1938 zunächst nach Wien gekommen und ihr ferneres Schicksal hierorts gänzlich unbekannt geblieben sei.*[55] Erst 1948 konnte aufgrund einer Anfrage mitgeteilt werden, daß Karl Schick in Montmorillon in Frankreich lebe und sein Bruder Johann sich wahrscheinlich in Marseille aufhielte.[56] Über Karl Schick weiß man noch, daß er um 1970 Eggenburg besuchte und hier unter anderen auch seinen ehemaligen Mitschüler Fritz Gamerith getroffen hat.

Stein

S t e i n *Heinrich*, geboren am 5. 9. 1891 in Rodingersdorf als Sohn des *Samuel* Stein, geboren in Miskowitz, und dessen Frau *Sophie, geb. Mandl*, (geb. am 24. 9. 1854 in Altstadt), beide wohnhaft zuletzt in Rodingersdorf, mosaisch. Er war von Beruf Holzhändler und hat das Heimatrecht am 22. 10. 1934 durch Verleihung (Gemeinderatsbeschluß vom 6. 11. 1934, Pr. Zl. 1301/34) erworben. Am 27. 8. 1922 heiratete er in Wien *Elsa, geb. Stern*, geboren am 17. 4. 1897 in Neu Wessely/Mähren, mosaisch, und wohnte seit 1918 in Eggenburg, Bahnhofstraße 412. Laut Elsa Fischer verstarb Heinrich Stein in den USA (Abb. 90).

Kinder: (1A) *Friedrich*, geb. 10. 2. 1926, lt. Schulmatrik 4. Band 1924-38, Nr. 570, im September 1938 nach Wien übersiedelt. Er lebt heute in Cleveland, Ohio.

(2A) *Helene*, geb. am 26. 9. 1927 in Eggenburg, lt. Schulmatrik, 4. Band, 1924-38 Nr. 731 im Schuljahr 1937/38 nach Wien übersiedelt.[57] Die Familie konnte sich 1938 nach

---

[53] Stadtarchiv Eggenburg, Stadtpolizeiamt Eggenburg, Tgb. Nr. 1645/45.

[54] Zwei voneinander unabhängige Aussagen eines 63jährigen Eggenburgers und einer 87jährigen Grafenbergerin an den Verfasser.

[55] Stadtarchiv Eggenburg, Stadtpolizeiamt Eggenburg, Tgb. Nr. 572/46.

[56] Stadtarchiv Eggenburg, Stadtpolizeiamt Eggenburg, Tgb. Nr. 1141/48.

[57] Meldekartei, Standesamt Eggenburg, Buchstabe St, Nr. 1093.

Amerika absetzen. In Cleveland betrieben sie ein Wäschegeschäft. Der Sohn leistete in Europa Militärdienst.[58]

In der „Reichskristallnacht" wurden unter anderen die Fenster der Villa Stein eingeschlagen. Der diesbezügliche Bericht vom 11. November 1938 an die Bezirkshauptmannschaft Horn hatte folgenden Wortlaut: *Vermutlich in der Nacht zum 11. November 1938 wurden in der in Eggenburg, Bahnhofstraße 412 befindlichen unbewohnten Villa des derzeit in Wien weilenden Juden, Holzhändler Heinrich Stein, die Glasscheiben von 7 bis 8 Fenster, durch unbekannte Personen eingeschlagen... Sofort nach dem Bekanntwerden dieser Angelegenheit wurde mit der Ortsgruppenleitung der NSDAP in Eggenburg die Verbindung hergestellt. Im Einvernehmen mit dem Ortsgruppenleiter Direktor Karl Kornus wurde die Neuverglasung auf Kosten des Juden Stein veranlasst, da im genannten Objekt demnächst ein Hauptmann der in Eggenburg dislozierten A.A.5 Wohnung nehmen wird. Für die Sicherung der im Objekte befindlichen Möbel hat die Ortsgruppenleitung Vorsorge getroffen. Ergeht in Gleichschrift an die Bezirkshauptmannschaft und das Bezirksgendarmeriekommando in Horn.* Unterschrift unleserlich (vermutlich Bartl oder Barth)

Abb. 90: Einer, der auf fast allen Ausflugsfotos der Eggenburger Geschäftswelt in den Zwanziger- und Dreißigerjahren gut gelaunt zu sehen ist, wie hier bei einem Ausflug ins Waldviertel im Jahre 1928, war der Holz- und Kohlenhändler Heinrich Stein. Sein Wohnhaus steht heute noch an der Ecke Wiener Straße-Bahnhofstraße.
(Foto: Slg. Gaspar, Grafenberg)

Eingangsstempel der Bezirkshauptmannschaft Horn mit 12. November 1938"[59] (Abb. 91).

Mag. Pater Fischer berichtete, daß der derzeitige Prorektor der Grazer Universität, Pater Dr. Franz Zeilinger, ihm im September 1994 bei einer kleinen Feier im Kloster einige familiäre Begebenheiten erzählte, darunter auch folgende über Heinrich Stein: *P. Zeilingers Eltern wohnten nach der Hochzeit in Eggenburg einige Jahre in Miete. Das Ziel seines Vaters war aber, doch eine eigene Wohnung zu erwerben. Sein Schwiegervater hatte ihnen einiges ersparte Geld hinterlassen, er selbst als kleiner Eisenbahner und seine Frau würden auf dieses Ziel eisern hinsparen. Da wurde ein kleines Haus in der Berggasse angeboten, doch die Sparkasse gewährte ihm keinen Kredit auf die Restsumme: er hatte ja praktisch keine Sicherheiten zu bieten. Eines Tages traf er Herrn Stein, den Holzhändler aus der Bahn-*

---

[58] Gruber (wie Anm. 27) S. 24 f.

[59] Meldung der Ortsgruppenleitung der NSDAP in Eggenburg vom 11. November 1938 an die Bezirkshauptmannschaft Horn, NÖLA, BH Horn XI-1861/12. Nov. 1938.

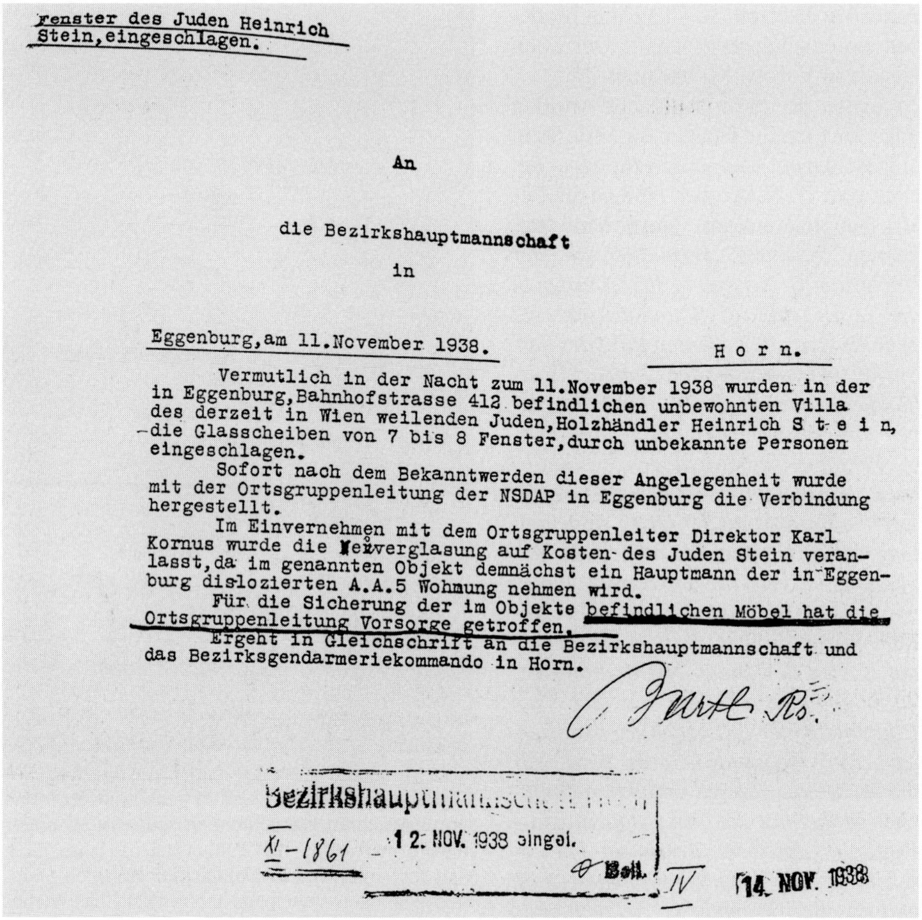

Fenster des Juden Heinrich Stein, eingeschlagen.

An

die Bezirkshauptmannschaft

in

Eggenburg, am 11. November 1938.

Horn.

Vermutlich in der Nacht zum 11. November 1938 wurden in der in Eggenburg, Bahnhofstrasse 412 befindlichen unbewohnten Villa des derzeit in Wien weilenden Juden, Holzhändler Heinrich S t e i n, die Glasscheiben von 7 bis 8 Fenster, durch unbekannte Personen eingeschlagen.

Sofort nach dem Bekanntwerden dieser Angelegenheit wurde mit der Ortsgruppenleitung der NSDAP in Eggenburg die Verbindung hergestellt.

Im Einvernehmen mit dem Ortsgruppenleiter Direktor Karl Kornus wurde die Neuverglasung auf Kosten des Juden Stein veranlasst, da im genannten Objekt demnächst ein Hauptmann der in Eggenburg dislozierten A.A.5 Wohnung nehmen wird.

Für die Sicherung der im Objekte befindlichen Möbel hat die Ortsgruppenleitung Vorsorge getroffen.

Ergeht in Gleichschrift an die Bezirkshauptmannschaft und das Bezirksgendarmeriekommando in Horn.

Bezirkshauptmannschaft

XI-1861 12. NOV. 1938 eingel.

Beil. IV 14. NOV. 1938

Abb. 91: Information an die Bezirkshauptmannschaft in Horn über die Beschädigung der Villa Stein in der „Reichskristallnacht", 1938.
(Wien, NÖ Landesarchiv)

hofstraße, der ihn fragte: „Herr Zeilinger, ich habe gehört, Sie brauchen Geld? Wieviel?" — „17000 S!" Heinrich Stein händigte ihm die Summe mit sehr niedriger Zinsauflage aus und das Haus wurde 1932 gekauft. In vier Jahren konnten die Eltern Zeilinger die Schulden an Herrn Stein zurückzahlen, so fleißig hatten sie gespart. Herr Zeilinger war später sehr stolz darauf, daß er vor Beginn der Vertreibung der Juden, von der viele andere Schuldner profitierten, alles beglichen hatte.[60]

Nach der Darstellung von Jonny Moser gelang von den etwa 200000 Juden, die 1938 in Österreich lebten, in den ersten Jahren noch 125108 die Emigration; von diesen wurden aber rund 15000 in den im Laufe des Krieges von Deutschland eroberten Gebieten abermals zum Opfer der Judenverfolgung. 48504 Personen wurden von Österreich aus in Vernichtungslager deportiert, 4097 Juden kamen in den Konzentrationslagern von Dachau,

60) Schreiben vom 1. 10. 1994 an den Verfasser.

Abb. 92: Gauleiter Dr. Hugo Jury (Bildmitte) vor dem Hause Rathausstraße 3, wo sich die Ortsgruppenleitung der NSDAP in Eggenburg befand. Rechts von ihm (mit Armbinde) steht Kreisleiter Karl Hofmann, links außen (in Zivil) Anton Schrottmeyer, im Hintergrund (mit Hut) ist Hans Smersch zu erkennen.

(Foto: Slg. Gaspar, Grafenberg)

Buchenwald, Auschwitz, Ravensbrück, Bergen-Belsen und in anderen um, 2142 Juden überlebten; 13363 starben durch Zwangsarbeit, Hunger und Krankheit, 363 wurden Opfer der Euthanasie. Insgesamt kamen durch die nationalsozialistische Judenverfolgung 65459 österreichische Juden ums Leben. 5816 Personen jüdischer Abstammung, die meisten von ihnen waren mit „Ariern" verheiratet, konnten die Jahre in Österreich überleben.[61] Durch die Deportierungen und Todesfälle ist die Zahl der Juden Österreichs im Sinne der Nürnberger Gesetze bis zur Befreiung im Frühjahr 1945 auf 5816 Personen abgesunken.[62]

Von allen genannten jüdischen Mitbürgern in der Stadt Eggenburg ist fast die Hälfte derer, die 1938 hier lebten, verschollen oder in Konzentrationslagern umgekommen. Ihr angebliches Verbrechen hatte darin bestanden, nach den Nürnberger Gesetzen Juden zu sein.

---

[61] Hanna Domandl, Kulturgeschichte Österreichs. Von den Anfängen bis 1938 (Wien 1993), S. 632 f.

[62] Jonny Moser, Die Katastrophe der Juden in Österreich 1938-1945 — ihre Voraussetzungen und ihre Überwindung. In: STUDIA JUDAICA AUSTRIACA, Bd. V. Der Gelbe Stern in Österreich. S. 131.

Abstammungs-Erklärung

Mir sind nach sorgfältiger Prüfung keine Umstände bekannt, die die Annahme rechtfertigen könnten, daß ich Jude bin. Über den Begriff des Juden bin ich unterrichtet worden.

(§ 5 der ersten Verordnung zum Reichsbürgergesetz vom 14. 11. 35, RGBl. I, S. 1333)

Mir ist bekannt, daß ich die sofortige Entlassung aus dem Reichsarbeitsdienst und dem aktiven Wehrdienst zu gewärtigen habe, falls diese Erklärung sich als unrichtig erweisen sollte.

...., den .... 19 ...
(Ort)

....
(Eigenhändige Unterschrift des Dienstpflichtigen)

161 L. — Wiener Formularverlag Erwin Metten Nachf. Hans Miear K. G., Wien IX./66.

Abb. 93: „Abstammungserklärung" zum Nachweis der „arischen" Herkunft, 1938; Eggenburg, Stadtarchiv.

Erich Rabl

DIE JUDEN IN HORN

Eine mittelalterliche Siedlung namens Horn wird Mitte des 11. Jahrhunderts als Kirchensiedlung „Hornarun" erstmals erwähnt; später entwickelte sich eine planmäßig angelegte Stadt um einen Dreiecksplatz, die erst 1282 eindeutig als solche bezeichnet wird. Seit dem Spätmittelalter spielte die Stadt als Handelsplatz mit einer Maut- und Zollstätte sowie als Sitz eines Hochgerichts eine bedeutende Rolle.[1]

Eine Judenansiedlung ist in Horn im 14. Jahrhundert nachgewiesen.[2] Wie die Geistlichkeit, der Adel und die auswärtigen Kaufleute lebten auch die Juden als eigene Gruppe von Bürgern unter besonderen rechtlichen Bestimmungen.[3] Im allgemeinen wohnten die Juden in einem relativ eng begrenzten Bezirk, dem Judenviertel. Zu den großen Judensiedlungen, die in Wien, Wiener Neustadt, Krems und Korneuburg bestanden, kamen im 14. Jahrhundert weitere in den Kleinstädten nördlich der Donau dazu. Es sind dies die Niederlassungen in Horn, Zwettl, Eggenburg und Retz, die 1338 in den „Annales Zwetlenses" genannt werden.[4] Die Juden waren in Niederösterreich ursprünglich im Fernhandel tätig, bald wurden sie aber auf den Geldverleih beschränkt und dafür mit Privilegien ausgestattet.[5]

Im Jahre 1338 fielen das christliche Osterfest und das jüdische Pesachfest auf den gleichen Tag. Das allein genügte, die Juden zu verdächtigen, mit einer christlichen Hostie Unfug getrieben zu haben. Die „Ungläubigen" sollen dem Mesner eine Hostie abgelistet und diese mit Messern durchstochen und in einen Brunnen geworfen haben, worauf der Legende nach die Hostie zu bluten begann und sich das Wasser rot färbte. Schließlich gab man die Hostie den Schweinen zum Fressen, und als die Tiere laut quiekten, entdeckten die Christen den Frevel. Als Folge dieser angeblichen Hostienschändung in Pulkau wurden eine Reihe von jüdischen Gemeinden in Niederösterreich und Südmähren zerstört und die Juden getötet. In diesem Zusammenhang wurden auch die Horner Juden verbrannt.[6]

---

[1] Ingo P r i h o d a , Anfänge und Entwicklung von Stadt und Herrschaft Horn. In: höbarthmuseum der stadt horn (Horn [1973]) S. 57-76. Gustav R e i n g r a b n e r , Die Stadt Horn und ihre Herren. In: Erich Rabl (Red.), Eine Stadt und ihre Herren. Puchheim-Kurz-Hoyos. Ausstellung der Stadt Horn im Höbarthmuseum (Horn 1991) S. 13-48.

[2] Gustav R e i n g r a b n e r , Horn. In: Die Städte Niederösterreichs. 2. Teil: H-P (= Österreichisches Städtebuch. Hg. von Alfred Hoffmann, 4. Band: NÖ. 2. Teil, Wien 1976) S. 99-112, hier S. 110.

[3] Klaus L o h r m a n n /Wilhelm W a d l /Markus W e n n i n g e r , Überblick über die jüdischen Siedlungen in Österreich. In: Klaus Lohrmann (Hg.), 1000 Jahre österreichisches Judentum (= Studia Judaica Austriaca IX, Eisenstadt 1982) S. 69-92.

[4] Klaus L o h r m a n n , Bildliche Darstellung der Pulkauer Hostienschändung. In: Klaus Lohrmann (Hg.), 1000 Jahre österreichisches Judentum (= Studia Judaica Austriaca IX, Eisenstadt 1982) S. 306-307. Manfred A n s e l g r u b e r /Herbert P u s c h n i k , Dies trug sich zu anno 1338. Pulkau zur Zeit der Glaubenswirren (Pulkau 1992).

[5] Klaus L o h r m a n n , Die Juden im mittelalterlichen Niederösterreich. In: NÖ Landesausstellung. Die Kuenringer. Das Werden des Landes Niederösterreich (= Katalog des NÖ Landesmuseums NF 110, Wien 1981) S. 119-123.

[6] L o h r m a n n , Die Juden (wie Anm. 4) S. 122. Max V a n c s a , Geschichte Nieder- und Oberösterreichs. 2. Band (Stuttgart-Gotha 1927) S. 105. Hugo G o l d , Geschichte der Juden in Österreich. Ein Gedenkbuch (Tel Aviv 1971) S. 107.

Die spätmittelalterlichen Quellen sind spärlich, seit 1558 geben in Horn die Ratsproto-kolle Auskunft über die Vorgänge in der Stadt. Demnach lebten in Horn wieder Juden bzw. hielten sich jüdische Händler in der Stadt auf. Aus dem Jahre 1597 erfahren wir, daß der Rat der Stadt Horn ein kaiserliches Generalmandat zugunsten der Riemenschneider gegen die Juden, die mit Störern und Wiedertäufern in einem Atemzug genannt werden, zur Kenntnis genommen hat.[7] 1602 und 1605 gab es Klagen zwischen jüdischen Geschäftsleuten, die sich an den Rat wandten.[8] Am 9. September 1621 lehnte der Rat der Stadt die Aufnahme des Juden Levi Veldmairus mit der Begründung ab, *weil die Juden in dergleichen khleinen Städtlein wenig fromben mit sich bringen, der Handwercksleuth gewerb schmelern und die armen leuth biß auff den eussersisten grad aussaugen auch in andern vmbliegunden Stetten, als Crembs, Egenburg vnnd Röcz, welche grösser sein, sich der Zeit noch dergleichen Leuth nit befinden.*[9]

Trotz dieser judenfeindlichen Haltung des Horner Rates versuchten Juden, sich in Horn niederzulassen. Dem Juden Moises, der sich schon lange Zeit in Horn aufgehalten hatte, wurde am 13. Februar 1623 auferlegt, seinen Fuß weiter zu setzen und Horn zu verlassen. Wenn er in Horn bleiben sollte, wurde ihm angedroht, daß er pro Tag einen Gulden bezah-len müsse.[10]

Am 12. Februar 1627 fragte der Bürgermeister den Schloßhauptmann, was wegen des Juden zu tun sei, der mit allerlei Sachen, wie Wein, Leinwand und anderem handle.[11] Mit der generellen Ausweisung der Juden aus ganz Österreich im Jahre 1670 verschwanden auch aus Horn die Juden; erst das Toleranzpatent Kaiser Josephs II. von 1782 erlaubte den Juden wiederum die Niederlassung.[12]

Schon bevor sich Josef Schlesinger aus Piesling Mitte des 19. Jahrhunderts in Altenburg als erster Jude im Horner Bezirk niederließ und eine Gemischtwarenhandlung eröffnete[13], kamen mährische Juden aus Piesling, Schaffa, Jamnitz und anderen Orten ins Waldviertel und boten als Wanderhändler ihre Waren an.[14] Im Jahre 1857 ließ sich die erste jüdische Familie, sieben Personen umfassend, in der Stadt Horn nieder; 1863 wohnten schon neun Familien in der Stadt.[15] Bei der Volkszählung des Jahres 1880 bekannten sich in Horn 89 Personen zur israelitischen Konfession, das waren 4 % der Gesamtbevölkerung; ihr

---

[7] Stadtarchiv Horn (= StA Horn), Hs 1/3, Ratsprotokolle (1596-1609) fol. 66b.

[8] StA Horn, Hs 1/3, Ratsprotokolle (1596-1609) 1602 X 15, 1605 II 15.

[9] StA Horn, Hs 1/4, Ratsprotokolle (1614-1628) 1621 IX 9. Friedrich E n d l, Die Stadt Horn um 1600. Ein culturgeschichtliches Bild (Altenburg 1902) S. 146. Leopold M o s e s, Die Juden in Nie-derösterreich. Mit besonderer Berücksichtigung des XVII. Jahrhunderts (Wien 1935) S. 132-133.

[10] StA Horn, Hs 1/4, Ratsprotokolle (1614-1628) 1623 II 13. E n d l, Die Stadt Horn (wie Anm. 9) S. 146. M o s e s, Die Juden (wie Anm. 9) S. 133.

[11] StA Horn, Hs 1/4 Ratsprotokolle (1614-1628) 1627 II 12. E n d l, Die Stadt Horn (wie Anm. 9) S. 146. M o s e s, Die Juden (wie Anm. 9) S. 133.

[12] Nikolaus V i e l m e t t i, Vom Beginn der Neuzeit bis zur Toleranz. In: Anna Drabek/Wolfgang Häusler/Kurt Schubert/Karl Stuhlpfarrer/Nikolaus Vielmetti, Das österreichische Judentum. Vor-aussetzungen und Geschichte (Wien-München 3. Aufl. 1988) S. 59-82.

[13] Wilhelm S c h e i d l, Das Jahr 1938 in Altenburg. In: Das Waldviertel 37 (1988) S. 26-38.

[14] Gerson W o l f, Die israelitische Cultusgemeinde in Horn in Niederösterreich. In: Die Neuzeit. Monatsschrift für politische, religiöse und Cultur-Interessen 28/3 (20. Jänner 1888) S. 26-27, hier S. 27.

[15] W o l f, Die israelitische Cultusgemeinde (wie Anm. 14) S. 27.

Anteil sank auf 52 Personen im Jahre 1910 (= 1,7 %).[16] In Niederösterreich (inklusive Wien) lebten 1880 rund 95 000 Juden (= 4,08 % der Gesamtbevölkerung), 1910 waren es 185 000 (= 5,23 % der Gesamtbevölkerung).[17]

Nach dem Historiker Gerson Wolf, der 1888 eine erste Geschichte der Israelitischen Kultusgemeinde Horn aufgrund zeitgenössischer Unterlagen zusammenstellte, vereinigten sich 1863 die neun Horner Familien jüdischen Glaubens zu einer Religionsgemeinschaft[18] und bestellten mit Gabriel Sabl aus Bisenz in Mähren einen Religionslehrer, der zugleich die Funktion eines Vorbeters und Schächters versah.[19] Beim Rückzug der preußischen Armee 1866 starben rund 200 Soldaten in Horn an der Cholera, aber auch über 100 Horner wurden ein Opfer dieser Epidemie.[20] Laut Wolf starb auch Gabriel Sabl an der Cholera. Da die Stadt Horn zu diesem Zeitpunkt noch keinen jüdischen Friedhof hatte, wurde der Leichnam Sabls nach Schaffa[21] (heute Šafov, wenige Kilometer nördlich von Langau, Abb. 13) in die nächste jüdische Gemeinde gebracht. Dort wollte man den Toten, weil er an einer Seuche gestorben war, nicht beerdigen lassen. Daraufhin wurde der Leichnam Sabls wieder nach Horn zurückgebracht und im Himmelreich neben dem Preußenfriedhof bestattet.[22] Sein Grabstein, ca. 12 m vom preußischen Gedenkstein entfernt, ist heute noch an dieser Stelle und trägt die Inschrift: „Hier ist der Rabbiner Gabriel begraben, der am 22. Elul 5622 gestorben ist. Seine Seele soll in Frieden ruhen."[23] Nach einer Auskunft des Instituts für Judaistik bezieht sich die Jahreszahl aber nicht auf 1866, sondern auf 1862.[24]

Die Statuten einer „Ständigen israelitischen Betgenossenschaft in Horn" wurden von der Niederösterreichischen Statthalterei am 12. Februar 1870 bewilligt. Zum ersten Vorstand wurde Elias Kummermann, Handelsmann in Stockern, bestellt, als Beiräte fungierten der Weinhändler Abraham Schlesinger und der Lederhändler Samuel Pollatschek aus Horn.[25]

Im Jahre 1873 beschloß die Betgenossenschaft, sich zu einer Kultusgemeinde zu konstituieren; der erste Statutenentwurf vom 13. März 1873 sah vor, daß die *in Horn oder in der Umgebung von Horn wohnenden Israeliten* durch Beitritt Mitglieder der *israelitischen Cul-*

[16] Erich Rabl, Die Bevölkerungsentwicklung der Stadt und des Bezirkes Horn 1869-1981. In: Horner Kalender 112 (1983) S. 27-33, hier S. 28. Vgl. Alfons Žák, Geistige Kultur im Bezirke Horn (Eggenburg 1908) S. 79-71.

[17] Wolfdieter Bihl, Die Juden in der Habsburgermonarchie 1848-1918. In: Studia Judaica Austriaca. VIII. Band (Eisenstadt 1980) S. 5-73, hier S. 7.

[18] Wolf, Die israelitische Cultusgemeinde (wie Anm. 14) S. 27.

[19] Gerson Wolf, Die israelitische Cultusgemeinde in Horn in Niederösterreich. In: Die Neuzeit 28/5 (2. Februar 1888) S. 45-47, hier S. 45.

[20] Erich Rabl, Die Preußen 1866 in Horn. In: Horner Kalender 116 (1987) S. 17-31, hier S. 25-26.

[21] Vgl. Elisabeth Koller-Glück, Die Judenfreiheit von Schaffa. In: NÖ Kulturberichte. Monatsschrift für Kultur und Wissenschaft (November 1990) S. 1-4.

[22] Wolf, Die israelitische Cultusgemeinde (wie Anm. 19) S. 46.

[23] Rudolf Stögmüller, Vergessene Grabstätten in der Nähe der Stadt. In: Das Waldviertel 34 (1985) S. 94-95.

[24] Ralph Andraschek-Holzer/Martina Fuchs, Historische Inschriften der Stadt Horn. In: Ralph Andraschek-Holzer/Erich Rabl (Hg.), Höbarthmuseum und Stadt Horn. Beiträge zu Museum und Stadtgeschichte (Horn 1991) S. 47-100, hier S. 73-74.

[25] NÖ Amtskalender für das Jahr 1873, 9. Jg. (Wien 1873) S. 420.

Zahlungsauftrag

für das Jahr 1897

für Herrn Elias Kummermann z Stockern

Auf Grund des Gesetzes vom 21. März 1890 R. G. Bl. Nr. 57, und des § 65 der von der hohen k. k. n. ö. Statthalterei Z. 21570 vom 5. März 1895 genehmigten Statuten der isr. Kultusgemeinde Horn haben die gewählten Vertrauensmänner Ihren Kultusbetrag für das Jahr 1897 auf 35 fl. gleich 13/4 Quozient bemessen.

Die Kultussteuer ist halbjährig u. z. am 1. Jänner und 1. Juli pünktlich zu bezahlen.

Ein allfälliger Recurs ist binnen 14 Tagen nach Erhalt dieses Auftrages einzubringen.

Vom Vorstande der isr. Kultusgemeinde
Horn, am 14. December 1896

Der Kultusvorstand:
David Schlesinger

Vorschreibung.

	fl.	kr.
An Kultussteuervorschreibung für das laufende Jahr 1897 .	35	—
An Kultussteuerrest		
Summa		
Abgeschrieben lt. Sitzungsbeschluss		
Demnach verbleibt eine Gesammtschuldigkeit . . .		

Abstattung.

Journ. Art.	Jahr	Monat	Tag	Geldbetrag	Unterschrift	Anmerkung

Abb. 94: Vorschreibung des Kultusbeitrages für Elias Kummermann vom 14. 12. 1896
(Repro: Stadtarchiv Horn)

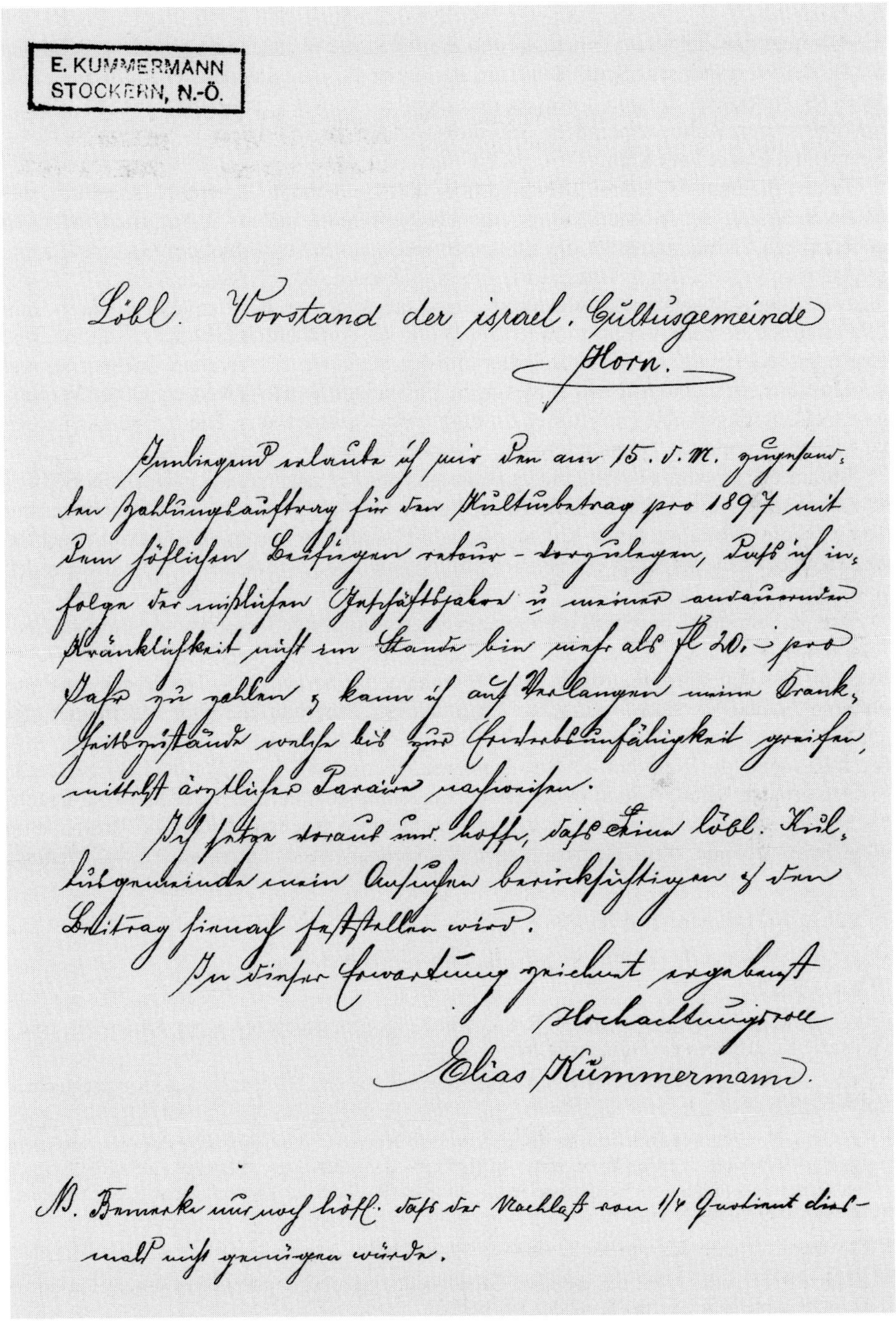
E. KUMMERMANN
STOCKERN, N.-Ö.

Löbl. Vorstand der israel. Cultusgemeinde
Horn.

Inliegend erlaube ich mir den am 15. d. M. zugesandten Zahlungsauftrag für den Kultusbeitrag pro 1897 mit dem höflichen Beifügen retour-vorzulegen, daß ich infolge der mißlichen Geschäftsjahre u. meiner andauernden Kränklichkeit nicht im Stande bin mehr als fl 20.– pro Jahr zu zahlen, u. kann ich auf Verlangen meine Krankheitszustände welche bis zur Erwerbsunfähigkeit greifen, mittelst ärztlichem Parere nachweisen.

Ich setze voraus und hoffe, daß eine löbl. Kultusgemeinde mein Ansuchen berücksichtigen u. den Beitrag hiernach feststellen wird.

In dieser Erwartung zeichnet ergebenst
Hochachtungsvoll
Elias Kummermann.

NB. Bemerke nur noch höfl. daß der Nachlaß von 1/4 Quotient diesmal nicht genügen würde.

Abb. 95: Brief von Elias Kummermann an die Kultusgemeinde Horn
(Repro: Stadtarchiv Horn)

tus-Gemeinde in Horn werden konnten. Mit der Bedingung, daß die Kultusgemeinde Horn die Führung der Geburts-, Trauungs- und Sterbebücher übernehmen müsse, genehmigte die Niederösterreichische Statthalterei am 20. Jänner 1874 die Statuten der Kultusgemeinde Horn.[26] Zu diesem Zeitpunkt bestanden in Niederösterreich (außerhalb der Stadt Wien) mit Horn neun Kultusgemeinden; drei davon waren im Waldviertel, nämlich in Horn, Krems und Etsdorf am Kamp.[27]

In den Statuten des Jahres 1874 sind über 100 Gemeinden namentlich angeführt, aus denen Israeliten der Horner Kultusgemeinde beitreten konnten.[28] Aufgrund der 1895 genehmigten Statuten umfaßte die Kultusgemeinde Horn das Gebiet der Gerichtsbezirke Eggenburg, Geras, Horn, Haugsdorf, Oberhollabrunn, Ravelsbach und Retz.[29] Erster Vorsteher der Kultusgemeinde Horn war Elias Kummermann, Kaufmann in Stockern. Ihm folgten in dieser Funktion bis zum Ersten Weltkrieg Abraham Schlesinger, Kaufmann in Horn, Samuel Pollatschek, Lederhändler in Horn, dann wieder Abraham Schlesinger und der Horner Lederhändler David Schlesinger. Im Stadtarchiv Horn werden heute zwei Kartons mit Unterlagen über die Horner Kultusgemeinde aufbewahrt. Die meisten Schreiben sind Ansuchen um die Ermäßigung der Kultussteuer.[30]

Im Jahre 1896 wurde in Retz mit Zustimmung der Kultusgemeinde in Horn ein Bethaus errichtet; sechs Jahre später schloß sich der Retzer Tempelverein unter Jakob König und der Tempelverein Hollabrunn zur Kultusgemeinde Hollabrunn zusammen.[31] Damit verkleinerte sich das Einzugsgebiet der Horner Kultusgemeinde; es umfaßte fortan nur mehr den politischen Bezirk Horn.

Am 16. Juni 1871 beschloß die Gemeindevertretung, der Israelitischen Betgenossenschaft eine Wohnung im ersten Stock des Karglhofes als *Andachtsort, Schule und Lehrerwohnung* für eine jährliche Miete von 100 Gulden zu überlassen.[32] Der Karglhof (Frauenhofner Straße Nr. 10) war ein alter Wirtschaftshof außerhalb der alten Stadtmauer, der 1835 im Zuge einer Versteigerung von der Stadtgemeinde angekauft worden war. Von 1874 bis 1887 diente der Karglhof als Schulgebäude.[33] Als 1887 die Volks- und Bürgerschule ins neu erbaute Schulgebäude in die Hamerlingstraße übersiedelte[34], richtete die Israelitische Kultusgemeinde an die Gemeindevertretung das Ansuchen, daß ihr die Turnhalle im alten Schulgebäude zur Unterbringung eines Gotteshauses überlassen werde. Mehrere

[26] NÖLA, NÖ Statthalterei 18014/1884.

[27] NÖ Amtskalender für das Jahr 1875, 10. Jg. (Wien 1875) S. 435.

[28] Wie Anm. 26.

[29] NÖLA, Karton NÖ Vereinsstatuten, Israelitische Kultusgemeinden. StA Horn, Karton 208, Israelitische Kultusgemeinde Horn (1895-1899).

[30] NÖ Amtskalender (Wien 1875ff.). StA Horn, Kartons 208 und 209. Israelitische Kultusgemeinde Horn (1895-1923).

[31] Gerhard Eberl, Die Israelitische Kultusgemeinde Horn und die Geschichte des provisorischen Bethauses in Retz. In: Das Waldviertel 42 (1993) S. 263-268. Ders., Beiträge zu den Synagogen und Zeremonienhallen in Niederösterreich. In: David. Jüdische Kulturzeitschrift 5 (Dezember 1993) Nr. 19, S. 8-12.

[32] StA Horn, Hs 1/25, Ratsprotokolle (1870-1879), S. 73-74.

[33] Erich Forstreiter, Was uns die alten Grundbücher von einigen bemerkenswerten Häusern in Horn berichten. In: Horner Kalender 84 (1955).

[34] Helmut Maschek, Chronik 1887-1918. In: Hauptschulgemeinde Horn (Hg.), [Festschrift] Hamerlingstraße 1 (Horn 1987) S. 5-9, hier S. 5.

Abb. 96: Horn, Stadtgraben 25: Synagoge der Israelitischen Kultusgemeinde Horn 1903-1938
(Foto: Stadtarchiv Horn)

Mitglieder der Gemeindevertretung sprachen sich dagegen aus, und der Antrag wurde vertagt.[35]

Der schon erwähnte Gerson Wolf schrieb 1888: *Seit einigen Jahren ist der Wunsch rege, ein Gotteshaus, wenn auch in bescheidenen Verhältnissen zu erbauen (bis jetzt wird der Gottesdienst in gemietheten Localitäten abgehalten), doch sind die Spenden, die zu diesem Zweck bisher einliefen, kaum nennenswerth und fremde Hilfe will man nicht in Anspruch nehmen.*[36]

Im Jahre 1903 war es soweit: Die Israelitische Kultusgemeinde kaufte das 1872 gebaute Haus am Stadtgraben Nr. 25[37] mit dem benachbarten Garten[38] um 9150 Kronen an. Verkäufer waren Anna und Johann Schiedlbauer aus Eggenburg.[39] Damit hatte die Israelitische Kultusgemeinde Horn ihre eigene Synagoge als Zentrum des religiösen und gesellschaftlichen Lebens erhalten.[40] In den Quellen wurde sie meist als Bethaus bzw. Tempel bezeichnet.[41] In einem Thora-Schrein wurden die heiligen Schriftrollen untergebracht, ein Podium diente der Lesung und dem Vortrag, und vor dem Thora-Schrein wurde das

[35] Der Bote aus dem Waldviertel (= BWA) 10/222 (15. März 1887) S. 2.

[36] Wolf, Die israelitische Cultusgemeinde (wie Anm. 19) S. 47.

[37] StA Horn, Karton 246, Nachlaß Forstreiter, Häuserkataster Horn.

[38] Parzellen Nr. 327 und 328.

[39] Bezirksgericht Horn, Grundbuch der KG Horn, Band 2, EZ 44; Urkundensammlung 203/3, 7. März 1903.

[40] Vgl. Pierre Genée, Synagogen in Österreich (Wien 1992) S. 82-83.

[41] StA Horn, Plansammlung III/2.

„Ewige Licht" aufgehängt. Die Synagoge war zugleich Lehrhaus, Schule, Herberge und verfügte über eine rituelle Badeanlage.[42] 1905 suchte die Kultusgemeinde um einen zweigeschossigen Zubau zum Bethaus in der Größe von 5,40×3,60 m für eine Leichenhalle an.[43]

Die „Horner Wespen", ein „Faschings-Organ des Deutschen Turnvereines", nahm in einem satirischen Artikel („Vergrößerung des israelitischen Bethauses") dazu Stellung: *Nach einer an die israelitische Kultusgemeinde in Horn gelangten Reservatmitteilung eines hohen Amts steht, damit einem dringenden Bedürfnisse der Bevölkerung entgegengekommen werde, eine Personaländerung beim Bezirksgerichte Horn in der Art bevor, daß die beiden Richter eines Nachbarbezirkes an Stelle der beiden derzeitigen Richter hierher versetzt werden sollen. Infolge dieses neuerlichen Zuwachses denkt die Kultusgemeinde das nunmehr schon in so kurzer Zeit zu klein gewordene Bethaus zu vergrößern und zu diesem Zwecke Baugründe in Horn, unter anderem auch ein Nachbarhaus zu erwerben. Der Eigentümer dieses Hauses, der sein gut katholisches Gewissen bereits unter einem frommen Hinblick auf den ebenso frommen Verkäufer der Riedenburg beruhigt hat, hat sich selbstverständlich nur gegen Bezahlung einer schweren Menge Geldes bereit erklärt, dieses Opfer zu bringen.[44]*

Mit der Ansiedlung von Juden in Horn und der Bildung der Betgenossenschaft bzw. einer Kultusgemeinde wurde auch die Errichtung eines Friedhofes notwendig. Nach Auffassung der jüdischen Religion galten Grabstätten seit biblischer Zeit als rituell unrein. Das führte dazu, daß die jüdischen Friedhöfe in einer gewissen Distanz zu den Siedlungen angelegt wurden.[45] Für die Anlage eines jüdischen Friedhofes in Horn wurde ein Platz neben dem Preußenfriedhof angekauft, und es wurden einige Kinder dort bestattet. Doch dieser Friedhof war relativ weit von der Stadt entfernt — eine halbe Gehstunde —, und der Weg dorthin war nicht gut ausgebaut. Als daher ein Feld südöstlich der Stadt, im Bereich der ehemaligen Pfarrkirche Riedenburg, aus dem Besitz des Bürgermeisters Georg Riederich[46] zum Kauf angeboten wurde, erwarb im Jahre 1873 die Israelitische Kultusgemeinde drei Parzellen im Ausmaß von 4039 m².[47] Der vom Westen zum Friedhof führende Weg wurde von der Kultusgemeinde 1912 angekauft[48], und im Jahre 1913 erwarb sie noch drei weitere Grundstücke beim Friedhof.[49]

---

[42] Johann Maier, Das Judentum. Von der biblischen Zeit bis zur Moderne (Bindlach 3. Aufl. 1988) S. 518-519. S. Ph. De Vries, Jüdische Riten und Symbole (Wiesbaden 5. Aufl. 1988). Arthur Hertzberg, Judaismus. Die Grundlagen der jüdischen Religion (München 1993).

[43] Stadtgemeinde Horn, Bauakt Haus Nr. 47.

[44] StA Horn, Horner Wespen 7/1 (1. Februar 1904) S. 1-2.

[45] Maier, Das Judentum (wie Anm. 42) S. 520-521.- Zum Folgenden vgl. auch die ersten Publikationen des Autors zu diesem Thema: Erich Rabl, Der jüdische Friedhof in Horn. In: Kläranlage Horn. Beiträge zur Geschichte des Taffatales. Mühlen — Riedenburg — Jüdischer Friedhof (Horn 1990) S. 46-67. Ders., Die Juden in Horn. In: David. Jüdische Kulturzeitschrift 5 (September 1993) Nr. 18, S. 18-35.

[46] Der Hutmacher Georg Riederich war 1870-1882 Bürgermeister Horns. Erich Forstreiter, Die Bürgermeister der Stadt Horn in den letzten 400 Jahren. In: Horner Kalender 83 (1954).

[47] Wolf, Die israelitische Cultusgemeinde (wie Anm. 19) S. 46. Bezirksgericht Horn, Grundbuch der KG Horn, Band 6, EZ 526.

[48] Bezirksgericht Horn, Grundbuch der KG Horn, Band 14, EZ 1332.

[49] Ebenda Band 6, EZ 525.

Die Stadtgemeinde Horn erhob gegen die Errichtung des jüdischen Friedhofes Einspruch, weil sich früher an dieser Stelle die Kirche Riedenburg, eine katholische Kirche und ein katholischer Friedhof, befunden hatten.[50] Als der Einspruch abgewiesen wurde, schritt die Kultusgemeinde 1878 zur Erbauung einer Leichenkammer im „neomaurischen Stil", „der so typisch wurde für viele Bauten, vor allem Synagogen des späten 19. Jahrhunderts".[51] Im Bewilligungsverfahren betonte die Stadtgemeinde, daß die Leichenkammer mit einem Ofen versehen werden müsse, um das Erfrieren eines Scheintoten im Winter zu verhindern; auch sollte die Leichenkammer von innen leicht zu öffnen sein. Zu der Vorschrift, den Leichnam in einem offenen Sarg beizusetzen und an der Hand der Toten eine Schnur zu befestigen, die zu einer Glocke führt, die nahe dem Zimmer des Totengräbers aufgehängt sein sollte, bemerkte der Vorstand der Kultusgemeinde, daß diese Bestimmung auf einen israelitischen Friedhof keine Anwendung habe, weil nach dem Brauch der Juden beim Leichnam Tag und Nacht Wache gehalten werden muß.[52]

An die 1878 erbaute kleine Leichenkammer (Größe: 4,60×4,90 m) wurde 1913 der Zubau einer großen Leichenhalle (10,50×10,00 m) — den

Abb. 97: Grabstein von Elias Kummermann auf dem jüdischen Friedhof in Horn, 1907
(Foto: Erich Rabl)

Plan zeichnete Stadtbaumeister Johann Steiner — genehmigt und durchgeführt.[53] Schon im Jahre 1870 war von 23 Mitglie-

[50] Wolf, Die israelitische Cultusgemeinde (wie Anm. 19) S. 46. StA Horn, Karton 114, 572/1873. Vgl. auch Erich Rabl, Riedenburg — einst Burg und Pfarre nahe der Stadt Horn. In: Kläranlage Horn. Beiträge zur Geschichte des Taffatales. Mühlen — Riedenburg — Jüdischer Friedhof (Horn 1990) S. 33-46.

[51] Elisabeth Koller-Glück, Ein Streifzug durch Niederösterreichs Friedhöfe. „Darob weine ich bitterlich". In: Patricia Steines/Klaus Lohrmann/Elke Forisch, Mahnmale. Jüdische Friedhöfe in Wien, Niederösterreich und Burgenland (Wien 1992) S. 94-110, hier S. 106.

[52] StA Horn, Karton 119, 244/1878.

[53] Stadtgemeinde Horn, Bauamt, Bauakt Haus Nr. 47.

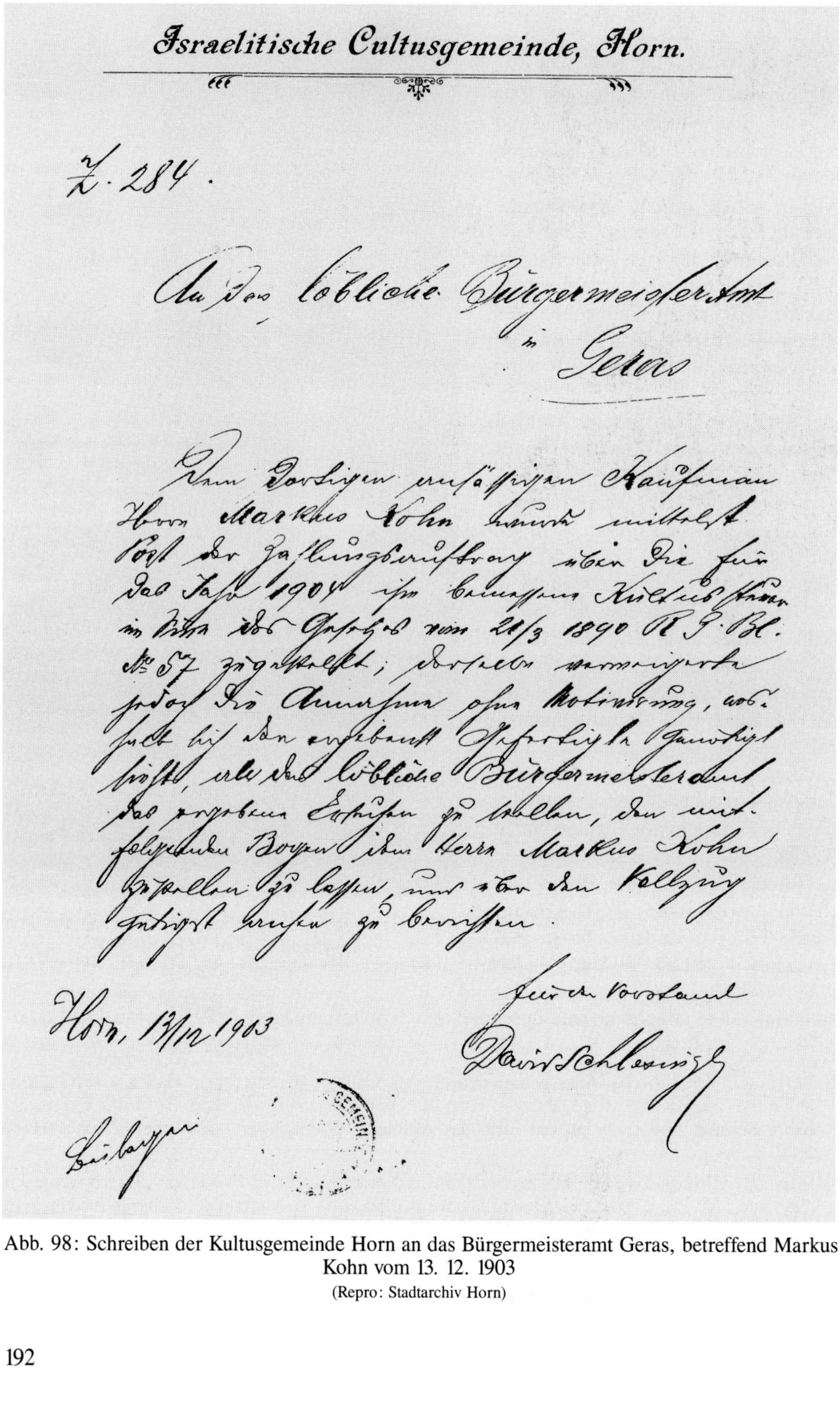

Israelitische Cultusgemeinde, Horn.

Z. 284.

An das löbliche Bürgermeisteramt in Geras

Dem dortigen ansässigen Kaufmann Herrn Markus Kohn wurde mittelst Post der Zahlungsauftrag über die für das Jahr 1904 ihm bemessene Kultussteuer im Sinne des Gesetzes vom 21/3 1890 R.G.Bl. No 57 zugestellt; derselbe verweigerte jedoch die Annahme ohne Motivierung, weshalb sich der ergebenst Gefertigte genöthigt sieht, an das löbliche Bürgermeisteramt das ergebene Ersuchen zu stellen, den mitfolgenden Bogen dem Herrn Markus Kohn zustellen zu lassen, und über den Vollzug gütigst anher zu berichten.

Horn, 13/12 1903

Für den Vorstand
David Schlesinger

Abb. 98: Schreiben der Kultusgemeinde Horn an das Bürgermeisteramt Geras, betreffend Markus Kohn vom 13. 12. 1903
(Repro: Stadtarchiv Horn)

dern der Betgenossenschaft eine „Chewra Kadischa", ein Beerdigungsverein, gegründet worden.[54]

In der zweiten Hälfte des 19. Jahrhunderts läßt sich eine judenfeindliche Einstellung des deutschnationalen Horner Bürgertums feststellen, eine antisemitische Haltung, die von den in den neunziger Jahren sich formierenden Christlichsozialen geteilt wurde. Sie benutzten den Antisemitismus als demagogische Waffe, um die Sympathien der Bevölkerung zu gewinnen.[55] „Der Bote aus dem Waldviertel", eine in Horn gedruckte, 14tägig erschienene Zeitung, war voll von antisemitischen Artikeln; Herausgeber dieser Waldviertler Regionalzeitung war der Horner Buchdrucker Ferdinand Berger, ein Anhänger des deutschradikalen Politikers Georg Ritter von Schönerer aus Rosenau bei Zwettl.[56]

Im folgenden werden einige Zeitungsartikel als Beweis für die antisemitische Einstellung in Horn wörtlich wiedergegeben. Der „Bote aus dem Waldviertel" berichtete am 15. Dezember 1884, wie Mödringer Bürger auf einen Mitbürger Druck ausübten, an einen Juden keine Wohnung zu vermieten. Die Zeitung schrieb darüber: *(Antisemitisches.) Fast in allen Orten der Umgebung Horns haben sich schon Juden angesiedelt, was wohl seinen Grund darin findet, daß sie in Horn ihr Hauptquartier haben. Welche Folgen die Ansiedlung der Juden in den Dörfern hat, ist schon oft eingehend besprochen worden und die bäuerliche Bevölkerung scheint nunmehr bereits vorsichtiger zu werden. — Das in der Nähe Horns romantisch gelegene Mödring sollte in der Vorwoche auch mit einem kürzlich zugewanderten Juden bedacht werden, welcher sich daselbst häuslich einrichten wollte und bereits eine Wohnung aufgenommen hatte. Nun scheinen aber die Mödringer den Wohnungsvermiether dahin bestimmt zu haben, daß er den Miether nicht einziehen läßt, somit bleibt Mödring vorderhand ohne Juden. Man sollte den Juden, wie es Bismarck den Socialdemokraten angetragen hat, eine Provinz zur Verwaltung übergeben, wo sie ganz unter sich wären, dann würden sie gewiß zur Ueberzeugung kommen, daß sie nicht alle schachern können, sondern daß auch schwere physische Arbeitsleistung nothwendig ist, vor welcher auch der ärmste Jude bekanntermaßen eine gewaltige Scheu hat.[57]*

Ein anderer antisemitischer Artikel erschien in der Ausgabe vom 1. Oktober 1885 unter dem Titel „Eine Judenleiche": *In Horn und in dessen Umgebung befinden sich so viele Juden. daß sie sich zu einer Cultusgemeinde zusammengeschweißt haben. Die frische Waldesluft muß den Juden sehr wohl bekommen, denn immer hört man nur von Geburten, selten aber öffnen sich die Pforten des hier befindlichen Judenfriedhofes, um die irdische Hülle eines in Abrahams Schoß berufenen Juden aufzunehmen. Samstag den 19. September, am Versöhnungstage, wohnte der Krämer Gabriel Bauer von Dietmannsdorf dem Gottesdienste im hiesigen Judenbethause bei und wurde daselbst ohnmächtig. In den Steininger'schen Gasthof gebracht, wo er eingekehrt war, starb er Sonntag Vormittags. Selbstverständlich*

[54] Wolf, Die israelitische Cultusgemeinde (wie Anm. 19) S. 46. Csakathurn/J. Schwarz, Ueber den Ursprung der Chewra Kadischa. In: Die Neuzeit 28/20 (18. Mai 1888) S. 196-197. Gerson Wolf, Der Ursprung der Chewra Kadischa. In: Die Neuzeit 28/21 (25. Mai 1888) S. 208-209. Albert Löw, Die Chewra Kadischa speciell eine jüdische Institution. In: Die Neuzeit 28/24 (15. Juni 1888) S. 238-239.

[55] Friedrich Polleroß, 100 Jahre Antisemitismus im Waldviertel (= Schriftenreihe des Waldviertler Heimatbundes 25, Krems an der Donau 1983). Karl Gutkas, Geschichte des Landes Niederösterreich (St. Pölten-Wien 6. Aufl. 1983) S. 456 ff.

[56] Andrew G. Whiteside, Georg Ritter von Schönerer. Alldeutschland und sein Prophet (Graz-Wien-Köln 1981) S. 105.

[57] BWV 7/168 (15. 12. 1884) S. 3.

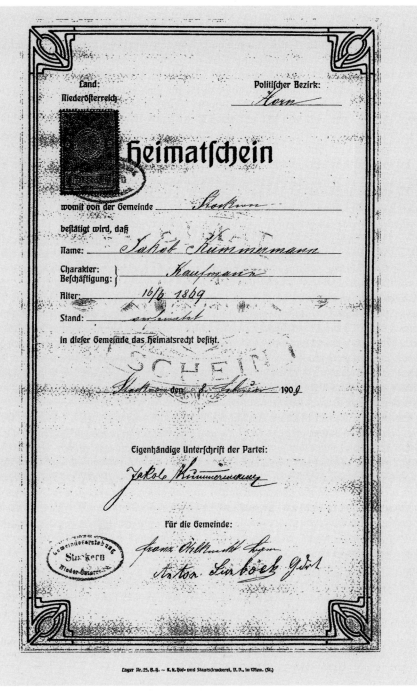

Abb. 99: Heimatschein von Jakob Kummermann vom 8. 2. 1909
(Repro: Stadtarchiv Horn)

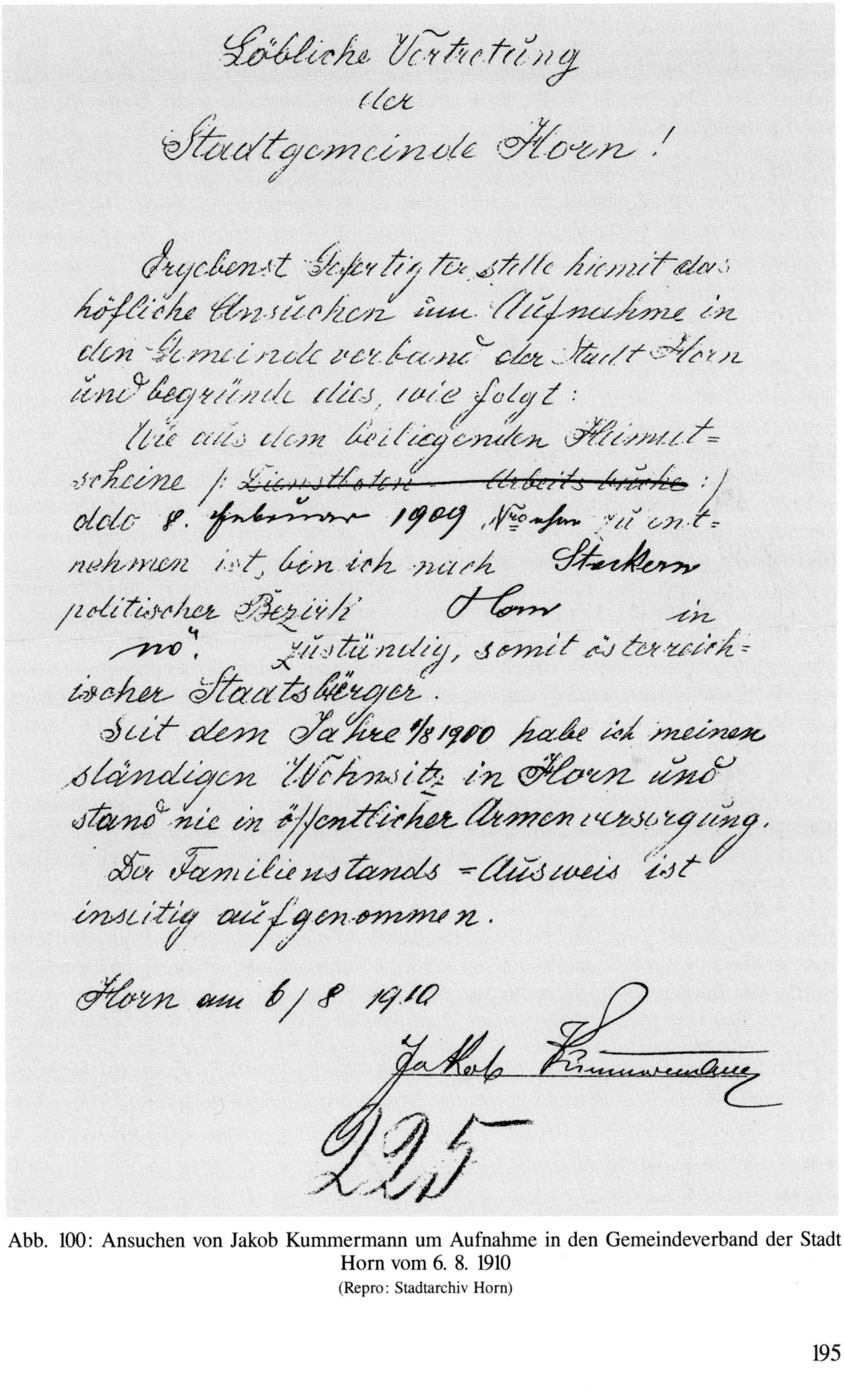

Löbliche Vertretung
der
Stadtgemeinde Horn!

Ergebenst Gefertigter stelle hiemit das höfliche Ansuchen um Aufnahme in den Gemeindeverband der Stadt Horn und begründe dies, wie folgt:

Wie aus dem beiliegenden Heimatscheine /: ~~Dienstboten- Arbeitsbuche~~ :/ ddo 8. Februar 1909 N° [illegible] zu entnehmen ist, bin ich nach Stockern politischer Bezirk Horn in NÖ. zuständig, somit österreichischer Staatsbürger.

Seit dem Jahre 1/8 1900 habe ich meinen ständigen Wohnsitz in Horn und stand nie in öffentlicher Armenversorgung.

Der Familienstands-Ausweis ist inseitig aufgenommen.

Horn am 6/8 1910

Jakob Kummermann

225

Abb. 100: Ansuchen von Jakob Kummermann um Aufnahme in den Gemeindeverband der Stadt Horn vom 6. 8. 1910
(Repro: Stadtarchiv Horn)

wollte der Gasthofbesitzer des todten Juden baldigst ledig sein, weshalb er sich an den Vorsteher der Judengenossenschaft mit der Aufforderung wendete, für die schleunige Wegschaffung der Leiche zu sorgen. Nachdem aber der Vorsteher bemerkte, daß er seinen Glaubensgenossen „auch nicht in den Sack stecken könne", mußte sich der Gasthofbesitzer schon gedulden, bis die „Kiste" fertig war, worauf die Leiche vorschriftsmäßig verpackt und in die Todtenkammer nach dem israelitischen Friedhofe gebracht wurde. Die Beerdigung fand Montag den 21. unter Theilnahme vieler Neugieriger statt.[58]

Und am 15. Juli 1903 mokierte sich „Der Bote aus dem Waldviertel" über die Werbeaktion einer Wiener Tageszeitung, die als „Judenblatt" verteufelt wurde: (Ein Judenblatt) ärgster Sorte, das hauptsächlich in Sensation macht und dessen politische Färbung sich schlau unter dem Wust von teils skandalösen teils unwahrscheinlichen Geschichten zu bergen vermag, überschwemmt derzeit Horn und wahrscheinlich auch andere Städte des Waldviertels. Ganze Päcke muß der Briefbote durch ein ganzes Monat hindurch sich nachschleppen lassen; denn das Wiener Journal gewährt an hunderte von Leuten vorerst ein Gratis-Abonnement für den laufenden Monat, in der Hoffnung, daß doch einige hängen bleiben und das Blatt weiterbeziehen werden. Im nächsten Monat wird dann der Köder anderswo ausgeworfen. Es ist dies eine scheinbar kostspielige, in Wirklichkeit aber für das Wiener Journal recht billige Reklame, und wenn auch bei dieser Art des Abonnentenfanges vorläufig nicht viel herausschaut, so imponiert sie dennoch dem großen Publikum und kommt dem Geschäfte zu gute, denn ums Geschäft handelt es sich in letzter Linie doch und darauf haben sich die Judenblätter seit jeher gut verstanden.[59]

Am 24. Oktober 1902 genehmigte die Bezirkshauptmannschaft die Friedhofsordnung des jüdischen Friedhofes. Der Friedhof diente den Mitgliedern der Israelitischen Kultusgemeinde Horn als Begräbnisstätte. Es konnten aber auch Konfessionslose, die früher dem Judentum angehörten, über Beschluß des Kultusvorstandes und nach Zahlung eines festzusetzenden Geldbetrages beerdigt werden. Ein Leichnam durfte nicht früher als 48 Stunden nach dem eingetretenen Tod bestattet werden. Weitere Bestimmungen regelten die Anlage der Gräber; so mußte jedes Grab zwei Meter tief, zwei Meter lang und einen Meter breit sein. Im letzten Abschnitt der Friedhofsordnung (§ 23) heißt es: Das Betreten des Friedhofes ist Jedermann gestattet, doch ist unanständiges Benehmen, lautes Schreien, Rauchen auf dem Friedhöfe selbst untersagt und sind zuwider Handelnde zu entfernen.[60]

Der jüdische Friedhof Horns wurde im Laufe des 20. Jahrhunderts mehrfach geschändet. Mit der Schlagzeile „Gräberfrevel" meldete „Der Bote aus dem Waldviertel" am 15. April 1906, daß unbekannte Täter 14 Grabsteine umgeworfen hatten. Die Grabsteine lagen demnach teils ganz, teils halb zerfallen auf den Gräbern. Es gelang nicht, die Täter auszuforschen.[61] Aus dem Jahre 1909 hat sich eine Kundmachung erhalten, die damals im Auftrag von Bürgermeister Weinmann an der Gemeindeanschlagtafel angebracht worden war. Der Text lautete: Zu wiederholtem Male wurden in dem israelitischen Friedhofe in Horn von böswilliger Hand Grabsteine umgeworfen und beschädigt. Nachdem dies in jüngster Zeit wieder der Fall war, so setzt der Leichen-Bestattungs-Verein der israelitischen Kultusgemeinde Horn einen Betrag von hundert Kronen für die Eruierung der Täter aus.[62]

---

[58] BWV 8/187 (1. 10. 1885) S. 2.

[59] BWV 26/614 (15. 7. 1903) S. 2.

[60] StA Horn, Hs 19/13, Gräberverzeichnis des Friedhofes der Israelitischen Kultusgemeinde Horn.

[61] BWV 29/680 (15. 4. 1906) S. 3.

[62] StA Horn, Karton 146, 1982/1909.

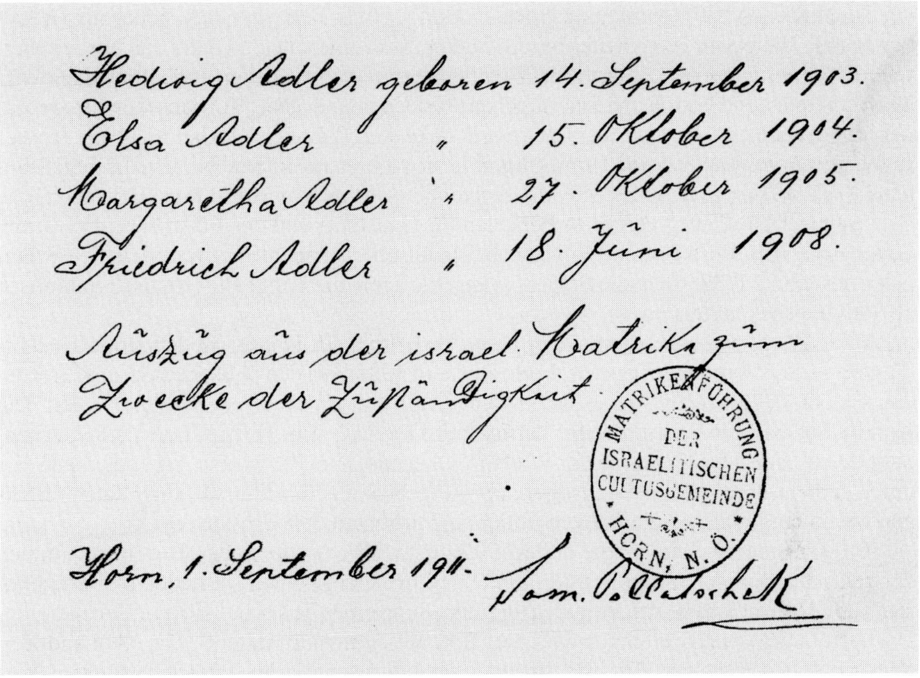
Hedwig Adler geboren 14. September 1903.
Elsa Adler " 15. Oktober 1904.
Margaretha Adler " 27. Oktober 1905.
Friedrich Adler " 18. Juni 1908.

Auszug aus der israel. Matrike zum Zwecke der Zuständigkeit.

MATRIKENFÜHRUNG DER ISRAELITISCHEN CULTUSGEMEINDE HORN, N. Ö.

Horn, 1. September 1911. Sam. Pollatschek

Abb. 101: Matrikenauszug für die Kinder der Familie Siegfried Adler
(Repro: Stadtarchiv Horn)

Aufgrund der Angaben in den Wohnlisten von Dezember 1930 können die jüdischen Bürger Horns näher beschrieben werden. Bei dieser Zählung der Wohnbevölkerung hatten 62 Personen in der Rubrik Religion die Bezeichnung „mosaisch" eingetragen. Von diesen 62 Personen, die sich zum jüdischen Glauben bekannten, waren rund ein Drittel (= 20 Personen) in Horn geboren worden. Ungefähr 60 % der jüdischen Mitbürger waren schon vor 1919 in Horn gewesen; sie waren zum größten Teil aus Böhmen und Mähren, weiters aus verschiedenen Orten des Horner Bezirkes und aus Wien zugezogen. Die Berufsstruktur der Horner Juden deckte sich mit der allgemeinen Situation der Juden im Waldviertel und in Österreich. Es dominierten auch hier die Handelsbetriebe. Karl Mandl, Leopold Auer, Ludwig Pollatschek, Theodor Pollatschek, Jakob Kummermann, Ludwig Schlesinger und Siegfried Adler bezeichneten sich als Kaufleute; Hermann Mandl als Farbwarenerzeuger; Ferdinand Pollatschek als Lederhändler; Josef Fleischmann und Josef Blau waren Pferdehändler; Ludwig Gutmann betätigte sich als Photograph, und Emanuel Stein handelte mit Altwaren. Dr. Ferdinand Steinitz war Gemeindearzt in Horn. Nur Maximilian Kohn als Werkmeister hatte kein eigenes Geschäft, Viktor Kellermann war ein Versicherungsbeamter und Alfred Neufeld Angestellter der Horner Kultusgemeinde; die übrigen Personen waren Hausfrauen, Pensionisten bzw. Schüler und Studenten.[63]

Vergleicht man die Angaben der Wohnlisten mit den Angaben der Grundbücher, so muß man feststellen, daß 1930 von 22 jüdischen Haushalten nur neun auch Besitzer des Hauses bzw. der Wohnung waren, die sie als Adresse angegeben hatten. Das Haus Nr. 47 gehörte

---

[63] StA Horn, Karton 181, Wohnlisten 1930.

der Israelitischen Kultusgemeinde Horn.[64] Den größten Betrieb hatten sicher die Gebrüder Mandl, die bis zu 30 Arbeiter beschäftigten. Sie verarbeiteten Quarz aus Niederösterreich, Magnesit aus der Steiermark, Feuerstein aus den Ostseeländern, Süßwasserquarz aus Frankreich und Naxos und Schmirgel aus Griechenland. Seit 1912 betrieben die Gebrüder Mandl auch eine Farben- und Lackfabrik nahe dem Bahnhof.[65] Aber nicht alle Horner Juden waren wohlhabend; die Familie Stein — sie wohnte im Taffatal Nr. 6, nahe dem Brauhaus — *die war arm*, erinnerte sich die Zeitzeugin Maria Gamerith. Sie erklärte auch, daß Rechtsanwalt Dr. Georg Perger (4 Personen im Haushalt) und der Bezirksarzt Dr. Bruno Langbank (Abb. 106, 3 Personen im Haushalt) jüdischer Abstammung waren; in den Wohnlisten des Jahres 1930 gaben die Pergers evangelisch und die Langbanks römisch-katholisch als Religionsbekenntnis an.[66]

Ältere Bürger sprechen von einem guten Verhältnis der Horner zu den jüdischen Mitbürgern in der Zwischenkriegszeit. Viele Horner kauften bei den jüdischen Geschäftsleuten ein, weil diese günstigere Preise bieten konnten als ihre nichtjüdischen Konkurrenten. Die Familie Schlesinger beispielsweise betrieb mit Geschäften in Horn, Frauenhofen, Altenburg, Dietmannsdorf, Brunn an der Wild und Oberndorf bei Raabs eine Art Ladenkette, die durch gemeinsamen Einkauf günstigere Preisangebote machen konnte. Auch Ratenzahlungen waren bei jüdischen Kaufleuten üblich und erhöhten den Umsatz.[67]

Auf der anderen Seite prägte der Antisemitismus[68], wie er in den Parteiprogrammen der deutschnationalen Gruppierungen und der Christlichsozialen, in Reden und Flugblättern zum Ausdruck kam, die antijüdische Einstellung eines Teiles der Horner Bevölkerung. Die in Horn gelesenen Zeitungen wie „Der Bote aus dem Waldviertel", „Die NÖ Land-Zeitung" und die „Kremser Zeitung" brachten viele antisemitische Artikel.[69] Jüngere Burschen des Deutschen Turnvereins begeisterten sich für radikalere Ideen und zogen Ende der zwanziger Jahre nach einer Sonnwendfeier schreiend durch die Florianigasse und riefen: „Juda verrecke, Juda verrecke" und „Horuck nach Palästina". Die antisemitische Einstellung wurde von den Eltern an ihre Kinder weitergegeben, wie das folgende Beispiel beweist: Als ein junger Horner, Sohn eines christlichsozialen Gewerbetreibenden, von einem jüdischen Mädchen gefragt wurde, ob sie bei einem Spiel mitspielen dürfe, antwortete dieser: *Nein, du bist eine Jüdin.*[70]

---

[64] StA Horn, Karton 246-248, Häuserkataster Horn.

[65] Heinrich Rauscher, Die Industrie des Waldviertels. In: Eduard Stepan (Hg.), Das Waldviertel. 6. Band (Wien 1931) S. 86-185, hier S. 177.

[66] Protokoll der Unterredung mit Frau Maria Gamerith, Horn, am 29. Februar 1988. Berthold Weinrich, Niederösterreichische Ärztechronik. Geschichte der Medizin und der Mediziner Niederösterreichs (Wien 1990) S. 559.

[67] Protokolle der Unterredungen mit mehreren Hornern. Polleroß, 100 Jahre Antisemitismus (wie Anm. 55) bes. S. 60-66.

[68] Vgl. Klaus Lohrmann, Stufen des Antisemitismus in Österreich von 1890-1938 (= IDCIV-VORTRÄGE Nr. 32, Wien 1988). Bruce F. Pauley, Eine Geschichte des österreichischen Antisemitismus (Wien 1993).

[69] Zu den Zeitungen vgl. Johann Günther, Das Pressewesen im Waldviertel von 1848 bis 1918. In: Das Waldviertel 42 (1993) S. 101-125 und Peter Malina, Niederösterreichische Zeitungen und Zeitschriften seit 1918. Einige bibliographische und quellenkritische Bemerkungen. In: UH 53 (1982) S. 27-40.

[70] Protokoll der Unterredung mit Frau Maria Gamerith, Horn, am 29. Februar 1988. Protokoll der Unterredung mit N. N. Vgl. auch Erich Rabl, Die jüdische Bevölkerung Horns: vertrieben und ausgelöscht. In: Horner Kalender 118 (1989) S. 15-34, hier S. 16.

Abb. 102-104: Jüdischer Friedhof in Horn

(Fotos: Erich Rabl, Horn)

Der letzte Horner, der am jüdischen Friedhof begraben wurde, war der Kaufmann Jakob Kummermann.[71] Er war 1869 in Stockern geboren worden und lebte seit dem Jahre 1900 in Horn.[72] Im Jahre 1913 kaufte er gemeinsam mit seiner Frau das große Haus in der Wiener Straße 31 (Ecke Thurnhofgasse gegenüber dem Bürgerspital) von dem Maurermeister Anton Krejci um 38 000 Kronen.[73] Jakob Kummermann hatte ein Gemischtwarengeschäft, betrieb einen Landesproduktenhandel und besaß einen Speicher am Bahnhof. Er beschäftigte zwei Arbeiter. Der Arbeiter Josef Seitz erinnerte sich, daß er bei dem jüdischen Geschäftsmann Kummermann besser verdient hatte als bei anderen Firmen. Er erzählte: *Wir haben Frühstück und Jause bekommen, es war weitaus besser als anderswo.*[74] Jakob Kummermann war auch Vorsteher der Israelitischen Kultusgemeinde Horn. Er starb am 9. März 1938 und wurde am 11. März auf dem jüdischen Friedhof beigesetzt.[75] Eine Zeitzeugin: *Auch die Nazis nahmen am Begräbnis teil.*[76]

Wenige Stunden, bevor die Anhänger der Nationalsozialisten, lauthals Parolen schreiend, einen Fackelzug durch die Stadt veranstalteten[77], zogen die Teilnehmer des Begräbnisses, die Jakob Kummermann das letzte Geleit gaben, von der Wienerstraße zum Friedhof und nahmen Abschied von einem angesehenen jüdischen Geschäftsmann. Für die Witwe Emilie Kummermann und ihre beiden Kinder Friederike und Ernst brachen nun schwere Zeiten an. Zunächst wurde ihnen das Geschäft weggenommen, und Mitte September 1938 mußten sie Horn verlassen. Ernst Kummermann brachte mit einem Schubkarren seine kranke Mutter, begleitet von seiner Schwester, mit einigen Habseligkeiten zum Bethaus. Am 19. September fuhren sie mit dem Autobus nach Wien. Ernst Kummermann konnte nach England und später nach Kanada auswandern. Er lebte in Ottawa, wo er am 9. Mai 1991 im 86. Lebensjahr starb. Über das Ende seiner Mutter und Schwester berichtete er in einem Brief 1988: *Wir haben 1939 einen Sponsor in den USA bekommen, nur durch das dortige Quota-System konnten meine Mutter und Schwester Österreich nicht verlassen; ich weiß nicht, wohin sie verschickt wurden.* Emilie und Friederike Kummermann starben in einem nationalsozialistischen Konzentrationslager.[78]

Die letzte Beerdigung, die am Horner jüdischen Friedhof stattfand, war die der Geraser Familie Gutmann. Der Gemischtwarenhändler Rudolf Gutmann, seine Frau Paula und die Tochter Hilda waren am 15. März 1938, kurz nach dem Anschluß Österreichs an das nationalsozialistische Deutschland, durch Selbstmord aus dem Leben geschieden.[79]

---

[71] Wie Anm. 60.

[72] StA Horn, Karton 181, Wohnlisten 1930.

[73] Bezirksgericht Horn, Grundbuch KG Horn EZ 184. Urkundensammlung 698/13.

[74] Protokoll der Unterredung mit Herrn StR. a. D. Josef Seitz, Horn, am 4. März 1988.

[75] StA Horn Hs 19/13, Gräberverzeichnis (wie Anm. 57). Gerhard Hermann, Beilage zu meinem Bericht über die Verbindungsgeschichte. In: Archiv-Blatt. Informationsschrift des KÖStV Waldmark-Archives 4/2 (1987) 11, S. 5-14. Seine Darstellung des Todes von Jakob Kummermann (S. 11) kann nicht richtig sein. Vgl. auch die Berichtigung in Archiv-Blatt. Informationsschrift des KÖStV Waldmark-Archives 4/3 (1987) 12, S. 2-4.

[76] Wie Anm. 70.

[77] Erich Rabl, Hakenkreuzfahnen flattern in Horn. Die Ereignisse des März 1938. In: Horner Kalender 115 (1986) S. 17-33.

[78] Brief von Ernst Kummermann, Ottawa, vom 24. Jänner 1988 an den Verfasser. Mitteilung von Herrn M. H. McLenaghan, Ottawa, an den Verfasser.

[79] Wie Anm. 60. Maria Mayr, Das Jahr 1945 im Bezirk Horn (= Schriftenreihe des Waldviertler Heimatbundes 31, Horn-Waidhofen/Thaya 1994) S. 22-23.

Abb. 105: Firma Ludwig Pollatschek bei der NÖ Landesausstellung 1928 in Horn
(Foto: Stadtarchiv Horn)

Am 12. März 1938 erfolgte die nationalsozialistische Machtübernahme in Horn. Ca. 80 Horner wurden verhaftet und für einige Tage in „Schutzhaft" genommen. Die wichtigsten öffentlichen Stellen wurden sofort mit nationalsozialistischen Parteigängern besetzt. Die Führer der NSDAP wurden zu den entscheidenden Machtträgern. Für Horn waren das Ortsgruppenleiter Alois Schmidt und Kreisleiter Hörmann aus Deutschland, der im Juni 1938 vom Eggenburger Lehrer Karl Hofmann abgelöst wurde. [80]

Nach dem Anschluß Österreichs an das Deutsche Reich verschlechterte sich das Verhältnis der Horner zu ihren jüdischen Mitbürgern sehr schnell: *Plötzlich hatten die Horner Juden keine Freunde mehr, weil jeder Angst hatte. Es war furchtbar. Das, was die Juden vorher für die anderen getan hatten, war jetzt alles vergessen,* erzählte eine Hornerin, die diese Kehrtwendung persönlich erlebt hatte. [81]

No, wird er kommen, der Herr Hitler, werd ich verkaufen Hakenkreize, sagte noch kurz vorher sehr zuversichtlich Siegfried Adler, der gegenüber dem Gasthaus Blie in der Wiener Straße ein Modegeschäft führte. [82] Doch Adler sollte sich gewaltig täuschen. Ein Horn-

---

[80] Hauptschule Horn, Chronik 1910-1959. Vgl. auch Ernst Bezemek, Zur NS-Machtübernahme in Niederösterreich. In: JbLkNÖ NF 50/51 (1985) S. 181-206. Robert Streibel, Plötzlich waren sie alle weg. Die Juden der „Gauhauptstadt Krems" und ihre Mitbürger (= Schriftenreihe des Waldviertler Heimatbundes 33, Wien 1991). Ders., Die Stadt Krems im Dritten Reich. Alltagschronik 1938-1945 (Wien 1993).

[81] Wie Anm. 70.

[82] Heinrich Eggerth, Simplicius 39/45 (= Prosa aus Österreich. St. Pölten-Wien 1984) S. 51.

Abb. 106: Bezirksarzt Dr. Bruno Langbank; Stadtarchiv Horn
(Foto: Ludwig Gutmann)

Mitarbeiter der „Land-Zeitung" schrieb am 23. März 1938: *Es wird gesäubert, Juden, Halbjuden, Vierteljuden haben heute nichts mehr zu lachen.* [83)] Und am 4. Mai 1938 forderte der Artikelschreiber, Horn solle *eine Stadt ohne Juden* werden. Er schrieb: *Obwohl wir im Verhältnisse zu anderen Städten von der Judenplage so ziemlich verschont geblieben sind, gibt es doch auch hier, wie überall, einige derartige unwillkommene Ansässige, die nicht in den Rahmen unserer deutschen Stadt passen. Hoffentlich gelingt es bald, diese unerwünschten Gäste zum Verlassen unserer Stadt zu bewegen, sodaß wir sagen können, wir beherbergen keine Juden mehr.* [84)]

Der unmittelbar nach der Machtübernahme gegen die jüdischen Geschäfte ausgerufene Boykott brachte die jüdischen Geschäftsleute um ihren Lebensunterhalt. Schon am 23. März 1938 hatte die „Land-Zeitung" im Horner Lokalteil geschrieben: *Deutsche kauft bei Deutschen! [. . .] Wer da im Zweifel ist, welches Geschäft für uns in Betracht kommt, lese die Plakate in den Fenstern, und er wird wissen, wohin er seine Schritte lenken muß.* [85)]

In der nächsten Phase wurde den jüdischen Geschäftsleuten die Verfügungsgewalt über ihre eigenen Betriebe entzogen, indem diese im Mai 1938 unter „kommissarische Verwaltung" gestellt wurden. Dadurch wurden die Betriebe sichtlich zugrunde gerichtet. In Horn waren Ing. Viktor Küffel (für das Gemischtwarengeschäft und die Benzinpumpe Adele Mandl sowie die Lackfabrik Brüder Mandl), Rechtsanwalt Dr. Günther (für das Modekonfektionsgeschäft Siegfried Adler), Notar Dr. Max Bernhauer (für das Modekonfektionsgeschäft Leopold Adler), Karl Neustädter aus Sigmundsherberg (für das Autounternehmen Rosa Pollatschek), Ernst Einzinger (für das Gemischtwarengeschäft und den Fruchthandel Emma Kummermann) und Franz Edelmann aus Eggenburg (für das Ledergeschäft Pollatschek und das Handelsgeschäft Pollatschek/Schlesinger) die kommissarischen Verwalter. [86)] Damit hatten die Horner jüdischen Familien innerhalb weniger Wochen ihre wirtschaftliche Existenz verloren, das Verhältnis der neuen Machthaber und der schweigenden Mehrheit gegenüber den jüdischen Mitbürgern war unerträglich geworden. Einige verließen die Stadt. Die nationalsozialistische „Land-Zeitung" berichtete darüber am 11. Mai 1938: *Ein Jude weniger. Die jüdische Familie Glaser, ein Schwiegersohn des Likörfabrikanten Pollatschek, ist nach Göding (Tschechoslowakei) übersiedelt. Hoffentlich folgen die anderen noch hier wohnhaften Israeliten seinem Beispiele und verschwinden bald aus unserer Stadt.* [87)]

In einem Wochenbericht der Israelitischen Kultusgemeinde Wien über die Kultusgemeinden in Niederösterreich vom 17. Mai 1938 ist festgehalten: *Die Kultusgemeinde Horn zählt 35 Mitglieder, hat 1 Angestellten, der die Funktion auch in Waidhofen an der Thaya versieht. Bisher haben 6 Personen die Gemeinde verlassen.* [88)]

Sowohl im April als auch im Mai 1938 wurde der jüdische Friedhof verwüstet. Am 17. oder 18. April 1938 beschädigten zwei Jugendliche aus Horn sieben Grabstätten, die Täter wurden ausgeforscht, und es wurde Anzeige erstattet.

[83)] Niederösterreichische Land-Zeitung 59/12 (23. 3. 1938) S. 10.

[84)] Niederösterreichische Land-Zeitung 59/18 (4. 5. 1938) S. 10.

[85)] Niederösterreichische Land-Zeitung 59/12 (23. 3. 1938) S. 10.

[86)] Erich Rabl, Horn 1938. Nationalsozialistische Machtergreifung und Judenvertreibung. Ausgewählte Quellen (= Höbarthmuseum der Stadt Horn. Sonderausstellung 1988, Horn 1988).

[87)] Rabl, Die jüdische Bevölkerung Horns (wie Anm. 66) S. 17-18.

[88)] Widerstand und Verfolgung in Niederösterreich 1934-1945. Band 3 (Wien 1987) S. 349.

Abb. 107: Modehaus Siegfried Adler in der Wiener Straße 39
(Repro: Stadtarchiv Horn)

Am 9. Mai 1938 betrat um 8 Uhr morgens der Kultusangestellte Alfred Neufeld den jüdischen Friedhof. Er hielt Nachschau, wie der Steinmetzmeister Schlagenhofer die Arbeiten an den im April umgeworfenen Grabsteinen ausgeführt hatte, und verließ nach einer Viertelstunde den Friedhof. Um 10.30 Uhr des gleichen Tages ging Neufeld mit einer Wienerin, die das Grab ihres Verwandten aufsuchen wollte, auf den Friedhof und mußte mit Entsetzen feststellen, daß zwischen seinem Weggehen in der Früh und seiner Rückkehr am Vormittag der Friedhof verwüstet worden war. Neufeld erstattete Anzeige. Im Bericht des Gendarmeriepostenkommandos Horn an das Bezirksgericht Horn vom 16. Juni 1938 wurde der Tathergang folgendermaßen beschrieben: *Am 9. Mai 1938 in der Zeit zwischen 8 Uhr 30 Min. und 10 Uhr 30 Min. (nach Angabe des Zeugen Neufeld) haben bis nun unbekannte Täter nach Überklettern der ca. 1.80 m hohen Friedhofsmauer des israelitischen Friedhofes in Horn dortselbst bei 81 Grabstätten die Grabsteine und Namenstafeln umgeworfen, wodurch auch einige dieser Grabsteine zerbrachen. Die unbekannten Täter erbrachen auch die versperrte Türe der Aufbahrungshalle dieses Friedhofes, zertrümmerten dortselbst 2 hölzerne Kerzenleuchter, zerrissen die auf Pappendeckel aufgezogenen hebräischen Gebetstafeln und zündeten sämtliche dort befindlichen Wachskerzen an, die sie teils auf das hölzerne Rednerpult, teils am Boden auf die zerrissenen Gebetstafeln und eine in den dort stehenden Leichenwagen stellten. Die Wagenstange des Leichenwagens, welche möglicherweise auch zum Umwerfen der Grabsteine verwendet wurde, hingen die Täter auf einen Föhrenbaum außerhalb der Friedhofsmauer auf. Der entstandene Sachschaden ist derzeit nicht feststellbar.*[89]

Monate später hatten die nationalsozialistischen Behörden, die sonst großen Wert auf Ordnung und Sicherheit legten, offiziell noch keine Anhaltspunkte zur Feststellung der

---

[89] StA Horn, Karton Israelitische Kultusgemeinde Horn 3, Fasz. Juden (auch Judenfriedhof).

Täter. In einem Schreiben der Gestapo Wien wurden Kommunisten als mögliche Täter vorgeschoben, die die Verwüstung vorgenommen hätten, um die NSDAP zu mißkreditieren.[90] In Wahrheit waren die Täter aus der engeren Anhängerschaft der Nationalsozialisten gekommen; älteren Hornern sind die Namen der Friedhofsverwüster durchaus bekannt.[91]

Die schrecklichste Maßnahme der nationalsozialistischen Machthaber in Horn war die unmenschliche Vertreibung der wehrlosen jüdischen Mitbürger. Am 18. September 1938 wurde den Horner Juden von der Kreisleitung der NSDAP — der Hauptverantwortliche war Karl Hofmann, der 1945 bei Freistadt Selbstmord beging — befohlen, die Stadt Horn innerhalb von 24 Stunden zu verlassen. Damit wurden die jüdischen Bürger, die größtenteils schon viele Jahrzehnte in Horn wohnten, mit einem Schlag zum Verlassen ihrer Häuser und Wohnungen gezwungen. Sie mußten in die Synagoge am Stadtgraben kommen und wurden am nächsten Tag nach Wien abtransportiert. Ernst Kummermann, Sohn eines Horner Geschäftsmannes, 1938 32 Jahre alt, erzählte 1988 über diesen schrecklichen Tag: *Wenn der von der Partei bestimmte Tag zu unserer Ausreise von Horn erreicht wurde, sind alle Juden mit Autobus Zaruba nach Wien gefahren, als wir den Autobus verließen, jedermann ging seinen eigenen Weg. Wir sind nicht in Verbindung geblieben und daher habe ich keine Kontakte. Die meisten Leute, speziell die älteren, endeten im KZ und leider auch meine Mutter und Schwester.*[92]

Der Bericht des Leiters der Sicherheitsdienststelle Horn der SS an seine vorgesetzte Dienststelle über die Horner Judenvertreibung vom 19. September 1938 ist erhalten geblieben. Das Dokument befindet sich im Yad Vashem Archiv in Jerusalem.[93] Der Schreiber des Berichtes war der Horner Primarius und Chirurg Dr. Richard Riedl, der 1930 mit der Leitung der neu geschaffenen chirurgischen und geburtshilflichen Abteilung am Horner Krankenhaus betraut worden war.[94] Dr. Riedl wurde von vielen als Nr. 1 bzw. graue Eminenz der Horner Nationalsozialisten bezeichnet. Schon als illegaler Nationalsozialist scharte er einen Kreis von jugendlichen Anhängern um sich und vermittelte ihnen nationalsozialistisches Gedankengut.[95] Aus der Sicht der SS war die „Aktion" ruhig verlaufen, außer von einigen Frauen hervorgerufenen Zwischenfällen „mehr heiteren als tragischen" Charakters. Riedl betonte, daß die Horner Bevölkerung den Vorgängen sympathisierend gegenüberstand, abgesehen von kleinen Minderheiten, die er als „rote Richtung" und „Ratenkäufer" bezeichnete.[96] Mit dieser radikalen Maßnahme waren die Horner natio-

---

[90] Polleroß, 100 Jahre Antisemitismus (wie Anm. 52) S. 85.

[91] Wie Anm. 66.

[92] Brief von Ernst Kummermann, Ottawa, vom 24. Jänner 1988 an den Verfasser.

[93] Yad Vashem Archiv Jerusalem Sign. 05/126, Bericht der SD-Außenstelle Horn an SD-Unterabschnitt vom 19. 9. 1938. Eine Kopie übermittelte dankenswerterweise Herr Dr. Herbert Rosenkranz mit 8. November 1989.

[94] Erich Rabl, Vom mittelalterlichen Bürgerspital zum modernen Krankenhaus. Historische Streiflichter. In: Vom Bürgerspital zum modernen Krankenhaus. Festschrift zur Eröffnung des Neubaues a. ö. Schwerpunktkrankenhaus Horn (Horn 1993) S. 9-29, hier S. 16.

[95] Protokoll der Unterredung mit Herrn Ministerialrat i. R. Dr. Rudolf Fischer, Horn, am 3. März 1988. Protokoll der Unterredung mit Herrn StR. a. D. Josef Seitz, Horn, am 4. März 1988. Protokoll der Unterredung mit Frau Helene Kirchner, Horn, am 8. März 1988. Protokoll der Unterredung mit Herrn OStR. Mag. Ludwig Hengsberger, Horn, am 15. März 1988.

[96] Vgl. auch Rabl, Horn 1938 (wie Anm. 86).

nalsozialistischen Machthaber den übrigen Gebieten Niederdonaus — wie Niederösterreich damals hieß — weit voraus, denn Niederdonau war Ende 1942 praktisch ohne Juden, Horn hingegen schon Mitte September 1938 „judenfrei".[97]

„Die nationalsozialistische Judenpolitik fand in Österreich, besonders in Wien, breite — allerdings nicht totale — Unterstützung. Ihre Durchführung über Anweisung von oben war nur möglich, weil sie auf tief verwurzelte Traditionen eines katholischen, später teilweise säkularisierten (‚völkischen') Judenhasses aufbauen konnte, teils wurde die Judenpolitik des Dritten Reiches von der österreichischen (Wiener) sozialen ‚Basis' geradezu getrieben und radikalisiert. [...] Die stärkste Triebkraft der Judenverfolgung im Dritten Reich, mindestens im lokalen und regionalen Zusammenhang, waren unmittelbar materielle Beweggründe, nicht primär ideologische Faktoren." Soweit der Historiker Gerhard Botz.[98] Zu einer ähnlichen Auffassung kommt auch der Historiker Hermann Hagspiel, wenn er schreibt: „Einen erheblichen Anteil an der Verantwortung trug indessen auch die vom Antisemitismus durchdrungene Bevölkerung. Gerade in der Ostmark ließen sich kaum irgendwo Anzeichen mitfühlender Solidarität erkennen."[99]

Die Vertreibung aus Horn bedeutete für die Ausgewiesenen daher auch, daß sie den größten Teil ihres Vermögens verloren. Sie mußten ihre Wohnungseinrichtungen weitgehend zurücklassen, den Hausbesitzern wurde ihr Eigentum billig abgenommen. Größter Nutznießer der Judenvertreibung war die Stadtgemeinde Horn, in deren Besitz die Häuser Frauenhofner Straße 2 (Pollatschek/Schlesinger), Stadtgraben 31 (Mandl), Puechhaimgasse 6 (Schlesinger) und das Fabriksgelände Magazinstraße 3 und 5 (Brüder Mandl) übergingen. Das Bethaus der Israelitischen Kultusgemeinde Horn, Stadtgraben 25, wurde unter Ausübung von Druck der Stadtgemeinde sogar geschenkt. Am Vortag ihrer Vertreibung unterzeichneten Ferdinand Pollatschek, der Vorsteher der Kultusgemeinde, der Stellvertreter Hermann Mandl und die Ausschußmitglieder Siegfried Adler und Ludwig Schlesinger eine Niederschrift, in der sie das Bethaus, den Friedhof und alle Liegenschaften der Kultusgemeinde unentgeltlich der Stadtgemeinde Horn übertrugen. Ferdinand Pollatschek unterzeichnete zusätzlich vor dem Notar Dr. Max Bernhauer einen „Schenkungsvertrag". Wie überstürzt die Ausweisung der Horner Juden vor sich ging, geht aus einem Brief Alfred Neufelds vom 21. September 1938 aus Wien hervor. Es war ihm nicht mehr möglich gewesen, der Stadtgemeinde die Schlüssel vom Bethause sowie des Friedhofes zu übergeben. Am 23. März 1939 wurde der Schenkungsvertrag mit dem Hinweis auf eine Ministerialverordnung von 1897 von Landrat Dr. Johann Streb, dem Leiter der Bezirkshauptmannschaft Horn, genehmigt.[100]

Der Judenbesitz soll nicht an Privatpersonen veräußert werden, sondern der gesamten Bewohnerschaft als Gemeingut zugeführt werden, erklärte der nationalsozialistische Bür-

---

[97] Herbert Rosenkranz, Verfolgung und Selbstbehauptung. Die Juden in Österreich 1938-1945 (Wien-München 1978) S. 92. Jonny Moser, Die Verfolgung der Juden. In: Widerstand und Verfolgung in Niederösterreich 1934-1945. Band 3 (Wien 1987) S. 335-340.

[98] Gerhard Botz, Stufen der Ausgliederung der Juden aus der Gesellschaft. Die österreichischen Juden vom „Anschluß" zum „Holocaust". In: Zeitgeschichte 14 (1987) S. 359-378, hier S. 374.

[99] Hermann Hagspiel, Die Ostmark. Österreich im Großdeutschen Reich 1938 bis 1945 (Wien 1995) S. 234. Vgl. auch Klaus-Dieter Mulley, Österreicher und Nationalsozialismus. Mitläufertum als Normalität — Widerstand als Ausnahme. In: politische bildung. zeitschrift für erwachsenenbildung 10 (1988) S. 23-34.

[100] Wie Anm. 89

Horn, Niederdonau.   34836

Abb. 108: Horn: Kirchenplatz und Hauptplatz mit Georgskirche, 1940
(Foto: Sammlung Erich Rabl, Horn)

germeister Johann Geringer in einem Schreiben vom 14. Juli 1939 an die Eheleute Johann und Hermine Spörer in Döllersheim. Diese hatten durch die Anlage des Truppenübungsplatzes ihre Heimat verloren und gehofft, in Horn ein jüdisches Haus billig erwerben zu können (Abb. 19). Als ihnen offenbar verschiedene Auskünfte erteilt wurden und der Ankauf eines Hauses nicht gelang, schrieben sie am 1. August 1939 enttäuscht an den Horner Bürgermeister: *Einige Absiedler aus Döllersheim, auch auswärtige, kauften Judenhäuser, damals noch billig, haben seither schon Einnahmen. Wir dagegen haben durch den Zeitverlust von acht Monaten nur erreicht, daß die Häuser im Preis fast um das Doppelte gestiegen sind, außerdem sehr schwer etwas Passendes zu finden ist.* [101]

Zurück zu den Ereignissen des Jahres 1938: Am 10. November 1938 tobte ein Pogrom gegen die jüdische Bevölkerung im gesamten Deutschen Reich; im Hinblick auf die zahllosen zertrümmerten Fensterscheiben ist dieser Pogrom unter der Bezeichnung „Reichskristallnacht" in die Geschichte eingegangen. Angehörige der NSDAP und SA führten auf eine Initiative des Propagandaministers Goebbels hin angeblich spontane Kundgebungen durch, bei denen im gesamten Deutschen Reich 91 Juden ermordet und fast alle Synagogen sowie mehr als 7000 im jüdischen Besitz befindliche Geschäfte zerstört oder schwer beschädigt wurden. [102] Obwohl sich in Horn seit 19. September 1938 keine Juden mehr aufhielten, gebärdeten sich die Anhänger der Horner NSDAP ebenso radikal wie in anderen Orten und zertrümmerten insgesamt 274 Fenster- und 6 Auslagenscheiben. Auch einige Fenster der

---

[101] StA Horn, Karton Israelitische Kultusgemeinde Horn 3, Fasz. An- und Verkauf von Liegenschaften.

[102] Kurt Pätzold/Irene Runge, „Kristallnacht". Zum Pogrom 1938 (Köln 1988). Herbert Rosenkranz, „Reichskristallnacht". 9. November 1938 in Österreich (Wien-Frankfurt-Zürich 1968).

Abb. 109: Horn (1937): Rechts vom Geschäft Julius Meinl befand sich das Kleider-, Schuhe- und Wäschegeschäft von Leopold Adler.

(Foto: Sammlung Erich Rabl, Horn)

Leichenhalle des jüdischen Friedhofes wurden zerschlagen. [103] Die Wohnungseinrichtungen mehrerer jüdischer Wohnungen wurden nach der Reichskristallnacht im Auftrag der Kreisleitung der NSDAP vom SA Sturm 19/16 (Obertruppführer Jamy) „in Verwahrung" genommen. [104]

Es bedarf noch weiterer Nachforschungen, um das Schicksal aller vertriebenen Horner Juden zu rekonstruieren. [105] Wie tragisch die Vertreibung aus Horn endete, soll exemplarisch am Schicksal einiger Familien dargelegt werden. Von den drei Angehörigen der Familie Kummermann überlebte — wie schon erwähnt — nur einer. Dr. Ferdinand Steinitz lebte seit 1910 in Horn, er war Gemeindearzt und Hausarzt vieler Horner. Er, seine Frau Rosa, seine beiden Töchter Hilde und Martha, sein Schwiegersohn und ein Enkelkind wurden in einen Transport nach Auschwitz gesteckt. Dr. Steinitz ahnte offensichtlich, welches Schicksal ihn und seine Familie im KZ Auschwitz, dem größten Vernichtungslager des NS-Regimes, erwartete. Er verteilte Zyankalikapseln an seine Angehörigen, und die gesamte Familie beging auf dem Weg nach Auschwitz Selbstmord. [106]

[103] NÖLA, BH Horn XI-1861/16. 11. 1938.

[104] StA Horn, Karton Israelitische Kultusgemeinde Horn 3, Fasz. An- und Verkauf von Liegenschaften.

[105] Vgl. Erika Weinzierl, Zu wenig Gerechte. Österreicher und Judenverfolgung 1938-1945 (Graz-Wien-Köln 2. Aufl. 1985). Wolfgang Plat (Hg.), Voll Leben und voll Tod ist diese Erde. Bilder aus der Geschichte der Jüdischen Österreicher (1190 bis 1945) (Wien 1988).

[106] Protokoll der Unterredung mit Frau Maria Gamerith, Horn, am 29. Februar 1988. Weinrich, Niederösterreichische Ärztechronik (wie Anm. 66) S. 742.

Der Lederhändler Ferdinand Pollatschek, der am 19. Oktober 1871 in Horn zur Welt gekommen war, und seine seit 1911 in Horn lebende Gattin Anna mußten Horn im September 1938 verlassen und zogen zunächst nach Wien. Von dort wurden sie am 12. März 1941 nach Lagow-Opatow in Polen verschleppt. Seither fehlt von ihnen jede Nachricht. [107]

Über diese Vorgänge wußte die Bevölkerung schon während des Krieges durchaus Bescheid, wie auch eine Befragungsaktion der II b-Klasse des Bundesgymnasiums Horn im Schuljahr 1989/1990 bewies. Auf die Frage „Was wußtest du von Judenverfolgungen und den Konzentrationslagern?" antwortete die Landwirtstochter Maria Dietrich aus Frauenhofen: *Durch Schwarzhören im Radio waren wir informiert.* Und Rosa Schuh aus Kühnring erinnerte sich: *Von Judenverfolgungen und Konzentrationslagern hörte man schreckliche Zustände, aber man mußte sehr vorsichtig sein, sonst hätte man auch sein eigenes Los noch verschlechtert (z. B. trieb man die Juden zusammen und vergaste sie).* [108]

In einem Schreiben vom 13. März 1940 machte Landrat Dr. Johann Streb, der Leiter der Verwaltung des Kreises Horn, den Horner Bürgermeister Johann Geringer darauf aufmerksam, daß *bezüglich Auflassung von jüdischen Friedhöfen die betreffenden Friedhofsordnungen über die Schließung solcher Friedhöfe gelten.* Ferner wies er darauf hin, daß *der Sammlung und Verwertung von Grabsteinen aufgelassener jüdischer Friedhöfe im allgemeinen nichts im Wege stehe, soweit nicht eventuell privatrechtliche bzw. denkmalpflegerische Belange besonders zu berücksichtigen sind.* [109]

Obwohl dieses Schreiben ein deutlicher Wink an die lokalen Behörden war, den Friedhof aufzulassen, blieb er in Horn bestehen. Über die Situation in der NS-Zeit und unmittelbaren Nachkriegszeit informiert auch ein Brief von Bürgermeister Rudolf Weinmann, der am 9. Februar 1949 an seinen Schulkollegen Ludwig Schlesinger, der Horn hatte verlassen müssen und der damals in der Nähe von Haifa in Israel wohnte, schrieb, daß *in den ersten Jahren der nationalsozialistischen Machtherrschaft unbesonnene, größtenteils jugendliche Elemente offensichtlich auf Anstiften der Partei bzw. deren Formationen sämtliche Grabsteine umgeworfen und zum Teil auch sonst beschädigt haben. Die beiden Baulichkeiten, und zwar die Halle sowie der überdeckte Eingang, wurden von der Deutschen Wehrmacht jahrelang zur Einlagerung von Altstoffen verwendet. In der Umfassungsmauer wurden damals zwei Schlitze ausgebrochen. Nach dem Einmarsch der Roten Armee war der Friedhof in das Kriegsgefangenenlager miteinbezogen. Die Stadtgemeinde Horn hat erst vor kurzem mit beträchtlichem Aufwand die Schiefereindeckung der Halle zum Teil und die Ziegelbedachung der Einfahrt zur Gänze erneuern lassen, da sonst das Gebälk binnen kurzem*

---

[107] Wie Anm. 104. Über die Situation der Juden in der Umgebung Horns vgl. auch Gabriele N e c h w a t a l , Der Nationalsozialismus und seine Auswirkungen im Bezirk Horn in den Jahren 1938-1945 (Dipl. Arb., Univ. Wien 1990) S. 65-73. Doris D o l l e n s k y / Sandra W e i x l b a u m / Herbert B i n d e r , Oma, wie war das 1938? BHAK und BHASCH Horn, Gartengasse. In: Die zwei Wahrheiten. Eine Dokumentation von Projekten an Schulen zur Zeitgeschichte im Jahr 1988 (Wien 1989) S. 194-196. Vor kurzem erschien die Broschüre von Roman S c h e i d l , Die rassische Verfolgung der Juden in Horn und im Bezirk Horn, NÖ. Ein Beitrag zum Holocaust-Aufsatzwettbewerb (o. O. o. J. [1995]). Scheidl veröffentlicht ausschließlich Zeugenaussagen, leider aber ohne Namennennung. Die Namen sind teilweise unrichtig; z. B. „Dr. Steinfest" (S. 5) müßte „Dr. Steinitz" sein oder „Polacek" (S. 6) schreibt sich „Pollatschek".

[108] Erich R a b l , Schüler forschen Zeitgeschichte. „Österreicher und der Zweite Weltkrieg". In: Bundesgymnasium und Bundesrealgymnasium Horn, 112. Jahresbericht, Schuljahr 1989/90 (Horn 1990) S. 9. Rosemarie D i e t r i c h / Elisabeth S c h u h / Alexandra S w i t a l s k i , Gespräche mit Zeitzeugen. Ebenda S. 9-13, hier S. 10.

[109] Wie Anm. 89.

58/IX/38

An den
SD Unterabschnitt Wien
W I E N .

Betr. Judentum II /112.
Vorg.ohne.

Mit gestrigem Tag wurden die Juden des Kreises Horn,
veranlasst den Kreis bis heute d.i.19.9. Abends zu
verlassen.Den Auftrag dazu erhielten sie von der Kreis-
leitung.Der hiesige Notar wurde von der Judenschaft bevollmächtigt
XXXXXXX ihren Realbesitz zu veräussern.Der Tempel wurde
der Gemeinde gespendet.Für den Besitz,es sind dies vor
allem Häuser mit Geschäftskonzessionen sind bereits
Käufer vorhanden,ein,Teil der Häuser wird wahrscheinlich
von der Gemeinde für Wohnzwecke und Amtsräume erworben
werden.Die Aktion verlief(von einigen mehr heiteren als
tragischen Zwischenfällen die besonders durch Frauen
hervorgerufen wurden)ruhig.Die Bevölkerung steht dem
Ereigniss von kleinen Minderheiten abgesehen(rote Richtung,Ratenkäufer)sympathisch gegenüber.

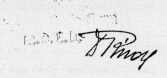

Abb. 110: Dokument vom 19. 9. 1938 über die Vertreibung der Horner Juden
(Repro: Yad Vashem Archiv, Jerusalem)

zugrunde gegangen wäre. Im übrigen ist der Friedhof noch gut erhalten. Er bedarf jedoch
einer gründlichen Instandsetzung der Grabsteine, Gräber, Wege und Anlagen. Zur Scha-
densgutmachung wären meiner Meinung nach die seinerzeitigen Täter, soweit sie ausgeforscht werden können, zu verhalten. Soweit Bürgermeister Weinmann.[110]

Auch in der Öffentlichkeit wurde über den Zustand des jüdischen Friedhofes gesprochen. Im Mai 1948 war in der „Waldviertler Post", einer von Gymnasialdirektor Hans

---

[110] Ebenda.

An die

Bezirkshauptmannschaft

in

Horn, am 16. November 1938. Horn.

Am 10. November 1938 in den Morgenstunden, wurden im Stadtgebiet Horn, von fast allen Juden gehörigen, jedoch leer stehenden gebäuden und Geschäften die Fenster -und Auslagscheiben zertrümmert.

Die Handlung dürfte mit dem durch einen Juden an dem Legationsrat von Rath verübten Mord im Zusammenhang stehen, wo über das arisch-deutsche Volk aufs äußerste empört ist.

An folgenden jüdischen Objekten wurden die Scheiben zertrümmert, und zwar:

1.) Bei dem jüdischen Kaufmann Siegfied Adler, Horn, Wienerstraße Nro. 39, 4 Fenstertafeln und 6 Auslagscheiben, Schaden 980 Reichsmark.

2.) Bei dem Juden Ferdinand Pollatschek, Horn, Frauenhofnerstraße Nro. 2, 150 Fensterscheiben, Schade 480 RM.

3.) Bei dem Juden Ernst Kummermann, Horn, Winerstraße Nr. 31, 32 Fensterscheiben, Schade 110 RM.

4.(Bei der Jüdin Theresia Schlesinger, Horn, Puchheimgasse Nro. 6, 54, Fensterscheiben, 170 RM.

5.) Bei der Jüdin Anna Schlesinger, Horn, Thurnhofgasse NRo. 9, 17 Fensterscheiben, Schade 40 Rm.

6.) Im Judentempel, Horn, Stadtgraben Nro. 25, gegenwärtig Eigentum der Stadtgemeinde Horn, 17 Fensterscheiben, Schade 30 RM.

Außerdem wurden in der Leichenhalle des Judenfriedhofes einige Fensterscheiben zerschlagen.

Sämtliche Objekte sind seit längere Zeit unbewohnt.

Nach Bekanntwerden dieser Beschädigungen wurde das in diesen Objekten vorhandene, bewegliche Gut, das in diesen Häusern vorhanden war, um Diebsähle zu verhindern, von der S.A. in Verwahrun genommen.

Die zertrümmerten Auslagefenster beim Kaufhaus Siegfried Adler wurden vorläufig mit Bretter verschallt.

Gruber [?] Walter
Rev.-Insp.

Bezirkshauptmannschaft Horn
XI-1861/1 16. NOV. 1938 eingel. Beil. IV

Abb. 111: Bericht über die „Reichskristallnacht" in Horn
(Repro: NÖ Landesarchiv, Wien)

Kapitan herausgegebenen Lokalzeitung, unter der Überschrift „Zwei Friedhöfe" ein Artikel erschienen, in dem einerseits der „Autofriedhof" unweit der Kaserne, „ein trauriger Überrest aus den letzten Tagen des Krieges", und der desolate Zustand des Judenfriedhofes kritisiert wurden. Die „Waldviertler Post" schrieb: *Horner, könnt ihr euch noch erinnern? Wie klang es doch durch eure Gassen: „Juda verrecke!" Oder wie oft ließen die braunen*

Radaubrüder das „Judenblut vom Messer spritzen"? Bis dann aufgehetzte Jugendliche im Jahre 1938 die Fenster einschlugen und den Tempel zertrümmerten und schließlich im Judenfriedhof die Grabsteine stürzten. Wirr liegen heute noch die Steintrümmer dort an der Riedenburg durcheinander. Man nimmt heutzutage manchmal gerne den Mund voll und brüstet sich mit Kultur! War das Kultur? Es war eine Kulturschande! Seien wir nur mutig genug, um das zu sagen! Und unserem Herrn Bürgermeister und den Mandataren aller Fraktionen im Gemeinderat rufen wir zu: Beseitigt den Autofriedhof endlich und laßt den Judenfriedhof wieder in einen würdigen Zustand versetzen. Es wird euch nur zur Ehre gereichen! [111]

Einige Wochen später meldete sich in der „Waldviertler Post" ein Leserbriefschreiber zu Wort, der berichtete, daß daran gearbeitet wird, den Autofriedhof zu liquidieren, hingegen der Judenfriedhof sich weiterhin in dem Zustande befinde, in den er im Jahre 1939 versetzt worden war. [112] Erst im Frühjahr 1949 wurden am jüdischen Friedhof die vordringlichsten Instandsetzungsarbeiten durchgeführt, insbesondere die durch die Witterungseinflüsse und die Kriegsereignisse hervorgerufenen Schäden wurden behoben. [113]

An zwei Beispielen soll die nach dem Ende des Zweiten Weltkrieges durchgeführte Rückgabe des jüdischen Eigentums an die früheren Besitzer illustriert werden. Der jüdische Friedhof und die Synagoge im Stadtgraben waren von der „Schenkung" im Jahre 1938 bis zum Jahre 1952 im Besitz der Stadtgemeinde Horn. Aufgrund des Rückstellungsgesetzes stellte die Rückstellungskommission beim Landesgericht für Zivilrechtssachen, Außensenat beim Kreisgericht Krems an der Donau, am 26. Juni 1952, erst sieben Jahre nach dem Ende der nationalsozialistischen Gewaltherrschaft, fest, daß der Israelitischen Kultusgemeinde Horn *im Zusammhang mit der N. S. Machtübernahme,* somit infolge politischer Verfolgung, das Vermögen entzogen worden war. Die Israelitische Kultusgemeinde Horn war mit Bescheid der Reichsstatthalterei Niederdonau vom 25. Juli 1940 aufgelöst worden und ist nach 1945 nicht wieder gegründet worden. Rechtsnachfolger der Kultusgemeinde Horn war die Kultusgemeinde Wien; der Außensenat beim Kreisgericht Krems verfügte daher 1952 die Rückgabe des 1939 entzogenen Besitzes an die Israelitische Kultusgemeinde Wien. Die Stadtgemeinde Horn hatte aus den Mieteinnahmen des Hauses Stadtgraben Nr. 25 bis 1952 einen Reingewinn von 3459,17 Schilling erzielt und mußte diesen Betrag an die Kultusgemeinde zurückgeben. 1952 wurde die Kultusgemeinde Wien im Grundbuch des Bezirksgerichtes Horn als Eigentümer eingetragen. Sie verkaufte 1971 das Haus, in dem sich bis 1938 die Synagoge befunden hatte, um 170 000 Schilling an die Landwirte Karl und Frieda Pannagl aus Winkl. Die Junge ÖVP Horn beabsichtigte im Bedenkjahr 1988 am Haus Stadtgraben 25 eine Gedenktafel mit der Aufschrift „Synagoge — Junge ÖVP 1938-1988" anzubringen. Das Vorhaben scheiterte am Einspruch des Hausbesitzers; auch der Text der geplanten Gedenktafel stieß auf Kritik. Das Areal des Friedhofes, das Nachbargrundstück und ein zum Friedhof führender Weg sind bis heute im Besitz der Kultusgemeinde Wien. [114]

---

[111] Waldviertler Post 3/22 (30. 5. 1948) S. 2.

[112] Waldviertler Post 3/29 (18. 7. 1948) S. 2.

[113] Wie Anm. 89.

[114] StA Horn, Karton Israelitische Kultusgemeinde Horn, Mappe Haus Nr. 47. Bezirksgericht Horn, Grundbuch der KG Horn, Band 2, EZ 44; Band 27, EZ 2298. Vgl. Elisabeth K o l l e r - G l ü c k, Was wurde aus den Synagogen in NÖ? In: NÖ Kulturberichte. Monatsschrift für Kultur und Wissenschaft (Juli/August 1981) S. 1-4.

Für das Haus der Familie Kummermann interessierte sich die Stadtgemeinde Horn, die schon am 29. September 1938 an die Vermögenverkehrsstelle in Wien ein Ansuchen stellte, das Haus um 25 000 RM erwerben zu dürfen. Mit dem Kaufvertrag vom 7. Februar 1940 erwarben aber Anna und Alois Schmidt, Stadtrat und Ortsgruppenleiter der NSDAP in Horn, die Kummermann-Liegenschaften um 31 600 RM (Abb. 19). Schon am 15. Juni 1939 war eine durch Pfandrecht sichergestellte Judenvermögensabgabeforderung des Deutschen Reiches in der Höhe von 14 210 RM, am 11. November 1939 neuerlich eine Judenvermögensabgabeforderung von 9126 RM sowie am 21. November 1939 eine Reichsfluchtsteuerforderung von 20 200 RM ins Grundbuch eingetragen worden. Die ersten beiden Forderungen wurden am 4. Mai 1940, die letzte am 17. Juni 1940 gelöscht, sodaß Frau Emma Kummermann vom „Verkauf" ihres Hauses keine Geldmittel übrigblieben. Dabei hatte es im Schreiben des Landeshauptmanns in Niederdonau vom 4. März 1940 noch geheißen, daß zum Zwecke der Auswanderung Eisenbahn-, Schiffs- und Flugkarten auf den Kaufpreis aufgerechnet werden konnten, der restliche Kaufpreis mußte auf ein gesperrtes Konto einbezahlt werden. Diese Eigentumsübertragung in der NS-Zeit wurde in der Zweiten Republik als Unrecht erkannt, und eine Rückstellungskommission beim Kreisgericht Krems setzte am 12. Jänner 1951 Ernst Kummermann als rechtmäßigen Eigentümer ein. Kummermann kehrte nicht mehr nach Österreich zurück; er besuchte nur 1968 das Grab seines Vaters am Horner Friedhof. 1955 verkaufte er sein Elternhaus um 330 000 Schilling an den Mechanikermeister Josef Lintner und dessen Frau Waltrude. [115)]

Nach vorsichtigen Schätzungen ist von den jüdischen Bewohnern Horns ca. ein Drittel in den Konzentrationslagern ums Leben gekommen. Von denen, die auswandern konnten, hatte fast keiner mehr das Bedürfnis, nach Horn zurückzukehren. Die Verfahren zur Rückstellung des früheren Eigentums zogen sich über Jahre hin. „Den österreichischen Juden wurde die moralische ‚Wiedergutmachung' vorenthalten, während die materielle Rückerstattung hinausgeschoben wurde" [116)], urteilt Helga Embacher. Der frühere Horner Kaufmann Ludwig Schlesinger, der mit seiner Frau Therese in Haifa lebte, schrieb am 4. Mai 1949 an seinen Freund Bürgermeister Rudolf Weinmann, daß *es nicht uns[ere] Absicht ist, nach Horn zurückzukommen.* Er meinte zwar, *nicht daß wir unsere schöne Heimatstadt vergessen wollen,* aber auf der anderen Seite überwog die Befürchtung, daß *da uns die letzten Erinnerungen wieder wach gerufen würden.* [117)] Nur Frau Sophie Mandl, die zweite Frau des Kaufmannes David Mandl, lebte von 1953 bis 1955 in Horn. Sie starb am 10. September 1955 in Wien. [118)]

Devastierungen des jüdischen Friedhofes in den Jahren 1960 und 1962 führten zu ausführlichen Medienberichten und hitzigen Debatten. Der konservative katholische Hochschulprofessor DDr. Robert Prantner berichtete im September 1960 in der Zeitschrift der Wiener Israelitischen Kultusgemeinde unter dem Titel „Ein Skandal, der zum Himmel schreit" von einer Schändung des Horner jüdischen Friedhofes. Er kritisierte dabei die *fehlende Pietät der Katholiken Horns, die einfach dieses gotteslästerliche Werk der Toten-*

[115)] Bezirksgericht Horn, Grundbuch der KG Horn, 2. Band, EZ 184. Urkundensammlung 1001/38, 369/40 und 2093/55.

[116)] Helga Embacher, Juden in Österreich. Zur Rekonstruktion individueller und kollektiver jüdischer Identitäten (geisteswiss. Diss., Univ. Salzburg 1993) S. 173.

[117)] Wie Anm. 104.

[118)] Stadtgemeinde Horn, Meldeamt, Kartei Sophie Mandl.

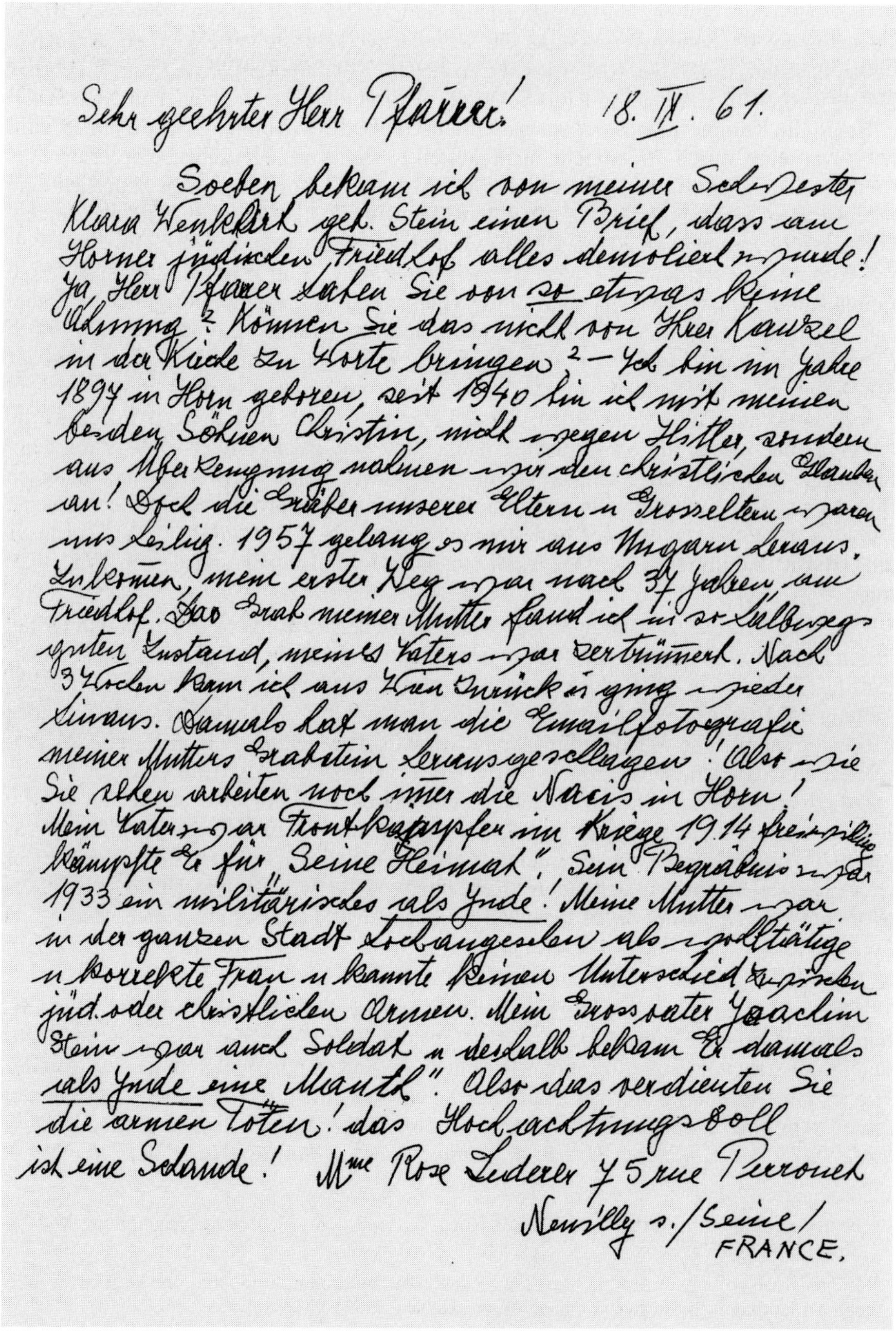

Sehr geehrter Herr Pfarrer!   18. IX. 61.

Soeben bekam ich von meiner Schwester
Klara Wenkebach geb. Stein einen Brief, dass am
Horner jüdischen Friedhof alles demoliert u. zude!
Ja, Herr Pfarrer haben Sie von so etwas keine
Ahnung? Können Sie das nicht von Ihrer Kanzel
in der Kirche zu Worte bringen? – Ich bin im Jahre
1897 in Horn geboren, seit 1940 bin ich mit meinen
beiden Söhnen Christin, nicht wegen Hitler, sondern
aus Überzeugung nahmen wir den christlichen Glauben
an! Doch die Gräber unserer Eltern u. Grosseltern waren
uns heilig. 1957 gelang es mir aus Ungarn heraus.
Zu kommen, mein erster Weg war nach 37 Jahren zum
Friedhof. Das Grab meiner Mutter fand ich in so halbwegs
guten Zustand, meines Vaters gar zertrümmert. Nach
3 Wochen kam ich aus Ungarn zurück u. ging u. jeder
hinaus. Damals hat man die Emailfotografie
meiner Mutters Grabstein herausgeschlagen. Also wie
Sie sehen arbeiten noch immer die Nazis in Horn!
Mein Vater war Frontkämpfer im Kriege 1914 freiwillig
kämpfte er für "Seine Heimat". Sein Begräbnis war
1933 ein militärisches als Jude! Meine Mutter war
in der ganzen Stadt hochangesehen als wohltätige
u. korrekte Frau u. kannte keinen Unterschied zwischen
jüd. oder christlichen Armen. Mein Grossvater Joachim
Stein war auch Soldat u. deshalb bekam er damals
als Jude eine "Mauth". Also das verdienten Sie
die armen Toten! das Hochachtungsvoll
ist eine Schande!   Mme Rose Lederer 75 rue Perronet
                                    Neuilly s./Seine/
                                              FRANCE.

Abb. 112: Brief von Rose Lederer an den Horner Stadtpfarrer P. Suitbert Mahrer vom 18. 9. 1961
(Repro: Pfarrarchiv Horn)

schändung zuließen und forderte eine „Wiedergutmachung".[119] In das gleiche Horn stieß Univ.-Prof. Kurt Schubert[120], der Präsident des Katholischen Akademikerverbandes der Erzdiözese Wien, der in mehreren Briefen den Horner Stadtpfarrer P. Suitbert Mahrer drängte, *in Horn nach dem Rechten zu sehen* und eine katholische Aktion einforderte. Prälat Karl Rudolf von der „Pax Christi" — der „Internationalen Katholischen Friedensbewegung" — unterstützte brieflich den Vorschlag Schuberts. Auch der FPÖ-Abgeordnete Wilfried Gredler schaltete sich mit einem Brief („Pfui Teufel, Horn!") an Dechant Thalinger in Gars ein. Pfarrer P. Suitbert Mahrer verhielt sich zurückhaltend und schrieb in seinem ersten Brief an Schubert: *Jedermann in Horn weiß, daß der jüdische Friedhof in Horn in der Nazizeit verwüstet wurde. Er wurde dann niemals recht in Ordnung gebracht.* In einem zweiten Brief an Schubert meinte er schließlich: *Auch ist nach unserer Erfahrung auch nicht die Notwendigkeit zu Vorträgen zur Bekämpfung des Antisemitismus gegeben, da in der Horner Bevölkerung keinerlei Antisemitismus festzustellen ist.* Weiters wies er darauf hin, daß in der Schule beim Religionsunterricht bei passender Gelegenheit *von den Untaten der NS Zeit an Christen und Juden gesprochen* werde. Aus Frankreich protestierte am 18. September 1961 Rose Lederer (geborene Stein), die ihre Jugend in Horn verbracht hatte[121] (Abb. 112).

Große Aufregung herrschte in Horn, als „Die Gemeinde", das offizielle Organ der Israelitischen Kultusgemeinde Wien, am 20. Juli 1962 auf Seite 1 einen dreispaltigen Artikel mit der Schlagzeile „Horn — die Stadt der Vandalen" abdruckte. Die Zeitung der Kultusgemeinde berichtete von vier Friedhofsschändungen in Horn (1955, 1960, Mai 1962 und Ende Juni 1962) und beklagte, daß *in Horn Neonazis und jugendliche Vandalen immer wieder die Ruhe der Toten stören.*[122] Am gleichen Tag besuchte eine Kommission, die sich aus einem Vertreter des Bundesministeriums des Inneren und Vertretern anderer Behörden sowie dem Vizepräsidenten der Israelitischen Kultusgemeinde, Dr. Felsberg, zusammensetzte, den jüdischen Friedhof. Als Täter der Gräberschändung am 14. Mai 1962 wurden zwei vierzehnjährige Buben und ein knapp Sechzehnjähriger ausgeforscht.

Der Gemeinderat der Stadt Horn trat am 26. Juli 1962, inmitten der politischen Sommerpause, unter dem Vorsitz von Vizebürgermeister Otto Amon zu einer Sondersitzung zusammen. Der Gemeinderat bedauerte die vorgekommenen Beschädigungen und stellte fest, *daß es in Horn weder einen Antisemitismus noch einen Neonazismus gibt und daher den Übeltätern auf dem Judenfriedhof keine konfessionellen bzw. politischen Motive zugrunde liegen können.*[123] Einige Tage später wurde der Friedhof mit einem Stacheldraht

[119] Die Gemeinde. Offizielles Organ der Israelitischen Kultusgemeinde Wien Nr. 33 (20. 9. 1960) S. 20. Vgl. auch: Schwere Anwürfe wegen der umgefallenen Grabsteine. In: Waldviertler Post/Horner Zeitung 15/41 (5. 10. 1960) S. 1. Die Horner wehren sich. In: Das Kleine Volksblatt Nr. 242 (16. 10. 1960) S. 14.

[120] Der Philologe Kurt Schubert (geboren 1924 in Wien) wurde „1966 Univ.-Prof., gründete im selben Jahr an der Universität Wien das erste Institut für Judaistik in Europa nach 1945 und 1974 das Österreichische Jüdische Museum in Eisenstadt. Befaßt sich mit der jüdischen Geschichte und Kultur der biblischen Zeit bis zur Gegenwart. Schubert machte sich besonders um den christlich-jüdischen Dialog verdient." (Richard und Maria B a m b e r g e r/Ernst B r u c k m ü l l e r/Karl G u t-k a s (Hg.), Österreich Lexikon in zwei Bänden. Band II (Wien 1995) S. 371.)

[121] Pfarrarchiv Horn, Mappe Affäre: Judenfriedhof (1960).

[122] Die Gemeinde. Offizielles Organ der Israelitischen Kultusgemeinde Wien Nr. 55 (20. 7. 1962) S. 1.

[123] Stadtgemeinde Horn, Protokoll der Gemeinderatssitzung vom 20. 7. 1962.

Abb. 113: Eingangshalle zum Horner jüdischen Friedhof, 1988
(Foto: Stadtarchiv Horn)

umzäunt. Die Diskussion aber ging weiter, für die einen waren es Lausbubenstreiche, bei denen antisemitische Motive keine Rolle spielten; die anderen orteten hingegen bei Erwachsenen eine antisemitische Einstellung, die die Verwüstungen durch Jugendliche motiviert und möglich gemacht hatten. [124]

Im November 1962 erschien eine Delegation des Österreichischen Bundesjugendringes in Horn, um auf dem jüdischen Friedhof einen Sühneakt durchzuführen. Die Vertreter der im Bundesjugendring zusammengeschlossenen Kinder- und Jugendorganisationen legten als Zeichen der Sühne für die wiederholten Schändungen einen Kranz nieder. [125] Im Gedenkjahr 1988 wurde beim jüdischen Friedhof im Rahmen der Aktion 8000, einem Beschäftigungsprogramm des Landesarbeitsamtes für Langzeitarbeitslose, die nördliche Begrenzungsmauer, die sich stark nach außen neigte, neu aufgebaut und verputzt. [126] Heute stehen auf dem Friedhof fast 80 Grabsteine, in der nordöstlichen Ecke liegen aber

---

[124] StA Horn, Karton Israelitische Kultusgemeinde Horn, Mappe Judenfriedhof. Vgl. Horner Zeitung 17/30 (26. 7. 1962) S. 1. Das Kleine Volksblatt Nr. 172 (28. 7. 1962) S. 10. NÖ Land-Zeitung 83/31 (2. 8. 1962) S. 1-2. Volkswille 9/31 (4. 8. 1962) S. 1.

[125] Israelitisches Wochenblatt für die Schweiz (9. 11. 1962).

[126] Ulrike Kerschbaum, Horner Judenfriedhof wieder zugänglich. Arbeitslose renovieren jüdische Friedhöfe in NÖ. In: NÖN/Horner Zeitung 119/35 (1. 9. 1988) S. 3. Kurt Horak, „Aktion 8000 der Arbeitsmarktverwaltung. Arbeitsplätze für 11 000 Menschen. In: arbeit & wirtschaft 43/2 (Februar 1989) S. 38-41, Horn S. 40. Vgl. auch Robert Streibel, Gottes Acker ist verwildert. Das Schicksal der jüdischen Friedhöfe. Eine Aktion will retten, was noch zu retten ist. In: morgen. Kulturzeitschrift aus Niederösterreich 12 (1988) S. 260-262. Heinz Werner Eckhardt, „Häuser des Lebens" als ewige Mahnung. NÖ jüdische Friedhöfe wurden mit Hilfe der Aktion 8000 renoviert. In: NÖ Kulturberichte. Monatsschrift für Kultur und Wissenschaft (Dezember 1989) S. 4-5.

immer noch ca. 50 Gesteinstrümmer, zum Teil Grabeinfassungen, und ca. 17 Grabsteine. Bei einzelnen Grabsteinen ist die ursprüngliche Inschrift nicht mehr zu lesen.

Bei einem Brand am 18. November 1989 wurde der Dachstuhl der Friedhofshalle ein Raub der Flammen[127]; er wurde 1990 wieder aufgebaut.

Am 9. November 1989 rief die Katholische Arbeiterjugend Horns zum Gedenken an die Reichskristallnacht vor 50 Jahren zu einem öffentlichen Mahnschweigen auf dem Kirchenplatz auf. Die jungen Aktivisten verteilten einen kleinen Falter und veröffentlichten einen Aufruf. Dort hieß es u. a.: *Wir erleben auch heute in Österreich weitverbreitete antijüdische Vorurteile. Bitte machen Sie nicht mit und treten Sie dagegen auf.*[128]

Der jüdische Friedhof in Horn, *dieses vergessene Stück Horner Geschichte*[129], ist seit einigen Jahren zu bestimmten Öffnungszeiten allgemein zugänglich. Jeden Mittwoch und Sonntag ist der Horner Friedhof der Israelitischen Kultusgemeinde Wien von 10-12 und 14-17 Uhr für Besuche geöffnet. Das jüdische Leben in Horn ist seit 1938 erloschen[130], damals wurden alle jüdischen Bewohner aus Horn vertrieben; ein Teil von ihnen bzw. ihren Nachkommen lebt heute im Ausland, ein Teil wurde ausgelöscht, das heißt, Menschen wurden getötet, deren einziges „Vergehen" darin bestand, daß sie Juden waren.

---

[127] NÖN/Horn-Eggenburg 120/47 (23. 11. 1989) S. 7.

[128] Rosenkranz, „Reichskristallnacht" (wie Anm. 102). „Blick schärfen für die Gegenwart!". Mit einem Mahnschweigen der Reichskristallnacht gedacht. In: NÖN/Horner Zeitung 119/48 (17. 11. 1988) S. 5. Sammlung Erich Rabl, Flugblatt „Öffentliches Mahnschweigen".

[129] Kerschbaum, Horner Judenfriedhof (wie Anm. 126).

[130] Vgl. Josef Pick, Jüdisch-geschichtliche Stätten in Wien und den österreichischen Bundesländern (Wien 1935) S. 48 und Österreich-Dokumentation. Jüdisches Leben in Österreich. Hg. vom Bundespressedienst (Wien 1994) sowie Patricia Steines, In der Kette der Generationen. Jüdisches Brauchtum einst und heute. In: Niederösterreichische Heimatpflege, Niederösterreichischer Brauchtumskalender – Volkskultur 1996 (Mödling-Wien 1996) S. 138-147.

Bewohner Horns mit mosaischem Bekenntnis

(nach den Wohnlisten vom Dezember 1930)

Name	Geburtsdatum	Geburtsort	Stand	Beruf	In Horn seit
Haus Nr. 3, Kirchenplatz 1					
1 Dr. Ferdinand Steinitz	18. 2. 1874	Wien	verh.	Gemeindearzt	1910
2 Rosa Steinitz	18. 10. 1877	Wien	verh.	Hausfrau	1910
3 Hilde Steinitz	24. 2. 1905	St. Marein, NÖ	ledig		1910
4 Martha Steinitz	23. 2. 1907	St. Marein, NÖ	ledig		1910
Haus Nr. 20, Prager Straße 11 (Mühlgasse1)					
5 Hermann Mandl	23. 1. 1878	Röhrenbach, NÖ	verh.	Farbwarenerzeuger	1912
6 Adele Mandl	24. 4. 1886	Libutschau, Böhmen	verh.	(Hausfrau)	1912
7 Franz Mandl	19. 5. 1913	Horn	ledig	Gymnasiast	1913
8 Herbert Mandl	18. 4. 1914	Horn	ledig	Gymnasiast	1914
9 Wilhelm Mandl	24. 4. 1920	Horn	ledig	Gymnasiast	1920
Haus Nr. 41, Frauenhofner Straße 2 (Stadtgraben 1)					
10 Ferdinand Pollatschek	19. 10. 1871	Horn	verh.	Lederhändler	1871
11 Anna Pollatschek	6. 10. 1888	Misslitz, Mähren	verh.	Lederhändlers-Gattin	1911
Haus Nr. 41, Frauenhofner Straße 2 (Stadtgraben 1)					
12 David Schlesinger	15. 6. 1852	Altenburg, NÖ	Witwer	Privat	1871
13 Johanna Schlesinger	3. 7. 1883	Horn	ledig	Haushälterin	1883
Haus Nr. 47, Stadtgraben 25					
14 Alfred Neufeld	11. 2. 1887	Kirchberg/Wagram	verh.	Kultusangestellter	1918
15 Jeanette Neufeld	27. 12. 1889	Landhausen, NÖ	verh.	Private	1925
Haus Nr. 49, Stadtgraben 31 (Roßmarkt 2)					
16 Karl Mandl	11. 3. 1860	Miawa, Mähren	verh.	Kaufmann	1895
17 Fanny Mandl	8. 12. 1861	Altenburg, NÖ	verh.	Gattin	1895
18 Berta Neufeld	5. 7. 1891	Frauenhofen, NÖ	ledig	Privat	1898
Haus Nr. 56, Hauptplatz 9 (Stadtgraben 67)					
19 Leopold Adler	18. 7. 1886	Horn	verh.	Kaufmann	1886
20 Ernestine Adler	18. 1. 1900	Wien	verh.	Kaufmann	1926
21 Rosa Adler	1850	Beneschau, Mähren	Witwe	Kaufmann	1880
Haus Nr. 59, Hauptplatz 12 (Stadtgraben 67)					
22 Antonia Bäk	3. 3. 1852	Nakwasowitz	Witwe	Privat	
Haus Nr. 64, Florianigasse 7 (Stadtgraben 20)					
23 Josef Fleischmann	22. 6. 1898	Schaffa, Mähren	verh.	Pferdehändler	ca. 1902
24 Grete Fleischmann	13. 12. 1902	Wien	verh.	Gattin	1925
25 Ruth Fleischmann	26. 11. 1927	Wien	ledig	Kind	1927
Haus Nr. 85, Raabser Straße 21					
26 Josef Blau	1. 4. 1890	Hippersdorf, NÖ	verh.	Pferdehändler	1927
27 Emilie Blau	28. 7. 1896	Wien	verh.	Schneiderin	1928

Name	Geburtsdatum		Geburtsort	Stand	Beruf	In Horn seit
Haus Nr. 119, Thurnhofgasse 9						
28 Seligman Schlesinger	März	1849	Schaffa; Mähren		Privat	1916
29 Anna Schlesinger	Juli	1850	Groß Mesnitsch		Privat	1916
30 Ernestine Schlesinger	Juli	1875	Thunau, NÖ		Privat	1916
Haus Nr. 119, Thurnhofgasse 9						
31 Amalie Mandl	23. 9. 1876		Messern, NÖ	ledig	Private	1919
32 Ernestine Mandl	10. 4. 1887		Röhrenbach, NÖ	ledig	Stickerin	1919
Haus Nr. 131, Thurnhofgasse 33						
33 Ludwig Pollatschek	14. 5. 1862		Groß Mesnitsch	Witwer	Kaufmann	1878
34 Siegfried Glaser	27. 4. 1891		Göding, Mähren	verh.	Kaufmann	1923
35 Hedwig Glaser	25. 7. 1893		Horn	verh.		1893
36 Erich Glaser	16. 12. 1924		Horn	ledig		1924
Haus Nr. 131, Thurnhofgasse 33						
37 Theodor Pollatschek	27. 5. 1895		Horn	verh.	Kaufmann	1895
38 Rosa Pollatschek	24. 12. 1906		Lazdijai	verh.	Kaufmanns-Gattin	1927
39 Kurt Pollatschek	3. 8. 1930		Horn	ledig		1930
Haus Nr. 191, Wiener Straße 31 (Thurnhofgasse 36)						
40 Jakob Kummermann	16. 6. 1869		Stockern, NÖ	verh.	Kaufmann	1900
41 Emilie Kummermann	30. 12. 1877		Schwihau, Böhmen	verh.	Gattin	1902
42 Friederike Kummermann	29. 5. 1903		Horn	ledig	Kind	1903
43 Ernst Kummermann	23. 3. 1906		Horn	ledig	Kind	1906
Haus Nr. 191, Wiener Straße 31 (Thurnhofgasse 36)						
44 Ludwig Gutmann	23. 6. 1869		Horn	ledig	Photograph	1925
Haus Nr. 212, Wiener Straße 16						
45 Egon Fischer	4. 2. 1911		Eggenburg	ledig	Student	1924
Haus Nr. 220, Taffatal 6						
46 Emanuel Stein	6. 1. 1869		Pirschitz	verh.		1870
47 Maria Stein	7. 10. 1870		Letschko	verh.		1905
48 Hedwig Stein	15. 10. 1908		Horn	ledig		
49 Margarete Stein	6. 1. 1912		Horn	ledig		
50 Anna Stein	23. 1. 1914		Horn	ledig		1914
Haus Nr. 248, Puechhaimgasse 6						
51 Ludwig Schlesinger	7. 6. 1888		Horn	verh.	Kaufmann	1910
52 Therese Schlesinger	19. 5. 1884		Vitis, NÖ	verh.	Gattin	1915
53 Elisabeth Schlesinger	7. 10. 1921		Horn	ledig	Kind	(1921)
54 Friedrich Schlesinger	6. 7. 1923		Horn	ledig	Kind	(1923)
Haus Nr. 276, Schulgasse 5						
55 Viktor Kellermann	8. 4. 1906		Oderberg, Mähren		Beamter der Phönix	1930

Name	Geburtsdatum	Geburtsort	Stand	Beruf	In Horn seit
Haus Nr. 350, Magazinstraße 3 und 5					
56 Maximilian Kohn	31. 3. 1887	Bielenz	verh.	Werkmeister	1919
57 Mathilde Kohn	29. 8. 1888	Röhrenbach, NÖ	verh.	Gattin	1919
58 Walter Kohn	7. 3. 1915	Szekszárd, Ungarn	ledig	Student	1919
59 Rudolf Kohn	5. 7. 1917	Kaschau, Slowakei	ledig	Schüler	1919
Haus Nr. 355, Wiener Straße 39					
60 Siegfried Adler	11. 8. 1877	Tábor, Böhmen	verh.	Kaufmann	1878
61 Hermine Adler	16. 2. 1880	Jung-Woschitz	verh.	Gattin	1902
62 Friedrich Adler	18. 6. 1908	Horn	ledig	Sohn	1908

Ruth Heidrich-Blaha

DIE SYNAGOGE IN KREMS VON MAX FLEISCHER*

1894 erbaut
Von den Nationalsozialisten entweiht und devastiert
1978 abgerissen

Die einzige zeitgenössische Beschreibung findet sich im „Neuen Wiener Abendblatt" vom 26. 9. 1894, anläßlich der Einweihung der Synagoge:

Das Äußere präsentiert sich sehr schmuck, der Innenraum bestehend aus dem Mittelschiff und zwei Seitenschiffen, die Mittel- und zwei Seitengalerien mit insgesamt 220 Sitzen, weist reich gegliederte und farbige Architektonik auf.[1]

Vor der kunsthistorischen Betrachtung der Kremser Synagoge möchte ich zum besseren Verständnis derselben auf die für den Historismus wohl wichtigste Architekturtheorie verweisen, die des Architekten Gottfried Semper (1803 - 1879). Sie ist die Grundlage, auf der die Architekten des „philologischen Historismus", zu denen auch Max Fleischer zu zählen ist, im wahrsten Sinne des Wortes aufbauten.

Der philologische Historismus oder die Suche nach dem Ursprung

Der „philologische Historismus" ist eine spezielle Wiener Variante, die mit der Rezeption des Positivismus in Wien um 1850 in Zusammenhang steht und dessen Vertreter die Theorie vom sich selbst zum Ziele hin entwickelnden Weltgeist im Sinne Hegels mehr als skeptisch betrachteten. Sie sahen ihre Aufgabe in der Suche nach und dem eventuellen Auffinden einer von aller historischer Entwicklung gereinigten materiellen oder geistigen Urform. Dies sollte mit Hilfe der verschiedenen historischen Wissenschaften geschehen. Die folgenden Vorstellungen Sempers über Analyse, Zusammensetzung und Bedeutung beziehen sich auf Gegenstände des Kunstgewerbes, sie können allerdings auch auf die Architektur übertragen werden, da diese, laut Semper, als die *Letztgeborene der Künste* ebenfalls nach diesen Prinzipien gestaltet wird. Er geht davon aus, daß es, von der Natur

---

[*] Der Architekt Max Fleischer, geboren in Proßnitz/Mähren am 29. 8. 1841, gestorben in Wien am 18. 12. 1905, war bekannt für seine Synagogenbauten und Grabdenkmäler in Wien, Böhmen und Mähren. Es sei hier nur verwiesen auf die Bauten in Wien: 6. Schmalzhofgasse 3, (1883/84), 9. Müllnergasse 21, (1888/89), 8. Neudeggergasse 12, (1903) (Pierre G e n é e , Wiener Synagogen [Wien 1987] S. 63 f.) Unter den von Max Fleischer gestalteten Grabdenkmälern auf dem Wiener Zentralfriedhof, 1. Tor findet man u. a. die Gräber Wilhelm Ritter von Gutmann, Samuel von Hahn, Rabbiner Dr. Adolph Jellinek, Dr. Adolph Fischhof und der Familien Suchatipa und Wiener von Welten. Der wichtigste Profanbau ist wohl der Umbau des Schlosses Tobitschau/Mähren für Wilhelm Ritter von Gutmann (1891). Max Fleischer war Schüler an der Akademie der bildenden Künste in Wien bei August Sicard von Sicardsburg, Eduard van der Nüll und Friedrich Schmidt. Er ist der einzige jüdische Architekt, der in Wien ein Denkmal erhielt: sein Portraitkopf befindet sich, gemeinsam mit dem seines Kollegen Hugo Heer, an einem der ringstraßenseitigen Tore des Wiener Rathauses. Neben seiner Tätigkeit als Architekt war er noch Kultusrat der Wiener israelitischen Kultusgemeinde und Vorstand des Mariahilfer Tempelbauvereins. Es gibt derzeit noch keine ausführliche Biographie bzw. ein Register der Werke Max Fleischers.

[1] Zitiert nach Hannelore H r u s c h k a , Die Geschichte der Juden in Krems an der Donau, phil. Diss. (Wien 1978) S. 214.

und dem *frühen Menschen* vorgegeben, einen invariablen Urtypus des jeweiligen Gegenstandes und einen *zivilisatorischen* Einfluß auf das mit dem Typus zusammenhängende variable Ornament gäbe. Das variable Ornament setzt er gleich mit „dem Stil", der im Gegensatz zum Typus dem historischen Wandel unterliegt.

Die Grundidee eines Kunstwerkes, die aus dessen Gebrauch und Bestimmung hervorgeht, ist unabhängig von der Mode, vom Material und von zeitlichen und örtlichen Bedingungen. Sie ist das Motiv des Kunstgegenstandes. Die Motive besitzen gewöhnlich ihren einfachsten und reinsten Ausdruck in der Natur selbst, sowie in den frühesten Formen, welche ihnen vom Menschen im Anfange aller Kunstindustrie gegeben wurden. Diese natürlichen und ursprünglichen Formen heißen Typen der Ideen. (Diese im Prinzip unveränderbaren Formen nennt Semper später die Elementarideen, d. V.) *... zweifellos ist die Klarheit der Erfassung dieser zu Grunde liegenden Urmotive eine Hauptaufgabe des Künstlers.*[2]

Semper schlägt folgende — analytische — Methode zur klassifizierenden Erfassung des Gegenstandes vor:

... ich nannte als die konstituierenden Teile eines zusammengesetzten Gefäßes die folgenden:

     I.   den Bauch
     II. den Fuß oder Untersatz
     III. den Hals oder Ausguß
     IV. die Handhaben
     V. den Deckel

Jeder dieser Teile hat seine eigene Bedeutung und Funktion. Ihre Formen und Ornamente beziehen sich hauptsächlich auf materiellen und symbolischen Gebrauch und weiters seien *Prinzipien der Proportion, Form und Ornamentierung* unabhängig von den Materialien, *sodaß das ... ebensowohl für Erdwaren, wie für Gefäße aus Metall und anderen Stoffen seine Gültigkeit habe.*[3]

Wie der Künstler zur „Erfassung" der Urmotive kommt, zeigt die „Bauaufnahme" einer spätgotischen Monstranz der Sammlung Rothschild, die der Semper'schen Methode zur *Klassifikation der Gefäße* entspricht (Wiener Bauhütte, Bd. I, 1868, Klasse Friedrich Schmidt).

Im Sinne der „Analyse" werden vor allem Querschnitte gelegt, wo sich die Grundformen verändern, wozu sich eine spätgotische Monstranz auf Grund ihrer dekorativen Formenvielfalt besonders gut eignet. Auf den Grundriß des Fußes folgt ein Querschnitt des ‾   ‾ls", dann folgt ein Grundriß des Gehäuses und verschiedene Querschnitte des sich ‾üngenden Aufsatzes. Darauf folgt eine genaue Analyse der Ornamente und ‾nes Moduls. Der Gegenstand wird regelrecht „seziert", um zu gegebener ‾ieder zusammengesetzt zu werden. Das Ornament betreffend gehörte ‾ng an der Akademie der bildenden Künste in Wien auch ein drei- ‾ *Wesen der Ornamentik mit Hinweisung auf ihre Bedeutung und ‾nentalbauten und Gerätschaften aller Stylepochen* bei verschie- ‾n unserem Fall August Sicard von Sicardsburg, Eduard van der Nüll ‾chmidt. Wie ein Gegenstand zusammengesetzt wurde, läßt sich an Hand des ‾ngiebels der Kremser Synagoge (Abb. 114) zeigen: Der dreistufige Giebel mit den seitlichen Voluten ist ein Konglomerat aus der quasi strukturellen Urform des von Leon

---

[2] Gottfried Semper, Kleine Schriften (Berlin/Stuttgart 1884) S. 269 f.

[3] Gottfried Semper, Kleine Schriften (Berlin/Stuttgart 1884) S. 35.

222

Abb. 114: Synagoge in Krems von Max Fleischer, 1894, Aufnahme vor dem Abriß, 1978
(Foto: Csaba Tarcsay)

Battista Alberti entworfenen Fassadengiebels für Santa Maria Novella in Florenz (1456 bis 1470), die seitlichen „Viertelbogen" haben ihr Vorbild im Giebel der Fassade der Kirche San Zaccaria in Venedig (Ende 16. Jhdt.), und der dreistufige Giebel mit Fenstern stammt von den Bürgerhäusern der flandrischen Renaissance. Ob die blinden Fenster bei der Synagoge den Originalzustand zeigen, läßt sich aus heutiger Sicht nicht mehr feststellen. Die Fenster der historischen flandrischen Giebel waren nötig, da sie Fenster für Dachwohnungen waren. Die untersten Giebel„voluten" sind mit je einer eingelegten steinernen Rosette verziert, was wiederum entfernt an den Giebel von Santa Maria Novella erinnert. An den Stufenecken waren — wahrscheinlich bronzene — Baluster angebracht. Diese an antike Salbgefäße und Weihrauchbehälter erinnernden Formgelegenheiten finden sich auch beim von Max Fleischer im Renaissancestil entworfenen Grabmal Marcus Engel. Der Giebel der Synagoge war sichtlich eine Repräsentationsform.

Max Fleischer hielt anläßlich der Dachgleiche der von ihm entworfenen Synagoge in der Schmalzhofgasse im 6. Bezirk in Wien eine Rede und sagte unter anderem (es sei hier auf die formale und inhaltliche Parallelität zu Sempers Ausführungen verwiesen, d. V.):

Als Grundkonzept für einen Synagogenbau sind folgende Punkte zu beachten:
1. Die Vorhalle als Vorraum wie für jedes andere Bauwerk
2. Den Tempelraum mit den Galerien zur Aufnahme der Andächtigen
3. Das Heiligtum für Bundeslade und Almemor
4. Die Kanzel
5. Raum für Chor und musikalisches Instrument zur Begleitung beim Gottesdienste
6. Ankleideraum für die Funktionäre
7. Stiegenhaus für die Galerien[4]

Für ihn ist die Basilika der Grundtypus, der diesen Punkten am besten entspricht. So meint Max Fleischer in seiner Darlegung von der historischen Entwicklung der Basilika vom allgemeinen profanen zum christlich sakralen Versammlungsraum, daß dieses Raumkonzept eben für Versammlungen am besten geeignet sei. In Zeiten, wo der Architekt das funktionellste Konzept vorzulegen habe und der Typus nicht mehr einer bestimmten Religion zugeordnet wäre, könne die dreischiffige Basilika auch für eine Synagoge Verwendung finden (Die Neuzeit, 1884/14, S. 136).

Zum „Stil" als symbolischer Qualität meint Max Fleischer:

Während wir von allen [diesen] Stylrichtungen Beispiele aus vergangener Zeit haben, sind jedoch keine zu finden für die in neuerer Zeit beliebte Anwendung des türkisch- byzantinischen Styles. Dieser ist uns aufoctroyiert worden von Architecten, die weder den Sinn, noch die Bedeutung, noch das Wesen des Judenthums kennen und die leider und bedauerlicher Weise ohne jede, oft unter jeder Kritik nachgeahmt werden. Für diese Anwendung und Anknüpfung gibt es keine Rechtfertigung, nicht einmal im Punkte der Ökonomie. Es gäbe keinen traditionellen, nationalen Stil und . . . *gegen einen Styl [wie die Gotik] mit welchem man bei gleicher monumentaler Wirkung, bei naturgemäßer solider Bauweise, . . ., die möglichste Oekonomie erzielen kann,* wäre doch nichts einzuwenden. Außerdem sei die Gotik auch der religiöse Stil schlechthin.[5]

Es muß also für den Baukünstler, im Falle eines Tempelbaues heute . . . Aufgabe sein, nicht nach Traditionen zu suchen, die es nicht gibt, vielmehr muß er bestrebt sein, ich

---

[4] Max Fleischer, Über Tempelbau. In: Die Neuzeit 16 (1884) S. 154 f.

[5] Max Fleischer, Über Synagogenbau. In: Zeitschrift des österreichischen Ingenieur- und Architektenvereines 18 (1894) S. 233 f. und Über Tempelbau. In: Die Neuzeit 16 (1884) S. 154 f.

Abb. 115: Inneres der Synagoge, Aquarell von Max Fleischer, 1894
(Foto: Pierre Genée)

möchte sagen, schöpferisch zu Werke zu gehen und in dieser Weise zu suchen, respektive dahin zu wirken, daß sich allmälig ein eigener charakteristischer Typus für die Synagoge herausbildet. [6]

Fleischers Ideal war ein polychromer, basilikaler Ziegelbau im „gotischen Style". Aus diesen Abschnitten, z. T. publiziert in einer fortschrittlichen jüdischen Zeitung und formal und inhaltlich einer Verteidigungsrede ähnlich, ist zu ersehen, daß diese Formen — Basilika und „gotischer Stil" — innerhalb der jüdischen Gemeinden nicht immer akzeptiert wurden.

Max Fleischer, wie schon erwähnt ein direkter Schüler Friedrich Schmidts und beim Rathausbau als Bauleiter tätig — nach eigenen Angaben war er u. a. für das Aufsetzen der Kreuzblumen verantwortlich —, präparierte für „religiöse Bauten" zwei Baukästen, einen im „gotischen Stile" und einen im „Renaissancestil" heraus, die er je nach Wunsch des Auftraggebers oder seinen eigenen Vorstellungen, ein wenig variiert, bei seinen Bauaufgaben anwenden konnte. So erscheint der flandrische Giebel in ähnlicher verkleinerter Form beim Grabmal der Familie Mayer Mandl (ca. 1888) und an der Synagoge in Krems, die Arkade und die „Kassettendecke" finden sich sowohl beim Grabmal Samuel von Hahn (1900) als auch in monumentalerer, d. h. vervielfältigter Form als Teil der Innenraumgestaltung der Kremser Synagoge (Abb. 115). Die „Kassettendecke" findet man auch beim Grabmal Marcus Engel (ca. 1890). Diese Bauelemente waren bereits „vorfabrizierte kombinierte Formen". Max Fleischer arbeitete sich nicht mehr bis zum kleinsten angenommenen Element eines Stiles vor, wie es das Ideal der Schmidt'schen Vorstellungen war.

Inwieweit folgt nun Max Fleischer seinen eigenen Vorstellungen beim Bau der Synagoge in Krems und inwieweit hält er sich an die Vorgaben des Semper-Schmidt'schen Analyseverfahrens?

Max Fleischer folgte der Methode Gottfried Sempers,

1. die *Grundfunktionen* eines Gegenstandes festzustellen,
2. die entsprechenden Grundformen (Typen) zu er-finden und
3. diese dann in den gewünschten Stil zu kleiden.

Zu Punkt 1, Grundfunktionen, zitiere ich nochmals Max Fleischers Überlegungen, deren materielles Erscheinungsbild, soweit rekonstruierbar, in die folgende Beschreibung des Bauwerks eingeflochten wird.

1. Die Vorhalle als Vorraum wie für jedes andere Bauwerk
2. Den Tempelraum mit den Galerien zur Aufnahme der Andächtigen
3. Das Heiligtum für Bundeslade und Almemor
4. Die Kanzel
5. Raum für Chor und musikalisches Instrument zur Begleitung beim Gottesdienste
6. Ankleideraum für die Funktionäre
7. Stiegenhaus für die Galerien.

Der Typus

Es handelt sich hier um einen Hallenbau über rechteckigem Grundriß. Der Haupthalle ist ein höheres und breiteres „Querhaus" für die Aufgänge zur Galerie vorgelagert. Dieser nach außen hin selbständige Querriegel entspricht dem Synagogentypus, den der Architekt A. Rosengarten ca. 1836 entworfen hatte (Synagoge in Kassel, 1836-39 erbaut). Auch die von den Architekten Johann Julius Romano und August Schwendenwein für Brünn entwor-

---

[6] Max Fleischer, Über Tempelbau. In: Die Neuzeit 16 (1884) S. 154 f.

fene Synagoge (1855) und die Tempel in Gleiwitz (1861), Iglau (1863) und Linz (1877) zeigten dieses Motiv. Der Typus taucht in verkleinerter und vereinfachter Form beim Mausoleum für Max Fleischer, er starb 1905, wieder auf. Hier ist das „Querhaus" nur mehr eine erhöhte Fassadenmauer mit einer Giebelform in Anlehnung an die Altneuschul in Prag, die dem eigentlichen „Häuschen" vorgestellt wird.

Die Kremser Synagoge (1894) ist auf den ersten Blick typologisch ein Spätling und bereits der Historismus einer historistischen Form. Es ist möglich, daß die Auftraggeber typologisch an die bereits bestehenden Synagogen des 19. Jahrhunderts im südostdeutschen Kulturraum anschließen wollten, um zumindest eine **ästhetische** Einheit mit diesem herzustellen und gleichzeitig in eine Zeit zu verweisen, als mit der Gründung einer Gemeinde und dem Bau einer Synagoge der Wunsch nach Anerkennung und Gleichberechtigung zumindest symbolisch erfüllt wurde. Die Kremser Gemeinde hatte erst am 1. Jänner 1892 den rechtlichen Status einer israelitischen Kultusgemeinde erhalten.

Der am Typus ablesbare Wunsch nach Verbindung mit der „deutschen Kultur" hat eine längere Vorgeschichte. Ich erwähne hier nur zwei Zitate mir in diesem Zusammenhang wichtig erscheinender Persönlichkeiten:

Der spätere Wiener Oberrabbiner Dr. Adolph Jellinek schrieb im Jahre 1848 folgendes und knüpfte daran auch größte Hoffnungen von Integration und Gleichberechtigung:

In den Ländern, in denen eine Mischung [es handelt sich hier um „Slawen" und „Deutsche", d. V.] *stattfindet, vertreten die Juden die deutsche Sprache, die Trägerin der Kultur, Bildung und Wissenschaft... Die Freiheit der Juden ist zugleich die Freiheit des Deutschtums!*[7]

Ähnliche politische Vorstellungen hatte Edwin Oppler, der erste jüdische Architekt Deutschlands, als er in seinen Erläuterungen zur Synagoge in Breslau — von ihm im „deutsch-romanischen Stil" entworfen und 1865-72 erbaut — schrieb:

Der Jude des 19. Jahrhunderts will im Staate aufgehen, mit allen geistigen und materiellen Mitteln kämpft er für das eine Ziel. Der deutsche Jude will vor allem Deutscher sein...[8]

Der Endeffekt war, daß sich die bürgerlichen Juden in den Ländern der Monarchie mit slawischer Mehrheit zur deutschsprachigen Minderheit zählten, die deutschsprachigen Schulen und Universitäten, soweit vorhanden, besuchten und auch nach dem Erscheinen des deutschnationalen Antisemitismus, der im Sinne Georg Ritter von Schönerers allerdings ursprünglich antiklerikal konzipiert war, nicht von ihren Vorstellungen abrückten. Ein Vertreter der Deutschnationalen im Kremser Gemeinderat, Dr. Hermann Stingl, sprach sich mit folgenden Argumenten gegen den Bau einer Synagoge aus:

Wir fußen auf christlich-germanischer Grundlage [...] Wir und meine Genossen beachten die Freiheiten des Bekenntnisses und halten diese Freiheit wie Kaiser Josef hoch [...] Gleichzeitig wehre ich mich aber entschieden dagegen, daß städtischer Grund zum Bau eines jüdischen Tempels hingegeben [!, d. V.] werde [...] Sie wissen ja ferner, was die religiösen Bräuche der Juden für ein Geschrei verursachen, wollen Sie nun, daß in der Ringstraße sich dieses erhebe? [...] Ich hasse keinen Juden, aber ich sage, der Boden ist christlich-germanisch und da hat kein Jude etwas zu schaffen.[9]

---

[7] Zitiert nach Hellmut A n d i c s, Die Juden in Wien (Wien 1988) S. 324.

[8] Zitiert nach Harold H a m m e r - S c h e n k, Synagogen in Deutschland (Hamburg 1981) Bd. 1, S. 206.

[9] Robert S t r e i b e l, „Plötzlich waren sie alle weg..." Die Juden der „Gauhauptstadt Krems" und ihre Mitbürger. Schriftenreihe des Waldviertler Heimatbundes 33 (Wien 1991) S. 17.

Abb. 116: Inneres der Synagoge vor dem Abbruch 1978, Frauengalerie
(Foto: Günter Wolfsberger)

Diese Meinung zeigt wohl ganz genau, in welch kritischer politischen Lage sich die Kremser Kultusgemeinde bereits zur Zeit ihrer Gründung befand. Der Bau wurde dann doch im Gemeinderat mit 15 Pro- zu 8 Kontrastimmen beschlossen, und die Synagoge wurde in der Dienstlgasse gebaut. Wahrscheinlich wurde für die Außenerscheinung, um ja kein Geschrei zu verursachen, der politisch und religiös völlig unverfängliche, aber doch repräsentative „Renaissancestil" gewählt.

Der Stil

Die der Straße zugewandte Hauptfassade ist zweigeschoßig mit monumentalem dreistufigem Fassadengiebel[10] (Abb 114). Es gibt drei Eingangstore im Renaissancestil, wovon das mittlere, repräsentative, wahrscheinlich den Männern vorbehalten war. Dieses Rundbogentor ist von einem Rahmen mit Giebel eingefaßt, der die Gesimszone des ersten Stockwerks überschneidet. Dieses Motiv der Eingangszone entspricht einem sehr reduzierten Triumphbogenmotiv, und die Überschneidung von Gesims und Giebel erinnert in einer äußerst reduzierten Form an das palladianische Motiv für Kircheneingänge. Die breite Gesimszone ist gleichzeitig die Fensterbank für die sieben Rundbogenfenster des oberen Stockwerks. Eine solch prominente Fensterreihe ist mir nur von der Neuen Synagoge in Bromberg bekannt (1884, heute Bydgoszcz/Polen).

Die Seitenwand des „Querhauses" ist in beiden Stockwerken durch drei Rundbogenfenster gegliedert, die unteren sind im Stile der Fenster des Palazzo Pitti, die oberen sind im Stile Brunelleschis bzw. Palladios gehalten. Die Wand des Langhauses ist, in beiden Stockwerken, jeweils durch drei Biforien im analogen Stil gegliedert. Das schmälere Gesims, in der Art der Frührenaissance an Stelle der Kapitelle gesetzt, führt um das ganze Gebäude herum und hält dieses symbolisch zusammen. Es gibt keine künstlerisch gestalteten Ecklösungen, wie Verkröpfungen oder geschichtete Pilaster. Die Mauern stoßen sichtbar und ohne die bis dahin obligate Ornamentierung aufeinander, dadurch werden die kubischen Grundformen des Gebäudes betont.

Der Innenraum ist längsrechteckig. Aus dem favorisierten Typus der Basilika wurde eine Halle mit flacher Decke und einer an drei Seiten umlaufenden Galerie, die seitlich auf mächtigen Stützpfeilern ruht (Abb. 116). In seinem Entwurfsaquarell betonte Max Fleischer noch den basilikalen Typus, indem er bei der bildlichen Darstellung die westliche Wand wegließ (Abb. 115). Die Frauengalerie ist durch ihre Gestaltung als „Arkadengang" als eigener Raum mit Öffnung zum Hauptraum definiert. Ebenso ist die „Balkonverkleidung" der Frauengalerie eine Raumbegrenzung. Den Stützen sind nichtkannelierte Pilaster mit Kompositkapitellen (Abb. 117) vorgestellt, die ein Gesims tragen. Der Anzahl der auf den Fotos sichtbaren seitlichen Fenster nach zu schließen, gibt es drei Traveen. Jeder Travee entspricht ein Biforium und eine große Deckenkassette, sowohl im Mittelschiff, als auch in

---

[10] Meiner Meinung nach ist Max Fleischers *Entwurfsaquarell für die Kremser Synagoge* nicht ausschließlich für diese gedacht gewesen, denn der ausgeführte Fassadentypus ist in keiner Weise diesem Entwurf ähnlich. Es könnte sich um eine aquarellierte Überlegung zur Bauaufgabe „ländliche Synagoge im Renaissancestil" handeln, solche Skizzen waren durchaus üblich. Die Einturmfassade geht auf den Typus für neu zu erbauende katholische Kirchen der josephinischen Kirchenreform von 1783 zurück und wird in der zweiten Hälfte des 19. Jahrhunderts für die evangelischen Kirchen in der österreichisch-ungarischen Monarchie üblich. Der Typus ist von Brünn über Salzburg und Wien bis Meran zu finden. In Wien wurde nach den Plänen Ignaz Sowinskis im Laufe der Umarbeiten an der evangelischen Kirche H. B. in der Dorotheergasse im Jahr 1883 der repräsentative Turm angebaut.

der Frauengalerie. Eine Kassette wird durch das Gesims der „Arkaden" und einem Dek-kenbalken in Form eines mehrstufigen Gesimses gebildet.

Wenn wir noch einmal zu Punkt 1 zurückkehren, läßt sich feststellen, daß fast allen *Grundfunktionen* Rechnung getragen wurde. Es fehlt lediglich die „selbständige" Kanzel. *Der Raum für Chor und musikalisches Instrument* sowie der *Ankleideraum für Funktionäre* sind nach der heutigen Quellenlage nicht mehr bestimmbar.

Von Thoraschrein und Bimah sind leider keine Fotografien vorhanden. Von Fleischers Entwurfsaquarell ausgehend, kann man annehmen, daß die formale Gestaltung entspre-chend dem reformierten Wiener Ritus vorgenommen wurde. Bimah und Thoraschrein sind zusammen im Osten positioniert und über Stiegen zu erreichen. Hier wurde, um die Kanzel für den Prediger zu sparen, die Bimah um ein kleines Halbrund in den Raum hinein erwei-tert. Das Ensemble wurde wiederum im palladianischen „Renaissancestil" gestaltet. Was Max Fleischers Vorstellungen von Typus und Stil betrifft, so wurde aus der Basilika eine Halle, der „gotische Stil" sichtlich überhaupt nicht in Betracht gezogen und aus dem poly-chromen Ziegelbau ein Rohziegelbau, der nur innen farblich gestaltet wurde.

Wie steht es nun mit der Lösung der Aufgabe, *nicht nach Traditionen zu suchen, die es nicht gibt, sondern ... schöpferisch zu Werke zu gehen und in dieser Weise zu suchen, respektive dahin zu wirken, daß sich allmälig ein eigener charakteristischer Typus für die Synagoge herausbildet?* Wie schon weiter oben gezeigt, greift Max Fleischer auf den von A. Rosengarten entwickelten Typus zurück. Was er im Jahre 1885 heftigst attackiert hatte, ist für ihn im Jahre 1894 sichtlich kein Problem mehr. Allerdings muß angemerkt werden, daß sich auch bis 1894 kein *eigener charakteristischer* Synagogentypus herausgebildet hatte. Ganz im Gegenteil, die Grundtypen und Stile waren vielfältiger denn je. Nicht einmal der Grundtypus der Frauengalerie wurde immer beibehalten, wie die von Max Fleischer im „gotischen Stile" entworfene Synagoge von Budweis (1888) zeigte: die Frauensitze waren im „Parterre" seitlich, um eine Stufe erhöht, angelegt.

Die *Grundtypen* Bimah und Thoraschrein an der Ostwand zusammenzufassen ent-sprach lediglich dem reformierten deutschen und dem daraus entwickelten Wiener Ritus. Der traditionelle Ritus sah die Bimah in der Mitte des Raumes vor, und es gab auch Synago-gen, speziell in Norditalien, wo der Thoraschrein an der Ostwand, die Bimah an der West-wand situiert waren. Es gab also nicht nur die Frage *In welchem Style sollen wir bauen?,* sondern auch noch „Welcher Typus kommt zur Anwendung?" Die Möglichkeit, einen ein-zigen Grundtypus für den Synagogenbau zu er-finden, war ebenso unmöglich, wie es un-möglich war, mit Hilfe der Wissenschaften ein neues einheitliches, vom *Unkraut des durch tausendjährige Gewohnheit mechanisch und gedankenlos gewordenen Zeremonienwesens* gereinigtes Judentum zu schaffen, wie es der große jüdische Gelehrte Emanuel Wolf in sei-nem Aufsatz: „Über den Begriff einer Wissenschaft des Judenthums" im Jahre 1822 erhofft hatte. [11] Was Max Fleischer jedoch gelang, war die „Er-findung" bzw. das Wiederfinden der abstrakten stereometrischen Grundform des *Gegenstandes*. Mittels der über drei Seiten gezogenen Arkade und der virtuellen räumlichen Vervollständigung der großen Decken-kassetten wird der Raum in imaginäre und tatsächliche Kuben aufgeteilt. „Arkade" und „Kassettendecke" sind in diesem Fall Mittel zur jeweiligen „Raumbegrenzung". Der Innenraum besteht somit aus mehreren Teilräumen und weist eigentlich kein traditionell vereinheitlichendes Raumkonzept auf. Es ist ein „Ineinanderschachteln" und „Aneinan-

---

[11] Emanuel Wolf, Über den Begriff einer Wissenschaft des Judentums. In: Zeitschrift für die Wis-senschaft des Judentums (1822).

230

Abb. 117:
Inneres der Synagoge
vor dem Abbruch 1978,
Kapitell des
Mittelschiffes
(Foto: Günter Wolfsberger)

Abb. 118:
Inneres der Synagoge
vor dem Abbruch 1978,
Konsolen der
Frauengalerie
(Foto: Günter Wolfsberger)

derreihen" von Einzelräumen. Um dennoch den Eindruck einer zumindest baulichen Einheit zu vermitteln, setzt Max Fleischer „Verbindungslinien" ein, wie schmälere und breitere Gesimse. Das Gesims der Frauengalerie an der dem Hauptraum zugewandten Seite mündet in das Gesims der Ostwand und verbindet damit symbolisch die vier „inneren Wandflächen" mit der Raumdecke, zeigt aber auch gleichzeitig die Trennlinie zwischen den konstituierenden Flächen an. Die Gesimsform wird zur symbolischen Form und damit zum Ornament. Die ursprüngliche Form hat ihre technisch konstruktive Funktion verloren.

Max Fleischer fand mittels seiner Ausbildung in den Methoden des „philologischen Historismus" im Laufe seiner Suche nach allgemein verbindlichen, aber funktionsgebundenen Formen funktionsunabhängige, allgemein einsetzbare Urformen, die er aber immer noch in einen „Stil" kleidete. Wenn man das „Stilkleid" wegdenkt, haben wir bereits eine Vorwegnahme von Adolf Loos' Idee vom *Raumplan* vor uns.

Zur Einweihungsfeier erschienen der Bezirkshauptmann mit sämtlichen Beamten, der Kreisgerichtspräsident mit seinen Herren, der Kommandeur der Garnison mit zahlreichen Offizieren, der Bürgermeister Dr. Heinemann und die Schuldirektoren. Als Vertreter der Wiener Kultusgemeinde waren Oberrabbiner Dr. Güdemann, Landesschulrat Dr. Gustav Kohn, Präsident Wilhelm Ritter von Gutmann und Sekretär Dr. Lieben anwesend. Nicht anwesend waren, trotz Einladung, die Vertreter der katholischen Kirche.

Der Amtsnachfolger Dr. Adolph Jellineks, Dr. Moritz Güdemann, hielt die „Eröffnungsrede" am 25. 9. 1894 (Abb. 45) und sagte u. a.:

Dieser Tatsache [daß es in Krems jüdische Gelehrte und Märtyrer gab] *müsset Ihr, meine Freunde, immer Eingedenk sein, wenn Ihr dieses Gotteshaus betretet. Denn Ihr würdet nicht sein, wenn unsere Vorfahren nicht standhaft geblieben wären und wie dieses Gotteshaus gleichsam ein spätes* D e n k m a l *[Hervorhebung. d. V.] jener Märthyrer ist, so soll es Euch in der Standhaftigkeit befestigen und zur Ausdauer Euch befeuern. Wir gedenken der frommen Märthyrer, deren Blut einst den Grund und Boden dieser Stadt gefärbt hat,* [Güdemann erwähnte vorher das Progrom von 1349], *aber wir gedenken ihrer ohne Groll und Haß gegen diejenigen, die das Blut vergossen haben. Ihr Blut ist nicht umsonst geflossen, es hat als ein kostbarer Thau das Erdreich befruchtet für das allmälige Wachstum einer freisinnigen, humanen Denkungsart, das trotz aller Versuche es zurückzuhalten, dennoch, ja vielleicht eben deswegen, umso kräftiger sich entwickelt und fortschreitet. Keine Klage über das, was wir gelitten haben und noch leiden, soll in dieser Stunde über unsere Lippen kommen.*

Nach einem Aufruf zu Frieden und Eintracht innerhalb der jüdischen Gemeinde, schloß Güdemann seine Rede mit den Worten:

Reicher Segen werde dieser Gemeinde zuteil, daß sie sei und bleibe standhaft, einig im Gottesdienste, wie im Dienste Gottes ein Muster und Vorbild alle Zeit! Amen. [12]

Sämtliche angeführte Mausoleen befinden sich auf dem Wiener Zentralfriedhof. Sie wurden von der Verfasserin in ihrer Dissertation „Das bürgerliche jüdische Grabdenkmal, ein formaler Ausdruck des Mentalitätswandels im religiösen, ästhetischen und politischen Bereich in der zweiten Hälfte des 19. Jahrhunderts, Wiener Zentralfriedhof, 1. Tor, israelitische Abteilung", Wien 1992, ausführlich besprochen.

---

[12] Zitiert nach Hruschka (wie Anm. 1) S. 251 ff.

Friedrich Polleroß

„ICH WILL MICH NICHT GERNE ERINNERN"

Juden und Antisemiten in der Marktgemeinde Pölla

Zum Anlasse des 50jährigen Jahrestages von der Befreiung von Auschwitz, und in lieber und trauriger Erinnerung an meine Eltern und Schwester, frage ich an, ob die Bürger von New-Pölla sich noch immer freuen und stolz darauf sind, daß auch sie eine unschuldige, ehrenhafte Familie geschlagen, beschimpft, im Orte herum getrieben und wieder geschlagen und beschimpft haben (ich kann noch jetzt die Narben zeigen an meinen Beinen); unser Haus (No. 27) samt Inhalt weggenommen und dann zu guter Letzt, ohne Mitleid in Konzentrationslager zum sicheren Tod gesandt haben.

Mit diesem Schreiben wandte sich Frau Laura Biegler aus London am 30. Jänner 1995 an den Bürgermeister und die Gemeinderäte der Marktgemeinde Pölla, die die ehemaligen Gemeinden Neupölla, Altpölla, Franzen und Döllersheim umfaßt. Sie schloß ihren Brief mit den Worten: *Meine jüngste Schwester Frau Flora Wolf und ich hatten das Glück, nach England zu entkommen. In unserer neuen Heimat haben wir nur Gutes erlebt, aber ich darf mich nicht erinnern und zurück denken, denn mein Herz bricht immer wieder.*[1]

Kein Zweifel, auch fünfzig Jahre nach der Befreiung vom Nationalsozialismus sind die Narben, die man Laura Biegler 1938 in Neupölla zugefügt hat, in psychischer Hinsicht nicht verheilt. In Österreich herrscht hingegen vielfach die Tendenz, die Ereignisse von damals nicht wieder „aufrühren" zu wollen. Aber geschehenes Unrecht wird weder durch Verdrängen noch durch Vergessen ungeschehen gemacht.[2] Dem Vergessen soll auch die vorliegende Arbeit vorbeugen, obwohl es — wie Frau Biegler meint — unmöglich sei, zu erfassen, *was es heißt: verfolgt, verhaßt, verprügelt und im eigenen Lande ein Flüchtling zu sein.* Aufgrund der historischen Entwicklung scheint es dann zwar vielleicht logisch, daß aus zwei Mitschülern in Neupölla Soldaten an entgegengesetzten Seiten der Front wurden (Abb. 119-121), die plötzliche Verwandlung mancher Nachbarn und Mitschüler von Menschen in herzlose Wesen läßt sich aber wohl nicht historisch erklären.[3]

Nach ersten Ansätzen zur Vergangenheitsbewältigung in der Marktgemeinde Pölla 1979 sowie im Zuge des Gedenkjahres 1938-1988[4], habe ich 1995 versucht, die Verbreitung des Antisemitismus in Neupölla und das Schicksal der Familie Biegler in einem Ausstellungskatalog zu skizzieren.[5] Der eingangs genannte Brief von Laura Biegler an die Gemeinde

---

[1] Brief von Laura Biegler vom 30. 1. 1995: Neupölla, Archiv der Marktgemeinde Pölla.

[2] Felix de Mendelssohn, Psychoanalyse als Aufklärung. In: Anton Pelinka — Erika Weinzierl (Hg.), Das große Tabu. Österreichs Umgang mit seiner Vergangenheit (Wien 1987) S. 42-59.

[3] Vgl. dazu: Erika Weinzierl, Zu wenig Gerechte. Österreicher und die Judenverfolgung 1938-1945 (Graz-Wien-Köln ²1985) S. 177 ff.

[4] Siehe das Kapitel „Judenverfolgung" in: Friedrich Polleroß, 1938. Davor — danach am Beispiel der Truppenübungsplatzgemeinde Pölla. In: Friedrich Polleroß (Hg.), 1938. Davor — danach. Beiträge zur Zeitgeschichte des Waldviertels. Schriftenreihe des Waldviertler Heimatbundes 30 (Neupölla-Krems ²1989) S. 231-236, Abb. 111-113.

[5] Friedrich Polleroß, „Die Erinnerung tut zu weh!". Georg Ritter von Schönerer und die Folgen. In: Elisabeth Klamper (Hg.), Die Macht der Bilder. Antisemitische Stereotypen und Vorurteile (Wien 1995) S. 156-162.

Abb. 119: Laura Biegler und Josef Zimmerl als Schüler der Volksschule Neupölla, 1923;
Privatbesitz

Abb. 120: Flora und Laura Biegler (rechts) im
Dienst der britischen Armee, London 1947;
Neupölla, Slg. Polleroß

Abb. 121: Josef Zimmerl als Soldat der Wehrmacht vor dem Schloß Zarskoje Zelo, 1941;
Privatbesitz

Pölla bot nun den Anstoß, diese Darstellung zu ergänzen und zu revidieren. Als ich davon erfuhr, nahm ich neuerlich Kontakt mit der 1938 aus ihrer Heimat Vertriebenen auf und sandte ihr auch den Artikel, dessen Titel „Die Erinnerung tut zu weh" ihre 1979 geäußerte Begründung für die Ablehnung von Informationen trug (Abb. 24). Daraufhin entwickelte sich ein für Frau Biegler mit schwerer emotionaler Belastung verbundener Briefwechsel:

Es fällt mir sehr schwer, Ihren Brief zu beantworten ohne mich [. . .] aufzuregen. [. . .] Jede Erinnerung macht mich krank. [. . .] Meine Schwester, Frau Flora Wolf, will von Neu-pölla nichts mehr hören oder wissen. Ich darf den Namen gar nie erwähnen. Wir sprechen nur Englisch und auch ihre Familie. [. . .] Seither habe ich oft versucht zu schreiben, aber ich konnte mich nicht dazu bringen. Ich will mich nicht gerne erinnern. Aber hier fange ich an: Der Katalog — Ich öffne ihn und sehe das Bild meiner Eltern. Dieses Bild ist das einzige Bild, das meine Schwester Flora und ich von unseren Eltern haben, und die Tränen wollten nicht aufhören.[6]

Der aufgrund dieser psychischen Belastung umso dankenswertere schriftliche Dialog bot wesentliche neue Erkenntnisse, auch wenn dadurch selbst auf die vermeintlich weiße Weste des eigenen Großvaters braune Flecken gekommen sind:[7] *Nun muß ich leider auch Ihnen weh tun. Ihr Großvater Josef Zimmerl hat meinem Vater und uns über eine lange Zeit viel Leid angetan. [. . .] Das machte ein Mann der gottesfürchtig war!*[8] Das unrühmliche Verhalten des langjährigen Pfarrkirchenrates und Vaters eines Priesters und einer Ordensschwester, der 1938 aus dem Gemeinderat entfernt und 1945 in den *aus Nichtmitgliedern der NSDAP gebildeten Gemeinderat* wieder aufgenommen wurde[9], zeigt aber auch, daß Nichtmitgliedschaft menschliches Fehlverhalten den jüdischen Mitbürgern gegenüber ebensowenig ausschloß, wie umgekehrt eine Mitgliedschaft bei der NSDAP eine aktive Hilfe für Juden verhinderte. Auch dafür gibt es Beispiele in der Marktgemeinde Pölla.

Parallel zu den schriftlichen und mündlichen — mitunter einander widersprechenden — Informationen von Betroffenen und Zeitzeugen habe ich versucht, das lokale Quellenmaterial auszuwerten. Dadurch ergaben sich ebenfalls einige Richtigstellungen. Dennoch sind die folgenden Ausführungen nach wie vor nur Mosaiksteine eines historischen Bildes, dessen Lücken wohl nie mehr gänzlich geschlossen werden können.

Jüdische Bankiers und christliche Judenfeindschaft im Vormärz

Während aus dem Mittelalter und der frühen Neuzeit bisher keine Nachrichten über die Niederlassung bzw. Handelskontakte von Juden im Gebiet der heutigen Marktgemeinde Pölla bekannt sind, gibt es aus dem 17. Jahrhundert eine Quelle, die zumindest direkte Kontakte einer Herrschaftsbesitzerin mit einem Juden belegt. Magdalena Henriette Freifrau von Scheffer, Gattin des Besitzers der Herrschaft Dobra-Wetzlas, stand als Kammerfrau der Kaiserin Eleonora in engem Kontakt mit der dritten Gattin Leopolds I. Diese informierte

---

[6] Briefe von Laura Biegler an den Verfasser vom 26. 6. und 4. 9. 1995.

[7] Zur Betroffenheit der Kinder- und Enkelgeneration siehe: Nadine Hauer, NS-Trauma und kein Ende. In: Pelinka-Weinzierl (wie Anm. 2) S. 28-41.

[8] Brief von Laura Biegler an den Verfasser vom 26. 6. 1995.

[9] Josef Zimmerl sen. gehörte laut Sitzungsprotokoll der Marktgemeinde Neupölla von 1927-1929 und von 1937-1938 dem Gemeinderat an: Neupölla, Archiv der Marktgemeinde Pölla. — „Aufstellung zur Ratifizierung der neuen Gemeindevertretung" vom 4. Juni 1945: Polleroß, Truppenübungsplatzgemeinde (wie Anm. 4) Kat.-Nr. 5.5.

in einem Schreiben vom 16. September 1687 ihre *liebe Madlen* über die Erlaubnis eines nicht näher genannten Juden zum Besuch der Stadt Wien, aus der ja 1670 alle Juden vertrieben worden waren: *Ich schicke dir die Erlaubnis für den Juden, daß er herkommen darf, doch muß er für die Expedition die Kanzleytaxen erlegen.* [10] Leider geht aus dem Text nicht hervor, ob es sich dabei um einen der ersten allmählich in der Hauptstadt wieder geduldeten Hofjuden aus dem Umkreis des Samuel Oppenheimer (der gute Beziehungen zu den Verwandten der Kaiserin unterhielt), einen Arzt zur Behandlung des erkrankten Adoptivsohnes der Baronin oder sogar um einen Untertanen der Herrschaft Dobra handelt. Als der Brief aus dem Archiv des Schlosses Wetzlas 1834 veröffentlicht wurde, befand sich diese Herrschaft selbst im Besitz der Nachkommen des Hofjuden Arnsteiner.

Im Jahre 1814 hatte nämlich Heinrich (Aaron) Freiherr von Pereira-Arnstein (1773-1835) die Herrschaften Krumau und Dobra-Wetzlas mit Tiefenbach erworben und zwei Jahre später mit dem 1815 gekauften Gut Waldreichs vereinigt. [11] Der seit 1800 in Wien ansässige portugiesisch-holländische Leiter des Bankhauses Arnstein & Eskeles gehörte mit seiner Gattin Henriette (Abb. 123), zu den wohlhabendsten Juden, die nicht zuletzt aufgrund der 1810 erfolgten Konversion zum Katholizismus Eingang in die führenden gesellschaftlichen Kreise des Wiener Biedermeier gefunden haben. [12] Ob der Kauf der Waldviertler Güter — 1818 folgte die Herrschaft Schwarzenau — in erster Linie eine geschäftliche Übernahme von verschuldetem Adelsbesitz war — wie das 1829 im Exekutionswege erworbene Gut Allentsteig [13] — oder ob der früher den Juden verbotene Kauf einer Gutsherrschaft zur politischen Verankerung des 1810 erlangten Freiherrentitels dienen sollte, ist nicht bekannt. Die Schlösser im Kamptal hatten aber für die neuen Besitzer bereits den Charakter einer Sommerfrische, da diese Landschaft damals von den ersten Wiener Reisenden und Malern als „pittoresk" entdeckt und beschrieben wurde. [14] Zu diesem Zweck ließ Baron Pereira-Arnstein die Ruine Krumau wieder instandsetzen, um sie als Rastplatz bei Ausflügen aus Wetzlas zu nutzen. [15] Diese biedermeierliche Geselligkeit entsprach auch der Gattin des Besitzers. Henriette von Pereira-Arnstein (1780-1859), die Tochter der berühmten Fanny von Arnstein, unterhielt ebenso wie ihre Mutter einen literarisch-musikalischen Salon, in dem u. a. die Dichter Clemens von Brentano, Franz Grillparzer und Adalbert Stifter, die Musiker Ludwig van Beethoven und Felix Mendelssohn-Bartholdy sowie der Bildhauer

---

[10] Johann F r a s t, Herrschaft Wetzlas. In: Beiträge zur Landeskunde Österreichs unter der Enns 4 (Wien 1834), S. 274-284, hier S. 275 f.

[11] Stephan F o r d i n a l, Besitzgeschichte der Herrschaft und der Burg Krumau am Kamp. In: Heimatbuch der Marktgemeinde Krumau am Kamp (Krumau am Kamp 1995) S. 132 f. — Josef K r e l o - w e t z, Wetzlas. In: Das Waldviertel (1972) S. 98-100.

[12] Susanne W a l t h e r, Der „zweite" Adel — Kultur und Gesellschaft vor 1848. In: Bürgersinn und Aufbegehren. Biedermeier und Vormärz in Wien 1815-1848, Ausstellungskatalog (Wien 1987) S. 314-318, hier S. 315.

[13] Karl G u t k a s, Geschichte des Gebietes von Döllersheim und Allentsteig vom Hochmittelalter bis zum Ende des 19. Jahrhunderts. In: Willibald R o s n e r (Hg.), Der Truppenübungsplatz Allentsteig. Region, Entstehung, Nutzung und Auswirkungen. Studien und Forschungen aus dem Niederösterreichischen Institut für Landeskunde 17 (Wien 1991) S. 1-19, hier S. 14.

[14] Friedrich P o l l e r o ß, Erinnerungen an das Kamptal. Eines der letzten Paradiese Österreichs im Spiegel der Reiseliteratur von 1814 bis 1980. In: Kamptal-Studien (1) (Gars/Kamp 1981) S. 6-70, hier S. 11-18.

[15] Stephan F o r d i n a l, Die Burg Krumau am Kamp als Mittelpunkt der Herrschaft Krumau. In: Heimatbuch (wie Anm. 11) S. 152.

Abb. 122: Schloß Wetzlas, Federzeichnung von Julius Schnorr von Carolsfeld, 1815; Wien, Graphi-
sche Sammlung Albertina

(Foto: Albertina)

Bertel Thorwaldsen verkehrten.[16] Der Wiener Maler Friedrich Amerling schuf 1833 ein
Bildnis der Baronin und ihrer Tochter Flora (1814-1882), die 1836 den Grafen Fries heiratete
(Abb. 123).[17] Henriette war es wohl auch, die ihrem Sohn Ludwig (1803-1858) Zeichen-
unterricht erteilen ließ und den jungen Zeichenlehrer, Julius Schnorr (von Carolsfeld),
sowie dessen Freund Friedrich Olivier ins Kamptal einlud. Die beiden bekannten Maler der
Romantik ließen sich daher im Sommer 1815 auf Schloß Wetzlas nieder und hielten dessen
Erscheinungsbild (Abb. 122), die Burg Krumau sowie andere Landschaften der Umgebung
in feinen Federzeichnungen zum Teil mit romantischen Staffagefiguren fest.[18]

Im Jahre 1836 ließ Baron Pereira-Arnstein als Patronatsherr der Pfarre Franzen die Kirche gründlich renovieren.[19] Während Ludwig von Pereira-Arnstein nach dem Tod des
Vaters die Herrschaften Allentsteig und Schwarzenau übernahm, erbte sein Bruder Adolf
1837 die Güter im Kamptal[20], verkaufte diese aber bereits im Jahre 1842 wieder weiter.

Zu den Untertanen der Freiherrn von Pereira-Arnstein gehörte auch Maria Anna
Schickelgruber, die ebenfalls 1837 im Dorf Strones, auf halbem Wege zwischen Wetzlas
und Allentsteig, einen unehelichen Sohn Aloys zur Welt brachte. Aufgrund der 1842 erfolg-

---

[16] Österreichisches Biographisches Lexikon 1815-1950, 7. Bd. (Wien 1978) S. 414.

[17] Peter C s e n d e s (Hg.), Österreich 1790-1848 (Wien 1987) S. 177 (Farbabb.).

[18] Julius Schnorr von Carolsfeld 1794-1872, Ausstellungskatalog (Leipzig 1994) S. 196 f., Kat.-Nr.
20-23.

[19] Othmar K. M. Z a u b e k , Franzen. Beiträge zur Pfarrkunde (Franzen 1971) o. S.

[20] Aus diesem Jahr stammt etwa ein Robot-Reluitions-Vertrag der Herrschaft Waldreichs mit den
Untertanen in Klein-Motten: Ernst Werner T e c h o w, Die alte Heimat. Beschreibung des Waldviertels um Döllersheim (Berlin 1942, Reprint Horn 1981) S. 51 f.

Abb. 123: Baronin Henriette von Pereira-Arnstein und ihre Tochter Flora, Gemälde von Friedrich
Amerling, 1833; Wien, Österreichische Galerie

(Foto: Studio Otto, Wien)

ten Heirat seiner Mutter mit Johann Georg Hiedler wurde dieser 1876 posthum legitimiert und erhielt den Familiennamen Hitler.[21] Die Großmutter von Adolf Hitler kam aber wohl ebenso wie der Rest der einheimischen Bevölkerung mit den prominenten Wiener Schloßbesitzern und Gästen kaum in einen näheren Kontakt. Beziehungen zur jüdischen Minderheit ergaben sich damals wohl nur durch „Hausierjuden" bzw. Händler, die auf den Jahrmärkten in Neupölla und Döllersheim ihre Waren feilboten.[22] Diese „Pinkeljuden" kamen ebenso wie die Käufer von landwirtschaftlichen Produkten fast durchwegs aus Mähren ins Waldviertel. So hatten etwa die Juden aus Schaffa/Šafov nördlich von Langau bis weit ins 19. Jahrhundert das Monopol im Landesproduktenhandel im Gebiet zwischen Znaim, Hollabrunn, Krems und Zwettl.[23]

Über die Einschätzung der Minderheit oder geschäftliche Auseinandersetzungen in Neupölla liegen keine Nachrichten vor, doch wurde die Meinung der Bevölkerung wohl vorwiegend von den katholischen Vorstellungen von den Juden als „Gottesmördern" geprägt.[24] Einen Eindruck von diesem mit erfundenen Personen und Greueltaten ausgeschmückten Antisemitismus liefert ein Flugblattgebet über den *bösen Jud Dany, welcher ein Rädelsführer des Leidens Christi war.* Es wurde in ersten Hälfte des 19. Jahrhunderts in Znaim gedruckt (Abb. 124) und stammt aus dem Haus Neupölla Nr. 10, das sich im Besitz der Bauernfamilie Walter befand. In barocker Tradition bedient sich der Text einer anschaulich-affektgeladenen Schilderung:

Nach der schmerzlichen Krönung unseres liebsten Heilandes hat eben dieser Jud Dany von der dornenen Krone einen großen Dorn abgebrochen, sagte zu Jesu, mache den Mund auf und reiche deine Zunge heraus, auf welches Jesus bald gehorsamet, da stach der Bösewicht den Dorn durch die heilige Zunge, daß der gütige Heiland seine allerheiligste Zunge nicht mehr in den Mund zurückziehen konnte, er sah aber den Juden dennoch ganz liebreich und freundlich an, seufzte schmerzlich, wodurch Maria und viele von den anwesenden zu häufigen Zähren bewegt wurden. [...]

Ansiedlung jüdischer Händler im Zeitalter des Liberalismus

Der Markt Neupölla entwickelte sich in der zweiten Hälfte des 19. Jahrhunderts zu einem lokalen Zentrum: 1854 wurde ein Postamt eröffnet, 1876 ein Gendarmerieposten und ein Geselligkeitsverein eingerichtet, 1877 die Feuerwehr gegründet, 1886 folgte ein Armeninstitut, 1893 eine Raiffeisenkasse, und 1895 hat man einen Kindergarten errichtet. Die fast 600 Einwohner fanden neben allen für den täglichen Bedarf nötigen Gewerben einen Uhrmacher, einen Kürschner und einen Buchbinder vor. Außerdem existierten ein Gewerbe- und ein Verschönerungsverein. Letzterer ließ u. a. einen Park neben der Pfarrkirche anlegen, in dem 1908 ein Denkmal zur Erinnerung an das 60jährige Regierungsjubiläum von

---

[21] Siehe dazu das Kapitel „Hitlerahnen aus dem Döllersheimer Gebiet" in: Karl M e r i n s k y, Zwettl und der Truppenübungsplatz Döllersheim. Ein Beitrag zur Zeitgeschichte Niederösterreichs. In: Franz T r i s c h l e r (Hg.), Zwischen Weinsberg und Nebelstein. Bausteine zur Heimatkunde des hohen Waldviertels (Zwettl 1974) S. 137-152.

[22] Vgl. dazu vor allem den Beitrag von Friedel Moll über Zwettl in diesem Band S. 344-345.

[23] Helmut T e u f e l, Das Schicksal der Juden. In: Antonín B a r t o n e k u. a. (Hg.), Kulturführer Waldviertel — Weinviertel — Südmähren (Wien 1993), S. 169-176, hier S. 171.

[24] Zum Aufleben dieses alten Feindbildes gerade in der ersten Hälfte des 19. Jahrhunderts siehe: Erika W e i n z i e r l, Stereotype christlicher Judenfeindschaft. In: Kamper, Die Macht der Bilder (wie Anm. 5) S. 130-144.

Zwei geheime
Leiden Mariens,

so der böse Jud Dany verursachte, welcher ein Rädelsführer des Leidens Christi war.

Druck und Verlag von M. F. Lenk in Znaim.

Das erste Leiden.

Als Christus der Herr gegeißelt worden, und Marie, seine Mutter dem grausamen Specktakel mit unaussprechlichem Leid zusah, da nahm der Jude Dany eine Hand voll Blut von denen fließenden Wunden Christi und warf solches der göttlichen Mutter in ihr heiliges Angesicht, von welchen auch ihr Hauptschleier ganz blutig geworden, welches ihr so viel Betrübniß verursachte, daß es keine Zunge aussprechen kann.

Wer Marie an diese Schmerzen erinnert mit andächtiger Betung eines Ave Maria, derselbe wird von ihr viel Gnaden erlangen.

Das zweite Leiden.

Nach der schmerzlichen Krönung unseres liebsten Heilandes hat eben dieser Jud Dany von der dornenen Krone einen großen Dorn abgebrochen, sagte zu Jesu, mache den Mund auf und reiche deine Zunge heraus, auf welches Jesus bald gehorsamet, da stach der Bösewicht den Dorn durch die heilige Zunge, daß der gütige Heiland seine allerheiligste Zunge nicht mehr in den Mund zurückziehen konnte, er sah aber den Juden dennoch ganz liebreich und freundlich an, seufzte schmerzlich, wodurch Maria und viele von den Anwesenden zu häufigen Zähren bewegt wurden. Ein anderer Jud, welcher den Dorn in der heiligen Zunge stecken sah, sagte: dieses ist zu boshaft, zog den Dorn aus der heiligen Zunge, und warf denselben zur Erde, durch welche Barmherzigkeit dieser Jud die Seligkeit erlangte.

Wer diesen Unbekannten ernstlich andächtig verehret, und von Gott dadurch eine Gnade begehret, der wird selbe erhalten. Es hat auch Christus ein großes Wohlgefallen, wenn dieser Dornstich verehret wird mit Küssung der Erde und andächtiger Betung eines Vater unser und Ave Marie.

Abb. 124: Judenfeindliches Gebet, 1. Hälfte des 19. Jahrhunderts; Neupölla Nr. 10

Kaiser Franz Joseph aufgestellt wurde.[25] Dieser bescheidene wirtschaftliche und soziale Aufschwung des Marktes im Gefolge des Liberalismus war es wohl auch, der den aus denselben politischen Gründen erleichterten Zuzug aus den mährischen in den niederösterreichischen Teil der Habsburgermonarchie attraktiv erscheinen ließ.[26]

Die Volkszählung des Jahres 1870, bei der in Neupölla 597 Einwohner gezählt wurden, vermerkt unter der Hausnummer 27 erstmals den *Kaufmann* Simon Biegler mit insgesamt 11 Bewohnern, wobei jedoch nicht zwischen Familienangehörigen und Dienstboten unterschieden wird.[27] Der jüdische Händler wurde im Dezember 1825 in Kaladey in Böhmen geboren und hatte seine erste Gattin Katharina im Alter von 34 Jahren verloren. In zweiter Ehe war er mit Rosalia, geb. Horn, verheiratet, die 1834 in Triesch /Třešť in Mähren zur Welt kam und mit einem Baron von Obermeier verwandt war. Aus dieser Ehe entsprossen vier Kinder: Joseph, der später Regierungsrat am Landesgericht in Graz wurde; Ernst, der mit 18 Jahren in die kaiserliche Armee eintrat, als Oberst pensioniert wurde und nach 1938 elendiglich zugrunde ging, sowie Maria, die später nach Fiume (Rijeka) heiratete.[28] Das jüngste Kind von Simon und Rosalia Biegler, Alois, kam am 25. Dezember 1875 in Neupölla zur Welt, war jedoch in Schaffa gemeldet und erst ab 1892 ständig in Neupölla anwesend. Bei den anderen Bewohnern könnte es sich um die Kinder aus der ersten Ehe von Simon Biegler handeln, darunter Leopold (am 1. November 1856 in Schaffa geboren) und Elisabeth/Elise (am 24. Dezember 1862 in Schaffa geboren), die beide später ihren Lebensabend in Neupölla verbrachten.

Einem Umbauplan aus der Zeit um 1880/90 zufolge bestand das am westlichen Ortsrand von Neupölla gelegene ebenerdige Wohn- und Geschäftshaus der Familie aus einem Verkaufsraum *(Gewölb)*, einem Wohnzimmer, einem Zimmer, einer Küche sowie einem kleinen Stall und einem Schupfen im Hof (Abb. 125). Aus dieser Zeit hat sich auch die Misrach-Tafel der Familie Biegler erhalten (Abb. 126). Sie war als ein dem christlichen Kreuz vergleichbares Symbol in der jüdischen Wohnung angebracht, um die Richtung nach Jerusalem anzuzeigen. Im Jahre 1891 wird bereits der älteste Sohn Leopold Biegler als Inhaber der *Gemischtwarenhandlung* in Neupölla 27 genannt (Abb. 127). Simon Biegler scheint in derselben Quelle hingegen als Besitzer eines Geschäftes in Groß Poppen auf.[29] Nach Angaben seiner Enkelin hatte sich der Kaufmann nach der Übergabe des Geschäftes in Neupölla nach Groß Poppen zurückgezogen, weil er sich unter den Bauern wohler fühlte.

Der ebenfalls 1891 durchgeführten Volkszählung zufolge gab es in Neupölla damals sieben *Israeliten*. Im letzten Jahrzehnt des 19. Jahrhunderts war jedenfalls neben der Familie Biegler auch eine Familie Schlesinger ansässig, die gleichfalls eine Gemischtwarenhandlung betrieb. So scheinen auf Bauplänen 1892 ein David Schlesinger als Bauherr auf Nr. 53 (Abb. 128) und 1898 ein Moses Schlesinger als Besitzer des benachbarten Hauses Nr. 54

---

[25] Friedrich Polleroß, Notizen zur Geschichte der Marktgemeinde Pölla. In: Zwettler Kurier 15 (1978) S. 25-38, hier S. 31 f.

[26] Zur Bevölkerungszunahme im Kernland der Monarchie siehe: Roman Sandgruber, Bevölkerungsstruktur und Bevölkerungsentwicklung. In: Das Zeitalter Kaiser Franz Josephs. Von der Revolution zur Gründerzeit 1848-1889. Beiträge (Wien 1984) S. 121-129.

[27] Ergebnisse der Volkszählung vom Januar 1870. In: Anton Isack, Gemeindechronik von Neupölla (1913), Manuskript im Archiv der Marktgemeinde Pölla, S. 150 f.

[28] Brief von Laura Biegler an den Verfasser vom 26. Juni 1995.

[29] Schematismus der protokollierten Firmen in der Österreichisch-Ungarischen Monarchie (Wien 1891).

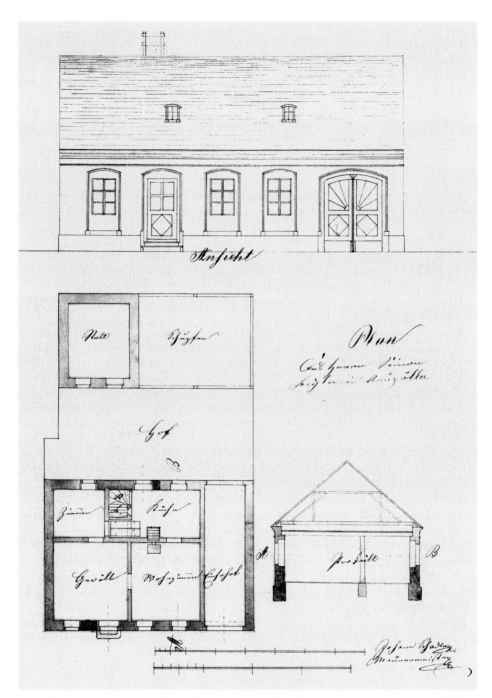

Abb. 125: Geschäftshaus von Simon Biegler in Neupölla, Plan von Johann Schadler, um 1880/90;
Neupölla, Slg. Polleroß

(Foto: Karl Pani)

Abb. 126: Misrach-Tafel der Familie Biegler, kolorierte Lithographie des Verlages Franz Barth in Wien, 2. H. 19. Jh.; Neupölla, Slg. Polleroß

(Foto: Karl Pani)

Post-Nr. 28 Gemeinde: Neupölla

Kronland: N.-Ö. Oesterreich Zahl der Grundbuchseinlage:

Steuerbezirk: Allentsteig

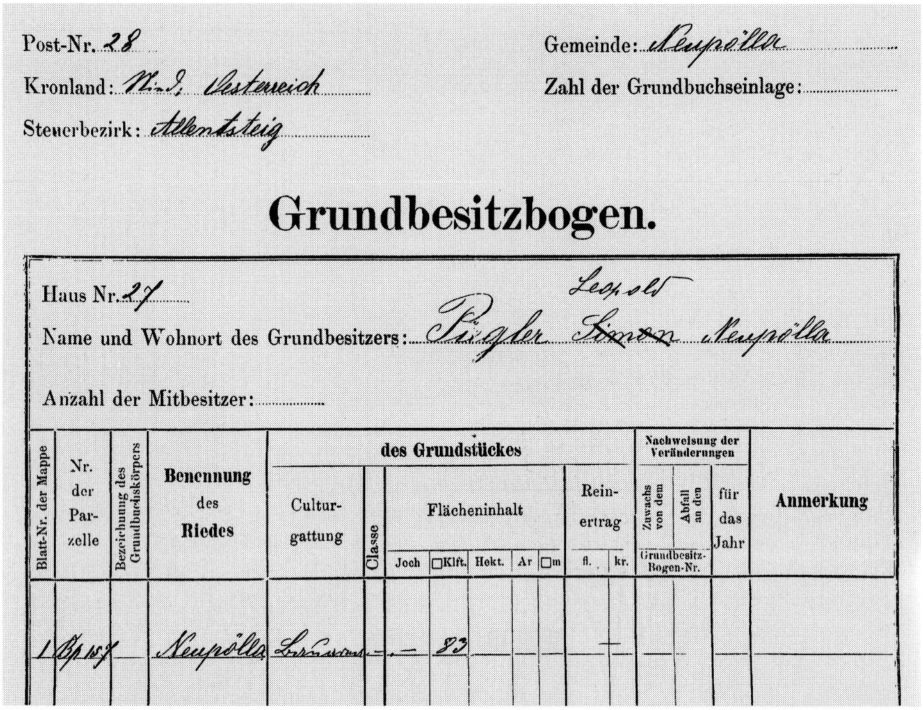

Grundbesitzbogen.

Haus Nr. 27

Name und Wohnort des Grundbesitzers: Biegler ~~Simon~~ Leopold Neupölla

Anzahl der Mitbesitzer:

Blatt-Nr. der Mappe	Nr. der Parzelle	Bezeichnung des Grundbuchskörpers	Benennung des Riedes	des Grundstückes: Culturgattung	Classe	Flächeninhalt: Joch	□Klft.	Hekt.	Ar	□m	Reinertrag: fl.	kr.	Nachweisung der Veränderungen: Zuwachs von dem	Abfall an den	für das Jahr	Anmerkung
													Grundbesitz-Bogen-Nr.			
1	Bp 157		Neupölla	[illegible]	—	—	83									

Abb. 127: Grundbesitzbogen des Hauses Biegler in Neupölla, um 1890; Neupölla, Slg. Polleroß

(Foto: Karl Pani)

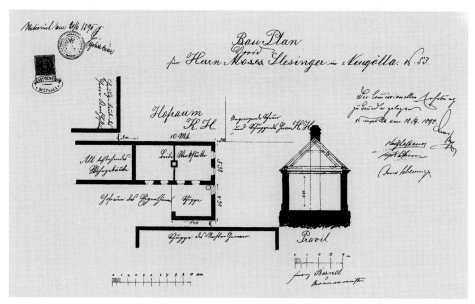

Abb. 128: Bauplan für Moses bzw. David Schlesinger in Neupölla Nr. 53, Franz Berndl, 1892; Neupölla, Archiv der Marktgemeinde Pölla

auf (Abb. 6). Die Tochter des 1896-1905 in Neupölla tätigen Gendarmeriepostenkommandanten Franz Brosch, Martha Sills-Fuchs, beschrieb die Situation folgendermaßen:

*Vier Geschäftsläden sorgten für die Bedürfnisse: Hofbauer, Schüsserl, Biegler und
Schlesinger. Letzte beiden waren in jüdischem Besitz. Aber sie waren ganz integriert und
nie hatten wir in Neupölla ein Wort gegen die Juden gehört. Trotzdem ging es ihrem
Geschäfte schlecht, und eine jüdische Familie wanderte damals schon nach Palästina aus.
Von dort schrieben sie uns noch lange Jahre, es war die Familie Schlesinger. Das andere
jüdische Geschäft hieß Biegler. Man kannte nur einen jungen Mann, der es führte. Er lebte
still und zurückgezogen und, ich glaube, recht ärmlich.* [30]

Wahrscheinlich war jedoch nicht nur die wirtschaftliche Notlage ein Grund für die
ungewöhnliche Übersiedlung der Familie Schlesinger 1906 nach Palästina, sondern auch
der zunehmende Antisemitismus.[31] Im Gegensatz zur Erinnerung von Martha Sills-Fuchs
gab es damals nämlich in Neupölla durchaus heftige politische Auseinandersetzungen zwischen den Anhängern und den Gegnern Schönerers.

Antisemitische Agitation durch Schönerer und seine Anhänger

Georg Ritter von Schönerer (1842-1921), der die Landgemeindebezirke Zwettl und
Waidhofen/Thaya seit 1873 im Reichsrat vertrat, scheint in Neupölla von Beginn an eifrige
Anhänger gefunden zu haben. Der Abgeordnete aus Rosenau hatte sich zunächst vor allem
der Agrarpolitik gewidmet[32], wobei er u. a. die Fortbildung der ländlichen Bevölkerung
durch „Landwirtschaftliche Casinos" und Volksbüchereien förderte. Beide Institutionen
gab es auch in Neupölla, wobei die 1882 aufgestellte Volksbücherei 1889 in die Obhut der
Feuerwehr übergeben wurde.[33] Da auch die Freiwilligen Feuerwehren zu den von Schönerer besonders geförderten sozialen Initiativen gehörten, erhielt die Feuerwehr in Neupölla schon bei ihrer Gründung im Jahre 1877 fünfzig Gulden von ihm. Noch im selben Jahr
wurde der Politiker zum Ehrenmitglied ernannt (Abb. 130), und am 27. Juli 1879 hat man
ihm zu Ehren anläßlich einer Wanderversammlung des „Zwettler landwirtschaftlichen Vereines" in Neupölla eine Schauübung abgehalten.[34]

Schönerers anfänglich demokratische Politik, die eine Zusammenarbeit mit Vertretern
der ebenfalls aus dem liberalen Lager herauswachsenden Sozialdemokratie wie Viktor
Adler ermöglichte, entwickelte sich jedoch seit 1878 zunehmend in Richtung Deutschnationalismus und Antisemitismus.[35] Bei dieser Differenzierung des ehemals liberalen Lagers

---

[30] Brief von Martha Sills-Fuchs an den Verfasser, 1983.

[31] Einem deutschnationalen Zeitungsbericht zufolge hat sich 1890 in Drosendorf der Kaufmann
Samuel Guttmann „in Folge des stets anwachsenden Antisemitismus veranlaßt gesehen, unsere
Stadt zu verlassen. (. . .) Samuel war der einzige Jude in unserer Stadt und jetzt sind wir ganz judenrein. Ob Samuel in das gelobte Land oder irgendwo anders hingezogen ist, ist unbekannt. (. . .)":
Österreichische Landzeitung Nr. 31 vom 2. 8. 1890, S. 5. — Eine Auswanderung nach Palästina war
damals jedoch selbst bei Wiener Zionisten eine Seltenheit: Bruce F. Pauley, Eine Geschichte des
österreichischen Antisemitismus. Von der Ausgrenzung zur Auslöschung (Wien 1993) S. 90-94.

[32] Andrew G. Whiteside, Georg Ritter von Schönerer. Alldeutschland und sein Prophet (Graz-
Wien-Köln 1981) S. 67.

[33] „Der Bote aus dem Waldviertel" XII, Nr. 273 vom 1. 5. 1889.

[34] Rechenschafts=Bericht der freiwilligen Feuerwehr im Markte Neupölla N.-Ö. über deren Thätigkeit von 1877, bis Ende 1879 (Wien 1880) S. 7 und 11.

[35] Jonny Moser, Der Antisemitismus der Deutschnationalen in Österreich. In: Klamper, Die
Macht der Bilder (wie Anm. 5) S. 149-155.

Abb. 129: Georg Ritter von Schönerer als hl. Georg, Lithographie von Franz Stuck, 1885; Neupölla,
Slg. Polleroß
(Foto: Gudrun Vogler)

fand Schönerer seine Anhänger vor allem in der Wiener Studentenschaft, d. h. unter den künftigen Ärzten, Notaren und Lehrern, sowie in den „fortschrittlich" eingestellten und wirtschaftlich führenden Schichten der Waldviertler Kleinstadtbourgoisie.[36] In den Landgemeinden gehörten zu dieser von Hanns Haas als „Zwischenmilieu" bezeichneten Gruppe von Honoratioren die meist vermögenden Kaufleute, Wirte, Müller und Sägewerksbesitzer.[37]

Dieser Befund gilt auch für das Gebiet der Marktgemeinde Pölla. Als einer der durch die Verfassungsreform des Jahres 1867 ermöglichten bürgerlichen Vereine enstand 1876 in Neupölla der „Gesellikeits-Verein", der trotz seines unpolitischen Namens offensichtlich als Variante der 1868 bzw. 1870 in Krems und Horn gegründeten „Constitutionellen Fortschritts-Vereine" zu werten ist. Widmeten sich die städtischen Vereine der Förderung des *politischen Fortschritts und der socialen Wohlfahrt*[38], so wurde in Neupölla von dieser *Tafelrunde [. . .] aus Männern, welche in jeder Hinsicht dem Fortschritte huldigten,* seit 1872 die Gründung einer Freiwilligen Feuerwehr *eifrigst betrieben* und 1877 auch in die Tat umgesetzt.[39] Zu den Mitgliedern des Gesellikeitsvereines zählten damals neben Obmann Karl Hofbauer der in Wien geborene Wundarzt Josef Dolliner (1824-1882), der Mühlenbesitzer und erste Feuerwehrkommandant August Becker, der Seifensieder und spätere Bürgermeister Josef Lux (1854-1914), Volksschuldirektor Rudolf Welt (1849-1923), der Lehrer Urban, der Kurschmied (=Tierarzt) Karl Leidenfrost, die Gastwirte Kittler und Obenaus sowie die mit Hofbauer verwandten Lebzelter Ignaz Winkler senior und junior.[40] Drei der hier genannten Vereinsmitglieder haben die Ehrenurkunde der Feuerwehr für Schönerer mitunterzeichnet (Abb. 130), und die politische Dimension des „Gesellikeitsvereines" kam auch 1880 anläßlich einer „Dilettantentheateraufführung" zugunsten der Feuerwehr deutlich zum Vorschein.[41] Der Bericht darüber erschien im deutschnationalen „Boten aus dem Waldviertel" und verrät die damals innerhalb der Bewohner des Marktes herrschenden Spannungen:

Sonntag der 8. d. M. war für den sehr freundlich gelegenen und größtenteils von fortschrittlich Gesinnten bewohnten Markt ein Tag, der uns wieder einmal recht klar und deutlich zeigte, daß durch die Opferwilligkeit Einiger trotz aller Gegenagitation sehr Erfreuliches geleistet werden kann. [. . .] Neupölla kann stolz sein, solche Kräfte in seinen Mauern zu bergen, die sich trotz aller Anfeindungen nicht irre machen lassen, ja heroisch genug sind, unter so schlimmen Auspizien zu Wohltätigkeitszwecken zu spielen. Namentlich scheint der Zweck des Spieles einigen Herren nicht zu gefallen, denn sie sind die „größten

---

[36] Elisabeth Ulsperger, Modell und Wirklichkeit — Zur kulturellen und politischen Praxis in Kleinstädten. In: Hannes Stekl (Hg.), Kleinstadtbürgertum in Niederösterreich — Horn, Eggenburg und Retz um 1900 (= Forschungen zur Landeskunde von Niederösterreich 27, Wien 1994) S. 41-84, hier S. 58 ff.

[37] Hanns Haas, Postmeister, Wirt, Kramer, Bauer, Müller und Wundarzt. Trägerschichten und Organisationsformen des Liberalismus. Das Salzburger Beispiel — vom frühen Konstitutionalismus zum Kulturkampf. In: Ernst Bruckmüller u. a. (Hg.), Bürgertum in der Habsburgermonarchie (Wien-Köln 1990) S. 257-273.

[38] Ulsperger, Modell und Wirklichkeit (wie Anm. 36) S. 60 f.

[39] Karl Tuma, Festschrift zur Feier des 30jährigen Bestandes der freiwilligen Feuerwehr der Marktgemeinde Neupölla... (Neupölla 1907) S. 7.

[40] Akten des „Gesellikeitsvereines" 1877 bis 1880: Neupölla, Slg. Polleroß.

[41] Friedrich B. Polleroß, 100 Jahre Laientheater in der Marktgemeinde Pölla. In: Waldviertler Kurier 20 (1980) S. 48-55, hier S. 48 f.

Gegner" der hiesigen freiwilligen Feuerwehr. Unglaublich, aber wahr und was noch *schrecklicher zu sagen, der Hr. Bürgermeister steht „oben an" an der Spitze der Gegner.*[42]

Der angesprochene Bürgermeister Josef Genner nahm in einem Leserbrief zu den Vorwürfen Stellung: *Ich habe in Ihrem geschätztem Blatte vom 15. August zu meiner größten Freude in Erfahrung gebracht, wie weit Neupölla in der Neuzeit schon Fortschritte gemacht hat [...]. Es wäre auch sehr erwünscht, daß der Markt Neupölla, in materieller und industrieller Beziehung sich heben könnte, denn vor allem andern sind dies die Bezugsquellen, wovon sich der kleine Geschäftsmann redlich nähren kann. Das übrige ist Nebensache. Demzufolge wäre es wünschenswert, daß die Herrn der fortschrittlich gesinnten Partei in Erwägung ziehen möchten, Mittel und Wege zu finden, damit sich vor allem anderen der Gang der Geschäfte heben möchte.*[43]

Sowohl die ironischen Attacken gegen die „Fortschrittlichen", d. h. gegen die Anhänger der gleichnamigen „linksliberalen" Fraktion Schönerers im Reichsrat[44], als auch die soziale Stellung des Lederers Josef Genner, der laut Volkszählung 1870 nur ein Pferd besaß und damit offensichtlich nicht zu den Wohlhabenderen gehörte, weisen diesen wohl als Vertreter des konservativ-klerikalen Kleingewerbes aus.

Der Gegner des Bürgermeisters und direkte Ansprechpartner Schönerers in der Marktgemeinde Neupölla, Karl Hofbauer (1852-1916), war zweifellos einer der aktivsten Vertreter der lokalen Führungsschicht. Von seinem Vater Ignaz, der als Bürgermeister von Neupölla der Jahre 1867-70 unter dem Namen Geldnaz bekannt geworden war, übernahm er das größte Kaufhaus des Ortes. Das palaisartige historistische Wohnhaus von Karl Hofbauer sollte später als Amtsgebäude Verwendung finden (Abb. 151). Als Bürgermeister der Marktgemeinde (1912-16) plante er 1912 die Elektrifizierung des Ortes durch Anschluß an das Kraftwerk der Stadt Horn in Rosenburg. Dieser Plan wurde aber ebensowenig verwirklicht wie das im selben Jahr schon bewilligte Projekt der „Brigittenauer Elektrotechnischen Fabrik" des Ing. Leon Hirsch für ein Wasserkraftwerk in Wegscheid am Kamp.[45] Das besondere Engagement von Karl Hofbauer galt jedoch der Freiwilligen Feuerwehr. Er stand nicht nur von 1880-1916 an der Spitze dieser Vereinigung in Neupölla (Abb. 131), sondern leitete von 1886-1916 auch den von ihm initiierten Feuerwehrverband des Gerichtsbezirkes Allentsteig.[46] Seine Aufgeschlossenheit technischen Neuerungen gegenüber verrät vor allem die Errichtung einer eigenen 93 Kilometer langen Telefonleitung für die Feuerwehren dieses Bezirkes in den Jahren 1902-1908.[47] Gerade die Feuerwehren, die politisch in der Tradition der „Deutschen Turnvereine" standen, bildeten im Waldviertel eine mit Schönerer und dem Deutschnationalismus eng verbundene Organisationsstruktur.[48] So

---

[42] „Der Bote aus dem Waldviertel" vom 15. August 1880.

[43] Ebenda: 1. September 1880.

[44] Die Gruppe um Schönerer bezeichnete sich als „Fortschrittliche" bzw. „Fortschrittsklub": Whiteside, Schönerer (wie Anm. 32) S. 66f.

[45] Friedrich B. Polleroß, Ein Kleinkraftwerksprojekt in Wegscheid am Kamp 1912. In: Kamptal-Studien 2 (1982) S. 108-119.

[46] Anton Kraus, 100 Jahre Bezirksfeuerwehrverband Feuerwehrabschnitt Allentsteig (Allentsteig 1986) S. 10 ff.

[47] Karl Hofbauer, Denkschrift anläßlich des vor 25 Jahren gegründeten Bezirks=Feuerwehrverbandes Allentsteig (Neupölla 1911) S. 22 f.

[48] Hans Schneider, Georg Ritter von Schönerer und die Waldviertler Feuerwehren. In: Feuerwehr Horn. Festschrift (Horn 1989) S. 15-29.

Abb. 130: Ehrenurkunde der Feuerwehr Neupölla für Schönerer, 1877; Zwettl, Stadtmuseum
(Foto: Friedel Moll)

Abb. 131: Karl Hofbauer und Rudolf Welt als Kommandanten der Feuerwehr Neupölla, um 1906;
Neupölla, Slg. Polleroß

249

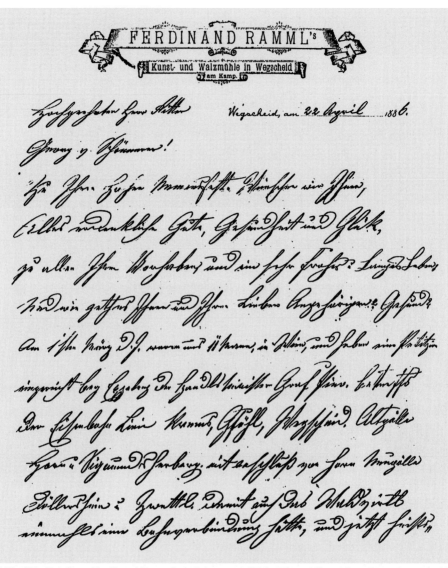

Abb. 132: Brief von Ferdinand Ramml an Schönerer, 1886; Wien, Allgemeines Verwaltungsarchiv

war der Gastwirt und Bürgermeister Augustin Dötz (1844-1912) in Allentsteig nicht nur Mitbegründer, sondern von 1873-1879 auch Kommandant bzw. Stellvertreter der Feuerwehr dieser Stadt.[49] Der aus Döllersheim stammende Politiker übernahm 1884 Schönerers Landtagsmandat (bis 1896) und vertrat den Landgemeindebezirk Zwettl-Waidhofen/Thaya von 1891 bis 1897 auch im Reichsrat.[50]

---

[49] Felix Schmidt, 100 Jahre Freiwillige Feuerwehr Allentsteig (Allentsteig 1973) S. 22 f.

[50] Eduard Pichl, Georg Ritter von Schönerer. Volksausgabe (Wien 1940) S. 207 f.

Den Zusammenhang zwischen Feuerwehrwesen und Deutschnationalismus beweist auch ein weiterer Aktivist aus dem Gebiet von Pölla, stand doch die 1901 gegründete Feuerwehr in Wegscheid am Kamp ebenfalls unter der Leitung eines „Schönerianers"[51]: Ferdinand Ramml war ebenso wie der erste Schriftführer der Feuerwehr, Karl Ramml, Müller und entstammte einer Familie, die seit 1830 dieses Gewerbe in Wegscheid betrieb[52] und 1850 auch einen der beiden ersten *geschäftsführenden Gemeinderäte* der Gemeinde Altpölla gestellt hatte.[53] Schon bei der konstituierenden Versammlung im Jahre 1889 wurde Ferdinand Ramml in den Vorstand der Gewerbegenossenschaft Neupölla gewählt[54], und 1892 gelangte der Müllermeister an die Spitze dieser Vereinigung, wobei er diese Funktion mehrfach mit Karl Hofbauer und Bürgermeister Josef Lux wechselte. Die wirtschaftliche und politische Position von Ferdinand Ramml beleuchtet vor allem ein Schreiben, das er 1886 anläßlich des Namenstages an Schönerer richtete (Abb. 132). Neben Glückwünschen *zu allen Ihren Vorhaben* informiert der Brief den Abgeordneten nämlich über die Abgabe einer Petition durch Ramml und zehn Mitstreiter beim Handelminister in Wien *betreffs der Eisenbahn Linie Krems, Gföhl, Wegscheid, Altpölla Horn und Sigmundsherberg mit Anschluß von Horn Neupölla Döllersheim und Zwettl, damit auch das Waldviertl nunmahls eine Bahnverbindung hätte.* Unter Hinweis auf die vielen Mühlen und Handwerke, den Kalk- und Granitsteinabbau sowie die großen Herrschaften Jaidhof, Idolsberg, Wetzlas usw., plädierte Ramml gegen die geplante Trasse der Kamptalbahn von Hadersdorf über Rosenburg und Horn nach Sigmundsherberg.[55]

Daneben stand Ramml auch mit dem Kremser deutschnationalen Gemeinderat Josef Faber, dem Verleger und Drucker der antisemitischen „Landzeitung"[56] in direktem Kontakt. Dieser forderte in einem Schreiben vom 11. Juni 1889 den Wegscheider *Parteigenossen* auf, im Sinne der deutschnationalen Partei für die Landzeitung und gegen die liberale „niederösterreichische Presse" Propaganda zu machen.[57] Karl Hofbauer belieferte sowohl die „Landzeitung"[58] als auch den ebenso antisemitischen „Boten aus dem Waldviertel" in Horn[59] mit Nachrichten aus Neupölla.[60] Die Anhänger Schönerers waren also nicht nur

[51] Leopold Hollensteiner, Das Feuerwehrwesen. In: Friedrich Polleroß (Hg.), Geschichte der Pfarre Altpölla 1132-1982 (Altpölla 1982) S. 566-580, hier S. 576.

[52] Hermann Frank, Bemerkungen zur wirtschaftlichen Entwicklung seit 1850. In: Polleroß, Altpölla (wie Anm. 51) S. 517-532, hier S. 525.

[53] Hedwig Hofbauer, Orts- und Sozialgeschichte seit 1850. In: Polleroß, Altpölla (wie Anm. 51) S. 503-516, hier S. 508.

[54] „Der Bote aus dem Waldviertel" Nr. 284 vom 15. 10. 1889. — Österreichische Landzeitung Nr. 15 vom 12. 4. 1890, S. 5.

[55] Brief vom 22. April 1886: Wien, Allgemeines Verwaltungsarchiv, Nachlaß Pichl-Schönerer, Karton Nr. 40. Für den Hinweis sei Herrn Univ.-Prof. Dr. Hanns Haas (Salzburg) herzlich gedankt.

[56] Siehe dazu: Hannelore Hruschka, Die Geschichte der Juden in Krems an der Donau von den Anfängen bis 1938, phil. Diss. (Wien 1978) S. 242 ff.

[57] Brief von Josef Faber an Ferdinand Ramml im Besitz der Familie. Für die Möglichkeit zur Einsicht sei Frau Adele Ramml herzlich gedankt.

[58] Eine Meldung der „Landzeitung" über den Feuerwehrverband Allentsteig trägt nicht nur die Herkunft „Neupölla", sondern auch die Initialen „K. H.": Österreichische Landzeitung Nr. 49 vom 6. 12. 1890, S. 5.

[59] Vgl. dazu Friedrich Polleroß, 100 Jahre Antisemitismus im Waldviertel. In diesem Band S. 88.

[60] Sieh Anm. 33. — Wirtschaftliche Kontakte zwischen Hofbauer und den beiden Schönerianern

durch persönliche Kontakte, sondern auch durch das Medium der Lokalzeitungen miteinander verbunden, die der Abgeordnete in bewußter Konkurrenz zu den zum katholischen Preßverein gehörenden Blättern auch finanziell unterstützte.[61] Tatsächlich finden wir beim Parteitag der Deutschnationalen Partei für das Waldviertel 1899 in Krems Karl Hofbauer neben Schönerer und Faber als *Einberufer*.[62]

In dieser Funktion scheint auch ein Vertreter der Gemeinde Altpölla auf: Franz Herzog (1843-1920) aus Tiefenbach, der ebenfalls der Gruppe der wohlhabenden Unternehmer zuzurechnen ist. Aus bäuerlichen Verhältnissen stammend, wird er zwar erst 1890 als Zimmermeister bezeichnet[63], doch soll sein Sägewerk um 1910 aufgrund der Aufträge des in jüdischem Besitz befindlichen größten Forstbetriebes des Bezirkes Krems in Jaidhof[64] zwischen fünfzig und achtzig Arbeiter beschäftigt haben.[65]

Zwei Propagandaporträts Schönerers belegen die Beliebtheit des deutschnationalen Abgeordneten in den Gemeinden Döllersheim und Franzen, und zwar ebenfalls im lokalen Milieu der reichen „Dorfbourgoisie". Eine Porträtpostkarte (Abb. 15) stammt aus dem Besitz von Johann Hammerschmied in Döllersheim[66], der als Gastwirt nicht nur zu den wohlhabendsten Bewohnern der Gegend gehörte[67], sondern 1890 auch zum Kassier des Landwirtschaftlichen Casinos und 1901-1906 zum Bürgermeister der Marktgemeinde gewählt wurde.[68] In Kienberg bei Franzen hat sich hingegen ein Plakat des Münchner Sezessionisten Franz von Stuck erhalten, das Schönerer als neuen hl. Georg im Kampf gegen den Drachen verherrlicht[69] (Abb. 129). Es könnte aus der Gemeindestube von Franzen stammen, die offensichtlich ebenfalls stark deutschnational ausgerichtet war.

Die markanteste Persönlichkeit in der Gemeinde Franzen gehört bereits einer jüngeren Generation an und vertritt auch das akademische Milieu der Anhänger Schönerers: der Mediziner Dr. Karl Jordan. Er war 1869 in Allentsteig geboren worden, hatte 1896 in Wien promoviert und wirkte von 1898 bis zu seinem frühen Tod 1911 in Franzen als Gemeinde-

---

belegen auch die vom Feuerwehrkommandanten herausgegebenen Druckschriften. So wurden der Rechenschaftsbericht des Bezirksfeuerwehrverbandes 1888, die Rechenschaftsberichte der Feuerwehr Neupölla 1886 und 1889 sowie das Grundgesetz des Bezirksfeuerwehrverbandes 1896 bei Ferdinand Berger in Horn gedruckt, während das Grundgesetz der Feuerwehr Neupölla 1893 von der Druckerei Faber produziert wurde.

[61] Zur Rolle der Regionalzeitungen siehe: Theodor Ve n u s, Der Antisemitismus im österreichischen Pressewesen 1848-1938. In: Klamper, Die Macht der Bilder (wie Anm. 5) S. 192-211, hier S. 202 f.

[62] Eduard Pichl, Georg Schönerer. 6. Bd. 1897-1921 (Oldenburg-Berlin 1938) S. 3.

[63] Franz Fux, Orts- und Häusergeschichte von Tiefenbach. In: Heimatbuch (wie Anm. 11) S. 917 bis 996, hier S. 948.

[64] Herbert Stastny, Familie Gutmann. In: Walter Enzinger (Hg.), Heimatbuch Jaidhof (Gföhl 1992) S. 73-131.

[65] Frank, Wirtschaftliche Entwicklung (wie Anm. 52) S. 526.

[66] Polleroß, Truppenübungsplatzgemeinde (wie Anm. 4) Kat.-Nr. 1.20

[67] Die Familie Hammerschmied erwarb mit den für den Gasthof in Döllersheim abgelösten 149 000 Reichsmark u. a. ein „arisiertes" Zinshaus in Wien.

[68] Österreichische Landzeitung Nr. 7 vom 15. 2. 1890, S. 5. — Niederösterreichischer Amts-Kalender für das Jahr 1901 (Wien 1901) S. 432.

[69] Das Bild wurde nachträglich als Umschlag für „Kauf und Tausch" verwendet und trägt die Stampiglie von Josef Dangl, dem in der NS-Zeit amtierenden Bürgermeister der Gemeinde Franzen-Schmerbach.

arzt.[70] 1899 heiratete er die Tochter des Kaufmannes und langjährigen Feuerwehrkommandanten Eduard Wagerer, der Hofbauers Stellvertreter in der Gewerbegenossenschaft Neupölla war und u. a. Ansichtskarten von Franzen und Umgebung mit dem schwarz-rot-goldenen Wappen und dem Spruch „Einig und stark / Deutsch bis ins Mark" vertrieb. 1907 wurde Dr. Jordan zum geschäftsführenden Gemeinderat und 1911 zum Bürgermeister von Franzen gewählt.[71] An der Seite seines Schwiegervaters war er auch in der Feuerwehr Franzen aktiv, und bei der Jahresversammlung des Bezirksfeuerwehrverbandes Allentsteig am 28. Februar 1908 finden wir alle Protagonisten an einem Tisch vereint: Karl Hofbauer als Obmann, Eduard Wagerer als Ausschußmitglied, August Dötz als Vertreter von Allentsteig, Dr. Jordan als Vertreter von Franzen und Rudolf Welt als

Abb. 133: Dr. Karl Jordan (links) nach seiner Promotion als Mitglied einer Burschenschaft, 1896; Privatbesitz

Vertreter der Feuerwehr Neupölla.[72] Schon während seiner Studienzeit hatte Jordan einer deutschnationalen Verbindung angehört[73] (Abb. 133). Da die Burschenschaften seit 1890 vollständig antisemitisch ausgerichtet waren und die Judenfeindschaft an der Wiener Universität gerade vom Chirurgen Theodor Billroth gefördert wurde[74], ist der Gemeindearzt von Franzen wohl ein Beispiel für den direkt von Wien ins Waldviertel verpflanzten akademischen Antisemitismus.

---

[70] Berthold Weinrich — Erwin Plöckinger, Niederösterreichische Ärztechronik. Geschichte der Medizin und der Mediziner Niederösterreichs (Wien 1990) S. 498.

[71] Niederösterreichischer Amts-Kalender für das Jahr 1907 (Wien 1907) S. 493 — Niederösterreichischer Amts-Kalender für das Jahr 1911 (Wien 1911) S. 537.

[72] Hofbauer, Denkschrift (wie Anm. 47) S. 12 f.

[73] Laut freundlicher Auskunft von Herrn Hofrat Dr. Ferdinand Krause sprechen sowohl die Farben Schwarz-Rot-Gold des Bandes wie auch die auf einem anderen Foto abgebildete Anstecknadel mit den vier F der Jahnschen Turnbewegung („Frisch, Fromm, Fröhlich, Frei") dafür.

[74] Pauley, Antisemitismus (wie Anm. 31) S. 66 f.

Tatsächlich war zu den wirtschaftspolitischen Vereinen bald auch eine Vielfalt von kulturpolitischen Organisationen getreten, die ebenfalls antisemitisch ausgerichtet waren. So hatte Schönerer 1880 zur Propagierung des Deutschnationalismus in den Kronländern den „Deutschen Schulverein" gegründet. Da dieser aber auch deutsch-jüdische Schulen unterstützte, kam es bald ebenso zu Spaltungen wie in den Turnvereinen durch den *Arierparagraphen*. 1886 gründete Schönerer daher den „Schulverein für Deutsche".[75] Der überregionalen Vergesellschaftung des Vereinswesens durch „Ortsgruppen" entsprechend, fanden diese Auseinandersetzungen umgehend in der Provinz ihre Fortsetzung.[76] Noch im Dezember 1886 wurde in Neupölla *auf Ansuchen mehrerer Mitglieder* vom lokalen Obmann des Schulvereines, Rudolf Welt, der Antrag auf Auflösung der Ortsgruppe des „Deutschen Schulvereines" gestellt. Der langjährige Volksschuldirektor (1879-1920) war schon als Mitglied des „Geselligkeitsvereines" ein Gefährte Hofbauers gewesen. Stand Welt in der Feuerwehr seit 1886 als Kommandantenstellvertreter hinter dem Kaufmann (Abb. 131), so ließ er ihm als Obmann des Schulvereines ebenfalls das erste Wort:

Das Vereinsmitglied Herr Carl Hofbauer wies darauf hin, daß durch die Auflösung der academischen Ortsgruppe und der Frauenortsgruppe des 9. Bezirkes in Wien, sowie durch die nicht hinwegzuleugnende Unterstützung jüdischer Schulen Grund genug für jeden wahrhaft deutsch gesinnten Mann vorhanden sei, sich von dem deutschen Schulvereine abzuwenden und dem „Schulverein für Deutsche" beizutreten, welch' letzter laut seiner Satzungen den Ortsgruppen das Recht einräumt, über die Aufnahme von Mitgliedern zu entscheiden, so daß Juden der Eintritt in den Verein verwehrt werden kann.

Der Antrag wurde einstimmig angenommen, und am 30. Dezember fand die Gründungsversammlung der Ortsgruppe „Neupölla und Umgebung" des „Schulvereines für Deutsche" statt.[77] Bereits 1889 wurde der Verein jedoch wegen *Verbreitung groß-deutschnationaler Ideen im Sinne Schönerers* und *beharrlicher Aufreizung gegen Angehörige des jüdischen Volksstammes* behördlich aufgelöst.[78]

Ebenso wie Schönerer die deutschnationalen Zeitschriften und Vereine förderte, verbreitete er auch in den Volksbüchereien mit gezielten Spenden antisemitisches Gedankengut. Als die Volksbücherei in Neupölla 1889 in das neuerbaute Vereinshaus der Feuerwehr in unmittelbarer Nachbarschaft der Familie Biegler übertragen wurde (Abb. 145), legte er einem Schreiben an Karl Hofbauer fünf Gulden bei, damit dieser *das Buch des Dr. Dühring über die Judenfrage oder Ähnliches für die Bücherei noch anschaffen könne* (Abb. 134). Der Feuerwehrkommandant kam dem Wunsch des Förderers nach und bestellte entsprechende Werke, die auch sorgfältig im Katalog der Volksbücherei verzeichnet wurden (Abb. 135): Nr. 90 Thomas Frey, Antisemiten-Katechismus (Leipzig 7. Auflage 1888); Nr. 91 Thatsache der Judenfrage; Nr. 92 Der Antisemitismus. Sein Entstehen, Wachsen und Vergehen. Briefe eines Ariers an einen Semiten (Leipzig 1886); Nr. 93 H. Naudh, Die Juden und der Deutsche Staat (Leipzig 11. Auflage 1885); Nr. 94 Eugen Dühring, Die Judenfrage als Frage der Racenschädlichkeit für die Existenz, Sitte und Cultur der Völker. Mit einer weltgeschichtlichen Antwort (Karlsruhe-Leipzig 3. Auflage 1886); Nr. 95 Adolf Wahrmund,

---

[75] Jonny M o s e r, „Deutsche Worte" oder wer ein Jude ist. In: Kristian S o t r i f f e r (Hg.), Das größere Österreich. Geistiges und soziales Leben von 1880 bis zur Gegenwart (Wien 1982) S. 83-87.

[76] Zu dieser Anbindung der Vereine ans Zentrum siehe: Ulsperger, Modell und Wirklichkeit (wie Anm. 36) S. 64 f.

[77] „Der Bote aus dem Waldviertel" Nr. 217 vom 1. 1. 1887.

[78] Pichl, Schönerer (wie Anm. 50) S. 113.

Die christliche Schule und das Judenthum (Wien 1885); Nr. 96 Thomas Frey, Zur Bekämpfung zweitausendjähriger Irrthümer (Leipzig 1886). Den Abschluß bildete eine Propagandaschrift über den Prozeß Schönerers gegen das „Neue Wiener Tagblatt" (Abb. 136).

Das von Schönerer im Brief an Hofbauer eigens genannte Buch des Berliner Professors für Philosophie und Nationalökonomie, Eugen Dühring, war 1881 in erster Auflage erschienen. Es forderte die Beseitigung des jüdischen Einflusses in allen gesellschaftlichen Bereichen sowie Absonderung und lehnte Mischehen ab.[79] Damit war Dühring der erste Deutsche, der „eine auf biologischen, philosophischen und historischen Grundlagen fußende antisemitische Ideologie schuf". Sein österreichisches Gegenstück war der Wiener Universitätsprofessor Adolf Wahrmund, der 1887 „Das Gesetz des Nomadenthums und die heutige Judenschaft" publizierte.[80] Ebenso wie Dührung bemühte er auch in seinem in Neupölla vorhandenen Werk alle alten Vorurteile in pseudowissenschaftlicher Verbrämung und schürte ausdrücklich die Angst vor Überfremdung:[81]

Das Judenthum als Geisteswesen ist in seiner Selbst-Erziehung noch heute vorchristlich oder dämonisch, d. h. es findet sein Ideal darin, dem eigenen nationalen Dämon die Welt [...] zum Opfer zu bringen [...]. Ihrer (Fach-)Bildung nach sind die Juden, als Schüler und Nachfolger der Phönizier, ein Volk von Kaufleuten, Bankiers, Vermittlern und zum großen Theile von Wucherern und Betrügern, die mit Leichtigkeit, ohne eigentliche Arbeit, das Aequivalent der Arbeit, das Geld und die anderen Werthzeichen, an sich ziehen und so die Arbeitenden um Freiheit und Lebensfreude bringen. Nach Denkform und Gedankeninhalt ist das jüdische Wesen kindisch, zerfahren und phantastisch, ohne Selbständigkeit und Schöpferkraft, — mit dem, was Nichtjuden ihm an Ideen und Denkstoff fertig bieten kann, Umsatz-Geschäfte machend [...]. Als Ganzes (historisches Gebilde) ist das Judentum ein greisenhaftes Wesen, das vermöge seiner punikischen Praktiken vampyrartig am Mark und Blut der Christen zehrt. [...] Hiebei ist aber unter den europäischen Staaten gerade Österreich in der allerschlimmsten Lage. [...] Die Elemente der ‚Dekomposition' (Mommsen) und ‚Verwesung' (Lagarde), anderwärts ausgestossen, sammeln sich bei uns, vor allem angezogen durch Wien. [...] Österreich war durch ein Jahrtausend der Wall der abendländischen Christenheit gegen den Asiatismus und ist zu diesem Zwecke gegründet worden.[82]

Wie weit diese schwer verdaulichen Ergüsse von den Lesern der Volksbücherei in Neupölla rezipiert wurden, läßt sich aber ebenso wenig feststellen wie das tatsächliche Verhalten den Familien Biegler und Schlesinger gegenüber.

Das gewalttätige Eindringen Schönerers in eine Zeitungsredaktion und der darauf folgende Prozeß im Jahre 1888 mit anschließender Haft leitete zwar den politischen Niedergang seiner Partei ein, schuf aber ein Märtyrerimage, sodaß es in den folgenden Jahren zu einer stärkeren Polarisierung der Parteienlandschaft kam.[83] Bereits im Wahlkampfjahr 1890 wurden diese Gegensätze deutlich sichtbar. So kam es in Döllersheim im Februar anläßlich der Gründung eines „Landwirtschaftlichen Casinos" zu *Zwietracht und Ärgernis*,

[79] Kurt S c h u b e r t , Der Weg zur Katastrophe. In: Der gelbe Stern in Österreich. Studia Judaica Austriaca V (Eisenstadt 1977) S. 31-66, hier S. 42-44.

[80] Pauley, Antisemitismus (wie Anm. 31) S. 62 f. und 65 f.

[81] Vgl. dazu: Albert L i c h t b l a u , Macht und Tradition. Von der Judenfeindschaft zum modernen Antisemitismus. In: Klamper, Die Macht der Bilder (wie Anm. 5) S. 212-229.

[82] Adolf W a h r m u n d , Die christliche Schule und das Judenthum (Wien 1885) S. 52 f.

[83] Ernst H a n i s c h , Der lange Schatten des Staates. Österreichische Gesellschaftsgeschichte im 20. Jahrhundert. Österreichische Geschichte 1890-1990 (Wien 1994) S. 117 ff.

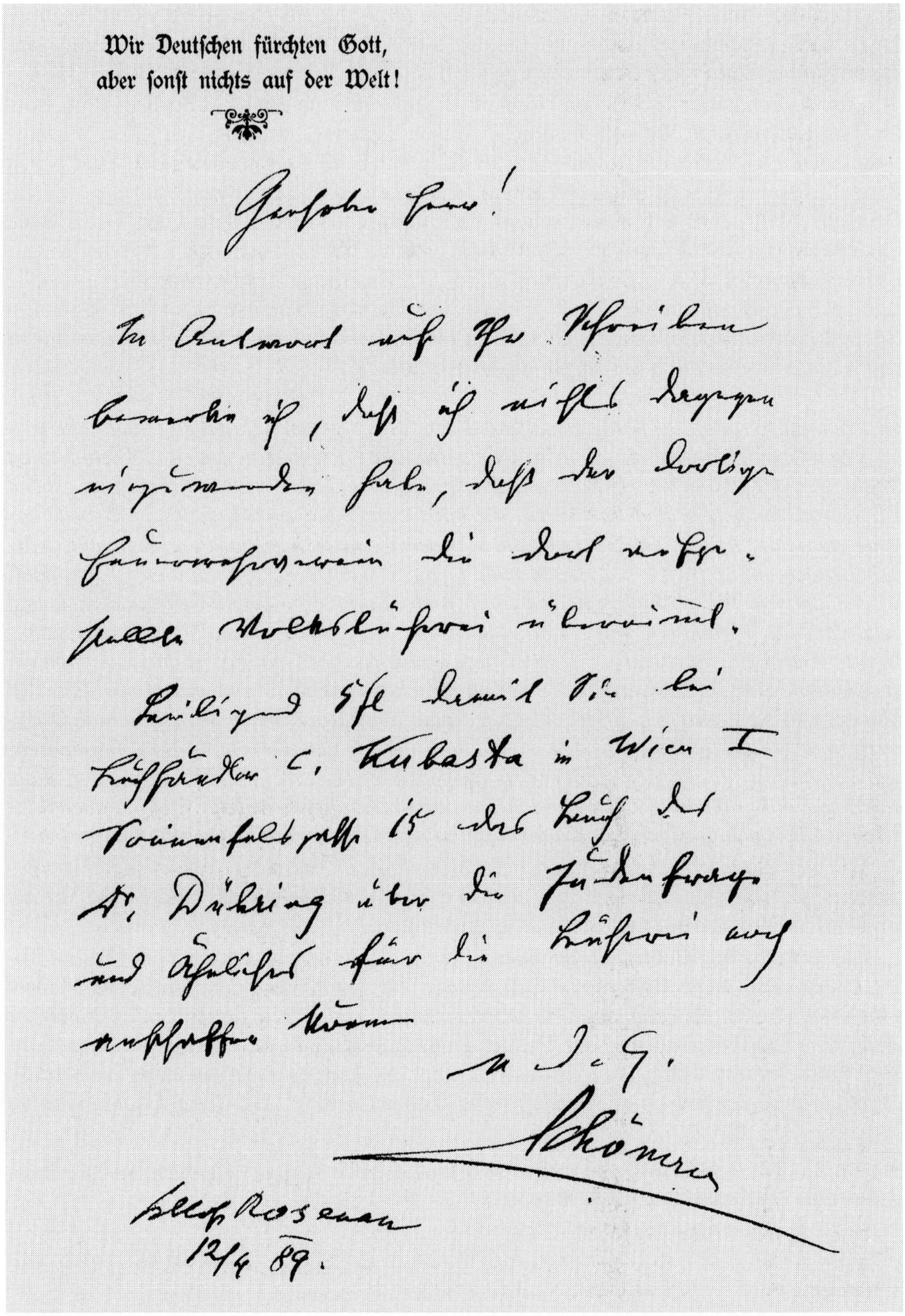

Wir Deutschen fürchten Gott,
aber sonst nichts auf der Welt!

Geehrter Herr!

In Antwort auf Ihr Schreiben bemerke ich, daß ich nichts dagegen einzuwenden habe, daß der dortige Feuerwehrverein die dort entstehende Volksbücherei übernimmt.

Beiliegend 5 fl damit Sie bei Buchhändler C. Kubasta in Wien I Sonnenfelsgasse 15 das Buch des Dr. Dühring über die Judenfrage und Ähnliches für die Bücherei anschaffen können.

m. d. G.

Schönerer

Schloß Rosenau
12/4 89.

Abb. 134: Brief Schönerers an den Kommandanten der Feuerwehr Neupölla, mit der Aufforderung zum Ankauf antisemitischer Bücher für die Volksbücherei, 1889; Neupölla, Slg. Polleroß
(Foto: Karl Pani)

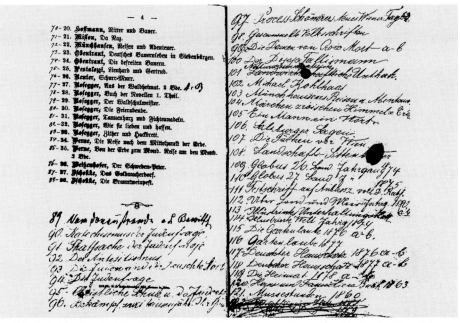

Abb. 135: Katalog der Volksbücherei Neupölla mit Eintrag der antisemitischen Bücher, 1889;
Neupölla, Slg. Polleroß

(Foto: Karl Pani)

Abb. 136: Antisemitische Bücher der Volksbücherei Neupölla, 1889; Neupölla, Slg. Polleroß

(Foto: Gudrun Vogler)

Abb. 137: Totengedenktafel für Simon Biegler, Lithographie von József Ullmann, 1907; Neupölla,
Slg. Polleroß

(Foto: Friedrich Polleroß)

und im August wurde eine Veranstaltung des christlichsozialen Kandidaten, Baron von
Geusau, von den Deutschnationalen zu einer Demonstration gegen diesen Vorstand des
Waldviertler Bauernfängervereines umfunktioniert: *Nach Schluß der Versammlung wurde
auf Schönerer und Herrn August Dötz ein dreifaches „Hoch" ausgebracht, worauf Herr
von Geusau mit seinem Anhang sofort verduftete.* [84]

Im benachbarten Franzen ergriff hingegen Pfarrer Demetrius Egerer (1846-1913,
1877-1894 in Franzen tätig) wie viele seiner Mitbrüder als Wahlredner für die Christlichsozialen Partei [85], indem er *in fulminanter Predigt von der Kanzel herabdonnert, daß die
Landtagswähler nur bewährte katholisch gesinnte Männer als Vertreter entsenden
sollen.* [86]

---

[84] Österreichische Landzeitung Nr. 7 vom 15. 2. 1890, S. 5 und Nr. 36 vom 6. 9. 1890, S. 3.

[85] Zur vorwiegend antisemitischen Einstellung dieser christlichsozialen Kleriker siehe: Gavin
Lewis, Kirche und Partei im politischen Katholizismus. Klerus und Christlichsoziale in Niederösterreich 1885-1907 (Wien-Salzburg 1977) S. 204 ff.

[86] Österreichische Landzeitung Nr. 37 vom 13. 9. 1890, S. 37.

Die Deutschnationalen erlitten zwar bei dieser Wahl eine Niederlage, ihrem Antisemitismus tat dies jedoch keinen Abbruch, wie aus einem Leserbrief in der „Landzeitung" hervorgeht: *Wir Antisemiten wissen was wir wollen, wir streben eine Gesetzgebung an, durch welche das öffentliche Leben auf allen Gebieten von dem — Einfluß des Judentums für immer befreit wird.*[87]

Anläßlich der Wiedererlangung der politischen Rechte durch Schönerer bekundeten 1894 seine Anhänger in Neupölla ihre Freude ebenfalls in der Lokalzeitung: *Neupölla. Wenn auch gewisse Judenknechte in X., Y. oder Z. sich ärgern, daß sich in Neupölla eine unentwegte Schönerianerschar befindet, so konnten wir trotzdem nicht umhin, wir von der Gemeindevertretung und Feuerwehr, dem Manne, der das deutsche Österreich von allen seinen Schädlingen befreit wissen will, zur Wiedererlangung seiner politischen Rechte aus vollem Herzen zuzujubeln. Auch die Feuerwehr von Franzen und Allentsteig schickte Herrn Georg Ritter von Schönerer ein Zustimmungs- und Begrüßungsschreiben.*[88]

Die Radikalisierung der „Schönerianer" wurde aber offensichtlich selbst innerhalb des Feuerwehrwesens nicht unwidersprochen hingenommen. So scheinen im ersten Rechenschaftsbericht der Feuerwehr Neupölla von 1880 noch der Kaufmann Simon Biegler und ein sonst nicht nachweisbarer Sam(uel) Biegler als unterstützende Mitglieder mit Beiträgen von sieben bzw. fünf Gulden auf.[89] 1886 trat schließlich auch Leopold Biegler aus der Feuerwehr Neupölla aus[90], und 1893 kam es aufgrund schwerer Auseinandersetzungen innerhalb des Vereines zur Auflösung und Neugründung unter Karl Hofbauer.[91]

Auf politischer Ebene ergab sich in der Marktgemeinde Neupölla anscheinend die klassische Konfrontation von „deutschnational überformten Bildungsbürgertum" und katholisch-christlichsozialem Kleingewerbe und Bauerntum mit den „alltäglichen Reibereien zwischen Pfarrer und Lehrer um die soziale Geltung im Dorf".[92] Die Auseinandersetzungen zwischen Pfarrer Carl Rauscher und der Gemeindevertretung im Jahre 1897 sprechen dafür, daß die ebenso antiklerikal wie antisemitisch eingestellten Anhänger Schönerers Ende des Jahrhunderts tatsächlich in der Gemeindevertretung des Marktes den Ton angaben: *Das Jahr 1897 war für den Ortsseelsorger ein Leidensjahr, von allen Seiten wurden demselben Prügel geworfen und nur aus politischen Gründen. Es waren in diesem Jahre die Neuwahlen in den Reichsrath und Landtag. Hier, wo der Schönerianismus stark vertreten ist, war die Aufregung groß und wurden auch keine Mittel gescheut, um Dötz August, Schönerianer prima Sorte, durchzubringen. Doch Dötz fiel in hiesigem Wahlbezirke zweimal bei der Reichsrath- und einmal bei der Landtagswahl.*

Aus politischen Gründen wollte man dem Ortspfarrer daraufhin Gemeindeumlagen aufbürden. Er brachte jedoch bei der niederösterreichischen Landesregierung eine Beschwerde ein, aufgrund welcher die Gemeindevertretung über die Unrechtmäßigkeit ihrer Vorgangsweise *belehrt* wurde. In einer *Schulgeschichte* ging es hingegen um eine Verleumdungsklage gegen Rauscher, der auch hier die deutschnationalen Gemeindepolitiker als die eigentlichen Drahtzieher ansah: *Auch in dieser Kerneker-Geschichte wurde viel*

---

[87] Ebenda Nr. 42 vom 18. 10. 1890, S. 11.

[88] „Der Bote aus dem Waldviertel" Nr. 388 vom 15. 2. 1894.

[89] Rechenschafts=Bericht (wie Anm. 34) S. 10.

[90] IV. Rechenschaftsbericht der freiwilligen Feuerwehr im Markte Neupölla N.-Öst. über deren Thätigkeit von 1886 bis Ende 1888 (Neupölla 1889) S. 6.

[91] Alfred Gratzl, 100 Jahre Feuerwehr Neupölla (Neupölla 1977) o. S.

[92] Hanisch, Der lange Schatten (wie Anm. 83) S. 121 f.

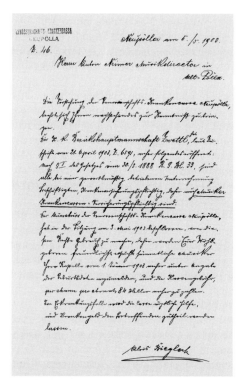

Abb. 138: Schreiben von Alois Biegler als Obmann der Genossenschafts-Krankenkasse Neupölla, 1903; Neupölla, Slg. Polleroß

Abb. 139: Gewerbeschein für Alois Biegler,
1910; Zwettl, Archiv der Bezirkshauptmannschaft Zwettl

*gehetzt und geschürt und sind die politischen Gegner die Hetzer. Hat man sich ja hören las-
sen (Hofbauer), daß sie alles thun werden, den Ortsseelsorger wegzubringen und in zwei
Jahre bin ich nicht mehr da.*[93]

Nimmt man diese Ereignisse als Hinweis auf die politischen Machtverhältnisse in der
Marktgemeinde um 1900, so lassen sich wohl die Amtsperioden der Bürgermeister Josef
Lux (1885-1912) und Karl Hofbauer (1912-16)[94] als Vorherrschaft der Deutschnationalen
interpretieren. Die von einem Verwandten des Bürgermeisters 1913 begonnene Gemeindechronik von Neupölla würdigt dementsprechend unter den Waldviertler Politikern der
vergangenen Jahrzehnte vor allem August Dötz sowie Georg Ritter von Schönerer, *den
unerschrockenen, charakterfesten Kämpfer für das unverfälschte arische Volk.*[95] Diese
deutschnationale Dominanz wurde offensichtlich erst durch den 1916 als Bürgermeister
bestellten und 1919 in dieser Funktion (wieder-)gewählten christlichsozialen Landwirt Karl
Wolf beendet. Damit scheint Neupölla gemeinsam mit Krems, Gmünd und Retz zu jenen
Waldviertler Gemeinden zu gehören, in denen sich die Deutschnationalen auch noch nach

---

[93] Memorabilienbuch der landesfürstlichen Localie Neupölla: Altpölla, Pfarrarchiv, S. 18 — Vgl.
auch Isack, Gemeindechronik (wie Anm. 27) S. 136.

[94] Isack, Gemeindechronik (wie Anm. 27) S. 59.

[95] Isack, Gemeindechronik (wie Anm. 27) S. 24.

der Einführung des allgemeinen Wahlrechts 1907 als führende politische Kraft behaupten konnten.[96]

Aufgrund der hier skizzierten Radikalisierung der Gemeindepolitik von Seiten der bürgerlich-wohlhabenden Honoratioren ist es umso bemerkenswerter, aber keineswegs überraschend, daß der junge jüdische Kaufmann Alois Biegler 1894 einen „Rauchklub" gründete[97], der offensichtlich das gesellschaftspolitische Gegenstück zum deutschnationalen „Geselligkeits-Verein"[98] bzw. den entsprechenden Aktivitäten der Feuerwehr bildete.[99] So diente eine *Gesellige Zusammenkunft der Feuerwehrmänner* im Jahre 1890 nicht nur zur Feier der Namensfeste, sondern auch zur Versteigerung mehrerer *Schönererpfeifen* zugunsten der *Feuerwehr Neupölla & Hamerlingstiftung.*[100] Der Rauchklub sollte laut Statuten hingegen der *Förderung des geselligen und freundschaftlichen Verkehres, Verbreitung des Pfeifenrauchens [. . .] und Ausübung von Privat-Wohltätigkeit mit Ausschluß aller religiösen und politischen Tendenzen* dienen. Diese dezidierte Ablehnung von politischen und religiösen Aktivitäten ist wohl ein ebenso deutlicher Hinweis auf die soziale Opposition, wie die Tatsache, daß der 1887 eingeschlafene „Geselligkeitsverein" im Jahre 1903 von Karl Hofbauer wieder zum Leben erweckt wurde, wobei das Gasthaus Obenaus als Versammlungsort diente.[101] Alois Biegler trat also innerhalb des Waldviertler Marktes nicht nur in berufliche Konkurrenz zum alteingesessenen Kaufmann Hofbauer, sondern bot auch in gesellschaftlicher Hinsicht eine Alternative, verfügte doch der „Rauchklub" seit dem Jahre 1900 ebenfalls über eine eigene Leihbibliothek. Als Vereinssitz diente seit 1899 der Gasthof Kittler.[102] Tatsächlich gab es auch keine Überschneidung der Mitglieder, die wohl politisch und sozial unterschiedlichen Gruppen angehörten. Der „Geselligkeitsverein" war auch 1903 eine Versammlung von deutschnationalen Honoratioren: neben dem Feuerwehrkommandanten Hofbauer und dessen Vater Ignaz finden wir u. a. Bürgermeister Lux, Schuldirektor Welt, den aus Linz stammenden Gemeindearzt Dr. Kamillo Bruckmüller (1847-1913), den Lebzelter Ignaz Winkler, den Uhrmachermeister Karl Moser und den Gastwirt Obenaus. Dem „Rauchklub" unter der Leitung von Alois Biegler gehörten hingegen 1902 u. a. der Frisör Josef Allram und der Taglöhner Eduard Wiesinger als ordentliche,

---

[96] Andrea Komlosy, An den Rand gedrängt. Wirtschafts- und Sozialgeschichte des oberen Waldviertels. Österreichische Texte zur Gesellschaftskritik 34 (Wien 1988) S. 121-134 („Wahlergebnisse im Waldviertel") — Hannes Stekl, Stadtbürgertum im Umbruch — Politik und Gesellschaft in Retz am Beginn des 20. Jahrhunderts. In: Stekl, Kleinstadtbürgertum (wie Anm. 36) S. 111-116.

[97] Friedrich B. Polleroß, Geschichte des „Rauchklub Neupölla". In: Zwettler Kurier 17 (1979) S. 46-51.

[98] Unter den Akten des Geselligkeitsvereines befindet sich auch ein Aufruf an die „Gesinnungsgenossen" zum Abonnement der „Ostdeutschen Rundschau", die versprach, „für die nationalen Interessen des deutschen Volkes in Österreich und außerhalb Österreichs einzutreten". Als Vereinslektüre wurde u. a. der antisemitische „Bote aus dem Waldviertel" sowie der zunächst liberale, spätestens 1897 aber ebenfalls antisemitische „Kikeriki" angeboten.

[99] Eine solche politische Zuordnung des Vereinslebens läßt sich damals auch in anderen Gemeinden feststellen: Ulsperger, Modell (wie Anm. 36) S. 62 ff. — In Retz führten ebenfalls politische Gründe — der Antisemitismus bzw. die Ablehnung des Deutschnationalismus — um 1900 zum Austritt bzw. Ausschluß aus dem (christlichsozial orientierten) Männergesangs-Verein: Stekl, Stadtbürgertum (wie Anm. 96) S. 104 ff.

[100] Einladung zum 15. 11. 1890: Neupölla, Archiv der Feuerwehr Neupölla.

[101] „Einladung" zum 11. 2. 1903: Neupölla, Slg. Polleroß.

[102] Polleroß, Rauchklub (wie Anm. 97) S. 46 f.

Abb. 140: Grabstein für Elise Biegler auf dem jüdischen Friedhof in Zwettl, 1921
(Foto: Maria-Theresia Litschauer)

die Juden Simon und Leopold Biegler sowie die Gastwirtin Theresia Kittler als unterstützende Mitglieder und der christlichsoziale Politiker Dominik Höchtl aus Göpfritz als
Ehrenmitglied an.[103]

In den ersten Jahren des 20. Jahrhunderts ergaben sich auch innerhalb der Familie
Biegler Veränderungen, die in der Volkszählung des Jahres 1910 faßbar werden.[104] Damals
scheint bereits Alois Biegler als Besitzer des Hauses Nr. 27 auf. Er lebte dort mit seiner
Gattin Ida, die er am 10. September dieses Jahres geheiratet hatte. Ida Schwarz war am
12. April 1886 in Duben bei Budweis zur Welt gekommen und hatte eine Tochter, Irma
(geboren am 6. März 1906), in die Ehe mitgebracht. Leopold Biegler wird unter der Hausnummer 54 (vormals Schlesinger!) und als seit 1879 in Neupölla ansässig geführt. Er hatte
die Greißlerei seines am 4. Dezember 1907 in Neupölla verstorbenen Vaters (Abb. 137)
ebenfalls 1910 an seinen jüngsten Halbbruder Alois übergeben. Als Mitbewohnerin von
Leopold Biegler wird seine Schwester Elise genannt, die seit 1886 in Neupölla wohnhaft
war und am 7. Dezember 1921 dort gestorben ist (Abb. 140). Ebenso wie ihr 1926 verstorbe-
ner Bruder, ihr Vater und ihre Stiefmutter († 10. Mai 1896, Abb. 146) fand sie auf dem jüdischen Friedhof in Zwettl ihre letzte Ruhestätte.[105]

Im Jahre 1903 ist Alois Biegler erstmals in einer standespolitischen Vertretung nachweisbar, doch läßt sich seine Funktion als „Obmann" der „Genossenschafts-Krankencassa
Neupölla" (Abb. 138) weder institutionell noch parteipolitisch näher zuordnen. Spätestens
1915 wurde Alois Biegler, dem am 7. Oktober 1910 von der Bezirkshauptmannschaft Zwettl
der Gewerbeschein für den Gemischtwarenhandel ausgestellt worden war (Abb. 139)[106],
jedenfalls zum Vorsitzenden der Gewerbegenossenschaft gewählt, und er übte diese Funktion bis Ende der dreißiger Jahre aus. Daß der jüdische Kaufmann damit ein Amt antrat, das
vor ihm Hofbauer, Lux und Ramml bekleidet hatten, ist nicht nur ein Beweis für Bieglers
Qualifikation, sondern wohl auch ein deutliches Zeichen dafür, daß die Mehrheit der nicht
so wohlhabenden Gewerbetreibenden sich gegen die alten deutschnationalen Honoratioren
und ihre antisemitischen Parolen entschieden hat.

Christlichsoziale und Nationalsozialisten in der I. Republik

Tatsächlich hatten die vor dem Weltkrieg dominierenden Deutschnationalen bei den
Nationalratswahlen im Februar 1919 nicht nur im Waldviertel insgesamt, sondern auch im
Gerichtsbezirk Allentsteig die relative Stimmenmehrheit an die Christlichsozialen abtreten
müssen. Die Deutschnationalen lagen an zweiter Stelle, konnten aber in einzelnen Orten
und im Gerichtsbezirk Zwettl die erste Position behaupten.[107] Dementsprechend ergab
auch die Landtagswahl am 4. Mai 1919 in Franzen eine Mehrheit für die Christlichsozialen
(186 Stimmen, 52 %), während 21 Stimmen (6 %) für die Sozialdemokratie und 71 deutschnationale Wähler (20 %) gezählt wurden. Im benachbarten Thaures standen den 61 Christlichsozialen zwei Sozialdemokraten und neunzehn Deutschnationale (26 %) gegenüber. Bei
den Gemeinderatswahlen vom 22. Juni desselben Jahres erlangte die „Deutschnationale

---

[103] Einladung des Geselligkeitsvereins vom 10. 2. 1903; Mitgliedsverzeichnis 1902 in der Chronik des
Rauchklub: Neupölla, Slg. Polleroß.

[104] Manuskript der Volkszählung 1910: Neupölla, Slg. Polleroß.

[105] Friedel Moll, Der jüdische Friedhof in Zwettl. In: Das Waldviertel 37 (1988) S. 254-256.

[106] Akten der Gemischtwarenhandlung Biegler: Zwettl, Archiv der Bezirkshauptmannschaft Zwettl,
Gewerbeabteilung Zl. 1952/884.

[107] Wahlergebnisse: Amts-Blatt der Bezirkshauptmannschaft Zwettl Nr. 8 vom 20. 2. 1919.

Wirtschaftspartei" — wahrscheinlich aufgrund von 200 (36 %) Wahlenthaltungen — jedoch die absolute Mehrheit im Gemeinderat in Franzen. Der Wirt Josef Kirschenhofer wurde damals zum Bürgermeister gewählt, einer der Gemeinderäte der Deutschnationalen war der Schlossermeister Franz Platzer.[108]

In der Marktgemeinde Neupölla wurde damals hingegen der Landwirt Karl Wolf, der der christlichsozialen Partei angehörte, in seinem Amt bestätigt (1919-21). Umgekehrt wie 1919 in Franzen, vielleicht aber aufgrund derselben indirekten Proportionalität, erreichten — bei einer Wahlbeteiligung von nur 55,6 % — bei der Landtagswahl vom 24. April 1921 in Neupölla die Großdeutschen mit 83 Stimmen (54 %) sogar die absolute Mehrheit gegenüber 55 (36 %) Christlichsozialen und 15 (10 %) Sozialdemokraten.[109] Ebenso wie die Deutschnationalen bzw. die Großdeutschen vertrat damals die Christlichsoziale Partei nicht zuletzt in direkter Opposition zu den Sozialdemokraten einen ausgeprägten Antisemitismus, der an die Tradition unter Lueger anknüpfen konnte.[110] So forderte etwa der niederösterreichische Bauernbund 1919 nicht nur die *Ausschaltung des übergewichtigen jüdisch-kapitalistischen Einflusses in Finanz und Verwaltung,* sondern ausdrücklich die konsequente *Durchführung des Antisemitismus auf allen Gebieten.* [111]

Dennoch scheint es in Neupölla im Unterschied zu anderen Waldviertler Gemeinden in dieser Zeit keine besonderen antisemitischen Aktivitäten gegeben zu haben.[112] Da mit der Auflösung der Österreichisch-Ungarischen Monarchie im Jahre 1918 auch das bis dahin gültige Heimatrecht der Familie Biegler in Mähren obsolet geworden war, beantragte der Kaufmann dementsprechend die Einbürgerung in Neupölla. In der Gemeinderatssitzung vom 5. April 1919 wurde Alois Biegler *in den Heimatverband der Gemeinde Neu Pölla aufgenommen.* [113] Der Ehe mit seiner Gattin Ida waren inzwischen vier Töchter entsprungen: Ella am 26. Juli 1911, Martha am 13. August 1912, Laura am 4. Jänner 1916 und schließlich Flora am 15. April 1918. Auf einem Foto der Familie aus dieser Zeit fehlt das jüngste Kind noch, sodaß es ins Jahr 1917 datiert werden kann (Abb. 141). Aufgrund des reichen Kindersegens war auch das Haus zu klein geworden. 1922/23 ließ Alois Biegler ein Stockwerk aufsetzen und das Geschäftshaus mit einer schönen Fassade schmücken[114] (Abb. 145). Die Kinder besuchten wie alle anderen die Volksschule des Ortes, waren aber vom Religionsunterricht befreit (Abb. 142). Erzählungen zufolge zeigten sich dabei Temperamentunterschiede. Während eine Tochter während dieser Zeit in der Klasse blieb und sich still beschäftigte, verließ ihre Schwester das Schulhaus. Vor allem Ida Biegler erfreute sich durch ihre Unterstützung der Armen großer Beliebtheit bei der Bevölkerung, und es hieß: *So eine Frau muß man mit der Laterne suchen gehen.* [115]

[108] Pfarrchronik von Franzen: Franzen, Pfarrarchiv.

[109] Memorabilienbuch (wie Anm. 93) S. 55.

[110] Pauley, Antisemitismus (wie Anm. 31) S. 205 ff. — Oliver Rathkolb, Politische Entwicklung des Waldviertels von 1918 bis 1938. Eine Forschungsskizze. In: Polleroß, 1938 (wie Anm. 4) S. 11-31, hier S. 12.

[111] Jonny Moser, Die Katastrophe der Juden in Österreich 1938-1945 — ihre Voraussetzungen und ihre Überwindung. In: Schubert, Der gelbe Stern (wie Anm. 79) S. 67-133, hier S. 82 f.

[112] Vgl. dazu Polleroß, Antisemitismus, in diesem Band S. 97 ff.

[113] Bescheid der Marktgemeinde Neupölla vom 7. April 1919: Polleroß, Truppenübungsplatzgemeinde (wie Anm. 4) Kat.-Nr. 1.38.

[114] Brief von Laura Biegler an den Verfasser vom 26. Juni 1995.

[115] Brief von Laura Biegler an den Verfasser vom 4. September 1995.

Abb. 141: Alois und Ida Biegler mit ihren Kindern Irma, Ella, Martha und Laura, Foto eines Berufs-
fotografen, um 1917; Neupölla, Slg. Polleroß

Abb. 142: Flora Biegler (rechts mit Tafel) als Schülerin der Volksschule Neupölla, 1927/28;
Privatbesitz

Für gutes Einvernehmen spricht auch die Tatsache, daß sowohl Karl Wolf als auch der diesen 1921 ablösende christlichsoziale Bürgermeister und Gastwirt Emmerich Kittler Mitglieder des „Rauchklub" waren. [116] Der Verein hatte 1914 sein Bargeld in Kriegsanleihen angelegt und die Vereinstätigkeit bis 1929 eingestellt. In diesem Jahr wurde die Tätigkeit wieder aufgenommen und anläßlich des 35jährigen Bestandes des „Rauchklub" überreichte man den ältesten Mitgliedern, darunter Karl Wolf, Ehrenurkunden. Vorstand Alois Biegler wurde ebenfalls mit einem Ehrendiplom in *dankbarer Würdigung* und *als Zeichen besonderer Hochachtung und Wertschätzung* ausgezeichnet[117] (Abb. 144). Die Urkunde trägt u. a. die Unterschriften der beiden christlichsozialen Bürgermeister sowie jene von Franz Winkler, der uns noch begegnen wird.

Das besondere Engagement von Alois Biegler galt jedoch der Standesvertretung, und 1928 wurde er vom „Deutschösterreichischen Gewerbebund" für seine Tätigkeit ausgezeichnet (Abb. 143). Seine Verdienste für die Gewerbetreibenden waren auch auf lokaler Ebene allgemein anerkannt und führten zur mehrfachen Wiederwahl als Vorstand der Gewerbegenossenschaft, z. B. anläßlich der Versammlung am 9. Dezember 1931 in Neupölla. Der Zeitungsbericht darüber bringt diese Wertschätzung für Alois Biegler, der am 7. Oktober 1931 von der Bezirkshauptmannschaft Zwettl die Konzession für einen *Klein-*

---

[116] Chronik des Rauchklub (wie Anm. 103) o. S.

[117] Polleroß, Rauchklub (wie Anm. 97) S. 49 f.

266

verschleiß gebrannter geistiger Getränke erhalten hatte[118], in eindringlichen Worten zum Ausdruck:

Der altbewährte und stets arbeitsfreudige Vorsteher Hr. Kaufmann Biegler konnte nebst dem Genossenschaftskommisär Tierarzt Fröschl über 50 Mitglieder begrüßen. Der Vorsteher schilderte in kurzen und guten Worten die allgemeine wirtschaftliche Notlage des Gewerbestandes und erstattete den Hauptbericht [...]. Die Wahl des neuen Vorstandes machte wie immer keine Schwierigkeiten, da alle anwesenden Mitglieder die Wiederwahl des alten, tüchtigen Obmanns, stürmisch einstimmig verlangten, so daß Herr Biegler nun zum 17ten Male als Vorsteher gewählt erscheint. Wer bedenkt, was es heißt, in einer so krisenhaften Zeit 16 Jahre lang dieses Amt in gewissenhafter und umsichtiger Weise ganz uneigennützig zu führen, der wird mit einer Anerkennung und vollem Lob für unseren Vorsteher nicht zurückbleiben können. [119]

Die bei dieser Versammlung beschlossene Resolution nach Steuersenkung entsprach einer damals im Bezirk Zwettl regelmäßig erhobenen Forderung zur Behebung der wirtschaftlichen Notlage.[120] Die Geschäfte und die politische Situation im Gebiet von Neupölla entwickelten sich also weniger erfreulich als das Gesellschaftsleben.[121] Die Verschärfung der wirtschaftlichen Situation im Gefolge der Weltwirtschaftsskrise führte nicht nur zu zahlreichen Einbrüchen und sogar einem Raubmord an einem Landwirt aus Neupölla, sondern verstärkte auch die politischen Gegensätze. In der Gemeinde Franzen war eine kleine „sozialdemokratische Insel"[122] entstanden, da dort aufgrund der Gutsherrschaften Wetzlas und Waldreichs, einem holzverarbeitenden Betrieb in Dobra und mehreren Mühlen eine größere Zahl von Arbeitern ansässig war als im Bereich von Alt- und Neupölla.[123]

Im selben geographischen Bereich scheint auch die Nationalsozialistische Partei zuerst Fuß gefaßt zu haben. Bereits im Oktober 1925 erging ein Schreiben der NSDAP-Kreisleitung Waldviertel an Friedrich Obenaus in Allentsteig mit der Aufforderung, Ortsgruppen vor allem in Döllersheim und Franzen, aber auch Neupölla aufzubauen. Die ersten Ortsgruppen entstanden damals in Großpoppen, Franzen und Niederplöttbach bei Döllersheim, und ein Mitgliedsverzeichnis der Partei vom 15. Februar 1932 verzeichnet in der Gemeinde Döllersheim schon 59, in Franzen 27 und in Neupölla 23 Mitglieder.[124] Ganz im Sinne der aktionistischen Propaganda der Partei[125] entfalteten die Parteigenossen auch im Bereich des Gendarmeriepostens Neupölla eine eifrige Tätigkeit. So verzeichnet die Chronik am

---

[118] Zwettl, Archiv der Bezirkshauptmannschaft, Gewerbeakten Zl. 1938/B-52.

[119] Landzeitung vom 9. 12. 1931: Polleroß, Truppenübungsplatzgemeinde (wie Anm. 4) Kat.-Nr. 1.58.

[120] Ernst Bezemek, Auf dem Weg zum Nationalsozialismus — Die politischen und wirtschaftlichen Verhältnisse in den Bezirken Horn und Zwettl 1919-1938, In: Rosner, Truppenübungsplatz (wie Anm. 13) S. 103-116, hier S. 109 f.

[121] Zur allgemeinen Situation siehe: Andrea Komlosy, Zur Entwicklung der Wirtschafts- und Sozialstrukturen im Raum Allentsteig/Döllersheim. In: Rosner, Truppenübungsplatz (wie Anm. 13) S. 81-102.

[122] Vgl. dazu: Bezemek, Horn und Zwettl (wie Anm. 120) S. 112.

[123] 1929 kam es in einem Zeitungsartikel zu einer heftigen Attacke gegen die Propaganda der Sozialdemokraten in Franzen: Polleroß, Truppenübungsplatzgemeinde (wie Anm. 4) Kat.-Nr. 1.55.

[124] Techow, Die alte Heimat (wie Anm. 20) S. 74 f.

[125] Hanisch, Der lange Schatten (wie Anm. 83) S. 148.

30. September, am 23. November und am 10. Dezember 1933, am 30. Jänner, am 27. und 28. März sowie am 7. Juli 1934 Hakenkreuzschmierereien bzw. das Ausstreuen von papierenen Hakenkreuzen oder Flugschriften in Thaures, Loibenreith, Mestreichs, Tiefenbach, Krug und Neupölla.[126]

Bei der Nationalratswahl am 9. November 1930 entfielen von den 455 Stimmen im Bereich der Pfarre Neupölla bereits 108 (24 %) auf die Nationalsozialisten, während die Christlichsozialen 242 (53 %), die Heimwehr 19, der deutschnationale Schoberblock 69 (15 %) und die Sozialdemokraten 15 Stimmen (3 %) erringen konnten.[127] Lag dieses Ergebnis im großen und ganzen im Durchschnitt des Bezirkes und läßt auf ein Umschwenken der früheren Deutschnationalen bzw. Großdeutschen ins Lager Hitlers schließen[128], so zeigt der Blick auf die einzelnen Gemeindergebnisse doch interessante Unterschiede:

	Christlichsoz.	Nationalsoz.	Heimwehr	Schoberbl.	Soziald.
Neupölla	65	66	13	28	12
Felsenberg	142	36	6	34	3
Loibenreith	35	6	—	7	—

Während also in den landwirtschaftlich dominierten Dörfern die Christlichsozialen hohe Siege erzielten, konnten die Nazis im Markt Neupölla bereits die relative Mehrheit erreichen. Das spricht zweifellos für eine zunehmende Ausbreitung der NSDAP im Bereich des Gewerbes, des Dienstleistungssektors und der öffentlich Bediensteten, während der rein agrarische Bereich nach wie vor stärker resistent blieb.[129] Ein Blick auf die Mitglieder der NSDAP im Jahre 1932 verweist darüber hinaus auf eine nicht nur sozial, sondern auch bzw. eher lokalspezifisch bedingte Verteilung der Hitleranhänger. So konzentrierten sich die 59 Döllersheimer Nazis in den Dörfern Niederplöttbach (22) und Heinreichs (12), während im Marktort selbst nur 12 Mitglieder aufscheinen. In der Gemeinde Edelbach stand den 10 Parteigenossen in Äpfelgschwendt kein einziger Nazi am Sitz der Gemeinde gegenüber. Auch die sechs Parteigenossen in Franzen waren in der Minderheit gegenüber den acht im kleinen Dorf Wetzlas sowie den elf Mitgliedern in Thaures.[130]

Die Wahlerfolge der Nationalsozialisten waren also offensichtlich nicht nur auf ihr (antisemitisches) Programm zurückzuführen. Dennoch spielte dieses Argument anscheinend gerade in Neupölla mit der ungefähren Stimmengleichheit von Christlichsozialen und Nationalsozialisten eine Rolle, wie eine Meldung in der „Landzeitung" vom Jänner 1933 beweist:

Neupölla (Die Freunde des deutschen Gewerbetreibenden.) Kürzlich saßen in einem Gasthause in Neupölla mehrere Gäste beisammen, darunter auch ein strammer Bauernbündler. Man besprach dies und jenes; so kam man auch auf den letzten Jahrmarkt zu sprechen. Daß sich auf den letzten Jahrmärkten die jüdischen Krämer derart vermehrten, daß die deutschen darunter fast verschwinden, wurde kritisiert. Aber der stramme Bauernbünd-

---

[126] Chronik des k. k. Gendarmeriepostens Neupölla: Manuskript ehemals Neupölla, Gendarmerieposten.

[127] Memorabilienbuch (wie Anm. 93) S. 87.

[128] Vgl. dazu Bezemek, Auf dem Weg zum Nationalsozialismus (wie Anm. 120) S. 107 f. und 113 ff.

[129] Vgl. dazu: Ernst Langthaler, Die „braune Flut" im „schwarzen Land"? Zur Struktur der NSDAP-Wählerschaft in Niederösterreich 1932. In: Unsere Heimat 65 (1994) S. 13-41.

[130] Techow, Die alte Heimat (wie Anm. 20) S. 74 f.

Abb. 143: Anerkennungsurkunde des Gewerbebundes für Alois Biegler, 1928; Neupölla,
Slg. Polleroß
(Foto: Friedrich Polleroß)

Abb. 144: Ehrenurkunde des Rauchklub in Neupölla für den Vorstand und Gründer
Alois Biegler, 1929; Neupölla, Slg. Polleroß
(Foto: Friedrich Polleroß)

Abb. 145: Neupölla, Postkarte um 1930: links das Geschäftshaus der Familie Biegler, im Hintergrund das Feuerwehrhaus, rechts der Gasthof Winkler; Neupölla, Slg. Polleroß

ler meinte: „Noch mehr sollten kommen, von den Juden bekommt man doch billige Sachen zu kaufen." Auch von den jüdischen Inseraten im „Bauernbündler" wurde gesprochen. Der stramme Bauernbündler sagte: „Ich kann das nicht begreifen, warum ein Jud in einer christlichen Zeitung nicht inserieren soll." Es scheint doch, daß die christlichen Bauern- bündler und die Juden gute Freunde sind.[131]
In der Tat scheint in Neupölla gerade aufgrund der parteipolitischen Polarisierung auch die Beziehung zwischen den christlichsozialen Funktionären und Alois Biegler enger geworden zu sein. So war Bürgermeister Kittler damals nicht nur Stellvertreter Bieglers als Vorsitzender der Gewerbegenossenschaft, sondern auch als Vorstand des „Rauchklub". Dementsprechend präsentierte sich der Verein immer „patriotischer". So war die 40-Jahr- Feier 1934, bei der der langjährige Obmann Biegler mit einer *Ehrenpfeife* beschenkt wurde, mit einem Nachmittagsgottesdienst verbunden. Die Festrede hielt Tierarzt Adolf Schmut- zer, der Ortsgruppenleiter der Vaterländischen Front. Die feierliche Überreichung einer Ehrenurkunde des „Rauchklub" an diesen am 10. Februar 1935 wurde dementsprechend mit der Landeshymne und dem Lied „Heil Österreich" beendet.[132]

Sozialdemokratische und katholische Juden
Im Mai 1935 erhielt sowohl die seit dem Februar 1934 verbotene sozialdemokratische Bewegung als auch die jüdische Bevölkerung des Gebietes Zuwachs. Damals erwarb der Kaufmann und „Februarkämpfer" Oskar Schwebel(-Kalenberg) die Gemischtwarenhand- lung Blümel in Wetzlas. Der Sozialdemokrat wurde 1902 als Sohn des Uhrmachers Moses

---

[131] Landzeitung Nr. 1 vom 4. 1. 1933, S. 28.
[132] Polleroß, Rauchklub (wie Anm. 97) S. 49 f.

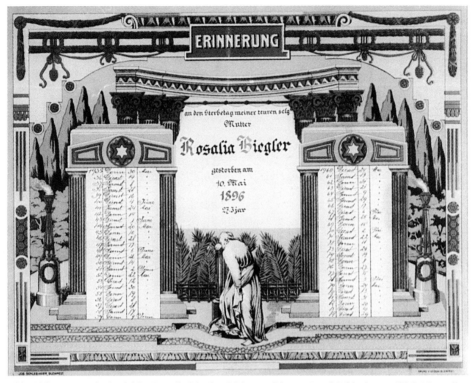

Abb. 146: Totengedenktafel für Rosalia Biegler, Lithographie von Josef Schlesinger, 1935; Neupölla, Slg. Polleroß

(Foto: Friedrich Polleroß)

Schwebel und seiner Gattin Sara in Wien geboren und ließ sich um 1920 in Neulengbach nieder. Seit 1922 war er Funktionär der Sozialdemokratischen Partei und betrieb in diesem Rahmen auch Bildungsarbeit. 1928 zum Bezirksobman der Partei aufgestiegen, zog er 1932 nach St. Pölten. Als Parteiangestellter wurde er nach der Niederschlagung des Februaraufstandes 1934 verhaftet, aber beim Prozeß im Juli freigesprochen. Gemeinsam mit seiner zweiten Ehefrau Anna (geb. Wolf) sowie den Kindern aus seiner und ihrer ersten Ehe, Edith, Herbert und Nelly, übersiedelte er daraufhin ins politisch ruhigere Waldviertel.[133] 1936 wurde in Wetzlas der gemeinsame Sohn Alfons geboren.[134] Die von Schwebel betriebene Gemischtwarenhandlung wurde nach Aussage von Friedrich Platzer von den Bevölkerung von Franzen ebenso gerne frequentiert wie die jüdischen Geschäfte in Neupölla (Alois Biegler) und Allentsteig (Ferdinand Kurz): *Das waren recht nette Leit', wir haben viel bei ihnen eingekauft.*[135]

---

[133] Robert Streibel, „Da Kreisky und der Schwebel". Das Leben des Februarkämpfers Oskar Schwebel. Eine Spurensicherung. In: Robert Streibel, Februar in der Provinz. Eine Spurensicherung zum 12. Februar 1934 in Niederösterreich (Grünbach 1994) S. 10-28.

[134] Schreiben von Oskar Schwebel-Kalenberg an die Gemeinde Franzen, 1956: Polleroß, Truppenübungsplatzgemeinde (wie Anm. 4) Kat.-Nr. 2.126.

[135] Interview mit Friedrich Platzer, zitiert in: Streibel, Da Kreisky (wie Anm. 133) S. 17.

Abb. 147: Olga Frommer (Mitte) mit ihrer Ziehmutter (dahinter) und deren Tochter (rechts),
um 1930; Privatbesitz

Abb. 148: Olga Frommer mit Puppenkinder-
wagen, um 1934; Privatbesitz

Neben den einheimischen Kaufleuten versorgten aber damals auch noch immer jüdische Hausierer die Bevölkerung vorwiegend mit Textilien.[136] Aufgrund des damals herrschenden Hausierverbotes bzw. einer anderen Übertretung wurde etwa der Hausierer Isaak
Rates am 16. Dezember 1937 in Franzen angehalten, und man nahm ihm acht Meter *Bettwa-
ren* ab.[137]

Nicht aus politischen Gründen, sondern aufgrund schwieriger Familienverhältnisse
kamen hingegen zwei junge Wiener Juden in der Zwischenkriegszeit in die Umgebung von
Neupölla, um dort eine neue Heimat zu finden. Die am 28. März 1928 in Wien-Favoriten
geborene Olga Erika Frommer wurde im Alter von sechs Monaten von Johanna Ruithner
in Altpölla Nr. 13 aufgenommen, die — wie es damals häufiger war — neben ihrer eigenen
Tochter auch zwei Ziehkinder in Pflege genommen hatte[138] (Abb. 147). Die Mutter der
kleinen Olga war die Pianistin Erna Frommer, die 1905 als Tochter des Chaim Frommer
und seiner Gattin Olga Kopstein zur Welt gekommen war.[139] Der Vater des Säuglings, der

---

[136] Margot S c h i n d l e r, Wegmüssen. Die Entsiedlung des Truppenübungsplatzes Döllersheim
1938-1942 (Wien 1988) S. 179: „Da sind ein paar Mal im Jahr Hausierer umgegangen, Juden oder
Bosniaken, denen hat man Stoffe abgekauft."

[137] Schreiben der BH Zwettl vom 18. Mai 1938 an den Bürgermeister von Franzen: Ehemaliges
Archiv der Gemeinde Franzen, Kienberg.

[138] Frau Olga L e c h n e r bin ich sowohl für die Überlassung von Dokumenten als auch für die Bereit-
schaft zu mündlicher Information (1988, 1995) zu großem Dank verpflichtet.

[139] Tauf- und Geburtsurkunde der Pfarre Altpölla vom 11. April 1942: Privatbesitz.

272

Bauingenieur und Eintänzer Ing. Johann Schmidhuber (geb. 1901), wurde hingegen nie offiziell als Vater registriert, sodaß Olga Frommer später von den Nazis als „Volljüdin" behandelt wurde. Sie wuchs jedoch zunächst völlig problemlos mit den Kindern des Dorfes auf und besuchte die Volksschule in Altpölla. Ihren jüdischen Glauben behielt sie bei, da die Mutter, die sie gelegentlich in Altpölla besuchte, wünschte, daß sie sich erst mit 14 Jahren selbst für das jüdische oder das katholische Bekenntnis entscheiden sollte.

Diese Frage stellte sich damals auch dem jüdischen Knecht Josef Sonnenfeld in Germanns bei Neupölla. Er wurde am 31. August 1917 in Wien-Brigittenau als Sohn des Buchdruckergehilfen Ignaz Samuel Sonnenfeld und dessen Gattin Gisela Kohn geboren.[140] Aus einem Wiener Heim kam der junge Mann Mitte der Dreißiger Jahre als Knecht zur Familie Winkelhofer, wo es für ihn jedoch nicht besonders angenehm war. Er wechselte daher bald zur Familie Sagl in Germanns Nr. 5, wo es ihm besser ging. Karl Sagl senior übernahm auch das Amt des Taufpaten, als der jüdische Knecht am 19. Dezember 1937 in der Pfarrkirche Neupölla von Pfarrer Johann Moser auf den Namen Heinrich getauft wurde. Bereits am 21. Oktober hatte das bischöfliche Ordinariat in St. Pölten dazu die Zustimmung erteilt (Abb. 150), und am 12. November die Bezirkshauptmannschaft in Zwettl den Austritt aus der *israelitischen Religionsgenossenschaft* bestätigt.[141] Josef Sonnenfeld hatte jedoch schon vorher Anschluß an die Jugend des kleines Dorfes gefunden und wird allgemein als *ehrlich, gut und fleißig* sowie *lustig und beliebt* beschrieben.[142] Vor allem sein musikalisches Talent ließ ihn zum Mittelpunkt von Unterhaltungen werden. Mehrere Fotos aus den Jahren 1937-39 zeigen ihn im geselligen Kreise von Freunden und Kollegen, darunter Julius Scheidl und dessen Kinder sowie Bruno Hofbauer aus Ramsau, auf die wir noch zurückkommen werden.[143] Ein weiteres, vermutlich von Hofbaucr aufgenommenes Bild porträtiert Josef Sonnenfeld mit Gitarre und Willi Scheidl mit Violine (Abb. 149).

Scheint also in diesen drei Fällen das Dorf noch eine „heile Welt" gewesen zu sein, so kündigte sich in Neupölla das drohende Unheil damals bereits durch eine gegen Alois Biegler gerichtete antisemitische Agitation an. Wie in vielen Fällen scheint die Ursache dafür nicht nur eine judenfeindliche Einstellung, sondern der Neid auf einen Konkurrenten gewesen zu sein. Laura Biegler schreibt dazu: *Josef Zimmerl hat meinen Vater und uns über eine lange Zeit viel Leid angetan. Er war auf meinen Vater eifersüchtig, weil er Obmann des Gewerbebundes und Vorstand der Genossenschaft war. Bei jeder Wiederwahl hat er Leute aufgehetzt gegen meinen Vater; aber alles, was er gegen ihn sagen konnte, war, daß mein Vater ein Jude war. Aber es half ihm nichts, man hat meinen Vater immer wieder gewählt bis zum Umbruch.*[144]

Entgegen der Erinnerung von Frau Biegler, wonach der Tischlermeister erst nach dem „Anschluß" einen Erfolg über seinen Rivalen erringen konnte, sprechen die Dokumente

[140] Taufbuch der Pfarre Neupölla, 1937: Altpölla, Pfarrarchiv.

[141] Aktenbeilage im Taufbuch der Pfarre Neupölla (wie Anm. 140).

[142] Für mündliche Informationen über Josef Sonnenfeld (1995) danke ich den Familien Jamy und Maier sowie Frau Hermine Föhls in Neupölla.

[143] Polleroß, Truppenübungsplatzgemeinde (wie Anm. 4) Abb. 113: Hofbauer steht als zweiter von links in der hinteren Reihe. — Friedrich Polleroß, „Heldenplatz" Döllersheim. Rede anläßlich der Premiere des Films „Erinnerungen an ein verlorenes Land" von Manfred Neuwirth am 22. Oktober 1988 im Filmtheater Allentsteig. In: Das Waldviertel 37 (1988) S. 265-270, hier S. 268 (Abb.).

[144] Brief von Laura Biegler an den Verfasser vom 26. Juni 1995.

Abb. 149: Josef Sonnenfeld (rechts) beim Musizieren mit Freunden in Germanns, um 1937; Neupölla, Slg. Polleroß

dafür, daß er bereits in den letzten Jahres des austrofaschistischen Regimes zum Bezirksge-
werberat und Obmann der Ortsgruppe Neupölla des Gewerbebundes ernannt wurde.[145]
Tatsächlich war Josef Zimmerl (1886-1975), der sich 1912 in Neupölla angesiedelt hatte, ein
typischer Vertreter der Christlichsozialen Partei, für die sich auch seine Kinder engagierten. So betrieb sein gleichnamiger Sohn 1933 in Neupölla die Gründung einer Sturmschar.[146]

Die Angriffe auf Alois Biegler resultierten jedoch nicht nur aus übertriebenem Ehrgeiz,
sondern auch aus der antisemitischen Einstellung, die der junge Tischlermeister während
seiner Ausbildung im Wien Luegers als Mitglied des Katholischen Gesellenvereines erfahren hatte.[147] Die Einstellung der christlichsozialen Antisemiten läßt sich vielleicht durch
ein Zitat aus der Familienzeitschrift des Katholischen Volksbundes der Diözese St. Pölten
„Das Volk" illustrieren. Der Artikel „Katholische Wahrheit und nationalsozialistische Irr-
lehren" erschien 1933 und basierte auf einem Hirtenbrief des Linzer Bischofs Dr. Johannes
Gföllner. Dementsprechend zweideutig wurde zwar der *radikale Rassenantisemistismus*

---

[145] Polleroß, Truppenübungsplatzgemeinde (wie Anm. 4) S. 1.65 f. — Die Ernennungsurkunde ist
zwar undatiert, zeigt aber das Krukenkreuz und die Unterschrift von Julius Raab, seit 1934 Präsident des Reichsgewerbebundes.

[146] Josef Z i m m e r l , Neupölla-Paris-Leningrad. Erinnerungen an die Zeit von 1933 bis 1947. In:
Polleroß, 1938 (wie Anm. 4) S. 139-176, hier S. 139 f. — Polleroß, Truppenübungsplatzgemeinde
(wie Anm. 4) Kat.-Nr. 1.69-1.73.

[147] Zum Antisemitismus der christlichsozialen Gewerbetreibenden unter Lueger siehe Pauley, Antisemitismus (wie Anm. 31) S. 72-79.

Bischöfliches Ordinariat
St.Pölten.

St.Pölten, am *21. Oktober 1937*

Zl. *7763*

Taufe von Israliten:

An das hochwürdige **P f a r r a m t**

in *Neupölla*

In Erledigung der Eingabe vom *20. Oktober 1937* wird
betr. Taufe des (der) dem isralitischen Religionsbekenntnisse
angehörenden

Josef Sonnenfeld

Folgendes mitgeteilt:

1. Das hochw.Pfarramt hat zu veranlassen, dass der [die] Genannte an die Bez.Hauptmannschaft des dermaligen Aufenthalt-
ortes die Anzeige über den beabsichtigten Austritt aus der
isralitischen Religionsgenossenschaft erstatte. Cfr.Curr.Nr.
4 v.J.1873,IX. Diese Anzeige hat noch vor der Taufe zu geschehen und kann folgendermassen lauten: „ Der (Die) Gefertigte, geb.am .... zu ....derzeit wohnhaft in .+.... Nr. ...
meldet hiemit im Sinne des Art.6 des Ges.Nr.49 vom 26.Mai
1868 seinem (ihrem) Austritt aus der isralitischen Religionsgenossenschaft und seine (ihren) Eintritt in die römisch-
katholische Kirche und bittet im Sinne des § 5 der Min.Verordng.
vom 13.Jänner 1869 R.G.Bl.Nr.13 um Bescheinigung dieser Anzeige. ....den .... N.N. „
Die von der Bez.Hauptmannschaft zurückgelangende Bescheinigung ist sodann pfarrämtlich aufzubewahren.

2. Die Erlaubnis zur Taufe wird hiemit erteilt; doch darf
dieselbe erst nach Einlangen der oberwähnten Bescheinigung
und nach erfolgtem hinlänglichen Unterricht in der katholischen
Religion vorgenommen werden. Hiebei ist der im Rituale Seite
30 enthaltene Ordo pro baptiaxmo adultorum genau einzuhalten.
  Ob die Taufe mit grösserer oder geringerer Publizität
stattfinden soll, bleibt dem Ermessen des hochw.Pfarramtes
überlassen; doch ist jedenfalls daran festzuhalten, dass der
Täufling nach der hl. Taufe einer hl. Messe beiwohne und hiebei die hl.Kommunion empfange.

3.Die Matrikulierung des Taufaktes hat im pfarrl.Taufproto-
kolle jedoch ohne Reihezahl zu geschehen und ist sich hiebei
auf den Geburts-Schein (Kopfzettel) zu berufen. In der Rubrik
„Anmerkung" ist Datum und Zahl dieser Ordinatiatsbewilligung
sowie der bezirkshauptmannschaftlichen Bescheinigung anzu-
merken.

4. Über die vorgenommene Taufe des Neophyten kann demselben
entweder ein Taufschein ausgefertigt oder auf dem ev.vorge-
wiesenen Geburtschein beigesetzt werden: „ D.. laut vorste-
hendem Geburtsschein am ... zu ... geboren... wurde vom N.N.
in Gegenwart de..Taufpat .: N.N, am ..... nach römisch-katho-
lischem Ritus getauft.
  Pfarramt N.N., am .... Unterschrift ü. Siegel."

5. Der Vollzug des Taufaktes ist ehestens anher zu berichten.

M. Dillwey
Ordinariatskanzler

Abb. 150: Genehmigung der Taufe von Josef Sonnenfeld durch das bischöfliche Ordinariat
St. Pölten, 1937; Altpölla, Pfarrarchiv
(Foto: Gudrun Vogler)

der Nationalsozialisten als *unmenschlich und antichristlich* abgelehnt, der Kampf gegen den *jüdischen internationalen Weltgeist* hingegen ebenso deutlich gefordert:[148]

Das entartete Judentum im Bunde mit der Freimaurerei ist auch vorwiegend Träger des mammonistischen Kapitalismus und vorwiegend Begründer und Apostel des Sozialismus und Kommunismus, der Vorboten und Schrittmacher des Bolschewismus. Diesen schädlichen Einfluß des Judentums zu bekämpfen und zu brechen, ist nicht nur gutes Recht, sondern strenge Gewissenspflicht eines jeden überzeugten Christen, und es wäre nur zu wünschen, daß auf arischer und auf christlicher Seite diese Gefahren und Schädigungen durch den jüdischen Geist noch mehr gewürdigt, noch nachhaltiger bekämpft und nicht, offen oder versteckt, gar nachgeahmt und gefördert würden.[149]

Diese Zeitschrift wurde sicher nicht nur in Neupölla gelesen, bestand doch in Franzen bereits seit 1913 eine Ortsgruppe des Volksbundes.[150] Und in Altpölla bemühte sich der aus Tiefenbach stammende Zwettler Zisterzienser P. Theobald Deutner als Bezirksleiter dieser Organisation in den zwanziger Jahren um den Aufbau einer Ortsgruppe des Volksbundes.[151]

Ungeachtet der heraufziehenden politischen Gewitterwolken, wurde am 21. Jänner 1938 wieder das traditionelle „Rauchklubkränzchen" im Gasthaus Obenaus abgehalten, wobei Alois Biegler zur Unterhaltung der Gäste u. a. eine Damen- und Herren- Schönheitskonkurrenz sowie ein „Heiratsstüberl" und eine „Kußglocke" organisiert hatte.[152] Mit diesem gewiß kurzweiligen Fest endet nicht nur die Chronik und Geschichte des „Rauchklub" Neupölla, sondern auch die Idylle einer scheinbar funktionierenden Dorfgemeinschaft. Das Schicksal der Beteiligten verlief nach dem 12. März recht unterschiedlich: Während der Gasthausbesitzer Fritz Obenaus später zum Ortsgruppenleiter der NSDAP aufstieg, wurde Alois Biegler durch die „Nürnberger Gesetze" zum „nicht-arischen" Bürger zweiter Klasse degradiert und schließlich ermordet.

Opfer, Täter und Zuschauer

Der Machtwechsel ging im Gebiet der Marktgemeinde Pölla offensichtlich sehr zügig vonstatten, hatten ja die zahlreichen Nationalsozialisten bereits sehnsüchtig den „Anschluß" erwartet. Einer davon war der Leiter der Volksschule in Neupölla, Gustav Koppensteiner, der in der Schulchronik die Ereignisse im März 1938 folgend schilderte:

Die Ostmark ist frei! [...] Schuschnigg spricht am 9.3. in Innsbruck. Zahlen des Wiederaufbaues hört man und lacht dazu, denn sie sind erlogen. Wie eine Bombe wirkt aber der Aufruf zur Abstimmung in Österreich, die schon am Sonntag des 13. 3. 1938 stattfinden soll. [...] Schon am 10. 3. setzt die Vaterländische Propaganda ein. [...] Der Gummiknüppel waltet nach wie vor gegen Deutschgesinnte. Juden zahlen die Propaganda. [...] Das ganze österreichische Volk rüttelt aber bereits an den Ketten [...]. Der Führer hat uns geholfen in der schwersten Stunde, deren Ende drohend vor dem deutschen Volk in Österreich stand.

---

[148] Zu dieser zwiespältigen Haltung der Christlichsozialen in den dreißiger Jahren im allgemeinen und des Hirtenbriefes im besonderen siehe: Pauley, Antisemitismus (wie Anm. 31) S. 216-222.

[149] Katholische Wahrheit und nationalsozialistische Irrlehre. In: Das Volk 21 (1933) Nr. 4, S. 116 f.

[150] Zaubek, Franzen (wie Anm. 19) o. S.

[151] Josef Zimmerl, Bedeutende Persönlichkeiten aus der Pfarre Altpölla. In: Polleroß, Altpölla (wie Anm. 51) S. 286-360, hier S. 320.

[152] Polleroß, Rauchklub (wie Anm. 97) S. 50.

Abb. 151: Neupölla im April 1939: links das ehemalige Wohnhaus von Karl Hofbauer, in der Mitte
der Gasthof Obenaus, rechts das ehemalige Kaufhaus Hofbauer
(Foto: Franziska Polleroß)

*Am Morgen des 12. März steht bereits unser Ort im Flaggenschmuck des Hakenkreuzes.
[...] Ein Volk! Ein Reich! Ein Führer! Heil dem Führer! Heil dem Reich!*[153]

Als Ortgruppenleiter der NSDAP sorgte Koppensteiner noch in der Nacht für die Absetzung von Bürgermeister Kittler. Auch Franzen prangte bereits am 12. März in neuem Flaggenschmuck, am Abend gab es einen Fackelzug und die Begeisterung war anscheinend bei der Mehrheit der Bevölkerung ebenso groß wie in Neupölla. Bereits am 15. März wurden in Altpölla die Gemeindeverwaltung sowie die Leitung des Gewerbebundes und anderer Organisationen der Vaterländischen Front von den neuen Machthabern übernommen. Kam es dabei im Gewerbebund zu einer Ablöse des Kaufmannes Otto Frank durch den Bäckermeister Willi Scholz, so blieb dessen Vater Raimund Scholz als Bürgermeister weiterhin im Amt. Dagegen ergaben sich in Neupölla stärkere Veränderungen in der Gemeindevertretung. Emmerich Kittler wurde als Bürgermeister durch den Schneidermeister Josef Hofbauer ersetzt, verblieb aber im Gemeinderat. Der am 16. März konstituierten nationalsozialistischen Gemeindevertretung gehörten u. a der aus Krems stammende Arzt Dr. Josef Brand, der Tierarzt Dr. Fritz Heinze, der Gastwirt Fritz Obenaus, der Kaufmann Josef Appel, der Zuckerbäcker Franz Winkler, der Schneidermeister Karl Veit — beide Nachbarn von Alois Biegler —, der Schlossermeister Hermann Schmutz und der Landwirt Franz Leidenfrost an.[154] Die Volksabstimmung am 10. April, von der Juden bereits ausgeschlossen waren, erbrachte in allen Gemeinden eine hundertprozentige Zustimmung für Hitler.[155]

---

[153] Polleroß, Truppenübungsplatzgemeinde (wie Anm. 4) S. 204.

[154] Polleroß, Truppenübungsplatzgemeinde (wie Anm. 4) Kat.-Nr. 2.2, 2.7-2.10 und 2.16.

[155] Landzeitung Nr. 16 vom 20. 4. 1938, S. 10.

Offensichtlich hatten nicht einmal die Sozialisten die nötige Widerstandskraft, sahen sich ja diese während der Verbotszeit in einer gemeinsamen Opposition mit den Nazis gegen den Austrofaschismus. Deshalb war zumindest in Wetzlas nach dem „Anschluß" das Verhältnis zu Oskar Schwebel weiterhin freundschaftlich, obwohl dieser kleine Ort als Sitz des SA-Sturms II/73 bzw. II/82 eines der Machtzentren der Partei im Gebiet zwischen Döllersheim und Wegscheid geworden war. [156] Der sozialdemokratische Kaufmann beschreibt die Situation folgend:

Die ersten Tage vergingen in furchtbarer Aufregung und Ungewißheit, aber es geschah nichts. Dieselben Nazis, mit denen ich jahrelang freundschaftlich verkehrte, kamen weiter zu mir und sprachen mir Trost zu. Mir könne, sagten sie, nichts geschehen, weil ich doch gebürtiger Österreicher sei und mich, wie sie bezeugen können, anständig aufgeführt hätte. Der Unmut der Nazis richte sich nur gegen die Eingewanderten, die Kapitalisten und Ausbeuter unter den Juden, zu denen ich doch nicht zähle. Wie naiv die Nazis im Waldviertel damals noch waren, denn wenn es von ihnen abgehangen hätte, wäre ich vielleicht heute noch im Waldviertel. Aber so kamen schließlich die Direktiven aus den größeren Städten, wie man gegen die Juden vorzugehen hätte. Es mußte eine Gruppe Nazis aus der nächstgelegenen Hauptstadt kommen, damit man mir eine Tafel vor die Eingangstür hängte, die meine Eigenschaft als „Saujude" deutlich sichtbar machte. Diese Warnung wirkte schließlich und man mied es, mich weiter zu besuchen. Aber ich hatte ein Lastauto und die Nazis brauchten meinen Wagen, um „Truppenverschiebungen" durchzuführen. Sie beschlagnahmten nicht, sondern sie baten, ich möge ihnen den Wagen borgen und selbst lenken, weil sie keinen verläßlichen Fahrer hatten. So geschah es, daß ich sie wochenlang in alle Gegenden, zu allen Appellen, zu allen Saufereien und Führerbesprechungen herumführte, der jüdische Sozialist mit der „Heil-Hitler" brüllenden SA-Abteilung unseres Dorfes. Sie traktierten mich nicht nur mit Zigaretten und Wein, sie zahlten auch das Benzin und Öl für die ausgedehnten Fahrten. Um meine Familie zu beruhigen und zu deren persönlichem Schutz stellten sie bei meiner Abwesenheit ständig zwei SA-Posten vor mein Haus auf, damit es niemand einfallen sollte, sie zu belästigen oder im Haus etwas zu stehlen. Anständiger konnte man wirklich nicht handeln. [157]

Einmal hat etwa der Schlosser Friedrich Platzer aus Franzen auf Anordnung des Bürgermeisters Mahorka, SA-Mann und Kaufmann, den Wagen von Schwebel „entlehnt", um die NSV-Schwestern nach Döllersheim zu einem Filmauftritt zu bringen. [158]

Aber alles hat ein Ende und schließlich wurde auch das Fehlen von Schamgefühl unseres Nazis bewußt gemacht. Es wurde ihnen verboten, den „Juden" weiter als Chauffeur zu benutzen und meine Bereitwilligkeit, das Auto zu borgen, in Anspruch zu nehmen. Der Wagen müsse beschlagnahmt werden und der Jude verhaftet. Und so kam es. Aufgrund einer Anzeige des Mannes, von dem ich seinerzeit das Geschäft gekauft hatte, und der keine leichtere Beschuldigung erfand, als daß ich am Tod seiner Mutter schuldig sein sollte, wurde ein Haftbefehl erlassen und das Kreisgericht Allentsteig forderte meine sofortige Einlieferung. Zu dieser Anschuldigung kam auch noch hinzu, daß ich während der illegalen Zeit Nazis bei der Behörde wegen Hakenkreuzverbrennungen [recte Krukenkreuzverbrennungen] denunziert haben sollte. Außerdem sei ich ein Betrüger und der Denunziant forderte sein Geschäft

---

[156] Techow, Die alte Heimat (wie Anm. 20) S. 81.

[157] Oskar S c h w e b e l, Ein Abschnitt meines Lebens in der Verfolgungszeit. Von Februar 1934 bis März 1938. In: Streibel, Februar (wie Anm. 133) S. 29-41, hier S. 40 f.

[158] Streibel, Da Kreisky (wie Anm. 133) S. 17.

Abb. 152: Oskar Schwebel nach der Flucht in
Mexiko, 1942
(Foto: Robert Streibel)

Abb.153: Martha Biegler, die nach Dänemark
flüchten konnte, um 1937; Privatbesitz

*zurück. Genug gerade für eine langjährige Haftzeit. Es kam aber anders. Ich kam in die
Hände eines anständigen Richters, der vom „Nazigift" noch nicht infiziert war. Außerdem
hatte der Mann, der mich angezeigt hatte, kein Glück mit seinen Zeugen, die er nominierte.
Alle stellten sich auf meine Seite und gaben mir das beste Zeugnis. Selbst die politische Seite
der Anklage fiel zusammen, da selbst die Naziführer bezeugten, daß ich in der illegalen Zeit
immer auf ihrer Seite stand und mit ihnen sympathisierte.* [159]

Nach drei Monaten Haft wurde Oskar Schwebel bedingt entlassen. Von Wien aus versuchte der Sozialist mit seiner Familie im Sommer 1938 nach Frankreich zu flüchten, was
beim zweiten Versuch auch gelang. Dort wurde Oskar Schwebel jedoch bei St. Malo interniert, konnte aber nach der deutschen Okkupation des Landes in den Süden entkommen,
wo er auch seine Familie wieder traf. Da Mexiko als einziges Land der gesamten Familie
ein Visum erteilte, trat man von Marseille über Casablanca die Schiffsreise nach Amerika
an. Das portugiesische Schiff erreichte am 15. April 1942 Mexiko (Abb. 152), und die
Familie war gerettet, während der 78jährige Vater von Schwebel zuletzt im Juli 1942 in der
Deportationssammelstelle Kleine Sperlgasse 2a in Wien nachweisbar ist und danach den
Tod fand. [160]

Konnte Oskar Schwebel gerade noch rechtzeitig das Land verlassen, so wurde den im
Land verbliebenen Juden das Leben durch ständig neue gesetzliche Schikanen und Einschränkungen erschwert. [161] Am 20. Mai 1938 waren die „Nürnberger Gesetze", die die

---

[159] Schwebel, Ein Abschnitt (wie Anm. 157) S. 41.

[160] Streibel, Da Kreisky (wie Anm. 133) S. 17-19.

[161] Jonny Moser, Die Verfolgung der Juden. In: Widerstand und Verfolgung in Niederösterreich
1934-1945. Eine Dokumentation (Wien 1987) 3. Bd. S. 335-407, hier S. 335-340.

Abb. 154: Alois und Ida Biegler im Hof ihres Hauses in Neupölla, 1937/38; Privatbesitz

Juden zu Bürgern zweiter Klasse stempelten, in Österreich offiziell wirksam geworden, und bis Kriegsbeginn wurden über 250 antijüdische Verordnungen erlassen.[162] Bald nach dem „Anschluß" wurde auch das Geschäft von Alois Biegler von den lokalen Parteigenossen mit Plakaten als „Nichtarisches Geschäft" angeprangert, sodaß sich bald niemand mehr dort einkaufen traute. Selbst Abverkäufe an die Nachbarn erfolgten im Schutz der Dunkelheit.[163] Am 14. November 1938 wurde von der Bezirkshauptmannschaft in Zwettl die Pflicht zur Führung von eigenen „Kennkarten" mit einem „J" bekannt gegeben, und die Juden mußten außerdem den Zusatzvornamen „Israel" bzw. „Sara" führen (Abb. 167). Für alle amtlichen Erledigungen und staatliche Anstellungen waren dementsprechend „Ariernachweise" erforderlich: für einen Posten im Bereich des seit Juni 1938 errichteten Truppenübungsplatzes Döllersheim, für eine Jagdprüfung oder für ein Stipendium der „Windhagschen Stipendienstiftung".[164]

Wesentlich schlimmer war es jedoch, daß zu diesen staatlichen Schikanen Gehässigkeiten von seiten der Nachbarn kamen. Gerade in solchen Krisenzeiten erwies sich offensichtlich die tatsächliche oder nur scheinbare Harmonie einer Dorfgemeinschaft als besonders gefährdet, und die Nachbarn offenbarten ihre Menschlichkeit bzw. viel häufiger ihre Unmenschlichkeit, zu der in den seltensten Fällen jemand gezwungen wurde. Ebenso wie in Wetzlas waren auch in Neupölla Neid und Bosheit der Hauptgrund für Verleumdungen und Psychoterror. Laura Biegler schreibt dazu: *Der Franz [Veit, Anm. d. Verf.] war es, der eines abends eine Leiter an die Feuermauer an unseren Hof anlehnte [...]; Franz warnte meine Mutter, daß sie mich nicht aus dem Haus lassen darf, denn die Aloisia Winkler und ein deutscher Gestapomann, der in zivilen Kleidern im Gasthaus sitzt und unser Haus beobachtet, wollen mich entführen. Franz sagte, man würde mich nie wieder sehen. So war ich Gefangener in unserem Haus. Nach einer Zeit bekam ich einen Nervenzusammenbruch. Meine Mutter pflegte mich wieder gesund.*[165]

Aloisia Winkler, die das Gasthaus gegenüber dem Wohnhaus der Familie Biegler führte (Abb. 145), wird nicht nur von Laura Biegler, sondern auch von anderen Zeitzeugen als besondere Aufhetzerin beschrieben. Die Ursachen dieser nachbarlichen Erzfeindschaft waren hingegen durchaus alltäglich und wurden erst im Rahmen einer unmenschlichen Diktatur lebensbedrohend: Die Wirtin war über die Tankstelle von Alois Biegler verärgert, da diese in der engen Gasse ein Verkehrshindernis bildete. Alois Biegler zeigte das Gasthaus hingegen wegen nächtlicher Ruhestörung an, da ihm der Lärm der Kegelbahn den Schlaf raubte.[166] 1938 revanchierte sich Aloisia Winkler, indem sie jeden Besuch im Hause Biegler registrierte und gegebenenfalls denunzierte. So wurde Alois Biegler im Juli zu einer Strafe von 10 Reichsmark bzw. 24 Stunden Arrest verurteilt, weil er eine Nacht (!) seinen *in Budweis wohnenden Schwager Jakob Schwarz bei sich, ohne denselben polizeilich zu melden, beherbergt hat*[167] (Abb. 155).

---

[162] Wolfgang Häusler, Das Jahr 1938 und die österreichischen Juden. In: „Anschluß" 1938. Eine Dokumentation (Wien 1988) S. 85-92 und 555-585.

[163] Mündliche Information von Herrn Ferdinand Frank am 26. 11. 1995.

[164] Polleroß, Truppenübungsplatzgemeinde (wie Anm. 4) Kat.-Nr. 2.48, 2.58 f. und 2101.

[165] Brief von Laura Biegler an den Verfasser vom 4. 9. 1995.

[166] Brief von Laura Biegler an den Verfasser vom 26. 6. 1995. — Mündliche Information von Ferdinand Frank am 26. 11. 1995.

[167] Polleroß, Truppenübungsplatzgemeinde (wie Anm. 4) Kat.-Nr. 2.120.

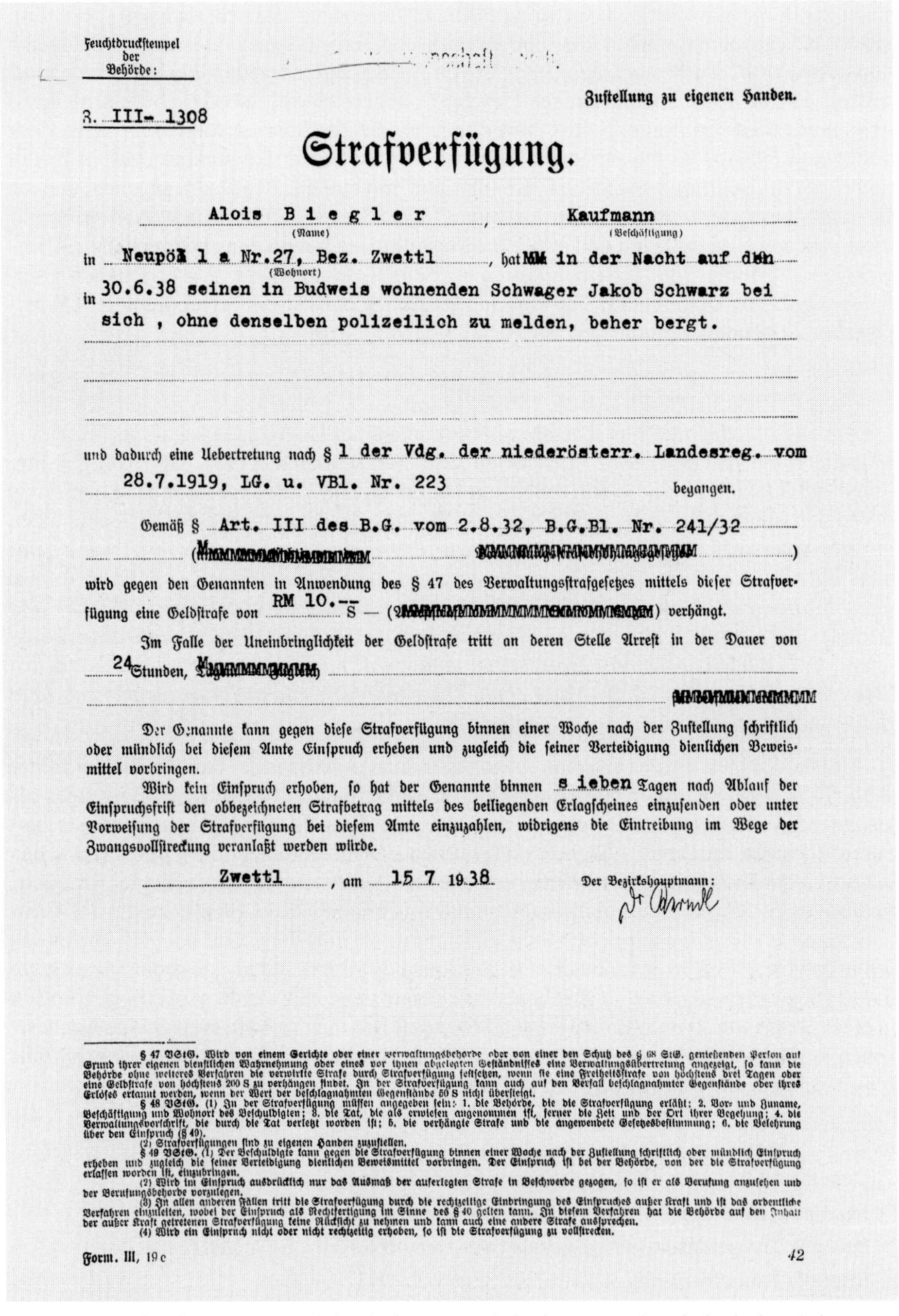

Zustellung zu eigenen Handen.

3. III. 1308

Strafverfügung.

Alois B i e g l e r , Kaufmann
　　　　　　　(Name)　　　　　　　　　　　(Beschäftigung)

in Neupö l a Nr.27, Bez. Zwettl , hat in der Nacht auf den
　　　　　(Wohnort)
in 30.6.38 seinen in Budweis wohnenden Schwager Jakob Schwarz bei

sich , ohne denselben polizeilich zu melden, beher bergt.

und dadurch eine Uebertretung nach § 1 der Vdg. der niederösterr. Landesreg. vom
28.7.1919, LG. u. VBl. Nr. 223 begangen.

Gemäß § Art. III des B.G. vom 2.8.32, B.G.Bl. Nr. 241/32
( )

wird gegen den Genannten in Anwendung des § 47 des Verwaltungsstrafgesetzes mittels dieser Strafverfügung eine Geldstrafe von RM 10.-- S — ( ) verhängt.

Im Falle der Uneinbringlichkeit der Geldstrafe tritt an deren Stelle Arrest in der Dauer von
24 Stunden,

Der Genannte kann gegen diese Strafverfügung binnen einer Woche nach der Zustellung schriftlich oder mündlich bei diesem Amte Einspruch erheben und zugleich die seiner Verteidigung dienlichen Beweismittel vorbringen.
Wird kein Einspruch erhoben, so hat der Genannte binnen s i e b e n Tagen nach Ablauf der Einspruchsfrist den obbezeichneten Strafbetrag mittels des beiliegenden Erlagscheines einzusenden oder unter Vorweisung der Strafverfügung bei diesem Amte einzuzahlen, widrigens die Eintreibung im Wege der Zwangsvollstreckung veranlaßt werden würde.

Zwettl , am 15.7.1938 Der Bezirkshauptmann:

§ 47 VStG. Wird von einem Gerichte oder einer verwaltungsbehörde oder von einer der Schutz des § 68 StG. genießenden Person auf Grund ihrer eigenen dienstlichen Wahrnehmung oder eines vor ihnen abgelegten Geständnisses eine Verwaltungsübertretung angezeigt, so kann die Behörde ohne weiteres Verfahren die verwirkte Strafe durch Strafverfügung festlegen, wenn sie eine Freiheitsstrafe von höchstens drei Tagen oder eine Geldstrafe von höchstens 200 S zu verhängen findet. In der Strafverfügung kann auch auf den Verfall beschlagnahmter Gegenstände oder ihres Erlöses erkannt werden, wenn der Wert der beschlagnahmten Gegenstände 50 S nicht übersteigt.
§ 48 VStG. (1) In der Strafverfügung müssen angegeben sein: 1. die Behörde, die die Strafverfügung erläßt; 2. Vor- und Zuname, Beschäftigung und Wohnort des Beschuldigten; 3. die Tat, die als erwiesen angenommen ist, ferner die Zeit und der Ort ihrer Begehung; 4. die Verwaltungsvorschrift, die durch die Tat verletzt worden ist; 5. die verhängte Strafe und die angewendete Gesetzesbestimmung; 6. die Belehrung über den Einspruch (§ 49).
(2) Strafverfügungen sind zu eigenen Handen zuzustellen.
§ 49 VStG. (1) Der Beschuldigte kann gegen die Strafverfügung binnen einer Woche nach der Zustellung schriftlich oder mündlich Einspruch erheben und zugleich die seiner Verteidigung dienlichen Beweismittel vorbringen. Der Einspruch ist bei der Behörde, von der die Strafverfügung erlassen worden ist, einzubringen.
(2) Wird im Einspruch ausdrücklich nur das Ausmaß der auferlegten Strafe in Beschwerde gezogen, so ist er als Berufung anzusehen und der Berufungsbehörde vorzulegen.
(3) In allen anderen Fällen tritt die Strafverfügung durch die rechtzeitige Einbringung des Einspruches außer Kraft und ist das ordentliche Verfahren einzuleiten, wobei der Einspruch als Rechtfertigung im Sinne des § 40 gelten kann. In diesem Verfahren hat die Behörde auf den Inhalt der außer Kraft getretenen Strafverfügung keine Rücksicht zu nehmen und kann auch eine andere Strafe aussprechen.
(4) Wird ein Einspruch nicht oder nicht rechtzeitig erhoben, so ist die Strafverfügung zu vollstrecken.

Form. III, 19 e

42

Abb. 155: Strafverfügung gegen Alois Biegler wegen Beherbergung seines böhmischen Schwagers, 1938; Neupölla, Slg. Polleroß

(Foto: Karl Pani)

Die Vergiftung des Klimas machte jedoch auch vor den Parteigenossen nicht halt, und im Juni 1938 sah sich Tierarzt Dr. Heinze sogar zu einer entsprechenden Warnung in der „Landzeitung" genötigt: *Neupölla. Warnung. Ich warne hiemit jedermann, das Gerücht zu verbreiten, daß ich nicht rein arischer Abstammung wäre. Müßte ansonsten rücksichtslos gegen die Verbreiter derartiger Unwahrheiten gerichtlich vorgehen. Dr. Fritz Heinze, Neupölla Nr. 82.* [168]

Vermutlich im Zusammenhang mit der „Reichskristallnacht", dem Pogrom vom 9. auf den 10. November 1938 [169], kam es auch in Neupölla zu Ausschreitungen gegen die Familie Biegler. Die Fensterscheiben des Geschäftshauses wurden dabei mit solcher Gewalt eingeschlagen, daß sogar ein im Zimmer befindlicher Herd beschädigt wurde. Alois Biegler, seine Gattin Ida sowie die Tochter Laura wurden mit „Juda verrecke im eigenen Drecke!"-Rufen durch den Markt geprügelt. Bezeichnenderweise wurden diese Vorgänge mit keinem einzigen Wort in der Chronik des Gendarmeriepostens Neupölla erwähnt, während früher jeder Fund eines Papierhakenkreuzes notiert wurde. Die „oral history" zu dieser Frage beschreibt zwar die Vorgänge ähnlich, benennt aber unterschiedliche Täter, sodaß auch eine Vermischung verschiedener Ereignisse möglich wäre. Die lokale Überlieferung berichtet, daß die Ausschreitungen gegen die Familie Biegler von betrunkenen Bauarbeitern aus dem Gasthaus Winkier und SA-Männern aus Krug — also „Ortsfremden" — ausgegangen seien. Der spätere Bürgermeister Ferdinand Frank nennt in diesem Zusammenhang einen aus Göpfritz stammenden Arbeiter der Baufirma Schuhmacher sowie die „Illegalen" Karl und Josef Frank sowie Ohrfandl aus Krug. Diese Information wird von Laura Biegler allerdings entschieden zurückgewiesen:

Ich gebe Ihnen nur einige Beispiele von der Grausamkeit meiner einstigen Mitbürger von Neupölla. Ich war mit meinen Eltern alleine zuhause, als plötzlich am Abend die Hölle auf uns losgelassen wurde. Wir öffneten das große Tor und eine Horde von jungen Burschen verfluchte uns, und der Rädelsführer Johann (Schani) Leidenfrost schlug meinem Vater mit der Faust in's Gesicht; das Blut floß nur so von meines Vaters Gesicht. Ich wollte ihn beschützen, dann bekam's ich. [. . .] Es waren alle einheimische Burschen, mit denen meine Schwestern und ich aufgewachsen und in die Schule gingen. Der Ärgste war der Schani Leidenfrost, dann Leopold Frank, Fritz Brunner (ein Schmiedegeselle) usw. Wenn ich die Augen zumache, sehe ich noch jetzt ihre haßerfüllten Gesichter. [. . .] Der Zuckerbäcker Franz Winkler zeigte sein goldenes Hakenkreuz und verlangte unser Haus samt Inhalt. [170]

Unter diesen Umständen fiel der Familie Biegler der Abschied von Neupölla im Spätherbst 1938 wohl nicht schwer, wenngleich er noch mit zusätzlichem Schmerz verbunden war: *Ich sagte, daß die Bürger von Neupölla kein Mitleid mit uns hatten. Viel weniger noch mit unseren Tieren. Wir hatten drei Dachshunde. Einer war ein Geschenk für mich an meinem 14. Geburtstag. Die mußten erschossen werden. Wir hatten Katzen, Vögel, eine Turteltaube und mein Vater hatte fast 200 Rassetauben, wofür er goldene und silberne Medaillen und Diplome hatte. Alle wurden auf einmal umgebracht. Und unsere Herzen gingen mit ihnen.*

---

[168] Landzeitung Nr. 23 vom 8. 6. 1938, S. 13.

[169] Vgl. dazu: Robert S t r e i b e l , „Und plötzlich waren sie alle weg. . .". Die Juden in Krems 1938. In: Kurt S c h m i d — Robert S t r e i b e l (Hg.), Der Pogrom 1938. Judenverfolgung in Österreich und Deutschland (Wien 1990) S. 51-61. — Der Novemberprogrom 1938. Die „Reichskristallnacht" in Wien, Ausstellungskatalog (Wien 1989).

[170] Brief von Laura Biegler an den Verfasser vom 26. 6. 1995 — Mündliche Information von Ferdinand Frank am 26. 11. 1995.

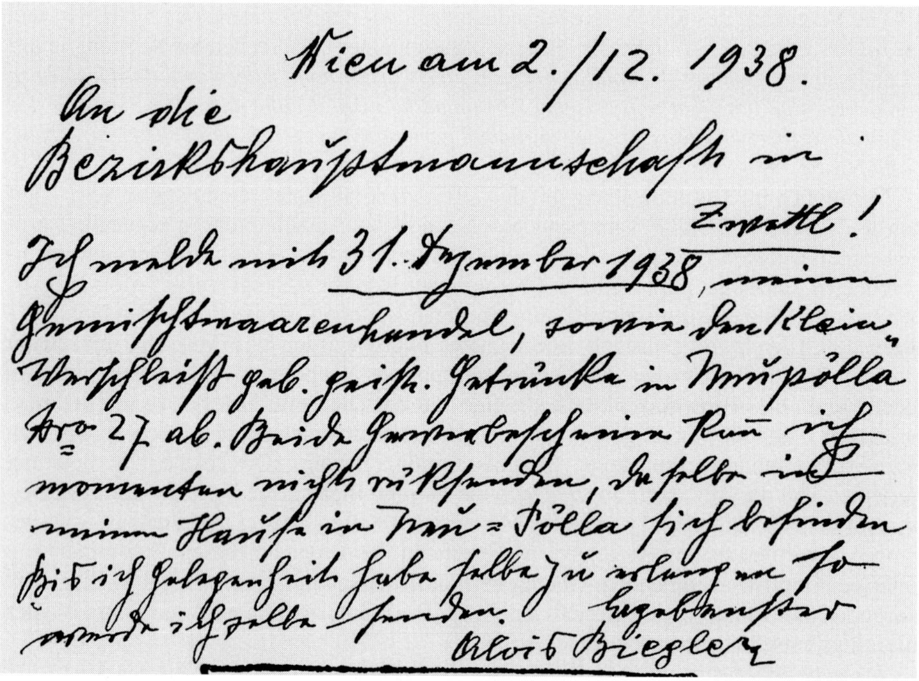

Wien am 2./12. 1938.
An die
Bezirkshauptmannschaft in
Zwettl!
Ich melde mit 31. Dezember 1938, meinen Gemischtwarenhandel, sowie den Klein-Verschleiß geb. geist. Getränke in Neupölla Nro 27 ab. Beide Gewerbescheine kann ich momentan nicht rücksenden, da selbe in meinem Hause in Neu-Pölla sich befinden bis ich Gelegenheit habe selbe zu erlangen so werde ich selbe senden. Ergebenster
Alois Biegler

Abb. 156: Postkarte von Alois Biegler bezüglich Konzessionsrückgabe, 1938; Zwettl, Archiv der Bezirkshauptmannschaft

Die Zahl der „Gerechten" war hingegen in Neupölla sehr gering, gab es doch unter den 500 Einwohnern nur zwei, die wenigstens ihr Mitleid offen zeigten: *Aber zwei Menschen in Neupölla hatten Mitleid mit uns. Man sagte mir, wie die Horde uns beim Gasthaus Kittler vorbei trieb — dort war der Herr Pfarrer Moser*[171] *gerade eingekehrt —, sind dem Herrn Pfarrer die Tränen heruntergeronnen und er stand auf und ging nachhause. Die zweite Person war die Frau (Bauern-) Frank (dem Leopold seine Mutter). Sie wußte um wieviel Uhr wir zum Postauto gehen mußten, wie wir zum letztenmal unser Haus verließen. So hat die Frau Frank vor ihrem Haus mit einem Besen gekehrt und wie wir kamen, ging sie ganz nahe an uns heran und sagte: „Pfiat euch Gott" mit Trauer in ihren Augen. Eine ganz einfache Frau mit einem grossen Herz. Bless her und den Herrn Pfarrer Moser!*[172]

Von Wien aus schrieb Alois Biegler am 2. Dezember 1938 an die Bezirkshauptmannschaft in Zwettl, um seine beiden Gewerbe mit Jahresende abzumelden (Abb. 156). Die Gewerbescheine konnte er nicht mitsenden, da sie sich noch im Haus in Neupölla befanden. Sie wurden am 12. Jänner 1939 nachgeliefert, und am 18. dieses Monats wurden die Konzessionen gelöscht.[173] Es sollte allerdings noch einige Monate dauern, bis der Nachbar das

[171] Pfarrer Johann Moser (1877-1947) wirkte von 1911-1931 in Krumau, übernahm dann die Pfarre Neupölla und kehrte nach seiner Pensionierung im Jahre 1946 wieder nach Krumau zurück: Stephan Fordinal, Geschichte der Pfarre Krumau am Kamp. In: Fordinal, Heimatbuch (wie Anm. 11) S. 378 ff.

[172] Brief von Laura Biegler an den Verfasser vom 4. 9. 1995.

[173] Gewerbeakten der BH Zwettl (wie Anm. 106 und 118).

Haus übernehmen konnte. Erst mit Kaufvertrag vom 6. April 1939 wurde die Liegenschaft Neupölla Nr. 27 über die „Vermögensverkehrsstelle" an Franz und Theresia Winkler verkauft. Laut Bescheid dieses für die „Arisierungen" zuständigen Amtes vom 27. Oktober 1939 wurde die Veräußerung bewilligt, jedoch verfügt, daß der Kaufpreis von 15 000,— Reichsmark *auf Grund des § 15, Abs. 1 der Kundmachung vom 3. 12. 1938* auf ein auf den Namen der Verkäufer (Alois und Ida Biegler) lautendes Sperrkonto als „Entjudungserlös" zu hinterlegen sei. Die früheren Besitzer hatten daher keinen Zugriff auf ihr Vermögen.[174]

Der ehemalige christlichsoziale Funktionär und Gastwirt Julius Scheidl (1893-1945) in Germanns bewies hingegen, daß in dieser Zeit auch eine andere Haltung gegenüber jüdischem Besitz möglich war. Obwohl er sich aufgrund der Aussiedlung des Dorfes für den Truppenübungsplatz in einer Notlage befand, demonstrierte er seine anständige Haltung, indem er sich mehrfach mit der Bemerkung *An Juden jag i net aus!* weigerte, „arisierten" Hausbesitz zu übernehmen. Er fiel schließlich ebenfalls menschlicher Niedertracht zum Opfer. Seine kritischen Äußerungen über die Aussiedlung sowie gegen den Krieg wurden denunziert und führten 1943 zu einem Todesurteil des Berliner Volksgerichtshofes gegen ihn wegen „Wehrkraftzersetzung". Trotzdem wurde er schließlich freigelassen, aber auf Betreiben der lokalen NS-Funktionäre ins Konzentrationslager Mauthausen eingeliefert, wo er 1945 ums Leben kam.[175]

Ebenfalls durch Denunziation eines Nachbarn wurde Josef Sonnenfeld ins Verderben getrieben. Gemeinsam mit seinen Altersgenossen wurde er vermutlich im Mai 1938 zur Musterung vorgeladen und als untauglich für die Deutsche Wehrmacht befunden.[176] Ein Gruppenfoto der Germannser Kandidaten mit Bürgermeister Göbl aus Mestreichs zeigt Josef Sonnenfeld (rechts) zwar ebenfalls hinter der Tafel „Uns ham's g'halten / 1938 / Heil Hitler", aber ohne Musterungsstrauß (Abb. 157). Umso erstaunlicher ist daher die Tatsache, daß der Knecht auf einem weiteren Foto gleich mit zwei Musterungssträußchen abgebildet ist. Diese Aufnahme porträtiert Sonnenfeld gemeinsam mit seinem Arbeitgeber Karl Sagl und dessen Eltern vor dem für die Hochzeit von Leopoldine Sagl festlich geschmückten Bauernhof in Germanns (Abb. 158).

Da der Ort mit 1. April 1940 geräumt werden sollte[177], erwarb die Familie Sagl ein neues Anwesen in der Gemeinde Karlstetten im Bezirk St. Pölten. Im Sommer 1939 übersiedelte Josef Sonnenfeld mit seinem Arbeitgeber dorthin. Seine Jugendfreunde in Germanns, darunter Hermine und Willi Scheidl, vermißten ihn jedoch und schrieben ihrem *lieben Freund* am 5. September 1939 eine Ansichtskarte von Neupölla mit der Frage: *Wie gefällt es dir, hast du schon Gesellschaft?* (Abb. 159). Diese oder eine ähnliche Postkarte an den jüdischen Knecht wurde entweder bereits auf dem Postamt in Neupölla oder am Ankunftsort als „verdächtig" registriert und denunziert. Denn wenig später sprach der spätere Leiter des Gendarmeriepostens in Neupölla und Parteigenosse Friedrich Spitzer bei Hermine Scheidl vor, um sie zu fragen, ob sie etwa ein Verhältnis mit Sonnenfeld habe oder

---

[174] Rückstellungsantrag vom 12. 11. 1948: Polleroß, Truppenübungsplatzgemeinde (wie Anm. 4) Kat.-Nr. 2.122.

[175] Thomas Winkelbauer, Widerstand im Waldviertel 1938 bis 1945. Am Beispiel von Julius Scheidl (Germanns) und Isidor Wozniczak (Gars). In: Polleroß, 1938 (wie Anm. 4) S. 51-70, hier S. 56.

[176] Mitteilung von Herrn Josef Warnung (Altpölla), der zum selben Termin zur Musterung vorgeladen war und auch auf dem entsprechenden Gruppenfoto (links) aufscheint.

[177] Schindler, Wegmüssen (wie Anm. 136) S. 269.

Abb. 157: Josef Sonnenfeld (rechts außen) nach der Musterung, 1938; Neupölla, Slg. Polleroß

Abb. 158: Josef Sonnenfeld (links) mit der Familie Sagl in Germanns, 1938/39; Neupölla, Slg. Polleroß

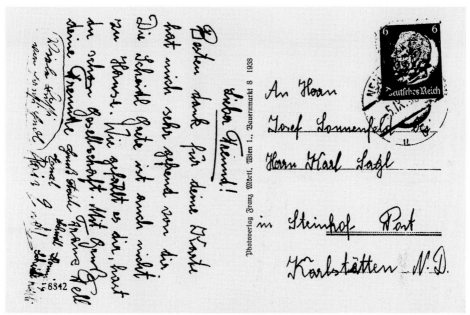

Abb. 159: Ansichtskarte an Josef Sonnenfeld von seinen Freunden in Germanns, 1939;
Privatbesitz
(Foto: Gudrun Vogler)

gar ein Kind von ihm erwarte. Diese Episode bezeugt aber auch das — jeden staatlich verordneten Antisemitismus negierende — freundschaftliche Verhältnis der Germannser
Jugend zu ihrem jüdischen Freund und erklärt wohl, warum Josef Sonnenfeld bald darauf
wieder ins Waldviertel zurückkehrte. Er fand Arbeit bei der Familie Eckmaier, die ebenso
wie die Scheidls noch nicht aus Germanns abgesiedelt waren. Im Herbst 1940 wurde Sonnenfeld jedoch von Franz Gruber aus Eisengraben, der damals Knecht bei der Familie
Schmutz war, denunziert, ohne daß ein Grund oder auch nur ein Anlaß dafür bekannt ist.
Vom Frühstück weg und in Holzschuhen wurde der junge Mann am 24. September 1940
festgenommen und in ein Konzentrationslager eingewiesen.[178] Über sein weiteres Schicksal ist nichts bekannt.

Indes wurde auch in Wien die Situation für die Familie Biegler nicht nur durch die fehlende Existenzgrundlage, sondern durch immer neue Einschränkungen, wie ein nächtli-
ches Ausgehverbot nach Kriegsbeginn, zunehmend unerträglicher. Die Ausreisemöglich-
keiten wurden hingegen immer geringer. Da Großbritannien seit Sommer 1938 bevorzugt
jugendliche und alleinstehende Frauen als Hausgehilfinnen und Pflegerinnen aufnahm[179],
gelang es Laura und Flora Biegler im Juni 1939, ein Einreisevisum zu erhalten. Sie traten
bald danach in die britische Armee ein (Abb. 120). Auch Martha Biegler gelang die Flucht
nach Dänemark, während die älteste Tochter Irma aufgrund ihrer Ehe mit einem „Arier"
in Wien zurückblieb und dort den Schikanen der Nachbarn ausgesetzt war (Abb. 66). Im

---

[178] Akten der Opferfürsorge: Moser, Die Verfolgung (wie Anm. 161) S. 406.

[179] Herbert Rosenkranz, Verfolgung und Selbstbehauptung. Die Juden in Österreich 1938-1945
(Wien-München 1978) S. 189.

Abb. 160: Ella Biegler, 1939; Privatbesitz

Gebührenpflichtige Dienstsache

Biegler Ella Sara

WIEN II

Taudelmarkig 9/2/12

Abb. 161 und 162: Deportationsbefehl für Ella Biegler, 1941; Neupölla, Slg. Polleroß
(Fotos: Friedrich Polleroß)

Zentralstelle für jüdische Auswanderung

7. Okt. 1941

Wien IV., den
Prinz Eugenstraße 22

Sie haben sich am 1 5. Okt. 1941

um 8. Uhr mit Ihren Angehörigen

und Handgepäck mit Höchstgewicht von 50 Kg pro Person in der Schule Wien II. Kleine Sperrig. 2 u einzufinden.
Bei Nichterscheinen erfolgt polizeiliche Vorführung.

Der Leiter der Zentralstelle
für jüdische Auswanderung
Im Auftrage:

Februar 1941 begann die von Adolf Eichmann geleitete „Zentralstelle für jüdische Auswanderung" mit der massenweisen Deportation der in Wien verbliebenen Juden ins „Generalgouvernement" Polen. Als Folge der ab Juli 1941 geplanten „Endlösung", d. h. der massenweisen Ausrottung der Juden, wurde im August ein Auswanderungsstop für alle männlichen Juden erlassen, und am 1. September die Kennzeichnung mit dem gelben Stern angeordnet. Am 30. September 1941 wurde die Kultusgemeinde durch Obersturmführer Brunner von der geplanten Deportation von Juden aus Österreich nach Litzmannstadt (Łódź) informiert. Vom 15. Oktober bis 3. November 1941 sollten *Umsiedlungsgruppen von je 1000 Personen* abgefertigt werden, die 50 Kilogramm Gepäck und 100 Reichsmark mitnehmen durften. Größere Summen wurden beschlagnahmt, und vor der Abreise hatte jeder eine Vollmacht zur Verwaltung seines zurückgelassenen Vermögens durch die „Zentralstelle" zu unterzeichnen. [180] Alois und Ella Biegler (Abb. 160) wurde mit Vorladung vom 7. Oktober 1941 verständigt, daß sie sich am 15. Oktober in der Sammelstelle Kleine Sperlgasse 2a zu melden hatten (Abb. 161). Aufgrund eines Irrtums hatte Ida Biegler keine Verständigung erhalten, sie schloß sich aber ihrem Mann und ihrer Tochter an. [181] An diesem 15. Oktober wurden mit dem ersten Vernichtungstransport, der die Zahl VI hatte, 898 Glaubensjuden, 101 „Nichtglaubensjuden" und 44 Schulkinder in ungeheizten Waggons III. Klasse nach Łódź transportiert. Obwohl Alois, Ida und Ella Biegler weder in den Transportlisten der Wiener Kultusgemeinde noch in den Anmeldelisten der polnischen Lager aufscheinen, kehrten sie nicht mehr lebend zurück.

Von den bis zum 2. November aus dem ganzen Reich nach Łódź deportierten 19 287 Juden, darunter 5000 aus Wien, waren im Herbst 1942 nur noch 2503 am Leben. 10 527 waren in das Todeslager Kulmhof (Chelmno) *umgesiedelt* bzw. mit fahrbaren Gaskammern ermordet worden, 6257 im Ghetto gestorben, wo schon im Sommer vorher eine Hungersnot geherrscht hatte. [182] Tatsächlich war im Oktober 1941 nicht nur die massenweise Ermordung der Juden durch Einsatztruppen bereits im Gange, sondern es gab auch schon die ersten Versuche mit *Vergasungsapparaten*. In einem Schreiben vom 25. Oktober 1941 aus dem Ministerium für die besetzten Ostgebiete heißt es dazu, *daß Sturmbannführer Eichmann, der Sachbearbeiter für Judenfragen im Reichssicherheitshauptamt, mit dem Verfahren einverstanden ist. [...] Es werden zur Zeit aus dem Altreich Juden evakuiert, die nach Litzmannstadt, aber auch anderen Lagern kommen sollen [...], um dann später [...] in Arbeitslager zu kommen. Nach Sachlage bestehen keine Bedenken, wen diejenigen Juden, die nicht arbeitsfähig sind, mit den Brackschen Hilfsmitteln [=Vergasungsapparate] beseitigt werden. Auf diese Weise dürften dann auch Vorgänge, wie sie sich bei den Erschießungen von Juden in Wilna [...] ergeben haben, [...] nicht mehr möglich sein.* [183]

Die damals mehr oder weniger öffentlich durchgeführten massenhaften Erschießungen von österreichischen sowie einheimischen Juden in Polen und der Sowjetunion hatten nämlich für Aufsehen gesorgt und blieben auch den Wehrmachtsangehörigen aus unserer Gemeinde nicht unbekannt. Genau in der Zeit, in der die Familie Biegler in den Osten

[180] Rosenkranz, Verfolgung (wie Anm. 179) S. 282 f.

[181] Mitteilung von Frau Irma Pazour 1979. Der inzwischen verstorbenen Tochter von Ida Biegler sei auch an dieser Stelle herzlich für Ihre Informationen sowie die großzügige Überlassung von Dokumenten gedankt.

[182] Rosenkranz, Verfolgung (wie Anm. 179) S. 285.

[183] Zitiert in: Gerald Reitlinger, Die Endlösung. Hitlers Versuch der Ausrottung der Juden Europas 1939-1945 (Berlin ⁶1983) S. 144 f.

Abb. 163 und 164:
Massenerschießung von
Juden in Rußland durch
die Deutsche Wehr-
macht, aufgenommen
vom Soldaten Bruno
Hofbauer aus Ramsau
bei Neupölla, 1941/42;
Privatbesitz

deportiert wurde, nämlich zwischen 3. und 21. Oktober 1941, hörte Josef Zimmerl jun. erstmals von den Morden an den Juden. Der Schulkollege von Laura Biegler (Abb. 119) war nach der Priesterweihe im Jahre 1939 als Sanitäter der Waffen-SS zugeteilt worden, mit der er im Sommer 1941 an die Ostfront verlegt wurde. Mitte Oktober 1941 notierte er in seinem Tagebuch eine Besichtigung des Schlosses Zarskoje Zelo, der Sommerresidenz der Zaren (Abb. 121):

„Die Schloßkapelle ist unbeschreiblich schön. Die vielen Ikonen, eine schöner als die andere. In einem Depotraum fand ich eine deutsche Beschreibung des Schlosses mit vielen Bildern vom Schloß und den dazugehörigen Anlagen. Und in dieser uns beeindruckenden Umgebung machten wir eine niederdrückende Entdeckung. Im selben Schloß war auch eine Gruppe von SD-Leuten, vom Sicherheitsdienst. Sie hielten hier in einem Schloßkeller Juden und Partisanen in Verwahrung. An einem Morgen hörten wir, daß ein betrunkener Frontsoldat in den Keller eindrang und mit seinem Bajonett drei Juden erstochen hat. Er wurde abgeführt. Was mit ihm geschah wissen wir nicht." Dort haben wir auch zum ersten Mal von Judenerschießungen gehört. Ich habe weder Juden noch Männer des SD zu Gesicht bekommen. Wir waren allerdings auch nur wenig im Schloß, weil gerade damals der Einsatz sehr hart war. Aber die Nachricht hat uns erschüttert. — Doch der Einsatz ging weiter. [184]

Mit derselben Selbstverständlichkeit, mit der der geistliche Sanitäter hier von der russischen Kultur zur deutschen Unkultur und wieder zur täglichen Aufrechterhaltung letzterer überging, hat der mit Josef Zimmerl und Josef Sonnenfeld befreundete Bruno Hofbauer den jüdischen Massenmord durch die Wehrmacht im Bild festgehalten[185] (Abb. 163). Hatte der Bauernsohn aus Ramsau vor dem Krieg die Sturmschar in Neupölla und die musizierende Jugend von Germanns fotografiert, so fertigte er an der Ostfront „Schnappschüsse" von strangulierten Russinnen und eben ermordeten Juden an.[186] Diese beiden Zeugnisse aus der Gemeinde Pölla sind jedoch keine Einzelfälle, und die im Herbst 1941 einsetzenden Massaker von manchmal mehreren tausend Juden an einem Tag konnten nicht geheimgehalten werden. Die Heeresführung reagierte darauf mit einer doppelten Strategie. Einerseits wurde im September und November 1941 den Wehrmachtsangehörigen *das Zusehen oder Photographieren bei der Durchführung der Maßnahmen der Sonderkommandos* ausdrücklich verboten, andererseits veröffentlichte Feldmarschall Walter von Reichenau am 10. Oktober dieses Jahres einen Tagesbefehl für die Sechste Armee, in dem er das — im Widerspruch zum Kriegsrecht stehende — Morden von wehrlosen Zivilisten rechtfertigte:[187] *Der Soldat ist im Ostraum nicht nur ein Kämpfer nach den Regeln der Kriegskunst, sondern auch Träger einer unerbittlichen völkischen Idee und der Rächer für alle Bestialitäten, die deutschem und artverwandtem Volkstum zugefügt wurden. Deshalb muß der Soldat für die Notwendigkeit der harten, aber gerechten Sühne am jüdischen Untermenschentum volles Verständnis haben [...]. Nur so werden wir unserer geschichtlichen Auf-*

[184] Zimmerl, Neupölla (wie Anm. 146) S. 154 f.

[185] Vgl. dazu: Klaus Latzel, Tourismus und Gewalt. Kriegswahrnehmungen in Feldpostbriefen. In: Hannes Heer — Klaus Naumann (Hg.), Vernichtungskrieg. Verbrechen der Wehrmacht 1941-1944 (Hamburg 1995) S. 447-459; Dieter Reifarth — Viktoria Schmidt — Linsenhoff, Die Kamera als Täter. In: ebenda S. 475-503.

[186] Polleroß, Truppenübungsplatzgemeinde (wie Anm. 4) Kat.-Nr. 2.128, 3.16, 3.17 und 3.41, Abb. 118 und 119.

[187] Reitlinger, Endlösung (wie Anm. 183) S. 222, 224 und 231.

gabe gerecht, das deutsche Volk von der asiatisch-jüdischen Gefahr ein für allemal zu befreien. [188]

Angesichts dieser „welthistorischen Aufgabe" und „Heldentaten" der Wehrmacht wollten offensichtlich auch manche besonders eifrige Parteigenossen an der „Heimatfront" nicht zurückstehen. In Altpölla fanden sie in der damals dreizehnjährigen Olga Frommer ihr unschuldiges Opfer. Von einem Tag auf den anderen wurde aus dem im Dorf aufgewachsenen Mädchen eine Ausgestoßene, die den Judenstern tragen sollte und die Volksschule nicht mehr besuchen durfte. Am 3. Jänner 1941 wurde ihr vom Polizeiamt Wien-Leopoldstadt eine *Kennkarte für Juden* ausgestellt[189], die im Sommer 1944 aufgrund einer Verlustanzeige durch eine solche des Landkreises Zwettl ersetzt wurde (Abb. 167). Noch als Schulmädchen wurde Frommer auf Betreiben des Bürgermeisters und Straßenwärters Richard Jami, des Gemeindesekretärs und Bäckermeisters Willi Scholz sowie des Gastwirtes Josef Spender von einem Gendarmen aus Neupölla wie eine Verbrecherin abgeholt und dem Kreisrichter in Zwettl vorgeführt. Dieser sandte sie jedoch mit der Bemerkung *Ich möchte wissen, was ich mit Dir machen soll?* wieder nach Hause. Doch die Minderjährigkeit schützte Olga Frommer ebensowenig vor der Gemeinheit ihrer Mitbürger wie die Konversion zum katholischen Glauben wenige Tage nach ihrem 14. Geburtstag. Am 3. April 1942 trat sie aus der Israelitischen Religionsgemeinschaft aus (Abb. 165) und am Tag darauf wurde sie in der Pfarrkirche Altpölla von Kaplan Hermann Siedl getauft. Von ihrer Taufpatin Anna Ruithner, der Schwester ihrer Ziehmutter, erhielt sie den Taufnamen Anna, vom Priester eine schöne Taufurkunde, und anschließend posierte man für den Fotografen[190] (Abb. 166).

Olga Frommer wurde neuerlich festgenommen, auf Intervention des in Altpölla ansässigen Kreisbauernführers Karl Kainrath jedoch wieder freigelassen. In diesem Jahr hat sie auch ihre Mutter zum letzten Mal gesehen. Am 8. September 1942 trat Frommer eine Arbeitsstelle als *Landarbeiterin* beim Landwirt Johann Müller in Altpölla an, bei dem sie bis zum 28. Dezember 1945 gemeldet war.[191] Es folgten jedoch weitere Einvernahmen in St. Pölten und die Rückkehr nach Altpölla. Im Winter 1944 wurde sie schließlich nach einer Verhandlung in St. Pölten mit einem Gefängniszug nach Wien gebracht. In der Roßauer Kaserne war sie in einer Zelle mit dreißig Frauen inhaftiert und verbrachte dort auch Weihnachten. Ein Besuch ihrer Taufpatin aus Altpölla scheiterte daran, daß das entsprechende Treppenhaus des Gefängnisses durch eine Fliegerbombe zerstört worden, und daher der Zugang vorübergehend blockiert war. Obwohl sie selbst keinerlei Repressalien ausgesetzt war, mußte sie schreckliche Szenen miterleben. So hat man vor ihren Augen einer französischen und einer russischen Gefangenen gewaltsam die in der Haft geborenen Kinder weggenommen. Olga Frommer mußte mitansehen, wie Gruppen von Juden, die auf dem Weg in die Konzentrationslager in der Roßauer Kaserne entlaust wurden, nackt vorbeigetrieben und geschlagen wurden, wobei es verboten war, ihre Wünsche nach Trinkwasser zu erfüllen. Im Februar oder März 1945 erhielt das Mädchen gleichzeitig zwei Briefe in ihrer

---

[188] Zitiert in: Gerhard Botz, Die Rolle der Wehrmacht im „Dritten Reich" und im Zweiten Weltkrieg, In: Aurelius Freytag — Boris Marte — Thomas Stern (Hg.), Geschichte und Verantwortung (Wien 1988) S. 231-258, hier S. 248.

[189] Verlustanzeige vom 8. 6. 1944: Neupölla, Slg. Polleroß.

[190] Polleroß, Truppenübungsplatzgemeinde (wie Anm. 4) Kat.-Nr. 2.114 — 2.116.

[191] Arbeitsbuch von Olga Frommer, ausgestellt am 25. 10. 1943 vom Arbeitsamt Gmünd in Zwettl: Neupölla, Slg. Polleroß.

Der Landrat des Kreifes ___ Zwettl

Q/0932 — 60841

Zwettl

Zahl: V-1/13 ___ am 3.April ___ 1942.

An

Fräulein Olga Erika Frommer

in Altpölla Nr.13

Betrifft: Austritt aus der
israelitischen Religionsgenossenschaft.
Anlagen: 1 Geburtsurkunde

Ihre bei mir am 31. März ___ 1942 erstattete Anzeige, daß

Sie aus der israelitischen Religionsgenos- Kirche (Religionsgemeinschaft)
senschaft

austreten, nehme ich im Sinne des Artikels 6 des Gesetzes vom 25. Mai 1868, ___

RGBl. Nr. 49 zur Kenntnis und verständige hievon das Standesamt 3 Wien, Alsergrun

Pfarramt Judenmatrik, Wien, I., Rathaus, unter einem.

Ob und inwieweit durch Ihren Austritt das Bekenntnis Ihrer Kinder berührt
wird, verweise ich Sie auf das Gesetz vom 15. Juli 1921, RGBl. I, Seite 237 (Auszug
siehe Rückseite).

Ihre Kirchenbeitragspflicht gegenüber der verlassenen Kirche endet drei Monate
nach dem Ihrem Austrittstag folgenden Monatsersten.

Die Beilagen Ihrer Anzeige (1 Stück) folgt - folgen in der Anlage zurück.

Der Landrat:

F. V - 46 b

61

Abb. 165: Austritt von Olga Frommer aus der Israelitischen Kultusgemeinde, 3. April 1942; Neupölla, Slg. Polleroß

Abb. 166: Olga Frommer mit Taufpriester, Taufpatin und Ziehmutter in Altpölla, 4. April 1942; Privatbesitz

Zelle: einer ordnete die Überstellung in das Konzentrationslager Theresienstadt an, der andere die Freilassung. Tatsächlich kam sie frei und machte sich auf den Weg ins Waldviertel. Bereits im neunten Bezirk wurde sie jedoch von einem Fliegeralarm überrascht und beim folgenden Bombeneinschlag im Luftschutzkeller verschüttet und leicht verletzt. Zuletzt zu Fuß gelangte sie schließlich nach Altpölla zurück, von wo sie jedoch bald wieder mit abziehenden Soldaten vor den Sowjets nach Oberösterreich flüchtete. [192]

[192] Eine *Identity Card* der amerikanischen Zone für Olga Frommer wurde am 18. 6. 1945 in Reichenthal ausgestellt.

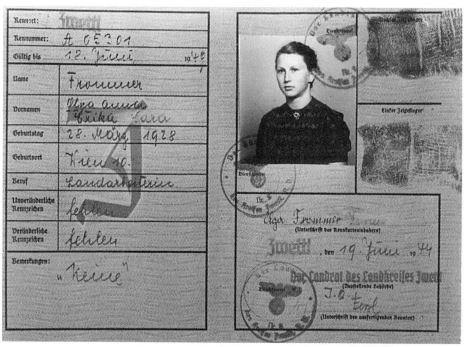

Abb. 167: „Kennkarte" für Olga Frommer mit „J", 1944; Neupölla, Slg. Polleroß
(Foto: Gudrun Vogler)

„Die Diktatur wird von der Demokratie abgelöst"[193] — der Antisemitismus bleibt

Während Laura Biegler 1945 als Angehörige der britischen Besatzungsmacht nur nach
Wien kam, kehrte Olga Frommer im Sommer ins Waldviertel zurück. Auf Anraten ihrer
Ziehmutter verzichtete sie jedoch auf eine Anzeige ihrer Denunzianten. Am 7. Jänner 1946
begann sie ihre Arbeit als Hausgehilfin bei der Familie des zuerst christlichsozialen und
dann nationalsozialistischen Bürgermeisters Emmerich Kittler in Neupölla. In der Marktgemeinde hatte man inzwischen den „österreichischen Weg" der Entnazifizierung beschrit-
ten:[194] So wurde bereits bei der am 29. Mai 1945 durchgeführten Registrierung der
„Funktionäre der NSDAP — darunter Ortsgruppenleiter Obenaus, Bürgermeister Kittler
und Propagandaleiter Binder — betont, daß *in der hiesigen Gemeinde sich kein Nationalsozialist in gehässiger Weise gegen Österreicher, sei es durch Anzeigen oder sonst wie vergangen habe.* Am 16. Juni und am 18. Oktober wurden insgesamt 51 Personen in Neupölla als
Parteimitglieder registriert, die zu Aufräumungsarbeiten herangezogen wurden.[195]
Erstaunlicherweise war kein einziger davon vor 1938 und damit illegales Mitglied der
NSDAP gewesen, da er sonst als „belastet" eingestuft worden wäre. Es scheint jedoch
höchst zweifelhaft, daß alle siebzehn Parteimitglieder des Jahres 1932 damals weggezogen,

[193] Beschreibung der Ereignisse 1945: Chronik des Gendarmeriepostens Neupölla (wie Anm. 126)
o. S.
[194] Vgl. Sebastian Meissl — Klaus-Dieter Mulley — Oliver Rathkolb (Hg.), Verdrängte
Schuld, verfehlte Sühne. Entnazifizierung in Österreich 1945-1955 (Wien 1986).
[195] Polleroß, Truppenübungsplatzgemeinde (wie Anm. 4) Kat.-Nr. 5.3 ff.

gefallen oder in Kriegsgefangenschaft waren. So war es jedenfalls umso leichter, im Jahre 1946 einen Erlaß, der die ehemaligen Parteimitglieder der NSDAP aus der Feuerwehr ausschloß, nach Rücksprache mit den vorgesetzten Behörden zu negieren, da dies — wie es in der Feuerwehrchronik heißt — in Neupölla aufgrund der vielen Parteigenossen die Auflösung der Feuerwehr zur Folge gehabt hätte. Der einzige, der zur Rechenschaft gezogen wurde, war offensichtlich der Kommandant des Gendarmerieposten in Neupölla von 1941 bis 1945, Friedrich Spitzer, der am 10. Juli 1945 *von sowjetischen Organen, angeblich wegen Zugehörigkeit zur ehemaligen NSDAP* verhaftet wurde und am 5. Dezember 1945 in sowjetischer Gefangenschaft verstorben ist.[196] Es kann hier nicht beurteilt werden, ob der als *streng* gegenüber den Kriegsgefangenen geltende Gendarm tatsächlich Schuld auf sich geladen hatte oder nicht. Er war jedenfalls Opfer der durch die politische Vergiftung der vorangegangenen Diktaturen gelegten Saat geworden, die auch in der Demokratie weiterblühte, wie der Nachfolger von Spitzer berichtet: *Aber auch die gemeinste und hinterhältigste menschliche Eigenschaft, die Denunziation, treibt Früchte. Wehe dem, dem sie gilt. Er wird von Organen der Besatzungsmacht abgeholt und mit unbekanntem Ziel abtransportiert.*[197]

Im September 1946 wurden schließlich 43 nationalsozialistische Schriften der Schulbibliothek in Neupölla entfernt, darunter eine „Rassenhygienische Fiebel"[198], und damit war die Vergangenheitsbewältigung zunächst abgeschlossen. Angesichts der Tatsache, daß im Bereich des Gendarmeriepostens Neupölla von Mai 1945 bis Dezember 1946 nicht weniger als vier Morde, neun schwere Verletzungen, ebensoviele Vergewaltigungen und über 30 Raubüberfälle nebst unzähligen Diebstählen von Besatzungssoldaten verübt wurden[199], scheint dies auch verständlich. Ja es scheint sogar verständlich, daß damit der Begriff des „Opfers" inflationär wurde. Jener Prozeß, der 1938 mit den Juden und politischen Gegnern begann, setzte sich 1945 fort. An die Stelle der eigentlichen Opfer rückten die Österreicher insgesamt als Kriegsversehrte, Bombenopfer sowie Besatzungsgeschädigte und gegen Ende der vierziger Jahre paradoxerweise die ehemaligen Nationalsozialisten als Opfer der Entnazifizierung.[200] Die jüdischen Opfer gerieten dabei in Vergessenheit und wurden auch — wie die Registrierungsliste zeigt — sprachlich neuerlich zu Fremden deklariert.[201] Die Chronik des Gendarmeriepostens Neupölla bringt dieses Bewußtsein in der Eintragung zum Jahresende 1947 deutlich zum Ausdruck:

Der Terror durch die sogenannten „Befreier" kennt fast keine Grenzen und Übergriffe verschiedener Art sind an der Tagesordnung. Trotzdem hält die Bevölkerung eisern durch und arbeitet fleißig und mit Energie am Wiederaufbau. Es sollen aber hier nicht nur die Straftaten vermerkt werden, sondern auch viele andere Ereignisse aus dem Jahre 1947 sind wert aufgezeichnet zu werden. Unter anderen über Diktat der Befreier der Beschluß von 2 Gesetzen und zwar das sogenannte NS-Gesetz und das Kriegsverbrechergesetz 1947. Hier wurde der jahrhundertalte Rechtsgrundatz „nullum crimen sine lege" umgeworfen und die Grundregel der österr. Verfassung „Alle Staatsbürger sind vor dem Gesetz gleich" erhielt einen argen Stoß.[202]

[196] Chronik des Gendarmeriepostens (wie Anm. 126) o. S. — Laut Registrierungsliste war Spitzer seit 1. 1. 1940 Parteimitglied.

[197] Chronik des Gendarmeriepostens (wie Anm. 126) o. S.

[198] Polleroß, Truppenübungsplatzgemeinde (wie Anm. 4) Kat.-Nr. 5.4.

[199] Chronik des Gendarmeriepostens (wie Anm. 126) o. S.

[200] Hanisch, Der lange Schatten (wie Anm. 83) S. 421.

[201] Vgl. Ruth Beckermann, Unzugehörig. Österreicher und Juden nach 1945 (Wien 1989) S. 68 f.

[202] Chronik des Gendarmeriepostens Neupölla (wie Anm. 126) o. S.

Nicht nur der durch die Wiederaufbau-Ideologie fest in die Zukunft gerichtete Blick, sondern auch die subjektive Umkehrung der Opferrolle und die daher als ungerechter Zwang der Besatzungsmächte empfundene Entnazifizierung haben also auf lokaler wie auf staalicher Ebene einen echte Vergangenheitsbewältigung verhindert.[203]

Diese Einstellung zeigte sich vor allem bei den sogenannten Rückstellungen, d. h. der unentgeltlichen Rückgabe von Eigentum, das aus rassischen oder politischen Gründen enteignet oder verkauft worden war. Ein entsprechender Antrag wurde 1950 auch von den im Ausland lebenden drei Töchtern des Ehepaares Biegler gestellt[204], und das Ehepaar Winkler mußte das „arisierte" Geschäftshaus noch einmal bezahlen. Diese Inkonsequenz — de facto hätte der Rechtsnachfolger der staatlichen „Vermögensverkehrsstelle", die das dort eingezahlte Geld den Juden vorenthielt, für die Entschädigung aufkommen müssen — betraf jedoch nicht nur bösartige Parteigenossen, sondern kam auch solchen zugute. Denn die gerade im Falle des 1955 von der Republik Österreich übernommenen Truppenübungsplatzes eklatante Abwälzung staatlicher Entschädigungen an Private bei gleichzeitiger Nichtunterscheidung zwischen bösartigen „Arisierungen" und reellen Verkäufen bzw. Übernahmen jüdischen Besitzes aus dritter Hand setzte die Ungerechtigkeit nur fort.[205] Tatsächlich hatte die „Deutsche Ansiedlungsgesellschaft", die den Landerwerb für den Truppenübungsplatz Döllersheim durchführte, im Dunstkreis der SS eine zentrale Rolle bei den „Arisierungen" gespielt.[206] Als das Rückstellungsgesetz geändert wurde, um den Truppenubungsplatz für das neugeschaffene Bundesheer behalten zu können, kamen manche Aussiedler in die Zwickmühle zwischen Rückgabe „arisierten" Vermögens und Nicht-Rückgabe ihres früheren Besitzes im Truppenübungsplatz. Die juristische „Grenzlinie" verlief dabei jedoch nicht zwischen rassisch und militärisch enteignetem Besitz, sondern zwischen dem von der Republik Österreich beanspruchten und dem in Privatbesitz befindlichem Land. So hatte auch das Ehepaar Franz und Theresia Winkler sein ursprüngliches Geschäftshaus in Neupölla 1940 an die „Ansiedlungsgesellschaft" verkauft und konnte dafür vom Nachbesitzer, einem Aussiedler aus Germanns, Rückstellung beantragen. Die Gastwirtin Aloisia Winkler mußte zwar das „arisierte" Zinshaus in Wien zurückerstatten, ihr an die „Ansiedlungsgesellschaft" übertragenes und von dieser an Aussiedler aus Äpfelgschwendt weiterverkauftes Haus in Neupölla bekam sie hingegen 1952 ein zweites Mal bezahlt. Die hier zum Handkuß gekommene Familie Lechner hatte ihrerseits bereits den Kaufvertrag für den „arisierten" Besitz der Familie Kummermann in Horn unterschrieben gehabt, war aber von einem einheimischen Parteigenossen ausgebootet worden[207] (Abb. 19).

Diese vielfachen Verstrickungen haben zweifellos die dumpfe Vermischung oder sogar Vertauschung der Rolle von Opfern und Tätern des Nationalsozialismus begünstigt.[208] Ein

203) Vgl. dazu: Robert Menasse, Die große Synthese. Bemerkungen zur Produktion des Neuen Österreich. In: Liesbeth Waechter-Böhm (Hg.), Wien 1945 — davor/danach (Wien 1985) S. 25-33, hier S. 30 f.

204) Polleroß, Truppenübungsplatzgemeinde (wie Anm. 4) Kat.-Nr. 5.45.

205) Wolfgang Brandstetter, Rechtsprobleme des Truppenübungsplatzes Allentsteig. In: Polleroß, 1938 (wie Anm. 4) S. 79-96.

206) Robert Holzbauer, Planung und Errichtung des TÜPL Döllersheim. In: Rosner, Allentsteig (wie Anm. 13) S. 117-163, hier S. 154-158.

207) Polleroß, Truppenübungsplatzgemeinde (wie Anm. 4) S. 296.

208) Brigitte Bailer, „Alle haben gleich gelitten?" Antisemitismus in der Auseinandersetzung um die sogenannte „Wiedergutmachung". In: Klamper, Die Macht der Bilder (wie Anm. 5) S. 333-345.

RECHNUNG

Frau Liselotte WATSON
Mitcham, 76 Streatham R.

ANZ.	DATUM 16.7. 19	PREIS	S	g
1	Rollers B (Up):			
	in the Erinnerung			
	und zu welch		360,-	
	Porto u Verp.		80,-	
			440,-	
	Bitte einen Euroscheck			

Preise inkl. MWSt.

Abb. 168: Laura Biegler (rechts) in Österreich; links ihre Schwester Irma, in der Mitte zwei Jugend-
freundinnen aus Neupölla, um 1975/80; Neupölla, Slg. Polleroß

offener Antisemitismus blieb aber in der Nachkriegszeit ebenso wie eine echte Auseinandersetzung mit dem Schicksal der jüdischen Mitbürger lange Zeit ein Tabu.

Parallel zu den ersten Besuchen von Laura Biegler in Österreich, bei denen sie mit ehemaligen Freundinnen aus Neupölla zusammentraf (Abb. 168), wurde dort Ende der Siebziger Jahre durch Ausstellungen und Vorträge mit der Aufarbeitung der jüngeren Vergangenheit begonnen. 1979 widmete sich eine Diskussion, an der u. a. Frau Univ.-Prof. Dr. Erika
Weinzierl teilgenommen hat, den Ereignissen zwischen 1934 und 1955.[209]

Das Gedenkjahr 1988 erreichte durch eine umfangreiche Ausstellung samt Katalog
bereits ein überregionales Echo. Ob aus der Geschichte gelernt wurde, bleibt jedoch dahin-
gestellt. Bei der Gemeinderatswahl am 19. März 1995 erlangte die Freiheitliche Partei in der
Marktgemeinde Pölla 156 Stimmen und mit 19 % einen weit über dem Bezirksdurchschnitt
von 6 % liegenden Anteil. Nur dem Zufall ist es hingegen zuzuschreiben, daß der freiheitliche Abgeordnete zum Nationalrat (1994-1995) Hans Pretterebner das Schloß Wetzlas
erworben hat. Im Salon der Henriette von Pereira-Arnstein wurden daher vorübergehend
Strategien für den Erfolg dieser teilweise einschlägig bekannten Partei diskutiert.

---

[209] Ernst Degasperi, Stark besuchte Diskussion. In: Horner Zeitung Nr. 39/1979 — Riesen-
interesse für Zeitgeschichte-Diskussion. In: Zwettler Nachrichten Nr. 38 vom 20. 9. 1979.

Zum Abschluß dieses Artikels, der sich zu einem besonderen „work in progress“ entwickelte, kann jedoch von einer versöhnlichen Geste zweier „Hauptdarsteller“ dieser vom Leben geschriebenen Tragödie berichtet werden, die hoffnungsvoll stimmt. Als Josef Zimmerl im Jänner 1996 seiner ehemaligen Schulfreundin (Abb. 119) zum runden Geburtstag ein Glückwunschschreiben sandte, war Laura Biegler tief gerührt. War ihr Schreiben vom Jänner 1995, mit dem dieser Beitrag begonnen hat, ein Hilfeschrei gegen die Verdrängung des Leides, das man ihrer Familie und ihr selbst angetan hatte, so scheint es nur passend, ihr auch das Schlußwort zu überlassen.

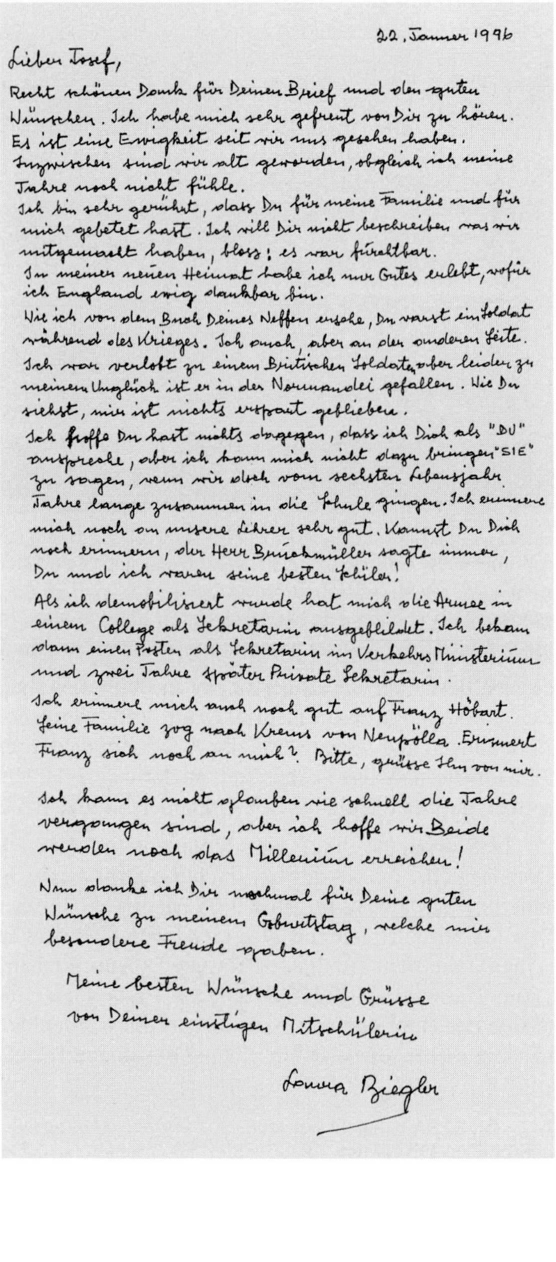

22. Janner 1996

Lieber Josef,

Recht schönen Dank für Deinen Brief und den guten Wünschen. Ich habe mich sehr gefreut von Dir zu hören. Es ist eine Ewigkeit seit wir uns gesehen haben. Inzwischen sind wir alt geworden, obgleich ich meine Jahre noch nicht fühle.
Ich bin sehr gerührt, dass Du für meine Familie und für mich gebetet hast. Ich will Dir nicht beschreiben was wir mitgemacht haben, bloss: es war furchtbar.
In meiner neuen Heimat habe ich nur Gutes erlebt, wofür ich England ewig dankbar bin.
Wie ich von dem Buch Deines Neffen ersehe, Du warst ein Soldat während des Krieges. Ich auch, aber an der anderen Seite. Ich war verlobt zu einem Britischen Soldaten, aber leider zu meinem Unglück ist er in der Normandei gefallen. Wie Du siehst, mir ist nichts erspart geblieben.
Ich hoffe Du hast nichts dagegen, dass ich Dich als "DU" ansprechle, aber ich kann mich nicht dazu bringen "SIE" zu sagen, wenn wir doch vom sechsten Lebensjahr Jahre lange zusammen in die Schule gingen. Ich erinnere mich noch an unsere Lehrer sehr gut. Kannst Du Dich noch erinnern, der Herr Bruckmüller sagte immer, Du und ich waren seine besten Schüler!
Als ich demobilisiert wurde hat mich die Armee in einem College als Sekretarin ausgebildet. Ich bekam dann einen Posten als Sekretarin im Verkehrs Ministerium und zwei Jahre später Private Sekretarin.
Ich erinnere mich auch noch gut auf Franz Höbart. Seine Familie zog nach Krems von Neupölla. Erinnert Franz sich noch an mich?. Bitte, grüsse Ihn von mir.

Ich kann es nicht glauben wie schnell die Jahre vergangen sind, aber ich hoffe wir Beide werden noch das Millenium erreichen!

Nun danke ich Dir nochmal für Deine guten Wünsche zu meinem Geburtstag, welche mir besondere Freude gaben.

Meine besten Wünsche und Grüsse
von Deiner einstigen Mitschülerin

Laura Biegler

Abb. 169: Brief von Laura Biegler aus London an ihren ehemaligen Mitschüler Josef Zinnerl, 1996; Privatbesitz.

Eduard Führer / Harald Hitz

JUDEN IN WAIDHOFEN AN DER THAYA*

I. Mittelalter und frühe Neuzeit

Ein erster Hinweis auf Juden in Waidhofen findet sich im Stadtrechtsprivileg Herzog Albrechts von Österreich vom 31. Jänner 1375, worin der Ausschank von Getränken durch Juden verboten wird.[1] Dies bedeutet natürlich nicht unbedingt, daß in der Stadt Juden gelebt haben müssen, ist aber doch ein Zeichen dafür, daß an diese Gruppe gedacht wurde. 1421 werden jedenfalls Juden aus Waidhofen schon namentlich erwähnt.[2]

Die nächste Quelle über Juden in Waidhofen stammt aus dem Jahr 1617.[3] Darin beklagen sich die Stadtbürger über die Juden, welche durch die Schloßherrschaft in der Vorstadt Niederthal angesiedelt worden waren, daß diese verschiedene Handelszweige ausübten und die städtischen Handwerker dadurch in ihrem Verdienst geschmälert würden. Aus der Quelle geht auch hervor, daß die Ansiedlung unter der Herrschaft der Familie Mollart erfolgte. Diese wiederum war im Jahr 1601 in den Besitz der Schloßherrschaft gelangt, die 1604 dann endgültig von der landesfürstlichen Stadt Waidhofen an der Thaya abgetrennt wurde.[4] Somit müssen die Juden zwischen 1601 oder eher 1604 sowie 1617 von der Familie Mollart angesiedelt worden sein. Die Ansiedlung war sicher aus einem offensichtlichen Grund erfolgt: Im Jahr 1615 wütete in Waidhofen die Pest, allein in diesem Jahr gab es 166 Todesfälle. Im Jahr 1616 standen in der Stadt jedenfalls 45 Häuser leer, in Niederthal neun.[5] Es erscheint einleuchtend, daß die Schloßherrschaft im östlichen Teil der Vorstadt (Abb. 170), deren Bewohner ihr unterstanden (der westliche Teil gehörte zur Stadt), Juden ansiedelten, um die leerstehenden Häuser zu füllen und dadurch auch Abgaben zu erhalten. Demnach könnte die Ansiedlung der Juden im Jahr 1616 erfolgt sein.[6]

Mit dieser Ansiedlung entwickelte sich ein langjähriger Konflikt zwischen den Stadtbürgern und den Juden bzw. der Schloßherrschaft. So beschwerte sich der Stadtrat 1623 beim Herrschaftsinhaber Sprinzenstein über die Juden in Niederthal, daß sie mit Getreide, Schmalz und anderen Produkten lebhaften Handel trieben, den Bauern aus den umliegenden Dörfern gegenüber als Vorkäufer aufträten und somit die städtischen Händler schwer schädigten.[7] Der Stadtrat beklagte sich offenbar auch bei Kaiser Ferdinand II., daß der

---

*[*] Der erste Teil des Beitrages bis 1850 wurde von Harald Hitz verfaßt, der zweite Teil ab 1850 von Eduard Führer.

[1] Vgl. Alois P l e s s e r , Beiträge zur Geschichte der Pfarre Waidhofen an der Thaya. In: Geschichtliche Beilagen zum St. Pöltner Diözesanblatt X (St. Pölten 1928) S. 182.

[2] Siehe P l e s s e r (wie Anm. 1) S. 185 f.

[3] Ebenda, S. 219 f. Vgl. dazu auch Leo B ö h m , Waidhofen a. d. Thaya. In: Hugo G o l d , Geschichte der Juden in Österreich. Ein Gedenkbuch (Tel Aviv 1971) S. 89-90.

[4] Nach P l e s s e r (wie Anm. 1) S. 309. Vgl. dazu auch Herbert K n i t t l e r / Friederike G o l d m a n n , Waidhofen an der Thaya. In: Alfred H o f f m a n n (Hg.), Österreichisches Städtebuch, 4. Band/ 3. Teil — Niederösterreich (Wien 1982) S. 211.

[5] Siehe P l e s s e r (wie Anm. 1) S. 219.

[6] Vgl. Heinrich R a u s c h e r , Juden in Waidhofen an der Thaya. In: Das Waldviertel 3 (1930) H. 5, S. 91.

[7] Siehe bei P l e s s e r (wie Anm. 1) S. 226.

Schloßherr Sprinzenstein den Hausierhandel gestattet habe.[8] Wiederum dürften wirtschaftliche Ursachen hinter diesen Fakten gestanden sein: In den Jahren 1618 bis 1620 hatte der Beginn des Dreißigjährigen Krieges die Stadt Waidhofen sofort voll getroffen. Zuerst kamen Einquartierungen kaiserlicher Soldaten, sodann böhmische Angriffe. Die Waidhofener Bürgerschaft mußte unglaublich hohe Summen für die Aufnahme der vielen Soldaten und des ganzen Trosses bezahlen.[9] 1621 ergab eine Schätzung des Gutes Waidhofen, daß Teile des Schlosses von den Soldaten geplündert worden waren, andere Gebäude schwere Schäden aufwiesen, in Niederthal und Altwaidhofen schließlich 15 Häuser abgebrannt waren und leer standen.[10] Der Herrschaftsinhaber dürfte in dieser mißlichen Situation wieder auf die jüdische Bevölkerung gesetzt haben, um seine Einnahmen zu vergrößern.

Im Juli 1624 wurde vom Kaiser ein Regierungsbeamter beauftragt, darüber zu wachen, ob der Herrschaftsbesitzer auch wirklich die Juden aus Waidhofen ausweise und diese zumindest das unerlaubte Ausschenken von Getränken sofort unterlassen würden. Bis zur Ausführung dieser Anordnung wurde Sprinzenstein sogar das Dorf Brunn konfisziert. Doch die Juden konnten bleiben: Der Ausweisungsbefehl wurde widerrufen; 1625 verfügte der Kaiser, daß alle Juden in Niederösterreich jährlich eine bestimmte Geldsumme zu bezahlen haben.[11] Befehle zur Ausweisung, die nicht durchgeführt oder widerrufen wurden, kamen im 16. und 17. Jahrhundert übrigens sehr häufig vor.

Die wirtschaftliche Not der Stadt vergrößerte sich im Verlauf des Dreißigjährigen Krieges. In einem Bericht aus dem Jahr 1640 schildert ein Wahlkommissär die triste Situation der Stadtbevölkerung und gibt zwei Faktoren die Hauptschuld daran: Die Schloßherrschaft verkaufe Salz im Schloß und schenke Wein aus, ohne Steuern zu bezahlen; und die jüdische Bevölkerung in Niederthal übe alle möglichen Gewerbe aus und schädige so die städtischen Gewerbetreibenden. Außerdem kauften die Juden den Bauern aus der Umgebung, die ihre Produkte in die Stadt liefern wollen, die Güter ab und verkauften diese dann um viel höhere Beträge an die ohnehin verarmte Stadtbevölkerung.[12]

Doch darf man sich nicht eine zahlenmäßig große Gruppe jüdischer Bewohner vorstellen: 1640 lebten neun jüdische Hausbesitzer in Niederthal.[13] Im Jahre 1650 listet ein Verzeichnis für Waidhofen 101 jüdische Personen auf, die in 22 Familien zusammenlebten.[14] Andere Angaben weisen auf je 18 Familien in den Jahren 1652, 1662 und 1666 hin, wobei hier noch die Familien aus Waidhofen und Weitra zusammengezählt sind. 1669 schließlich wurden in Waidhofen, Dobersberg und Groß-Taxen zusammen 22 jüdische Familien erfaßt.[15] Die ständigen Klagen der Waidhofener Bürger, daß sich die Juden *immer noch durch Zuzug vermehren*[16], fußen demnach auf keiner objektiven Statistik. Im Jahr 1655 ist in einem Bericht die Zahl von 104 in Waidhofen lebenden Juden angegeben.[17]

---

[8] Nach Rauscher (wie Anm. 6) S. 92.

[9] Vgl. Plesser (wie Anm. 1) S. 220-225.

[10] Ebenda, S. 312.

[11] Vgl. Leopold Moses, Die Juden in Niederösterreich (Wien 1935) S. 23.

[12] Siehe Plesser (wie Anm. 1) S. 228 f.

[13] Nach Rauscher (wie Anm. 6) S. 92.

[14] Vgl. Rauscher (wie Anm. 6) S. 93 sowie Plesser, Anm. 1, S. 239. Vgl. die Liste jüdischer Bewohner 1650 im Anhang, worin 100 Personen aufscheinen.

[15] Siehe Moses (wie Anm. 11) S. 84.

[16] Rauscher (wie Anm. 6) S. 93.

[17] Nach Plesser (wie Anm. 1) S. 240.

Abb. 170: Waidhofen/Thaya mit der Vorstadt Niederthal, Kupferstich von G. M. Vischer, 1672

Interessant sind in diesem Zusammenhang die Berufe der Juden. 1653 nannte die Bürgerschaft in einer Beschwerde folgende Tätigkeiten: *Diese handeln mit Silbergeschmeide, goldenen Ringen, Seidenwaren, Kleinodien, Schmuck und Perlen, Zeug, Tüchern, Leinwand und Kleidern, Spitzen und Borten, Garn und Flachs, Schmalz, gearbeitetem und ungearbeitetem Leder, Honig, Wachs, Zinn, Messing, Kupfer und Eisengeschirr, Wein, Bier und Branntwein.* [18] Aus einer anderen Quelle ergibt sich, daß zumindest ein jüdischer Bewohner auch Darlehen vergab[19]; in einem Aufsatz werden ohne Quellenangabe zwei weitere Darlehensgeber erwähnt.[20] Diese vielfältigen Tätigkeiten der Waidhofener Juden waren allerdings nur möglich, weil sie den Schutz der Herrschaft Waidhofen genossen. Interessant erscheint auch der Hinweis auf den Lederhandel; an der Thaya befanden sich seit dem Spätmittelalter die Waidhofener Gerber und Ledererzeuger, wovon bis zum heutigen Tag der Name „Lederergasse" zeugt. Bezüglich des Bierhandels findet sich in derselben Quelle der Hinweis, daß die Schloßherrschaft durch ihr Bräuhaus die Stadt schädige — vielleicht verkauften die von der Herrschaft abhängigen Waidhofener Juden das im herrschaftlichen Bräuhaus gebraute Bier. Der Schloßherrschaft wurden übrigens auch weitere für die Stadt schädliche Handlungen vorgeworfen: Salzhandel, Brotverkauf durch Bäcker aus der benachbarten Marktgemeinde Thaya, Errichtung einer Hofschmiede.[21]

---

[18] Ebenda, S. 239.

[19] Vgl. Philipp Georg G u d e n u s, Heimatkundliche Kurzberichte. In: Das Waldviertel 21 (1972) H. 3, S. 151 f.

[20] Siehe R a u s c h e r (wie Anm. 6) S. 94.

[21] P l e s s e r (wie Anm. 1) S. 239.

In derselben Quelle wird aber noch auf eine weitere Berufstätigkeit der Waidhofener Juden eingegangen: *Auch kaufen sie mattes und halbtotes Vieh ,um einen Spott' und hacken das schädliche Fleisch sehr wohlfeil aus; bis Sonnenuntergang warten sie an den Stadttoren und Gassen auf die Landleute, um ihnen die Lebensmittel abzukaufen, nehmen auch entfremdete Sachen, handeln mit Getreide und Körnern und schädigen die Stadt an Maut und Zoll...* In vielen Orten des damaligen Erzherzogtums unter der Enns übten Juden das Fleischhauergewerbe aus, ohne freilich in die Zunft aufgenommen worden zu sein. „Die Ausübung dieses Gewerbes war teilweise religiösen Bedürfnissen entsprungen und diente der Versorgung der Juden selbst mit rituell geschlachtetem Fleisch."[22] Da der Fleischbedarf in kleineren jüdischen Gemeinden gering war, wollten diese Fleischhauer auch für die christliche Bevölkerung ihre Dienste anbieten. Nach dem Dreißigjährigen Krieg aber stellten in der herrschenden Notzeit die jüdischen Fleischhauer eine unliebsame Konkurrenz dar, vor allem wenn diese auch den Bauern der Umgebung das Fleisch abkauften, bevor es in die Stadt kam. Deshalb richteten die Fleischhauer des gesamten heutigen Niederösterreichs 1660 eine Eingabe an die Hofkammer, wonach den Juden auf dem Land keine Schlachtbefugnis erteilt werden solle. Unter anderem hieß es in diesem Schreiben: *Wo Juden Fleischhacker sind, werden die übrigen ruiniert... in Waidhofen besteht nun von vier christlichen Fleischhackern nur mehr einer...*[23]

In einem Patent ordnete Kaiser Leopold I. 1669 an, daß die Verantwortlichen *dergleichen Fürkhäuffer, Stöhrer und Fleischhackher, sowohl Christen als Juden, welche... an unbefugten orthen... das Fleisch haimblich oder öffentlich ausshacken, auch sogar ausssrueffen lassen und verkhauffen...*[24] nicht zulassen sollten. Bemerkenswert erscheint mir in diesem Patent, daß offensichtlich nicht nur Juden, sondern auch Christen sich derartiger Usancen bedienten — die Fleischhauerzunft aber nur gegen die Juden vorging. Die Angst vor der Konkurrenz war es offenbar, die die jüdischen Händler in den Augen der christlichen Stadtbevölkerung verdächtig machte. Einem Historiker ist dies nicht aufgefallen, als er schrieb, daß den Juden „die militärischen Durchmärsche und Einquartierungen günstige Gelegenheit boten, einträgliche Geschäfte zu machen"[25] — die städtische Bevölkerung aber gerade diese Einquartierungen als eine Ursache der mißlichen wirtschaftlichen Situation betrachtete.

Die jüdische Bevölkerung Waidhofens hatte im 17. Jahrhundert somit unter dem Schutz der Schloßherrschaft in einem Teil der Vorstadt Niederthal eine Bleibe begründet, wobei auch eine Schule und ein Friedhof beim herrschaftlichen Meierhof für die jüdischen Bewohner vorhanden waren.[26] Angeblich soll in der Schule auch eine Synagoge gewesen sein, was zumindest einsichtig wäre.[27] Das Leben dieser Menschen in Waidhofen endete mit dem allgemeinen Ausweisungsbefehl aller im Erzherzogtum Österreich unter der Enns wohnhaften Juden durch Kaiser Leopold I. im Jahr 1670. Der Termin, bis zu dem alle Juden

---

[22] Moses (wie Anm. 11) S. 101.

[23] Ebenda, S. 102 f.

[24] Zitiert nach Moses (wie Anm. 11) S. 103.

[25] Rauscher (wie Anm. 6) S. 94.

[26] Vgl. Plesser (wie Anm. 1) S. 325.

[27] Vgl. Leopold Moses, Synagogenbauten und deren Reste in Niederösterreich. In: Unsere Heimat 10 (1932) S. 306. Vgl. dazu auch Gerhard Eberl / Pierre Genée, Jüdische Baudenkmäler in Waidhofen an der Thaya. In: David — Jüdische Kulturzeitschrift 6 (1994) Nr. 23, S. 24-25 und 35. Für den freundlichen Hinweis danke ich Herrn Winfried Dimmel (Waidhofen an der Thaya).

das Land verlassen sollten, war der 15. November[28], wurde aber schließlich auf Ostern 1671 verschoben.[29] So mußten die Waidhofener Juden ihre Häuser in Niederthal verlassen. Die Schule wurde in eine herrschaftliche Taverne umgewandelt, der jüdische Friedhof blieb aber zumindest noch bis 1694 erhalten.[30] Es ist anzunehmen, daß die Waidhofener Juden — so wie die meisten ihrer Glaubensgenossen — nach Böhmen und Mähren gezogen sind. Nachrichten darüber sind aus Pirnitz und Neuhaus[31] bekannt, in der Literatur[32] werden Prag, Altstadt, Piesling, Jamnitz und Schaffa erwähnt. Es mutet eigenartig an, daß im selben Jahr 1671 Kaiser Leopold I. dem Grafen Sprinzenstein und seinem Haus einige Privilegien erteilte, worunter auch das Recht war, „Juden aufzunehmen"![33]

Im 18. und frühen 19. Jahrhundert dürften keine Juden in Waidhofen gelebt haben. Nicht geendet hatte aber ein gewisser geschäftlicher Verkehr zwischen den südmährischen Juden und Waidhofen. Doch auch in diesen Jahrzehnten wurde immer wieder deren Geschäftstätigkeit durch die Stadtgemeinde eingeschränkt. Angeblich benützten die jüdischen Händler für ihre Reisen nach Waidhofen den sogenannten „Judensteig", der von Piesling/Pisečné über Neuriegers, Thures, Münchreith, Griesbach, Jarolden und die Stoißmühle nach Waidhofen führte. In der Stadt sollen sie gerne im Gasthaus „Zum goldenen Stern" in der Böhmgasse eingekehrt sein.[34]

Erst der Durchbruch des Liberalismus in der zweiten Hälfte des 19. Jahrhunderts machte es möglich, daß 1882 in Waidhofen an der Thaya eine jüdische Gemeinde gegründet werden konnte.[35]

II. Das 19. und 20. Jahrhundert*

Das politische Umfeld nach 1850

Die Ackerbürgerstadt Waidhofen an der Thaya übte für Handel und Gewerbe im oberen Waldviertel eine Mittelpunktfunktion aus. Dazu kam ihr als Pfarrgemeinde und Dekanatsmittelpunkt bedeutender Einfluß zu. Diese zentralörtliche Funktion hatte sich mit der Gründung öffentlicher Verwaltungsstellen im Jahre 1850 verstärkt. Der Stadt kamen dadurch bedeutende Aufgaben zu, wenn man bedenkt, daß zum politischen Bezirk Waidho-

---

[28] Siehe bei Plesser (wie Anm. 1) S. 241.

[29] Vgl. Moses (wie Anm. 11) S. 81.

[30] Nach Moses (wie Anm. 11) S. 116 und 149 sowie Plesser (wie Anm. 1) S. 241 und S. 320.

[31] Siehe bei Moses (wie Anm. 11) S. 11.

[32] Bei Rauscher (wie Anm. 6) S. 95.

[33] Plesser (wie Anm. 1) S. 317.

[34] Vgl. Rauscher (wie Anm. 6) S. 95.

[35] Siehe Pierre Genée, Synagogen in Österreich (Wien 1992) S. 82.

*) Mein besonderer Dank gilt Herrn Bezirkshauptmann wirkl. Hofrat Dr. Gerhard Proißl für die Bewilligung zur Einsichtnahme in die Akten des Archives der Bezirkshauptmannschaft Waidhofen an der Thaya und die gewährte Unterstützung durch Herrn Bürodirektor Herbert Tüchler. Für die Besorgung der Grundbuchauszüge danke ich Herrn Abteilungsleiter i. P. Johann Litschauer. Ebenso bedanke ich mich bei folgenden Personen: Frau Maria Pany, Frau Maria Schubert, Frau Anna Urikow, Frau Ilse Dangl, Frau Josefine Anibas, Herrn RegRat Rudolf Blei, Herrn HR Mag. Rudolf Steiner, Herrn Oskar Buschek sen., Herrn Franz Brinnich, Herrn Günther Hahnl und Herrn Konrad Winkelbauer für mündlichen Mitteilungen.

fen an der Thaya große Teile des heutigen Bezirkes Gmünd zählten. Erst im Jahr 1899 verlor der Bezirk Waidhofen an der Thaya mit den Städten Litschau, Heidenreichstein, Schrems, Gmünd und Umgebung mehr als die Hälfte seiner Bevölkerung. Gerade diese Orte hatten sich im 19. Jahrhundert neben Groß Siegharts zu Zentren der Textilindustrie entwickelt.[36]

Als eine der Bürgerstädte unseres Landes war Waidhofen an der Thaya aber auch das Zentrum deutschnationaler Einstellung der Bevölkerung, aus der sich später eine — allerdings gemäßigte — nationalsozialistische Gesinnung entwickelte. Durch die ab Mitte des vorigen Jahrhunderts hier wirkenden Beamten, Ärzte, Lehrer, Notare und Rechtsanwälte sowie durch aufgeschlossene Bürger bzw. Bürgermeister, die vielfach aus Südmähren oder -böhmen kamen, war die Liberale Partei die bestimmende Kraft in der Stadtpolitik.[37]

Im Waldviertel war besonders der Rosenauer Schloßherr Georg Ritter von Schönerer ein Judenhasser (Abb. 34). Seine Einstellung als Antisemit wirkte sich auch in Waidhofen an der Thaya aus, zog er doch von Ort zu Ort, von Stadt zu Stadt und hielt Versammlungen ab, unterstützte Schulen, stiftete Büchereien und Gedenktafeln.[38] Wo er nur konnte, schürte er den Unfrieden. Er nützte auch die Abneigung breiter Bevölkerungsschichten gegen den Slawismus, im besonderen gegen die Tschechen, geschickt für seine großdeutsche Idee aus. Die Judenhatz ging soweit, daß Schönerer zum Beispiel für den 15. Mai 1887 zu einem „Antisemiten — Tag" nach Waidhofen an der Thaya in den Saal des Hotels Tiefenböck einlud.[39]

Ein entschiedener Gegner von Schönerer war der Waidhofner Gymnasialprofessor Karl Riedel. Er gründete im Jahre 1886 die Zeitung „Waldviertler Nachrichten", ein freisinniges, kirchenfeindlich ausgerichtetes Blatt. Es erschien zweimal im Monat. Nach einem Ehrenbeleidigungsprozeß mit Schönerer, den Prof. Riedel verlor, ging die Zeitung nach drei Jahren wieder ein.

Schon ab 1880 machten sich die Schönerianer bemerkbar, die lautstark Antisemitismus predigten. 1886 wurde der Waidhofner Notar Theodor Dobler, der für den Waldviertler Städtebezirk als Vertreter der Liberalen Reichsratsabgeordneter war, nach Gmunden versetzt. In einem Schreiben vom 28. Dezember 1886 an die Gemeindevertretung legte er weitere Gründe, die zu seinem Rücktritt führten, ausführlich dar.[40] Um die Nachfolge entbrannte ein schmutziger Wahlkampf. Ritter von Schönerer förderte für seine deutschnationale Partei den Kremser Ernst Vergani. Die gemäßigten Liberalen stellten den Groß Sieghartser Fabrikanten Kuno Wolff als Kandidaten auf. Die „Waldviertler Nachrichten" vom 15. April 1887 schrieben nach einer Rede Verganis in Waidhofen/Thaya[41]: ... *Herr Vergani sprach — in Ton und Haltung vollständig seinem Herrn und Meister copierend* (gemeint ist Schönerer) *— von Schwindel und Foppen in der Regierung, im Parlamente, sprach von jüdischer Frechheit, jüdischer Aufdringlichkeit und schließlich gar von jüdischen Juden. Unerschrocken werde er in der Bekämpfung des jüdischen Einflusses vorgehen.* Der Schreiber

---

[36] Vgl. Eduard Führer, Vom Josephinismus ins 20. Jahrhundert. In: Harald Hitz (Hg.), Waidhofen an der Thaya. Werden und Wandel einer Stadt (Waidhofen/Thaya 1980) S. 58-89, bes. S. 60 ff.

[37] Siehe Chronik der Stadt Waidhofen, angelegt 1882.

[38] Plesser (wie Anm. 1) S. 251. 1881 wurde eine Gedenktafel mit dem Relief des Volkskaisers Joseph II. mit Pflug am Rathaus Waidhofen angebracht.

[39] Vgl. Waldviertler Nachrichten („WN") Nr. 9 / 1887 S. 7.

[40] Vgl. „WN" Nr. 1 / 1887 S. 1 und 2.

[41] Vgl. „WN" Nr. 9 / 1887 S. 3.

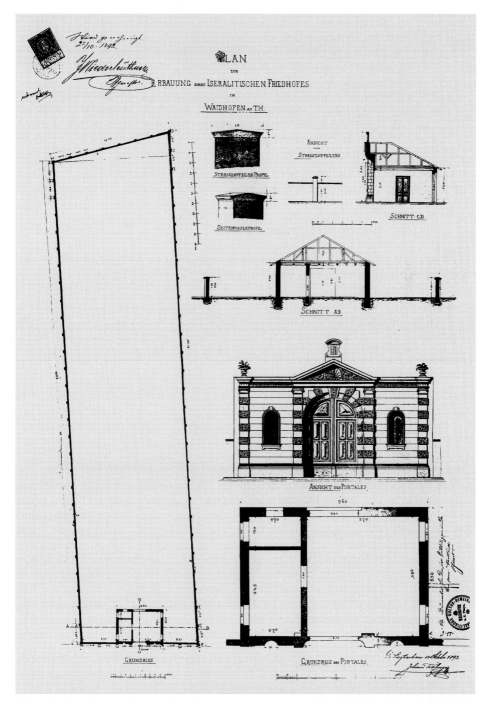

Abb. 171: Plan für den jüdischen Friedhof, Johann Freiberger, 1892; Waidhofen/Thaya, Archiv des Bauamtes der Gemeinde

des Zeitungsartikels meint dazu: *Was verstehen Sie dann eigentlich unter SEMITISMUS, die jüdische Religionslehre? und in einem Absatz weiter: Die jüdische Nationalität? Seit 1800 Jahren der staatlichen Grundlagen beraubt, in aller Herren Länder zerstreut, bilden die Juden keine Nation mehr, sie sprechen in Deutschland — deutsch, in Frankreich — französisch und nirgends mehr hebräisch.*

In Waidhofen an der Thaya fällt auf, daß die Schönerer-Partei unter den Müllern und Bäckern viele Anhänger hatte. Vielleicht hing dies mit dem verstärkten Handel mit Getreide und Mehl der Waidhofner Juden zusammen. Sie sollen auch mit ungarischem Mehl gehandelt haben. Ein besonderer Hinweis findet sich in der Stadtchronik, wo es unter 25. September 1890 um die Wahl des Bezirkskandidaten in den niederösterreichischen Landtag geht: *Der hiesige Landgemeindebezirk wählt einen Abgeordneten für den nö. Landtag. Um dieses Mandat bewerben sich: Der Bürgermeister Johann Schiefer von Gr. Siegharts (liberal) und die drei Antisemiten: Der Bürgermeister Franz Pilz von Gmünd, der Bäckermeister Franz Binder von Waidhofen und der Gastwirth Richard Löffler von Eisgarn. Mit großer Majorität wird Franz Pilz gewählt.*[42] Die Herren Pilz und Binder waren beide Bäckermeister.

Bei der Wahl am 14. April 1887 zog Vergani mit drei Stimmen Vorsprung in den Reichsrat ein. Beim Ergebnis sind Krems, Langenlois und auch Waidhofen Hochburgen der Schönerer-Partei. Hingegen erhielt Wolff in Zwettl und Horn doppelt soviel Stimmen wie Vergani; Groß Siegharts verzeichnete keine einzige Stimme für den Schönerer-Kandidaten. Durch diesen Kampf der beiden politischen Gruppen im liberalen Lager setzte sich letzten Endes der Antisemitismus durch, fuhr doch der Wiener Bürgermeister Dr. Lueger mit seiner „Christlichsozialen Partei" bald die gleiche Schiene und predigte den Antisemitismus.[43]

Es fehlte in Waidhofen auch nicht an Witzen zur Judenfrage. Ein Beispiel: *A fragt: „Wissen Sie, daß hier für die Semiten riesige Propaganda gemacht wird?" B neugierig: „Kein Sterbenswörtlein! Ja, wieso denn?". A erklärend: „Ist nicht die ganze Vestenöttinger Allee — beschnitten — worden?"* (Vestenötting war ein beliebter Ausflugsort außerhalb Waidhofens.)

Die Organisationen der jüdischen Gemeinde in Waidhofen an der Thaya

Wie bereits erwähnt, stellten sich erst um das Jahr 1860 wieder jüdische Familien in Waidhofen ein.[44] Eine eigene jüdische Gemeinde gab es seit dem Jahre 1882, sie umfaßte die heutigen politischen Bezirke Waidhofen, Gmünd (natürlich einschließlich jener vierzehn Gemeinden, die nach dem Friedensvertrag von Saint-Germain an Tschechien fielen) und Zwettl mit Pöggstall[45].

Das Gesetz vom 21. März 1890, R. G. B. Nr. 57, regelte die Gründung und das Wirken der israelitischen Cultusgemeinden. Die „Statuten für die israelit. Cultusgemeinde in Waidhofen an der Thaya" haben sich erhalten und wurden am 18. März 1896 unter der Zahl 21204 vom k. k. n.ö. Statthalter genehmigt. Im Abschnitt 1 § 2 heißt es: *Jeder Israelite, welcher im oben berechneten Sprengel der Cultusgemeinde seinen ordentlichen Wohnsitz hat,*

---

[42] Vgl. „WN" 13 / 1887 S. 2 und 14 / 1887, genannt werden „Binder-Bäcker, Gabler- und Appel-Müller". Vgl. auch Stadtchronik Waidhofen/Thaya 1890.

[43] Vgl. „WN" 9 / 1887 S. 2.

[44] Vgl. Eberl/Genée (wie Anm. 27) S. 24.

[45] Vgl. Jüdisches Jahrbuch für Österreich (1932) S. 82.

ist Angehöriger der Cultusgemeinde, im § 3 *Aufgabe der Cultusgemeinde ist, innerhalb der durch die Staatsgesetze gezogenen Grenzen für die Befriedigung der religiösen Bedürfnisse ihrer Mitglieder zu sorgen und die durch diesen Zweck gebotenen Anstalten zu erhalten und zu fördern. Insbesondere sorgt die Cultusgemeinde:*

a) für den Bestand und die Erhaltung der nöthigen gottesdienstlichen Anstalten und Einrichtungen, für die regelmäßige Abhaltung des Gottesdienstes, und zwar mindestens an jedem Sabath und an den israelitischen Festtagen und für die Vornahme der rituellen Schlachtungen;
b) für die Anstellung und Besoldung des Rabbiners und der übrigen Religionsdiener, sowie der sonst erforderlichen Gemeindefunktionäre;
c) für die Ermittlung eines geregelten Religionsunterrichtes (§ 56);
d) für den Bestand und die Erhaltung eines confessionellen Friedhofes, sowie für die dem Ritus entsprechende Beerdigung der Verstorbenen, unbeschadet der diesbezüglichen Vorschriften;
e) für den Bestand einer Armenunterstützungskasse, sowie der sonstigen Wohltätigkeitsanstalten der Cultusgemeinde.

Insgesamt enthalten die von der Waidhofner Druckerei des „Wenzl Ruth" gedruckten Statuten XVI Abschnitte mit 80 Paragraphen. Darin ist alles geregelt — vom Religionsunterricht bis zu den Taxen und Gebühren für Trauungen und Grabstellen[45] (Abb. 172-174).

Gemeindeprotokoll und Pfarrchronik aus 1892 berichten über die von den politischen Behörden erteilte Bewilligung zur Gründung einer Israelitischen Kultusgemeinde für die in den Bezirken Waidhofen und Zwettl wohnenden Israeliten mit dem Sitz in Waidhofen an der Thaya. Pfarrer Eichmayer vermerkt: *Derselben israelitischen Kultusgemeinde wurde auch die Errichtung eines jüdischen Friedhofes in Waidhofen gestattet und zwar leider vis-à-vis unserem katholischen Gottesacker*[46] (Abb. 171).

Ein Bethaus wurde im Hause Nr. 96 (Niederleuthnerstraße 5) im ersten Stock des Hoftraktes des Geschäftshauses errichtet. Der Hauseigentümer war Hugo Stukhart, der Vizepräsident der Israelitischen Kultusgemeinde.[47] Aus dem Jahre 1929 liegt ein Plan vor, der das Bethaus näher zum Stiegenhaus rückte[48] (Abb. 176). Ursprünglich wurde die Synagoge im Jahre 1896 durch den Rabbiner Dr. D. Löwy eingeweiht. In der Zwischenkriegszeit versah Dr. M. G. Mehrer aus Wien die rabbinischen Funktionen, und Alfred Neufeld aus Horn war Religionslehrer.

Die jüdische Gemeinde umfaßte laut Volkszählung im Jahre 1890 bei 2175 Einwohnern der Stadt (einschl. Vorstädte) 55 Israeliten, zehn Jahre vorher waren es noch 79 gewesen. 1900 zählte man bei 2399 Einwohnern 57 Israeliten, und 1910 hatte die Stadt 2610 Katholiken, 46 Israeliten und 14 Protestanten.[49]

Das Leben der Juden in der Stadt

Über das Leben der jüdischen Gemeinde ist wenig überliefert. In Nachforschungen bei älteren Bürgern konnten sich diese nur in Bruchstücken an die Zeit vor 1938 erinnern.

---

[46] Archiv des Heimatmuseums Waidhofen an der Thaya, 33 Seiten.

[47] Pfarrgedenkbuch Waidhofen an der Thaya, Ansuchen wegen Friedhof auf Parzelle Nr. 1237, sowie Genehmigung in der Gemeinderatssitzung vom 4. 8. 1892.

[48] Stadtamt Waidhofen an der Thaya, Bauabteilung, ohne Inv. Nr.

[49] Wie Anm. 44 und Anm. 45.

Statuten

für die

israelit. Cultusgemeinde

in

Waidhofen a. d. Thaya.

❦

Eigenthum und Verlag der israelitischen Cultusgemeinde.

Druck von W. Ruth in Waidhofen a. d. Thaya.

Abb. 172: Statuten der Israelitischen Kultursgemeinde Waidhofen/Thaya, 1896; Waidhofen/Thaya, Archiv des Heimatmuseums

Statuten

für die

israelitische Cultusgemeinde in Waidhofen an der Thaya.

Abschnitt I.

Gebiet der Cultusgemeinde und Sitz des Vorstandes.

§. 1.

Die israelitische Cultusgemeinde Waidhofen an der Thaya umfaßt die politischen Bezirke Waidhofen an der Thaya und Zwettl.

Der Vorstand hat seinen Sitz in Waidhofen an der Thaya.

§. 2.

Jeder Israelite, welcher im oben bezeichneten Sprengel der Cultusgemeinde seinen ordentlichen Wohnsitz hat, ist Angehöriger der Cultusgemeinde.

Abschnitt II.

Aufgabe der Cultusgemeinde.

§. 3.

Aufgabe der Cultusgemeinde ist, innerhalb der durch die Staatsgesetze gezogenen Grenzen für die Befriedigung der religiösen Bedürfnisse ihrer Mitglieder zu sorgen und die durch diesen Zweck gebotenen Anstalten zu erhalten und zu fördern.

— 30 —

Die zwangsweise Einbringung der statutenmäßig auferlegten Cultusbeiträge erfolgt nach fruchtloser Einmahnung zur Zahlung im Wege der politischen Execution, welche bei der zuständigen politischen Bezirksbehörde anzusprechen ist.

Taxen und Gebüren für Trauungen.

§. 76.

I. Classe: Loco.		I. Classe: Auswärts.	
Rabbiner	20 fl.	Rabbiner	8 fl. — kr.
Cantor	10 fl.	Cantor	4 fl. — kr.
Diener	5 fl.	Diener	2 fl. — kr.
Gemeinde	15 fl.	Gemeinde	6 fl. — kr.
zusammen	50 fl.	zusammen	20 fl. — kr.

II. Classe: Loco.		II. Classe: Auswärts.	
Rabbiner	10 fl.	Rabbiner	4 fl. — kr.
Cantor	6 fl.	Cantor	3 fl. — kr.
Diener	2 fl.	Diener	1 fl. — kr.
Gemeinde	12 fl.	Gemeinde	4 fl. — kr.
zusammen	30 fl.	zusammen	12 fl. — kr.

III. Classe: Loco.		III. Classe: Auswärts.	
Rabbiner	5 fl.	Rabbiner	2 fl. 50 kr.
Cantor	3 fl.	Cantor	1 fl. 50 kr.
Diener	1 fl.	Diener	1 fl. — kr.
Gemeinde	3 fl.	Gemeinde	— fl. — kr.
zusammen	12 fl.	zusammen	5 fl. — kr.

Die Veranlagung und Bemessung der Trauungs-Taxen geschieht mit Rücksicht auf die Vermögensverhältnisse der Parteien und erfolgt durch den Cultusvorstand, demnach ist die Meistgebür für eine Trauung in Loco 50 fl. und die Mindestgebür von 12 fl.; für Trauungen von Gemeindeangehörigen außerhalb des Gemeindegebietes ist eine Mindestgebür von 5 fl. und eine Meistgebür von 20 fl. zu entrichten.

Für das 3malige Eheaufgebot ist die Gebür von 2 fl. zu entrichten.

— 31 —

Werden die Functionäre nach Auswärts verlangt, müssen nebst den specificierten Loco-Gebüren auch die Reisespesen, wie nachfolgend verzeichnet, vergütet werden u. zw.:

Von Waidhofen a. d. Th. bis zur Entfernung von 10 Km. per 1 Km. 20 kr.

" bis zur Entfernung bis zu 20 Km. per 1 Km. 15 kr.

" von 20 Km. aufwärts per 1 Km. 10 kr.

1. Für Grabstellen am Friedhofe zu Waidhofen a. d. Th. ist für Kinder bis zu 12 Jahren eine Gebür von 1 fl., für Leichen von 12 Jahren aufwärts 2 fl. zu entrichten, exclusive der Gebür an den Todtengräber für Leichen bis 12 Jahren 2 fl. über 12 Jahre 4 fl.
2. Für eine Grabstelle, die ein Cultusgemeinde-Mitglied in der Reihenfolge, in der bereits Leichen bestattet sind, als Eigenthumsgrab voranzukaufen wünscht, ist eine Gebür von 15 fl., — dagegen ist für eine Grabstelle, die ein Cultusgemeinde-Mitglied auf speciellen Wunsch in der nächstfolgenden Gräberreihe ankaufen will, so zwar, dass dieses Grab Nr. 1 bilden sollte, (jede Gräberreihe beginnt mit Nr. 1) eine Gebür von 40 fl. zu bezahlen.
3. Für Fremde, der Cultusgemeinde nicht angehörend, ist für eine Grabstelle in der Reihenfolge der Betrag von 30 fl., und für eine Gruft die doppelte Gebür zu bezahlen.
4. Sämmtliche Friedhofs-Einnahmen fallen dem hiesigen Vereine Chevra Kaddischa zu, wofür letztere verpflichtet ist, arme Leichen auf Vereinskosten zu bestatten.
5. Mitglieder, welche dem Vereine Chevra Kaddischa in Waidhofen an der Thaya angehören, haben für Grabstellen in der Reihenfolge keine Gebür zu entrichten; dagegen haben die im Punkte 2 getroffenen Bestimmungen auch für Vereinsmitglieder Giltigkeit.

Abb. 173 und 174: Erste Seite der Statuten und Trauungsgebühren sowie Friedhofsregelung

Schriftliche Quellen sind dürftig.[50] Im Pfarrgedenkbuch finden wir im Jahr 1894 folgenden Hinweis: *Am 5. September Abends brennt hier der „Judenstadl" ab, gehörig dem israel. Heute- und Hadernhändler David Fürst. Schaden angeblich 15 000 fl, denen eine Versicherung von 10 000 fl gegenüberstehen.*[51]

Als die Stadtväter am 13. Dezember 1894 über den Ankauf des „Rauther-Hauses"[52], welches beim heutigen Geschäft Schubert in der Niederleuthnerstraße stand, abstimmten, verhielt sich der Bürgermeister neutral, Dr. Aigner war dagegen und GR Schmid befürchtete, daß das Rauther-Haus in eine Synagoge umgewandelt werden könnte. Das Haus wurde angekauft und demoliert.[53] Am 20. Oktober 1896 heißt es: *Der Advokat Dr. S. Kaufmann, ein Israelite aus Wien, übersiedelt hierher und eröffnet eine Advokatenkanzlei.*[54]

Als Gegenpol zu den jüdischen Händlern mit Viktualien, besonders mit Mehl und Getreide, erfolgte am 2. März 1899 die Gründung eines landwirtschaftlichen Vereines für die Stadt- und Pfarrgemeinde Waidhofen an der Thaya. Der erste Obmann war der pensionierte Schuldirektor Rössler.[55]

Besonders arg trafen die Bevölkerung der Stadt ab 1916 die Auswirkungen des Krieges. Der Stadtchronist, Oberlehrer Josef Rotter, schildert sehr anschaulich den Kampf ums tägliche Brot, ums Überleben. Die Behörde griff hart durch, indem sie rücksichtslos alle Bauern, die die Ablieferungspflicht umgehen wollten und beim Schwarzhandel ertappt wurden, bestrafte und ihre Namen im Amtsblatt veröffentlichte. Oft war die halbe Bevölkerung mancher Ortschaften vertreten. In Waidhofen/Thaya waren auch jüdische Kaufleute in den Schwarzhandel verwickelt. Ein krasser Fall sei herausgegriffen.[56] Nach dem Ende des Ersten Weltkrieges wurde als Gegenstück zu den Arbeiter- und Soldatenräten ein Bürgerrat für die Stadt Waidhofen aufgestellt. Es ging dabei auch darum, den Schleichhandel zu bekämpfen. Obwohl die Schleichhändler der Bezirkshauptmannschaft gemeldet wurden, blieb diese, zum Verdruß der Bürger, passiv. Der Wiener Jude Orenstein, ein Viehhändler, erregte besonders die Gemüter der Waidhofner. Seine Geschäfte endeten kurz und aufregend. Der hungernden Bevölkerung war aufgefallen, daß Orenstein ohne Berechtigung Vieh aufkaufte, es im Gasthause „Zum Löwen" unterbrachte, um es nach Wien zu bringen und für viel Geld dort abzusetzen. Dies erregte großen Unwillen, und als sich eines Tages die Kunde verbreitete, daß am Bahnhof zwei leere Waggons stünden, um Orensteins Fleischsendung aufzunehmen, hatte sich rasch eine Menschenmenge versammelt. Sie drang in das Haus ein, durchsuchte alle Räume, fand Vieh, Fleisch und Würste — nur Orenstein fand sie nicht, er war geflohen. Abschließend meint der Chronist: *Der Haß der Unzu-*

---

[50] Vgl. Plesser (wie Anm. 1) S. 255 und S. 256.

[51] Die offiziellen Chroniken schweigen sich über das Leben der jüdischen Bevölkerung aus.

[52] In Pfarrgedenkbuch und Stadtchronik gleichzeitig enthalten, da zu dieser Zeit Pfarrer Eichmayer beide Chroniken führte.

[53] Es war nach dem letzten Besitzer, den Buchhändler Rauther, benannt. Ursprünglich war es ein Haus für Benefiziaten, das den Gottesacker an der östlichen Seite abschloß. Das Haus hatte einen torbogenartigen Durchgang. Da das Haus eine Engstelle der Schulgasse (heute Niederleuthnerstraße) bildete, wurde es im Sommer 1895 demoliert. Siehe Pfarrgedenkbuch, Stadtchronik, sowie Eduard Führer, Waidhofen in alten Ansichten (Waidhofen/Thaya 1986) Rauther-Haus.

[54] Gemeinderatsprotokoll vom 13. 12. 1894.

[55] Stadtchronik. Dr. Kaufmann tritt allerdings in keinerlei Quellen in Erscheinung.

[56] Siehe Stadtchronik 1918/19.

312

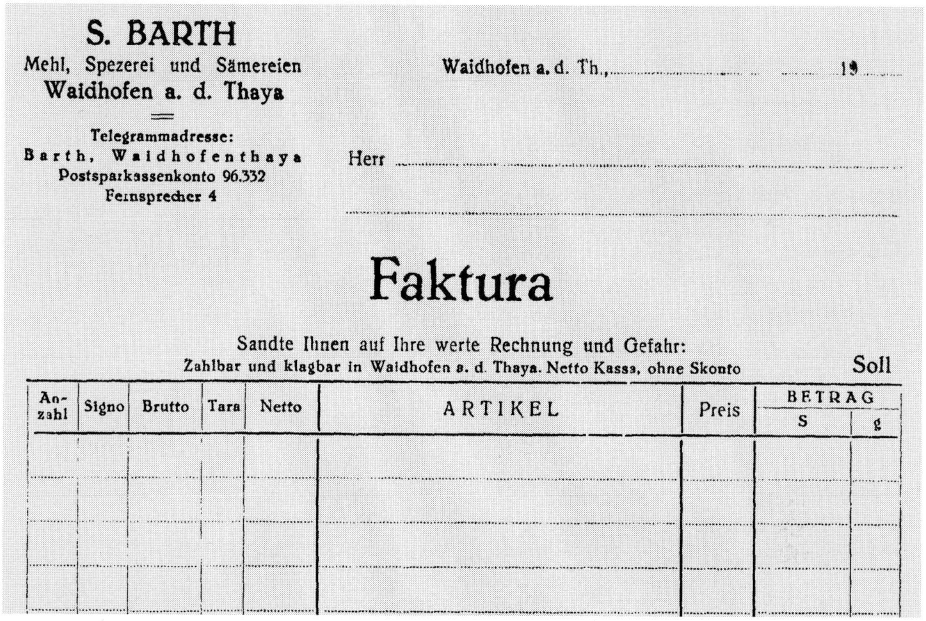

S. BARTH
Mehl, Spezerei und Sämereien
Waidhofen a. d. Thaya

Telegrammadresse:
Barth, Waidhofenthaya
Postsparkassenkonto 96.332
Fernsprecher 4

Waidhofen a. d. Th., ... 19 ....

Herr ....

....

Faktura

Sandte Ihnen auf Ihre werte Rechnung und Gefahr:
Zahlbar und klagbar in Waidhofen a. d. Thaya. Netto Kassa, ohne Skonto

Soll

An-zahl	Signo	Brutto	Tara	Netto	ARTIKEL	Preis	BETRAG	
							S	g

Abb. 175: Firmenpapier von Samuel Barth, um 1930; Waidhofen/Thaya, Archiv des Heimatmuseums

friedenen richtete sich dann, ob mit Recht oder Unrecht — das Urteil bleibt jedem überlassen —, gegen die Person des Hauseigentümers.[57]

Noch ein Fall aus jener Zeit ist aufgezeichnet: *Heute wurden für den Heiligen Abend vor dem Rathaus Fische zum Preise von 15 Kronen per Kilo an die Bevölkerung abgegeben. Die Juden wurden vom Bezuge mit der Begründung ausgeschlossen, daß sie erstens keine Christfeiern haben und zweitens bezogen sie zu ihren letzten Osterfeiertagen weißes Mehl zur Bereitung von Mazzes, während die Katholiken dieser behördlichen Wohltat, weißes Mehl zu den Osterfeiertagen zu empfangen, nicht teilhaftig wurden.*[58]

Bei der Gemeinderatswahl im Jahre 1919 in Waidhofen war die Deutschnationale Partei vor den Sozialdemokraten als stärkste Fraktion hervorgegangen, gefolgt von den Christlichsozialen.[59] Die Ortsgruppe der NSDAP erreichte im Jahre 1933 vier Mandate. Auf Grund des Verbotsgesetzes nach der Ermordung von Bundeskanzler Dollfuß mußten diese Parteienvertreter wieder aus dem Gemeinderat ausscheiden.

Die Häuser der Waidhofner Juden

Eines der interessantesten Gebäude ist das ehemalige Postmeisterhaus in der Böhmgasse, heute Kleiderhaus Schöps. Das Haus war geräumig und hatte umfangreiche Nebengebäude, die bis an die Stadtmauer reichten. Nach der Übersiedlung der Post im Jahre 1925[60] erwarb 1927 der Israelit Max Löwy das Haus. Er war am 12. Mai 1898 in Neuhaus

---

[57] Ebenda.

[58] Ebenda.

[59] Ebenda.

[60] Siehe Führer, Waidhofen in alten Ansichten (wie Anm. 53), Böhmgasse.

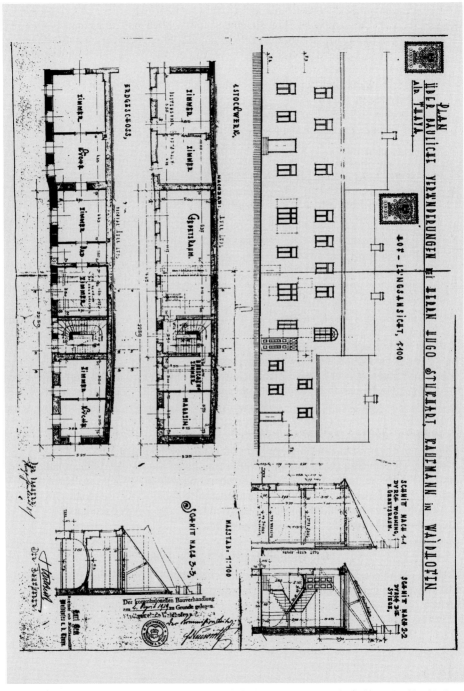

Abb. 176: Plan für den Umbau des Bethauses, Karl Beck, 1929; Waidhofen/Thaya, Archiv des Bauamtes der Gemeinde

geboren worden und daher tschechischer Staatsbürger.[61] Max Löwy jun. besuchte in Waidhofen/Thaya die Städtische Handelsschule.[62] Anschließend trat er die Lehrzeit bei der Österreichischen Getreide-Anstalt in Wien an. Im Jahre 1929 ging der Besitz durch Schenkungsvertrag an Max und Risa Löwy über. Wurde vorerst eine Gemischtwarenhandlung geführt, so meldete er mit 18. November 1929 zusätzlich den „Handel mit Getreide und Landesprodukten" bei der Gewerbebehörde an.[63] Im selben Haus war auch ein Schuhgeschäft der Firma Del-Ka.

Im Grundbuch ist im Jahre 1933 Ausgleich und Veräußerung angemerkt. Nun übertrug Löwy einem Pächter, dem Emil Deutsch, geboren am 28. November 1883, der aus Pernegg stammte, mit 30. November 1934 die Gemischtwarenhandlung. Mit Kaufvertrag vom 28. Juni 1937 kauften das Haus Nr. 24/25 die Ehegatten Josef und Leopoldine Appel aus Neupölla. Der Pächter Emil Deutsch legte das Geschäft am 5. September 1940 zugunsten des Josef Appel zurück.[64] Max Löwy hatte eine Harley-Davidson, ein Motorrad, das die anderen Jünglinge der Stadt bestaunen durften. (Häuserverzeichnis = HV 1)

Das Stadthaus EZ 39 Nr. 43, Sackgasse 1, besaß bis zum Jahre 1884 der Jude David Fürst. Er verkaufte es an Karl Steininger. Er selbst erwarb 1883 das Haus EZ 414, Hamernikgasse 2. (HV 2)

Noch vor dem großen Stadtbrand von 1873 erwarb mit Kaufvertrag vom 6. Dezember 1872 das Haus EZ 67, heute Hauptplatz 16, das Ehepaar Wilhelm und Cäcilie Stukhart. Schließlich waren 1924 Leopold und Fanny Stukhart Besitzer des Hauses. Durch Erbvertrag ging der Anteil des Leopold 1930 auf Franziska über (Abb. 178). Leopold Stukhart hatte zwei Töchter und einen Sohn Gustav, der 1922/23 als Maturant des Waidhofner Gymnasiums aufscheint.[65] Gustav Stukhart heiratete die Waidhofnerin Aloisia Johanna Padourek. Das Geschäft wurde am 28. April 1938 an Franz Schönauer verpachtet.[66] Stukhart selbst wanderte nach Amerika aus und ist dort gestorben. Nach der Rückstellung des Hauses 1947 ging es 1954 an die Witwe und nach deren Tod schließlich an eine Nichte über. (HV 3)

Das sogenannte „Barth"-Haus am Hauptplatz EZ 72 mit der alten Hausnummer 76 stammte in seiner Anlage aus dem 16. Jahrhundert, hatte Breitpfeiler über Konsolen und Bögen. Es war Mitte des 18. Jahrhunderts mit Pilastern und Muschelornamenten versehen worden.[67] Das Haus hatte sein Aussehen auch nach dem Stadtbrand als mittelalterliches Gebäude bewahrt, wurde in den Nachkriegsjahren „modernisiert" und mit dem Nachbarhaus vereinigt. Mit Kaufvertrag vom Jahre 1880 gelangte es in den Besitz von Franz Michael und Auguste Kargl. 1926 kam es durch Zuschlag an Samuel und Karoline Barth.

---

[61] Archiv der BH Waidhofen/Thaya, XII / 1934. Der Name Löwy findet sich bereits früher in Waidhofen. Siehe Plesser (wie Anm. 41) Seite 289: „Malwine Löwy, hier 1868 geboren, veröffentlichte Novellen unter dem Schriftstellernamen Mary Broom".

[62] Die Gründung der Städtischen Handelsschule Waidhofen/Thaya erfolgte im Jahre 1912.

[63] Archiv der BH Waidhofen/Thaya, XII / 1934.

[64] Ebenda, XII / 1940.

[65] Siehe Harald Hitz (Hg.), 125 Jahre Gymnasium Waidhofen an der Thaya 1869 - 1994 (Waidhofen an der Thaya 1994); folgende Namen von Maturanten weisen vermutlich auf jüdische Abstammung hin: Schuljahr 1922/23 Stukhart Gustav, 1926/27 Eisenstein Adalbert, 1927/28 Löwy Robert, 1932/33 Fürst Josef, Mandl Rudolf, Stukhart Erna.

[66] Amtsblatt der Bezirkshauptmannschaft Waidhofen an der Thaya Nr. 12 vom 28. 4. 1938.

[67] Siehe Dehio, Waidhofen/Thaya, sowie Führer, Waidhofen in alten Ansichten, Anm. 53.

Abb. 177: Grabstein der Familie Fleischmann
auf dem jüdischen Friedhof in Waidhofen, 1921
(Foto: Magda Hitz)

Abb. 178: Grabstein von Leopold Stukhart auf
dem jüdischen Friedhof in Waidhofen, 1930
(Foto: Magda Hitz)

Mit den Genehmigungen der Vermögensverkehrsstelle 1938, 1940 und 1941 wurden die Ehegatten Theodor und Leopoldine Kargl neue Eigentümer. Samuel Barth hatte in seinem Gewölbe einen Mehl- und Viktualienhandel betrieben (Abb. 57). Sein letztes Lebenszeichen liegt aus Wien vor. (HV 4)

Das Grundstück und Haus EZ 91 erwarben im Jahre 1874 die Ehegatten Josef und Rosalie Nohsal. Von diesen übernahmen 1888 Ignaz und Amalie Stukhart den Besitz. Das Haus trägt heute die Adresse Niederleuthnerstraße Nr. 5. Dieses Haus war zweifelsohne eines der wichtigsten Judenhäuser in Waidhofen. Hier war das Bethaus, welches vermutlich bei Errichtung der Israelitischen Kultusgemeinde entstanden ist. Aus dem Jahre 1929 liegen Umbaupläne vor. Damals rückte das aus zwei großen Räumen im ersten Stock des Hoftraktes bestehende Bethaus weiter zum Haupthaus vor. Heute befindet sich in diesen Räumen die Praxis einer Augenärztin (Abb. 176).

Hauseigentümer war seit dem Jahre 1913 der Kaufmann Hugo Stukhart. Er wohnte hier mit seiner Frau und zwei Töchtern, Erna und Elice. Hugo Stukhart war das Oberhaupt der Juden in Waidhofen/Thaya, er war Vorsteher der Kultusgemeinde. Obwohl ihm alle Zeitzeugen ein gutes Zeugnis ausstellten, wurde seine Familie im März 1938 arg beschimpft und er selbst mißhandelt. Viele Waidhofner Bürger und die Bauern aus weitem Umkreis hatten bei ihm Stoffe und Kleider eingekauft. Vielfach hatte er ihnen Kredit gewährt, d. h. sie konnten später bezahlen. Gerade diese Mitmenschen verhielten sich nach dem Anschluß an Hitler-Deutschland besonders feindselig gegenüber der Familie.[68] Die Tochter Elice dürfte im KZ umgekommen sein. Die übrigen Familienmitglieder zogen über Wien nach Haifa und überlebten. 1948 erfolgte das Rückstellungsverfahren des Gebäudes, Hugo Stukhart war in den 70er Jahren in Waidhofen auf Besuch. (HV 5)

Ganze sechs Jahre von 1913 bis 1919 war Dr. Josef Feingold Hausbesitzer in der Stadt. Von Marie Langsteiner hatte er die EZ 83 gekauft und im Jahre 1919 an Lambert Biedermann verkauft, der hier eine Drogerie errichtete (heute Niederleuthnerstraße 21). Ursprünglich waren die heutigen Häuser Berger-Biedermann ein Haus, das „Langsteiner-Haus". (HV 6)

Der Reichsratsabgeordnete und Notar Theodor Dobler besaß bis zu seiner Übersiedlung nach Gmunden das Haus Stadt Nr. 98, heute Niederleuthnerstraße 1 (Ferdinand Grün). Dieses Haus erwarb der Getreidehändler Singer. Von diesem gelangte es 1907 an Alois Fürst und ab 1920 an die Familie Grün. (HV 7)

Moritz Deutsch kaufte im Jahre 1900 das Grundstück EZ 354 an der heutigen Raiffeisenstraße 5 und errichtete dort die Strickwarenfabrik Deutsch & Co. Sie existierte nicht lange, denn 1911 wurde der Konkurs angemerkt. Schließlich übernahm 1912 das Haus mit Areal die Firma Einstein und Mannaberg. Sie errichtete einen Betrieb, wo verzinktes Eßbesteck hergestellt wurde. Die im Volksmund „Löffelfabrik" genannte Firma, mit zuletzt 40 Arbeitern, liquidierte 1927 und übersiedelte nach Krakau, wobei eine Anzahl Arbeiter mitzog. Gebäude und Grundstück erwarb das „Elektrizitätswerk der Stadtgemeinde Waidhofen an der Thaya", heute ist das Gelände im Besitz der EVN. (HV 8)

Die EZ 414 — Hamernikgasse 2 kaufte im Jahre 1883 das Ehepaar David und Theresia Fürst, und zwar von den Ehegatten Anton und Antonia Melzer. Später ging es in das Eigentum des Samuel Goldstein über, von dem es 1926 die Stadtgemeinde Waihofen an der Thaya erwarb. Bei David Fürst dürfte es sich um jenen „Hadernhändler" handeln, dem der sogenannte Judenstadl gehörte, der 1894 abgebrannt war. Im Jahre 1922 wollte Samuel Goldstein dort eine Lederhandschuhfabrik einrichten. Der Betrieb war schon protokolliert, die Maschinen aufgestellt, Arbeiter und Näherinnen aufgenommen, und Ziegen-, Kitz- und Rehhäute angekauft. Da trat plötzlich in diesem Zweig eine Absatzstockung ein, sodaß der Betrieb, der für eine wöchentliche Erzeugung von rund 100 Dutzend Lederhandschuhen eingerichtet war, überhaupt nicht in Tätigkeit trat. 1926 kaufte daher die Stadtgemeinde das Areal. Die Grundstücke mit Gebäuden wurden geteilt, wobei einen Teil Franz Reiter und den anderen Teil Ludwig Tippl kauften. (HV 9)

Samuel Barth war nicht nur Hausbesitzer am Hauptplatz, sondern mit seiner Frau seit 1930 auch Besitzer des Grundstückes EZ 483 mit dem Haus Hamernikgasse 26. Barth hatte drei Töchter, davon war eine mit dem Landesproduktenhändler Max Auspitz verheiratet. Dieser hatte eine Filiale in Groß Siegharts. Er bewohnte das Haus Hamernikgasse/ Ecke Bahnhofstraße, das sich Baumeister Freiberger gebaut hatte. Der Name Auspitz kommt auch bei den Kremser Juden vor.[69] Mit Genehmigungsbescheid der Vermögensverkehrsstelle gelangte das Areal 1938 in den Besitz der Ehegatten Rudolf und Maria Appel. (HV 10)

Der Israelit Fleischmann hatte im Jahre 1915 auf EZ 485, Bahnhofstraße 46, eine Villa errichtet, die mit dem Zusammenbruch seiner Firma verloren ging. Fleischmann war ein Pferdeliebhaber und Pferdehändler gewesen. (HV 11) Albert und Rosina Fleischmann

---

[68] Siehe Protokoll Zeitzeugen Nr. 9.

[69] Siehe Robert Streibel, Plötzlich waren sie alle weg. Die Juden der „Gauhauptstadt Krems" und ihre Mitbürger (= Schriftenreihe des Waldviertler Heimatbundes 33, Wien 1991) S. 110.

Bex

Niederösterreichische
nmnmnmnmnmtsimnmnmnmnm

Beobachter !
nmnmnmnmnmnm

Folge 6   15. Dezember 1933   I. Jahrg.

Unser Weihnachtsschwur.

Ihr mögt uns verfolgen landauf,landab;mögt uns verleumden durch
Wort und Schrift,mögt uns verfemen mit tausend Lügen,Ihr mögt uns
in Kerker und Konzentrationslager zusammensperren,unsere Existenzen
vernichten,uns mit Weib und Kind an den Bettelstab bringen;Ihr mögt
unser Recht brechen ,unsere Freiheit erdrosseln,unsere Ehre begeifern;
Ihr mögt bei Frankreich um Anerkennung betteln,im Staube vor dem grossen
Duce kriechen und mögt Slavienstoifel ablecken,ja Ihr mögt das ganze
Weltjudentum gegen uns mobilisieren,Hilfsarmeen in Verbrecherspelun-
ken gegen uns aufstellen,Euch selbst mit dem Teufel verbinden und alle
Böse des Universums auf uns herunterflehen - macht was Ihr wollt.
        Ihr entgeht nicht Eurem Schicksal!Ihr entgeht nicht unserer Rache!
Ihr entgeht nicht der ewigen Gerechtigkeit!
        Ihr sagt:Wir vernichten Euch.Wir aber schwören bei allem was
uns heilig ist:
        W i r   z e r b r e c h e n   E u c h   d o c h!

Wer treibt in Österreich Hochverrat?

        Die autoritäre Regierung hat wieder einmal eine schwere Krise
durchzumachen.Der kleine Mann mit der starken Hand befindet sich in
einer unangenehmen Lage.Seit Beginn seines segensreichen Wirkens KAMXX
von allen möglichen ausländischen Mächten gestützt und subventioniert,
besteht für ihn jetzt die drohende Gefahr diese Stütze zu verlieren.
Wir sind in der Lage einen kleinen Einblick in einen Abschnitt der
Regierungstätigkeit dieses Kabinettes zu geben,der so recht die Gemeinheit und die Niederträchtigkeit seiner Mitglieder veranschaulicht.
        Diese Leute wagen es von Hochverrat zu sprechen ,während sie
selber gegen bares Geld die Interessen unseres Volkes verkauft haben.
Bei dem Besuch des tschechischen Aussenministers Benesch hat Dollfuss
mit diesem ,wie wir schon kurz in unserer letzten Folge berichteten,
ein Uebereinkommen getroffen,nach dem er sich verpflichtet,die sozialdemokratische Partei auf keinen Fall aufzulösen.Als Gegenleistung
wurde von der Civnostenska Banka 80 Mill.S.Trefferanleihe gezeichnet,
dies sind jene berühmten 80 Mill.S.,die in der gesamten Öffentlichkeit
als Einzelzeichnungsbetrag grosses Aufsehen erregten und bei denen nicht
zu erfahren war,wer der edle Spender gewesen sei.Diese 80 Mill.S.
setzen sich zusammen aus 60 Mill.S.,die der tschechischen Regierung
von den jüdischen Emigranten zur Verfügung gestellt wurden und aus
20 Mill.S. die von tschechischsozialdemokratischen Gewerkschaften
beigesteuert worden sind.Herr Dollfuss hat daher seinen Antimarxismus
um bares Geld verkauft.
        Nun aber hat der italienische Regierungschef Mussolini in
hirnloser Verblendung schon seinerzeit in die Regierung Dollfuss bedeutende Beträge investiert,unter der Voraussetzung,dass der Marxismus
in Österreich vernichtet werde.Als nun Mussolini durch seinen Spionage-
dienst in Erfahrung brachte,dass sich Dollfuss wieder einmal an den
Meistbietenden verkauft habe,und erlöst der Belümmerte sei,schickte
er sofort den Gesandten Rintelen mit dem strengen Auftrag nach Wien,
Dollfuss auszurichten,dass er sofort mit den Nationalsozialisten
Friede zu schliessen habe.Mussolini hat erkannt,dass die Herren in

Deutscher! Kaufe nicht beim Juden! Besorge Deine Weihnachtseinkäufe
        nur in arischen Geschäften!

Die heutige Folge ist 6 Seiten stark! Nächste Folge erschien 3. I. '33

Abb. 179: NSDAP-Mitteilungsblatt mit antisemitischen Parolen, 1933; Waidhofen/Thaya, Archiv des
Heimatmuseums

waren auch die Erbauer des Hauses Bahnhofstraße 60. Sie verkauften es 1909 an den Schlossermeister Johann und Theresia Steurer (Abb. 177).

Das auf der EZ 582, Bahnhofstraße 14a von Franz und Maria Bauer im Jahre 1910 gebaute Haus gelangte mit Kaufvertrag aus 1916 an das jüdische Ehepaar Albert und Rosina Fleischmann. Nach dem Konkurs Fleischmanns im Jahre 1925 gelangte das Haus in den Besitz des Julius Waldmann. (HV 12)

Als im Jahre 1909 das einfache Böhmtor, das 1840 an der Stelle des geschleiften, wuchtigen Stadttores errichtet worden war, wieder entfernt wurde, entstanden dort einige Neubauten im Jugendstil. Eines davon, Haus Nr. 130, EZ 85, erwarb das jüdische Ehepaar Leopold und Antonia Kollmann. Kollmann handelte mit Leder und Schuhmacherzubehör (Abb. 50). 1936 legte die Witwe Antonia Kollmann das Gewerbe zurück. Das Kreisgericht in Krems löschte die Firma und teilte dies mit Schreiben vom 12. Februar 1937 der Bezirkshauptmannschaft Waidhofen/Thaya mit. Mit 16. Juli 1936 übernahm Johann Ruby das Gewerbe für „Lederausschnitt und Verkauf von Schuhmacherzubehör". Im Dezember 1936 wurde es auf den Handel mit Schuhoberteile ausgeweitet.[70] Auf der Liegenschaft wurde 1943 das Deutsche Reich Eigentümer, und ab 1948 wurde der Sohn der Ehegatten Kollmann, Walter Colmann, Besitzer der Liegenschaft. Schließlich gelangte es durch Kauf an Johann und Rosina Ruby. (HV 13)

Im Grundbuch scheint mit dem Kaufvertrag aus 1871, EZ 149 Badgasse, das „Susannenbad" als erstes Haus mit einem jüdischen Eigentümer auf. Es kaufte Carl Lustig, der unter dem Firmennamen Lustig & Vidor dort eine Silberkettenfabrik betrieb, die aber bald einging. Darauf wurde es zu einem Moorbad mit einer Kneippanlage ausgebaut. 1882 wurde es auf Grund einer Stiftung zu einem Privatspital für Frauen (genannt das „Klösterle") und 1905 mit dem Allgemeinen öffentlichen Krankenhaus vereinigt. Das Haus wurde zu einem Miethaus der Gemeinde, heute ist es Privathaus.[71] (HV 14)

Die meisten Auskunftpersonen, die über die jüdischen Familien gefragt wurden, sagten übereinstimmend aus, daß dieselben im Stadtleben eigentlich nicht aufgefallen seien. Einzelne Familien hatten Kinder, die mit den Nachbarkindern befreundet waren (Protokoll 1). Eine Dame erzählte, sie sei mit ihrer jüdischen Freundin öfters in der Synagoge gewesen, die auf sie einen sehr mystischen Eindruck gemacht habe. Die Decke sei blau und mit goldenen Sternen versehen gewesen. Frau Sch. wiederum kann sich an die Zusammenkünfte der Judengemeinde am Sabbat und den sonstigen Festtagen erinnern. Sie wohnte in der Nähe und konnte sie beobachten. Den Kopf mit schwarzen Hüten bedeckt, versammelten sie sich vor dem Hause Stukhart und begaben sich darauf in das hofseitige Bethaus. Bei einem Begräbnis wurde, so die Zeugin, der Sarg mit einem prächtig geschmückten Pferd auf den jüdischen Friedhof gezogen. Dort wurde sehr laut gebetet und die Frauen weinten lautstark. Auf das Grab wurden Steine gelegt (Protokoll 2).

Die jüdischen Bewohner ab 1938

Es gab nicht nur in Wien und in den größeren Städten antisemitische Parteianhänger. In Waidhofen waren es die SA-Männer, die im Untergrund wühlten und die schließlich 1938 sogar in einem Straßennamen verewigt wurden. („Straße der SA" — seit 1945 wieder

---

[70] Amtsblatt der BH Waidhofen/Thaya, Dezember 1936; oder Akt XII / 303 1937.

[71] Beim „Klösterle" handelt es sich um die Donin'sche Stiftung, ein Spital für Frauen, von Frau Ernestine Gräfin von Gudenus gestiftet und von der Pfarre verwaltet. Die Stiftung wurde 1905 dem Allgemeinen öffentlichen Krankenhaus zugeführt.

Juden in der kleinstadt

Die landesfürstliche Stadt **Waidhofen an der Thaya** war im Dreißigjährigen Kriege der Hauptwaffenplatz des oberen Waldviertels. Vom Feinde nicht bezwungen, wurde sie durch fortwährende Einquartierung und andere wirtschaftliche Nöte arg bedrängt. Ein Kapitel für sich bildet das Auftreten der geschäftstüchtigen, eingewanderten Juden in dieser Zeit.

Wie wir aus erhaltenen Nachrichten wissen, waren in Waidhofen bis ins 17. Jahrhundert zeitweise Juden schon ansässig. Ihre Zahl war aber ganz unbedeutend. Etwa 1615 setzte ein starker Zuzug von Juden ein, die von dem Schloßherrn im untertänigen „Niedertal" angesiedelt wurden, weil von ihnen reichere Abgaben zu erwarten waren als von den armen Einheimischen. Die Stadt Waidhofen wurde aber durch die Juden wirtschaftlich sehr schwer geschädigt, weshalb sie, sich auf alte Privilegien berufend, oft Beschwerden einlegten, die bis zum Kaiser gingen. Trotz mehrerer kaiserlicher Abschaffungsbefehle blieben die Juden nahezu sechzig Jahre im Niedertal ansässig, bis sie dem allgemeinen Ausweisungsbefehl vom 30. September 1670 endlich doch Folge leisten mußten.

Ueber diese Frage berichten uns die Waidhofner Archive ziemlich ausführlich, wovon das Wesentliche hier mitgeteilt sei.

In einer Aufschreibung aus 1653 heißt es, daß sich die Juden vor etlichen dreißig Jahren mit einem Paar in die Stadt eingeschlichen hatten, daß ihrer mit (1653) über hundert Personen seien und da sie sich durch Zuzug immer noch vermehrten. Die Freifrau v. Mollart nahm die Juden im Niedertal auf, wo sie viele Häuser aufkauften und Handel jeglicher Art trieben. Eine Klageschrift der Waidhofner Bürgerschaft über ihre wirtschaftliche Not aus dem Jahre 1617 gibt als Hauptursache ihrer schlechten Lage die Juden an, welche die Bürger „höchlich betrangt und in Ungelegenheit geführt" haben, „indem dieselben allerhand Gewer in Kaufen und Verkaufen treiben, daß ein ehrlicher Bürger und Handelsmann in wenigsten schier nichts bekommen kann".

Gegen den Herrschaftsbesitzer Hieronymus v. Sprinzenstein, der den Juden den Haussierhandel jeder Art erlaubt hatte, führte der Waidhofner Stadtrat 1623 Beschwerde, weil die Juden entgegen alten Privilegien der Stadt zum Schaden der Bürgerschaft mit Schmalz, Getreide und Viktualien „beschwerlichen und wucherischen Fürlauf treiben". Da diese Beschwerde erfolglos blieb, verklagten Richter und Rat von Waidhofen den Freiherrn v. Sprinzenstein beim Kaiser Ferdinand II.; sie wollten die Einkünfte des städtischen Kammeramtes und der Gewerbetreibenden nicht mehr länger schmälern lassen. Nach wiederholten Bitten gab der Kaiser dem niederösterreichischen Regierungsmarschall Jeremias Fladenstein am 5. Juli 1624 den Auftrag, dem Schloßherrn den kaiserlichen Befehl bekanntzugeben, nach dem die Juden von Waidhofen abzuschaffen seien und das unbefugte Ausschenken von Ge-

tränken (Beutgeben) einzustellen hätten. Der Sprinzenstein fügte sich diesem Befehl nicht, weshalb Fladenstein im Namen des Kaisers sich der Güter des Sprinzenstein „habhaft und gewalthaftig" machen sollte, und es kam endlich so weit, daß ihm das Dorf Brunn 1625 konfisziert wurde.

Doch aus Gründen, die nicht ersichtlich sind, widerrief der Kaiser den Ausweisungsbefehl; die Juden durften also weiter bleiben. 1629 baten die Juden, für die Elias Schwanauer zeichnete, die niederösterreichische Regierung, die kaiserliche Entschließung des Inhaltes, daß die Juden noch ferners im Land verbleiben dürften, mög dem Herrn v. Sprinzenstein und dem Stadtmagistrat von Waidhofen in Erinnerung gebracht werden. Die Judenschaft zweifle nämlich, daß ihre Obrigkeit, die nur von der Abschaffung der Juden gute Kenntnis habe, auch von dem kaiserlichen Edikte über die Wiederaufhebung der Judenausschaffung wisse.

Durch ein Jahrzehnt scheint der Zwist geruht zu haben. Erst 1640 finden wir wieder eine Beschwerde der Bürger an den Wahlkommissär Matthias Sengler mit folgendem Inhalt: Die Juden belagern gleichsam die Bürger der Stadt durch Ausübung verschiedener Gewerbe. Bevor die Bauern mit ihren Wagen in die Stadt kommen, kaufen die Juden alle Waren auf, von denen sie, die Bürger um teures Geld aufkaufen müssen. So verfällt die Bürgerschaft täglich immer mehr in Armut, vor deren weiterer Ueberhandnehmen sie Sengler schützen möge. Doch diese Bitte hatte keinen Erfolg.

1615 erläßt Kaiser Ferdinand III. den Befehl, daß alle Obrigkeiten, die bisher Juden auf ihrem Gebiete zu wohnen erlaubt haben, dieselben sogleich ausweisen sollen. Es heißt im Original: „Ganz mißfällig haben wir vernehmen müssen, daß bishero demselben (d. i. dem Generalmandat über die Judenabschaffung) ein Vollziehung geschehen, sondern die Juden ganz haussenweis auß Polen, Bähaimb und anderen, auch gar die Bandisierten in diß Land hin und wider haimblich einzuschleichen sich unterstehen und von den Obrigkeiten geduldet, dardurch aber die Christen gleichsamb unterdrücket, auch andere in unsere Städten und Märkten wohnenten Bürger und Handelsleut in ihren Nahrungen gespärrt und sonderlich viel gar arme Untertanen auf dem Landt außgesauget und gänzlichen ruiniert werden ... Also ist unser gnädiger, auch ganz ernstlichster Befehl hiemit an Euch, denen dieß unser patent vorgezeugt würdt, eine Spezifikation, wie viel Juden, es seien nun Manns-, Weibspersonen oder Khinder, sich unter seiner Jurisdiktion aufhalten, innerhalb 14 Tagen zu handen unserer n.ö. Regierung überschickt und darinnen nicht das Geringste verschwaig ..."

Ein undatiertes Schriftstück, welches wir wohl als Konzept zur Beantwortung dieser Aufforderung ansehen können, führt

101 Waidhofner Juden an. Als höchste Zahl begegnen uns 104 Juden (1695).

Wie vielfältig die Handelstätigkeit der Juden war und wie dadurch die Bürgerschaft der Stadt geschädigt wurde, ersehen wir aus der Klage, die ein den Wahlkommissär Dr. Albert Rossi, der bei der Richterwahl am 23. April 1653 in Waidhofen weilte, geleitet wurde. Es heißt da: Die Juden treiben allerlei Hantierungen, Gewerbe und Handel. Mit Vorliebe verhandeln sie Silbergeschmeide, goldene Ringe, Seidenwaren, Kleinobien, „Geschmuck" und Perlen, allerlei „Gezeug", Tücher, Leinwand, Kleider, Spitzen und Borten, Garn, Flachs, Schmalz, Leder, Honig, Wachs, Zinn, Messing, Kupfer- und Eisengeschirr, Wein, Bier, Branntwein und anderes Getränk. Seithem sie hier hausen, haben sie der Stadt weder Zäch noch Ungelt bezahlt. Im letzten Jahre haben sie über 1000 Eimer Wein eingeführt. Auch schlachten die Juden „allerhand gerechtes und ungerechtes" Vieh und verhacken das Fleisch um ein merkliches billiger als die Fleischhauer. Die Juden kaufen auch in den Dörfern des ganzen Reviers das „matte und halbtote Vieh" um einen Spottpreis und verhacken es. Was sie nicht außerhalb der Stadt verkaufen können, das bringen sie heimlich in die Stadt und haussieren damit von Haus. Mit allem, was sie zu verschachern haben, sind sie vom Morgen bis zum Abend bei den Stadttoren, auf dem Platz und in den Gassen und bieten den zu- und abreisenden Leuten ihre Sachen an. So nehmen sie den redlichen Bürgern das Brot vom Maul weg. Sie haben auch gestohlenes Vieh und Sachen gekauft, haben andere Leute zum Diebstahl verleitet und sind wohl auch selbst stehlen mitgegangen. Durch Wucherdarlehen usw. bringen sie die benarmten Bürger um ihren ganzen Besitz. Sie verhandeln und verschleppen auch heimlich die Körnerfrüchte und geben weder Maut noch Lastengeld. ... tagen und sonst halten sie sich beim Stadttor auf und was an Geflügel, Eiern, Schmalz, Butter usw. von den Bauern zugeführt wird, schnappen sie weg. Dadurch schmälern sie die Einkünfte der Stadt und Stadtgeld. Die Herrschaft unterstützt und schützt die Juden bei diesem Treiben. Jetzt hat die Herrschaft einen Pfleger, der Tag und Nacht mit den Juden „im Luder liegt" und mit ihnen Freundschaft, Bruderschaft und anders schließt.

Auch diese Beschwerde brachte keine Abhilfe. Während des Dreißigjährigen Krieges verarmten die Bürger und die Bevölkerung der Stadt kamen sehr stark ab. Die Gründe dafür sind nicht nur im Kriege, sondern auch in der jüdischen Konkurrenz zu suchen. Einen Beweis dafür geben uns die Aufzeichnungen der Waidhofner Fleischhauerzunft aus 1653, die eine „beweglige Schrift" nach Wien schickte. „Darin ist die Mißleligkeit" des Fleischhauerhandwerks „wegen der lähbigen Judenschaft" genügsam beschrieben worden" und es wird die Hoffnung ausgedrückt, daß „der Judenschaft das Fleischhacken dermalen einst gänzlichen eingestellt" werde.

Abb. 180: Bericht über die Juden in Waidhofen in der „Landzeitung"?, 1939; Waidhofen/Thaya, Archiv des Heimatmuseums

Böhmgasse). Aus einer Reihe von Protokollen und Berichten der Gendarmerieposten an die Bezirkshauptmannschaft — und zwar schon 1934 — geht die Hetze der illegalen Nationalsozialisten gegen die Juden im allgemeinen, aber auch gegen die Kirche und die Vaterländische Front hervor (Abb. 179).

An die Ereignisse gegen die Judengemeinde in Waidhofen im März 1938 kann sich kaum jemand erinnern. Frau Sch. und Herr W. erinnern sich allerdings, daß am 13. März 1938 vor dem Hause Stukhart die SA aufmarschiert ist, einen großen Wirbel machte sowie die Familie beschimpfte und Herr Stukhart sogar geschlagen wurde (Protokolle 1 und 9).

Mit großem Fackelzug und Aufmarsch wurde am 11. März 1938 in der Stadt Waidhofen an der Thaya der Sieg des „Anschlusses" gefeiert. Am Samstag, dem 12. März, wurde bereits um ½6 Uhr in der Früh die Bezirkshauptmannschaft besetzt und dem Bezirkshauptmann der Zutritt verweigert. Am zweiten Tag der nationalsozialistischen Herrschaft wurden die jüdischen Geschäfte gesperrt und unter Bewachung gestellt. Der Landesproduktenhändler Auspitz und der Kaufmann Gustav Stukhart wurden in das Bezirksgericht eingeliefert. Den beiden sowie einigen austrofaschistischen Anhängern wurden die Autos für Partei- und Staatszwecke beschlagnahmt.[72] Wahrscheinlich aus Angst erhängte sich am 22. März 1938 die jüdische Arzt-Witwe Emilie Schmolka. Die Stadtchronik berichtet lakonisch: ... *wie es hieß, weil ihr Sohn seine Stellung verloren habe. Die 70jährige Frau war übrigens nicht den geringsten Schikanen ausgesetzt.*[73] (Protokolle 1 und 9)

Inwieweit jüdische Bewohner Opfer von Anzeigen bzw. Denunziationen waren, kann nicht gesagt werden. Im allgemeinen sah sich die Kreisleitung veranlaßt, gegen die anonymen Anzeiger einzuschreiten. Es wurde ein Plakat mit folgendem Text gedruckt und öffentlich angeschlagen: *Anonyme Anzeigen sind unehrenhaft und werden nicht berücksichtigt. Wer etwas anzuzeigen hat. muß die Anzeige mit seinem Namen decken.*[74]

Bemerkenswert ist, daß eine Reihe von „Halb- oder Vierteljuden" in Waidhofen lebten. Genannt seien als Beispiele die Tochter des verstorbenen Primars Dr. Seligmann, Frau Leontine Janku, und der akad. Maler und Kunsterzieher am Gymnasium bis 1938, Prof. Karl Hoefner. Er wurde 1945 wieder in den Schuldienst aufgenommen.

Pfarrer Wingelhofer schreibt zum Jahr 1938 im Pfarrgedenkbuch: ... *die Propagandamaschinerie beginnt zu arbeiten mit aller Erfahrung und Raffinement. Flaggen groß und klein, Hitlerbilder, Musik, Aufmärsche, Appelle, Reden, die Landsknechttrommel der HJ dröhnt durch die Straßen. Ein junger Redner spottete, 6 Wochen suche er den berühmten österreichischen Menschen und kann ihn nirgends finden, ich dachte — warte, wirst ihn noch entdecken, er ging nur in Deckung. — Es fürchtet sich einer vorm anderen und hält ihn für einen Spitzel.* Und weiter schreibt der Stadtpfarrer: *Nun wurde alles neu gemacht, zuerst das alte beseitigt. Bezirkshauptmann Dr. Fritz in Pension geschickt. Schuldirektor Zirkler (erst seit 1937), Bürgermeister Haberl, Postdirektor Morady in Haft gesetzt. Ersterer wird ins KZ, letzterer mit Kürzung der Bezüge in Pension geschickt. Primar Seidl in den Arrest des Bezirksgerichtes gesperrt, alle Vereine aufgelöst, das Vermögen eingezogen. Früher politisch gemaßregelte Männer kamen jetzt zum Zug. Dr. Wilhelm Schlesinger wird Bezirkshauptmann, Anstreichermeister Josef Dittrich Bürgermeister, Prof. Willi Hanisch Parteikreisleiter, drei ältere Herren, alles Großdeutsche, die den Radikalismus nicht 100 %*

---

[72] Stadtchronik.

[73] Ebenda; siehe dagegen die Protokolle 1 und 9.

[74] In die Stadtchronik aufgenommen — später nochmals im Amtsblatt der Bezirkshauptmannschaft vermerkt (1939).

Vermögensverkehrsstelle im Ministerium für Wirtschaft und Arbeit

382

An die

Sparkasse W a i d h o f e n

z. ~~Hdn. Herrn Dr.~~ Fritz K a r g l

W a i d h o f e n a.d.Thaya

Wien, 5.Dezember 1938.
1., Strauchgasse 1

Fernruf: A 49-5-60

Abt.: Finanzierung,
Banken

Zeichen: Win/Blt.

Ev..Nr.: 2255

Blg.:

Auf Grund des umstehenden Ansuchens erteile ich die
Bewilligung, zu Lasten des bei Ihnen geführten Sperrkontos
Martha D o r n , Wien II., Grosse Stadtgutgasse 14/60,
die Überweisung bzw. Auszahlung der in Kol. V angeführten Beträge vorzunehmen.

I Post Nr.	II Name und Anschrift des Empfängers	III Grund der Überweisung	IV Angesprochener Betrag	V Bewilligter Betrag
	Von der Partei auszufüllen			
	Martha Dorn, Wien II. Grosse Stadtgutgasse 14/60 oder Alexander Dorn, Wien,II.Grosse Stadtgutg. 14/60	zum Lebensunterhalt RM. 400.-		RM 200.-- allmonatlich bis auf Wi- derruf .

PS.Zur Kenntnis, dass obgenanntes Konto zu Gunsten der Vermögensverkehrsstelle gesperrt ist, über welches nur
mit Bewilligung derselben verfügt
werden darf.

Heil Hitler!

Der Leiter der Vermögensverkehrsstelle:
I. A.

POSTSPARKASSE

_9 Mai 1939

322

J. Übersg.

An die

V e r m ö g e n s v e r k e h r s s t e l l e
Abteilung Finanzen

Wien I.,
Strauchgasse 1.

Betr.: Ev. Nr. Fi _____

dhofen a/Thaya, zu Han-
r,
, und über RM.3.480.-
Bewilligung der Ver-
n.

stehender Bewilligung,
umseitig angeführten

ns bringe ich vor:

cher Abstammung und bin
iratet. Durch den Verkauf
ich den monatlichen
lexander Dorn hatte bis
ichterischen Firma, die
rt wurde, er daher jetzt
en Monate Altes Kind un
Tür steht verschiedene
ür meinen Mann und mich
onatliche Zuweisung
lchen Betrag ich nur

die gütige Erledigung
nes und Kindes.
htung:

Unterschrift.

ebenso der übrige Raum, der für

Abb. 181 und 182: Genehmigung der Vermögensverkehrsstelle zur monatlichen Auszahlung vom
eigenen Konto an Martha Dorn, 1938; Waidhofen/Thaya, Archiv der Waldviertler Sparkasse von 1842

mitmachen, sodaß es im Vergleich zu anderen Bezirken bei uns besser hausen war. Persönlich alte Freunde von früher, so daß sich kirchlich vieles mildern ließ. „Heil Hitler" war der offizielle Gruß.[75] Zu den Waidhofner Juden des Jahres 1938 ist ihm aber nichts eingefallen.

Wie bereits einmal erwähnt, sind die Spuren, die die jüdischen Bewohner in der Stadt Waidhofen an der Thaya hinterlassen haben, nicht sehr stark. Sie scheinen kaum in Vereins- oder Firmenchroniken auf, nur in Schulchroniken und Jahresberichten sind sie sporadisch vertreten.[76] Man findet auch keine Inserate von jüdischen Firmen. So bleiben alleine die Grabsteine am israelitischen Friedhof (Abb. 7 und 75), die zum Glück erhalten geblieben und auf denen noch die Namen der Juden ersichtlich sind.[77] Über das weitere Schicksal der jüdischen Bewohner Waidhofens ist nur von einigen Familien näheres bekannt. Es finden sich auch keine Unterlagen im Archiv der Gemeinde oder der Bezirkshauptmannschaft. Bekannt ist, daß im Juni 1938 die Israelitische Kultusgemeinde Waidhofen an der Thaya an die Israelitische Kultusgemeinde in Wien den Antrag stellte, auf Grund der Auflösung des Bethauses die Thorarolle und das Tempelgerät zu übernehmen.[78]

Stellt man die Frage, wie und wann die jüdischen Familien aus Waidhofen weggegangen sind, so erhält man von Auskunftspersonen kaum einen exakten Zeitpunkt genannt. Ein Anhaltspunkt ist ein Schriftstück der Landeshauptmannschaft Niederdonau vom 20. Oktober 1938, mit dem die „Reichsverweisung von Juden tschechischer Staatsangehörigkeit" angeordnet wird. Das Schriftstück trägt auf der Rückseite die von Landrat Dr. Knollmayer handschriftlich angebrachte Antwort an den Landeshauptmann: *An den Landeshauptmann für Niederdonau usw. — Zu obiger Zahl und obigem Betreff sind Fehlberichte erstattet. Über Weisung der hiesigen Kreisleitung mußten bereits seinerzeit sämtliche Juden den hiesigen Amtsbereich verlassen. 24. X. 38 Dr. Knollmayer.* Es ist somit zu registrieren, daß die Kreisleitung Waidhofens beim „Judenproblem" sehr frühzeitig für „Ordnung" gesorgt hatte und die Waidhofner Juden offensichtlich noch im Sommer 1938 die Stadt verlassen mußten.[79]

Kaum war der Anschluß 1938 erfolgt, kam schon die Anweisung, sämtliche registrierten Vereine der Gestapo bekannt zu geben. Alle Vereine wurden aufgelöst, das Barvermögen eingezogen.[80] In der Meldung findet sich auch der Verein „Chewra Kadischa — heilige Vereinigung für wohltätige Zwecke in der israelitischen Kultusgemeinde". Als verantwortliche Funktionäre sind Hugo Stukhart und Theodor Schön angeführt. Mit Datum 20. September 1938 kam die Anweisung an das Landkreisamt, daß der Verein *Chewra Kadischa, Friedhofverwaltung unter Aufhebung der Rechtspersönlichkeit in die Fürsorgezentrale der israelitischen Kultusgemeinde Waidhofen a. d. Thaya eingegliedert ist. Der Verein wird daher im h. o. Vereinskataster gelöscht.*[81]

---

[75] Zitiert aus dem Pfarrgedenkbuch zu 1938.

[76] Vgl. Hitz, Gymnasium (wie Anm. 65) S. 152-159.

[77] Siehe Stadtarchiv; Liste der jüdischen Grabsteine S. 139-144 dieses Bandes.

[78] Vgl. Eberl/Genée (wie Anm. 27) S. 24.

[79] Archiv BH Waidhofen/Thaya, XI/1938.

[80] Ebenda, XI/1160/38. Ein Detail am Rande: Diese Anordnung kam von Gauleiter Bürckel persönlich. Er ordnete an, daß alle Vereine zu erfassen wären, mit einer Ausnahme. Um Unruhen vorzubeugen, waren die Katholischen Gesellenvereine von der Anordnung ausgenommen. Für diese erfolgte nach der Volksabstimmung eine endgültige Entscheidung. Diese kam dann auch prompt — Auflösung!

[81] Ebenda, XI/154/1135/38 und XI/422/38.

Zum Landkreis Waidhofen an der Thaya gehörte damals auch der Ort Piesling (heute wieder Pisečné in Tschechien). Von dort erfolgte mit Datum 24. Dez. 1938 ein Schreiben des dortigen Gendarmeriepostens als Meldung zu einer Anfrage wegen Überführung kultureller Organisationen, Stiftungen aus der Tschechoslowakei. Punkt 3. betrifft Juden, es heißt: *Die jüdische Kultusgemeinde hat in Piesling einen Tempel und 0,49 ha Felder. Ihr Sitz befand sich in Zlabings, wo sich auch der Obmann Emanuel Mandl befand. Mandl ist in die Tschechei geflüchtet und soll alle Matriken mitgenommen haben. Beim Gemeindeamt Piesling langen seit der Besetzung wiederholt schriftliche Bitten um Ausstellung von Taufscheinen ein, die nicht ausgestellt werden können, weil die Matriken fehlen.*[82]

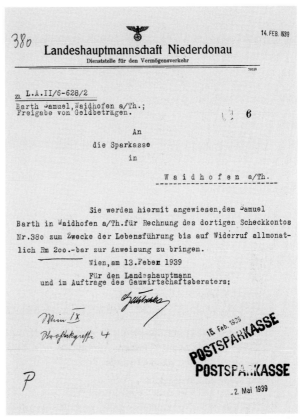

Abb. 183: Genehmigung der Landeshauptmannschaft zur monatlichen Auszahlung vom eigenen Konto an Samuel Barth; Waidhofen/Thaya, Archiv der Waldviertler Sparkasse von 1842

Nach dem Anschluß der „Ostmark" kam die Kreisstadt Waidhofen/Thaya kaum zur Ruhe. Eine Gliederung des Tausendjährigen Reiches nach der anderen wurde geboren, und überall gab es bereitwilligst „Väter" oder „Mütter". Natürlich gab es viele Schulungen, Vorträge und Übungen. Bei der dreiwöchigen Versammlungswelle der NSDAP in Niederdonau fand im Kinosaal Waidhofen die Amtsleitertagung und Vollversammlung der Partei statt. Dabei hielt Gauinspektor Dr. Groß ein Referat. Seine Ausführungen wandten sich namentlich gegen das verderbliche Wirken der Juden und des politischen Katholizismus, der die Lehre von Blut und Rasse ablehne.[83] Ein weiteres Referat eines Gauredners am 8. März 1940 trug den Titel „Plutokratie und Judentum". Um Juden schließlich ging es auch am Samstag, dem 5. Mai 1940, bei der 1. Tagung des Rassenpolitischen Amtes vor 400 politischen Leitern, Bürgermeistern und Lehrern. Den „Höhepunkt" bildete eine Rede des Gauleiters Dr. Jury über *rassenpolitische Aufgaben im Kriege, dessen siegreiche Beendigung uns sicher sei!*[84]

---

[82] Ebenda, XI/1924/38.

[83] Stadtchronik 1940.

[84] Ebenda.

Ostmärkischer Sparkassen- und Giroverband

Fernruf: A-19-5-28

Wien, 2.12.1940
L, Renthorgasse 17

Do/Sl.
G.Z.49

Rundschreiben H Nr.76/40
Betr.: Konditionen im Verkehr mit inländischen Juden

Die Reichsgruppe Banken für die Ostmark hat für den bankmässigen
Verkehr mit inländischen Juden für die Geldanstalten bindend folgende Konditionen beschlossen:

A/Vormerkgebühren:

1) Aus Anlass der Errichtung von b.v.S.-Konten...........RM 5.-
2) Für die Vormerkung,dass das Sicherungskonto
   bei einer anderen Bank geführt wird..................." 2.-
3) Umlegung von Inländerkonten auf Auswandererkonten......" 5.-
4) Vormerkung von Vollmachten.........30%iger Zuschlag zur Urkunden-
                                      stempelgebühr,mind.RM 2.-
                                      Zuschl.

Zu Punkt 2): Neben dem vorgesehenen Betrag von RM 2.-,welcher eine
Einmalgebühr darstellt, gelangt aus dem Titel der Sperre oder Be-
schränkung (Sicherungsanordnung,Pfändungsvermerk,Drittverbot usw.)
für die Dauer der Sperrverfügung eine Evidenzgebühr von ½% für
das Halbjahr, ermittelt vom Habenumsatz einschliesslich Saldovortrag
sowie vom Depotwert,im Kontoabschluss zur Verrechnung.

B/Verfügungen zu Lasten von inländischen Judenkonten, gleichgültig
   ob diese gesichert oder nicht gesichert sind:
   1) Für die Freistellung des monatlichen Freibetrages, gleich-
      gültig ob die Auszahlung am Schalter oder mittels Postspar-
      kasse-Überweisung erfolgt, bis RM 50.-..............RM -.50
                              über " 50.-..............." 1.-Spes.

2) Für sonstige Durchführungen aller Art,

bis RM 50.-.................................RM -.50 Spesen

von RM 50.-bis RM 1.000.-.................." 1.-- "

ab RM 1.000.- 1%o,mind.RM 2.-

Für Botenzahlungen wird ein angemessener Zuschlag berechnet.

3) Für Einreichungen (Ansuchen) bei der
Devisenstelle,gleichgiltig ob die
Erledigung zustimmend oder ablehnend
erfolgt ....RM 2.- je Ansuchen

C/Inkassi von Sparbüchern.

Eigene Ausgabe.......................RM 2.-Spesen

Fremde Ausgabe...................... 1/4% zuzügl.RM 2.-Spes.

D/Abschluss-Berechnung im Kontokorrent.

Die Sparkassen vergüten grundsätzlich gemäss dem Habenzins-
abkommen einen Nettozinssatz von 1% für das Jahr an Zinsen.

E/Sparbücher.

Die Geldanstalten werden die Veranlagung von Juden-geldern in
Form von Sparbüchern in Hinkunft grundsätzlich ausschliessen und
dies sowohl auf den Verkehr mit inländischen Juden,als auch im
allgemeinen auf den Verkehr mit Ausländern und insbesondere für
ausländische Juden anwenden; sinngemäss wird auch die Hereinnah
von Fest-oder Kündigungsgeldern gegenüber inländischen Juden
und Ausländern im allgemeinen sowie ausländischen Juden im be -
sonderen ausgeschlossen.

Wir bitten Sie,in Hinkunft ausschliesslich diese Konditionen zur
Anwendung zu bringen.

Der Geschäftsführer :

Abb. 184 und 185: Anweisung des Ostmärkischen Sparkassen- und Giroverbandes bezüglich des Geldverkehrs von Juden an die Sparkasse Waidhofen/Thaya, 1940; Waidhofen/Thaya, Archiv der Waldviertler Sparkasse von 1842

Wirtschaftliche Maßnahmen

In Deutschland hatte die „Entjudung" der Wirtschaft mit der Machtergreifung der Nationalsozialisten begonnen. Nach 1938 wurden auch in Österreich durch verschiedene Gesetze und Verordnungen Maßnahmen gegen das jüdische Kapital getroffen.

Den jüdischen Gewerbebetrieben wurde aufgetragen, den Betrieb binnen einer bestimmten Frist zu veräußern oder abzugeben. Von diesen Bestimmungen waren selbstverständlich auch die Waidhofer Geschäfte, die Juden gehörten, betroffen, wie zum Beispiel Stukhart, Barth, Löwy u. a. Die Betriebsinhaber konnten sich zur Durchführung eines eingesetzten Treuhänders bedienen. Jüdische Mitglieder von Genossenschaften wurden mit Stichtag 31. Dezember 1938 kraft Gesetzes aus der Genossenschaft ausgeschlossen. Juden wurde die Fähigkeit als Betriebsführer aberkannt, Juden wurden zum Börsenbesuch nicht mehr zugelassen, und im „deutschen Bankgewerbe" war seit Anfang des Jahres 1939 kein Jude mehr tätig.[85]

Was geschah mit den Kontenguthaben und sonstigen Werten der Juden? Es mußten alle Juden deutscher Staatsangehörigkeit und auch staatenlose Juden ihre gesamten Aktiven, festverzinslichen Wertpapiere und ähnliche Wertpapiere in ein Depot bei einer Devisenbank einlegen. Bei kleineren Instituten war die jeweilige Zentralbank die Depotstelle, zum Beispiel bei Sparkassen die Girozentrale in Wien. Neu erworbene Wertpapiere mußten innerhalb einer Woche nach dem Erwerb eingeliefert werden. Um ja alle Werte zu erfassen, mußte jeder Besitzer derartige Papiere, die auf Juden oder jüdischen Firmen lauteten, nur an eine Devisenbank für Rechnung des Juden aushändigen. Alle Depot- und Schuldbuchkonten waren als „Jüdisch" zu kennzeichnen, alle Verfügungen darüber bedurften der Genehmigung des Reichswirtschaftsministers bzw. in besonderen Fällen der einzelnen Wirtschaftsgruppen der Reichsgruppe Banken.[86] (Abb. 184)

Von der Sperre waren natürlich auch Kontoguthaben und Spareinlagen betroffen, wie aus zwei Belegen der Sparkasse Waidhofen/Thaya hervorgeht. Am 5. bzw. 7. Dez. 1938 stellte Frau Martha Dorn (eingefügt handschriftlich mittels Rotstift „Sara") über die Waidhofner Sparkasse bei der Vermögensverkehrsstelle in Wien den Antrag um Freigabe und Überweisung ihres Guthabens an ihren Wohnort in Wien[87] (Abb. 181). Im konkreten Fall wurden nicht die angesuchten RM 400,— monatlich bewilligt, sondern bis auf Widerruf nur RM 200,—. Leider steht nicht fest, wann der Antrag bewilligt wurde. Jedenfalls dürfte sich die Bearbeitung längere Zeit hingezogen haben, denn die Bewilligung enthält zwei Stempelabdrücke „Postsparkasse", einmal mit 2. Mai 1939 und einmal mit 1. Juni 1939.

Ein zweiter Beleg betrifft eine Genehmigung zur Auszahlung an Samuel Barth vom 13. Februar 1939 durch die Landeshauptmannschaft Niederdonau, Dienststelle für den Vermögensverkehr: *An die Sparkasse in Waidhofen a/Th. Sie werden hiermit angewiesen, dem Samuel Barth in Waidhofen/Th. für Rechnung des dortigen Scheckkontos Nr. 380 zum Zwecke der Lebensführung bis auf Widerruf allmonatlich RM 200,— bar zur Anweisung zu bringen. Wien, am 13. Februar 1939 — Für den Landeshauptmann und im Auftrage des Gauwirtschaftsberaters: Unterschrift* (Abb. 183).

Was bei diesen Genehmigungen auffällt — es fehlt das übliche „Heil Hitler". Auch Samuel Barth war zum Zeitpunkt des Ansuchens nicht mehr in Waidhofen, sondern in Wien

---

[85] Bank- und Sparkassenlexikon 1939 — Juden; Archiv Heimatmuseum Waidhofen/Th.

[86] Archiv Waldviertler Sparkasse von 1842, Rundschreiben H Nr. 76/40; Konditionen im Verkehr mit inländischen Juden.

[87] Archiv der Waldviertler Sparkasse von 1842.

Abb. 186: Grabsteine auf dem jüdischen Friedhof
(Foto: Friedrich Polleroß)

wohnhaft. Weiters ist ersichtlich, daß die Auszahlung an Barth am 15. Februar, 2. Mai und 1. Juni 1939 mittels Postanweisung erfolgt ist.[88]

Bemerkenswert bei den beiden Ansuchen ist, daß ersteres (vom Dezember 1938) von der „Vermögensverkehrsstelle im Ministerium für Wirtschaft und Arbeit" in Wien und das zweite von der „Landeshauptmannschaft Niederdonau" behandelt worden war.

Der jüdische Friedhof

Mit der Gründung der Israelitischen Kultusgemeinde 1882 wurde in Waidhofen auch ein jüdischer Friedhof mit einem Leichenhaus errichtet.[89] Den Bau des Leichenhauses führte Baumeister Johann Freiberger von Groß Siegharts aus. Der Plan zeigt ein schönes, im Neorenaissance-Stil gehaltenes Portal mit einem größeren und zwei weiteren Räumen (Abb. 171). Unterschrieben ist der Plan am 12. Oktober 1892 von Johann Freiberger und vom provisorischen Vorstand der Kultusgemeinde Waidhofen/Th., David Fürst.[90] Nach der Vertreibung der jüdischen Familien 1938 blieben der Friedhof und das Leichenhaus zuerst ungenützt. Die jüdischen Symbole am Gebäude wurden entfernt, aus dem Leichenhaus entstand ein „Allgemeines Städt. Aufbahrungshaus". Nach 1945 wurden Friedhof und Bauwerk der Israelitischen Kultusgemeinde zurückgestellt. Im Jahre 1967 wurden die Leichenhalle und der nicht belegte Teil des Friedhofes von der Stadtgemeinde gekauft, nach-

---

[88] Ebenda.

[89] Siehe Stadtchronik und Pfarrgedenkbuch.

[90] Archiv der Stadt Waidhofen/Thaya — Bauamt, Plan 1892.

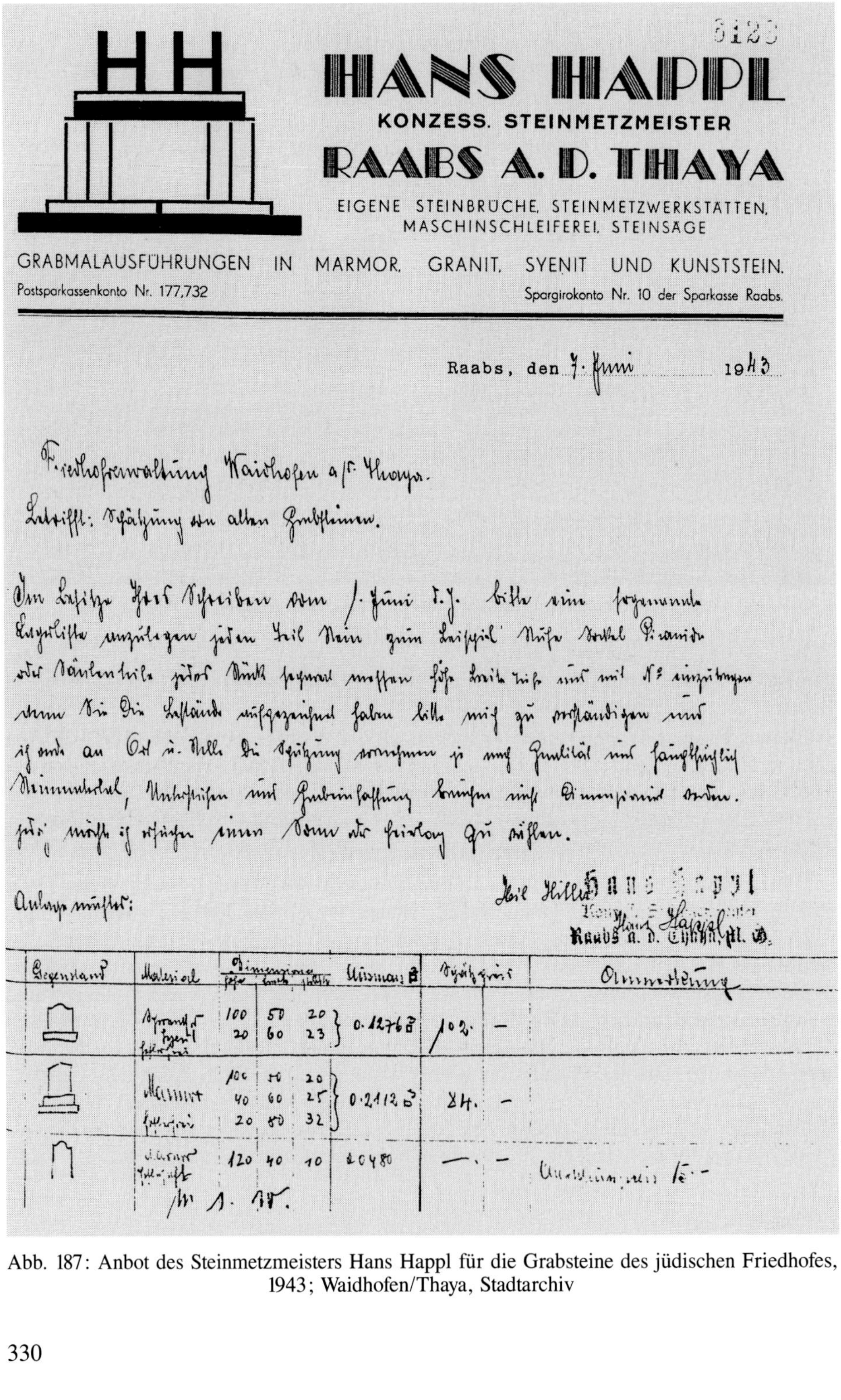

HANS HAPPL
KONZESS. STEINMETZMEISTER
RAABS A. D. THAYA
EIGENE STEINBRÜCHE, STEINMETZWERKSTÄTTEN, MASCHINSCHLEIFEREI, STEINSÄGE

GRABMALAUSFÜHRUNGEN IN MARMOR, GRANIT, SYENIT UND KUNSTSTEIN.

Postsparkassenkonto Nr. 177.732 Spargirokonto Nr. 10 der Sparkasse Raabs.

Raabs, den 7. Juni 1943

Friedhofsverwaltung Waidhofen a/d. Thaya.

Betrifft: Schätzung von alten Grabsteinen.

Im Besitze Ihres Schreiben vom 1. Juni d.J. bitte eine folgende Musterliste anzulegen jeden Teil Stein zum Beispiel Kreuz Sockel Pyramide oder Säulenteile jedes Stück separat messen Höhe Breite Dicke und mit No. einzutragen wenn Sie die Bestände aufgezeichnet haben bitte mich zu verständigen und ich werde an Ort u. Stelle die Schätzung vornehmen je nach Qualität und hauptsächlich Steinmaterial, Unterschriften und Erhaltung können nicht dimensioniert werden. Jetzt möchte ich ersuchen einen Termin der Hinlegung zu erstellen.

Heil Hitler! Hans Happl
Konzess. Steinmetzmeister
Raabs a. d. Thaya, N.-D.

Anlage muster:

Gegenstand	Material	Dimensionen Höhe	Breite	Stärke	Ausmaß m³	Schätzpreis	Anmerkung
	[illegible]	100 20	50 60	20 23	0.1276 m³	102.–	
	Marmor	100 40 20	50 60 80	20 25 32	0.2112 m³	84.–	
	[illegible]	120	40	10	0.0480	–.–	

Abb. 187: Anbot des Steinmetzmeisters Hans Happl für die Grabsteine des jüdischen Friedhofes, 1943; Waidhofen/Thaya, Stadtarchiv

dem diese schon einmal grundbücherlich Eigentümerin gewesen war. In der Stadtchronik findet sich 1940 nämlich folgende Eintragung: *Der Friedhof der ehemaligen Kultusgemeinde, der dem Allgemeinen Friedhof gegenüber liegt und ein Ausmaß von 2594 m² hat, wurde gegen bloße Leistung der Übertragungskosten der Stadtgemeinde eigentumsrechtlich übertragen.*[91] Bei der Renovierung Ende der 70er-Jahre wurde das straßenseitige Eingangstor vermauert und mit einem Sgrafittokreuz sowie einem Spruch versehen. Der Weg führt jetzt neben dem Bauwerk in den Vorbereich des Friedhofes. Von hier ist die Aufbahrungshalle zu betreten.

Am 9. September 1943 wurde im Gemeindeausschuß über den Verkauf der Grabsteine am Judenfriedhof beraten. Dazu lagen zwei Schätzungsanbote vor: Eines vom Waidhofner Steinmetzmeister Mahringer, das zweite vom Steinmetzmeister Hans Happl aus Raabs a. d. Thaya (Abb. 187). Von der Schätzung der Grabsteine liegt eine Liste mit Namen und Beträgen auf. Insgesamt handelte es sich um 116 Grabsteine, der geschätzte Betrag lautete auf 14070,— RM. Da Mahringer als Soldat eingerückt war, wurde der Verkauf verschoben und später nicht mehr durchgeführt[92] (Abb. 186).

Die ungarischen Juden

Am 19. März 1944 wurde Ungarn von Deutschland besetzt. Von diesem Zeitpunkt an trat der deutsche Sicherheitsdienst in Aktion und nahm ungarische Staatsangehörige, die irgendwie dem „Reich" gefährlich hätten werden können, fest.[93] Insgesamt wurden über 400000 Menschen aus Ungarn deportiert. Taktische Überlegungen der Adolf Eichmann-Stelle führten dazu, daß 30000 ungarische Juden gegen „Kopfgeld" in andere Länder oder nach Palästina gebracht werden konnten. Im Gebiet der „Ostmark" kamen 8000-9000 zur Zwangsarbeit. Vom Durchgangslager Straßhof wurden die Internierten für die einzelnen Arbeitseinsätze bestimmt.[94]

Der Arbeitskräftemangel in der Landwirtschaft und in den Betrieben brachte deportierte Ungarn auch in das Waldviertel. Sie arbeiteten in Sägewerken, Steinbrüchen, führten Grab- und Erdarbeiten durch und waren in der Glasfabrik eingesetzt. Man schätzt die im Waldviertel eingesetzten Juden auf ca. 1200 Personen.[95] Die Betriebe, in denen Zwangsarbeiter beschäftigt wurden, mußten Zahlungen an die Wiener Judenaussiedlungsstelle leisten. Ebenso zahlte ein Budapester Rettungskomitee der Juden beachtliche Beträge.[96]

In unserer Nähe beschäftigten die Firma Holzwerk Wenzel Hartl in Echsenbach, die Firma Textilbetrieb Adensamer, Groß Siegharts, der Gutshof Illmau bei Kautzen und der Forstgarten Waidhofen Internierte. Im Forstgarten waren vor allem Frauen eingesetzt

---

[91] Siehe Stadtchronik.

[92] Archiv der Stadt Waidhofen/Thaya — Beilage zum Protokoll der Gemeindeausschußsitzung vom 9. Sept. 1943. Siehe Seite 139-144 dieses Bandes. Bei den aufscheinenden Namen ist zu bemerken, daß viele derselben heute geläufige Namen sind und keinesfalls mit jüdischer Abstammung assoziert werden. Auch der Name des von 1938-1945 hier wirkenden Landrats Dr. Schlesinger findet sich bei Streibel, Krems (wie Anm. 69) S. 282/283, und bei Szabolcz Szita, Ungarische Zwangsarbeit im Waldviertel 1944/45. In: Das Waldviertel 42 (1993) H. 4, S. 328 als Familienname von Juden.

[93] Vgl. Szita, Zwangsarbeit (wie Anm. 92) S. 309 f.

[94] Ebenda, S. 315.

[95] Ebenda, S. 317 f.

[96] Ebenda.

Abb. 188: An dieser Stelle befand sich 1944/45 das Lager für ungarische Juden
(Foto: Magda Hitz)

(Abb. 188). In Gmünd, Schrems, Neubistritz/Nová Bystřice und Zlabings/Slavonice arbeitete ebenfalls eine größere Anzahl internierter Juden aus Ungarn[97] (Abb. 73).

Der Waidhofner Kreisleiter Wilhelm Hanisch berichtete am 12. Oktober 1944: *467 deportierte Ungarn, 148 Männer, 247 Frauen und 72 Kinder, arbeiteten auf neun Forstwirtschaften und vier Industriebetrieben (56 Männer, 107 Frauen und 22 Kinder). Die Meldung bezeichnete ihre Leistung als zufriedenstellend und bemerkt, daß die strenge polizeiliche Kontrolle der Juden wohl selbstverständlich ist.*[98]

Bis zum Jahre 1988, dem ersten „Bedenkjahr", wußten die wenigsten Bewohner Waidhofens, daß sich hier in der Zeit vom Juli 1944 bis Mitte April 1945 ein Lager für Juden befunden hatte.[99] Im Jahre 1988 tauchte ein Blatt Papier auf, in dem in schwungvoller deutscher Schrift den Familien Gaukler (richtig Gaukel) und Schweitzer für die Betreuung während der Gefangenschaft gedankt wurde. Der Text lautet: *Die 235 im Waidhofener Judenlager vom 1. VII. 1944 bis zum heutigen Tage untergebrachten Juden, erachten es als ihre Ehrenpflicht, vor ihrem Abtransport aus diesem Lager, hiermit festzulegen, dass sie die obigen Familien mit viel Güte und Wohlwollen überhäuften und nach jeder Richtung hin weitgehendst unterstützten. Waidhofen 17. IV. 1945 — Die 235 dankbaren Juden*[100]

---

[97] Ebenda, S. 326-327.

[98] Ebenda, S. 321-322.

[99] Friedrich Schadauer, Ausstellung 1988 „Das Geschehen im Bezirk Waidhofen". Ebenso Vortrag des Ausstellungsgestalters im Rahmen des Waldviertler Heimatbundes, Ortsgruppe Waidhofen/Thaya, am 29. Nov. 1988, im Festsaal der Waldviertler Sparkasse von 1842.

[100] Christoph Schadauer, Das Jahr 1945 im politischen Bezirk Waidhofen an der Thaya (= Schriftenreihe des Waldviertler Heimatbundes 35, Horn — Waidhofen an der Thaya ²1994) S. 25.

(Abb. 189). Es waren aber nicht nur diese beiden Familien, die geholfen haben, sondern auch noch weitere. [101]

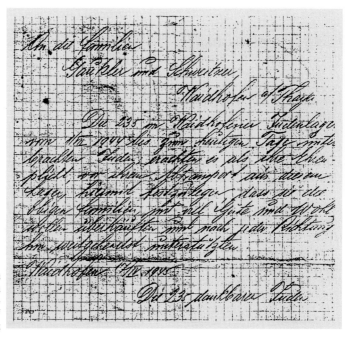

Abb. 189: Dankschreiben der ungarischen Juden an zwei Waidhofner Familien, 1945; Waidhofen/ Thaya, Privatbesitz

Zum Judenlager notierte Dechant Wingelhofer im Gedenkbuch der Pfarre: *Als ein Judenlager angelegt wurde, darunter viele Frauen und Kinder, deren Lebensmittelkarten stark gekürzt waren, konnte ihnen wöchentliche Hilfe gebracht werden. Wenn es Not war, war Hilfe da, manchmal fast wunderbar.* Der damalige Religionsprofessor und spätere Stadtpfarrer Franz Sallinger ergänzte: *Die Pfarrhaushälterin Frl. Luise Trauner ging nachts heimlich zum Judenlager im Brauhauskeller mit Lebensmitteln.* [102] Abschließend schreibt er: *Unsere Juden wurden zum Teil auf dem Zug nach Westen von den Wachen erschossen.* [103] Andere Quellen sind der Meinung, sie wären vor den heranziehenden Russen nach dem Westen getrieben worden. [104]

Zu Kriegsende war in Waidhofen an der Thaya Dr. Alexander Thal als Arzt im Kriegslazarett eingesetzt. Seine Frau Dr. Ida Thal war im Krankenhaus Waidhofen an der Thaya Assistentenärztin. [105] Sie berichtet über das Judenlager in der ehemaligen Brauerei Zie-

---

[101] Siehe Pfarrgedenkbuch, 1945.

[102] Ebenda.

[103] Ebenda.

[104] Mitteilungen von Zeitzeugen an den Verfasser.

[105] Frau Dr. Ida Thal leistete in den Kriegsendzeiten, besonders 1945, Großartiges. Nachdem Anfang Mai 1945 der Primar des Krankenhauses Dr. Hochmiller und andere Parteigranden, unter Mitnahme des Rettungsautos, das ihnen als Fluchtauto diente, nach dem Westen geflohen waren, lag die ganze Verantwortung für den Krankenhausbetrieb zu Beginn der Besetzung durch die Sowjets bei ihr und ihren Kollegen Dr. Herbert Höpfl sowie ihrem Gatten Dr. Alexander Thal, der aus dem Baltikum stammte und die russische Sprache beherrschte. Dieser Umstand war von großer Wichtigkeit. Siehe Alexander Thal, Das Krankenhaus der Stadt Waidhofen/Thaya 1945 (Groß Siegharts 1990, im Eigenverlag).

gengeist: *Neben dem Spital im Aignergarten befand sich noch eine kleine Baracke für die Ostarbeiter, wo Anfang April 1945 8-10 Juden vorübergehend untergebracht wurden.* [106] *Einer Frau mit starker Abortusblutung im Lager Ziegengeist wurde von dem sogenannten Judenbändiger, einem brutalen Aufseher, jede Hilfe verweigert.* [107]

OMR Dr. Alexander Thal befragte weitere Zeitzeugen zum Judenlager. Er erwähnt ebenfalls den Einsatz der Haushälterin des Pfarrhofes, Luise Trauner, die heimlich den Juden Kleider und Nahrungsmittel zusteckte. Frau Elsa Kainz, die Besitzerin der Ziegengeistvilla und Gattin des General a. D. Anton Kainz, brachte den Internierten, alle Gefahr mißachtend, humanitäre Hilfe. [108] Die Lehrerin Margarete Schwarzer, so wird berichtet, war wegen ihres barmherzigen Verhaltens für die Juden von der Gestapo verhaftet, verhört und seelisch zugrunde gerichtet worden. Frau Franziska Hölzl wurde ebenfalls wegen einer Hilfeleistung die Verhaftung angedroht. [109]

Tatsache ist, daß die Waidhofner und Zlabingser ungarischen Juden in Eisenbahnwaggons verladen und abtransportiert wurden. Die Befreiung und Erlösung fanden diese schwergeprüften Menschen am Abend des 9. Mai 1945. Sie waren zuletzt in den Kasematten der Dresdnerkaserne in Theresienstadt interniert. [110]

Nicht für alle Judengruppen, die im Einsatz waren, verliefen die letzten Kriegstage günstig. Im April wurden im Kampfgebiet des Voralpenlandes und an der Donau mindestens 1000 Juden, die ihrer Heimat zustrebten, von den sich zurückziehenden SS-Einheiten kaltblütig getötet. [111]

Nachwort

Es war fünf vor 12, die Geschichte der jüdischen Familien vor 1938 und ihre Vertreibung zu erfassen. Die Menschen, die darüber Auskunft geben können, werden immer seltener. Durch die EDV und damit zusammenhängend die Umstellung auf Datenbanken (z. B. Grundbücher) wird die Archivforschung schwieriger. Dazu kommt noch, daß jüngere Menschen kaum die „kurrent" geschriebenen alten Chroniken lesen können, es sei denn, sie haben einschlägige Ausbildung. Auch das Datenschutzgesetz erschwert vielfach historische Forschungen. Leider konnte daher auch das Archiv des Meldeamtes in Waidhofen an der Thaya nicht benützt werden, dessen Benutzung von einem Beschluß des Gemeinderates abhängig gemacht worden ist.

---

[106] Seit 1953 steht dort eine Wohnhausanlage.

[107] Siehe Thal, Krankenhaus (wie Anm. 105).

[108] Zu dieser Zeit war die Brauerei bereits länger stillgelegt. General a. D. Kainz war am 11. Juni 1876 als Sohn eines Waidhofner Tischlermeisters geboren worden und mit der Tochter des letzten Brauereibesitzers Ziegengeist verheiratet gewesen. Anton Kainz war Kommandant der Heeresoffiziersschule in Enns O.Ö. gewesen und ließ sich nach seiner Pensionierung ganz in Waidhofen nieder. Am 9. Mai 1945 übernahm er als 70jähriger die interimistische Leitung der Stadt und des Bezirkes Waidhofen/Thaya. Bei der Sparkasse Waidhofen an der Thaya war er von 1945 bis 1951 Vorsitzer einer Verwaltungskommission.
Archiv Heimatmuseum Waidhofen an der Thaya.

[109] Thal (wie Anm. 105) letzter Absatz.

[110] Vgl. Szita, Zwangsarbeit (wie Anm. 92) S. 325.

[111] Ebenda, S. 333.

III. Anhang

Die jüdischen Bewohner im Vorort Niederthal 1650
Quelle: Pfarrchronik Waidhofen an der Thaya, S. 546

1. Davidt Moyses, sein Weib Rülle
2. Davidt Gerstl, sein Weib Midl, ein Sohn, drei Töchter
3. Joseph Mörtl, sein Weib Frätl, vier Söhne, drei Töchter
4. Sollomann Moysses, sein Weib Püstl, ein Sohn, vier Töchter
5. Isaac Benedikt, sein Weib Kehle, zwei Söhne, drei Töchter, eine Schwester und der Schulmeister
6. N. Jakob, sein Weib Efa, ein Sohn, zwei Töchter
7. Zacharias Mandl, sein Weib Peil, zwei Söhne, zwei Töchter, ein Waisenkind
8. Israel Wolff, sein Weib Rückl, drei Töchter
9. Himesil Jacob, sein Weib Khörte
10. Witwe Prachl, ein Waisenkind
11. Adam Lebl, sein Weib Prödl, ein Sohn
12. Lazarus Wolff, sein Weib Paffa, zwei Söhne, eine Tochter
13. Schülsing Meyrl, sein Weib Gürtl, vier Söhne
14. Witwe Sarl, drei Söhne
15. N. Lebl, sein Weib Ella, zwei Söhne, zwei Töchter
16. Latzarus Jacob, sein Weib Rachel, zwei Söhne
17. Moises Gerstl, sein Weib N., ein Sohn
18. Latzarus Veith, sein Weib Fadl, ein Sohn, zwei Töchter
19. Latzarus Ascher, sein Weib Sprünzl, ein Sohn, eine Tochter
20. Isaac Hünig, sein Weib Guth, zwei Töchter
21. Witwer Mathias
22. Abrahamb (Schulmeister)

Häuser mit ursprünglich jüdischen Besitzern in der Stadt Waidhofen an der Thaya

HV 1
EZ 22 | Stadt, Haus Nr. 24 und 25 | heute Böhmgasse 6, Kaufhaus Schöps
| KV | 1927 | Löwy Max
| SchV | 1929 | Löwy Max und Risa
| | 1933 | Ausgleich und Veräußerung

HV 2
EZ 39 | Stadt, Haus Nr. 43 | heute Sackgasse 1, Edith Traxler
| KV | 1878 | Fürst David und Theresia

HV 3
EZ 67 | Stadt, Haus Nr. 71 | heute Hauptplatz 19, Boutique Esche
| KV | 1872 | Stukhart Wilhelm u. Cäcilie
| EV | 1901 | Stukhart Wilhelm und Josef
| EV | 1918 | Stukhart Josef
| KV | 1924 | Stukhart Leopold und Fanny

EV   1930 Stukhart Fanny und Franziska
KV   1938 Gabler Hans
      1947 Rückstellungsverfahren eingeleitet
      1947 Rep. Österreich
      1954 Stukhart Aloisia Johanna

HV 4
EZ 72 Stadt, Haus Nr. 76   heute Hauptplatz 13, Buchhandlung Theodor Kargl
       EV   1896 Kargl Auguste
             1926 Zuschlag an Samuel und Karoline Barth
       KV   1938, 1940 und 1941 mit Genehmigung Vermögensverkehrsstelle
             Kargl Theodor und Leopoldine

HV 5
EZ 91 Stadt, Haus Nr. 96   heute Niederleuthnerstraße 5, Optiker Viktor Eder
       KV   1888 Stukhart Ignaz und Amalia
       KV   1913 Stukhart Hugo
       KV   1938 Stocklasser Hans
             1948 Rückstellungsverfahren eingeleitet
             1950 Stukhart Hugo eingeschränkt auf die öffentliche Verwaltung
             1951 Vergleich Stocklasser Hans

HV 6
EZ 83 Stadt, Haus Nr. 88   heute Niederleuthnerstraße 21, Walter Biedermann
       KV   1913 Dr. Josef Feingold
       KV   1919 Biedermann Lambert

HV 7
EZ 93 Stadt, Haus Nr. 98   heute Niederleuthnerstraße 1, Ferdinand Grün
       KV   1886 Singer Markus und Antonia
       KV   1907 Fürst Alois und Mathilde
       KV   1920 Grün Franz und Anna

HV 8
EZ 354 Fabriksgebäude, Mechanische Strick- und Wirkwarenfabrik, Extragebäude
        Haus Nr. 48   heute Raiffeisenstraße 5, EVN, früher NEWAG
        Haus Nr. 217 Extragebäude 3
        Haus Nr. 252 Raiffeisenstraße 5
        KV   1900 Fa. Moritz Deutsch & Co
        GB   1911 Konkurs angemerkt
        KV   1912 Volk Adolf
        KV   1912 Die Niederösterreichische Metallwarenfabrik
                    Einstein & Mannaberg
        KV   1930 Elektrizitätswerk der Stadtgemeinde Waidhofen/Thaya
        KV   1955 NEWAG, nun EVN

HV 9

EZ 414   Extragebäude, Haus Nr. 25   heute Hamernikgasse 2 und Kernstockstraße 1,
                                                                   Tippl Friedrich
      KV   1883   Fürst David und Theresia und Herma
      LV   1899   Fürst Jacob und Goldstein Samuel
      EV   1902   Fürst Alois und Goldstein Samuel
      KV   1918   Goldstein Samuel
      KV   1926   Stadtgemeinde Waidhofen/Th.

EZ 727   Extragebäude, Haus Nr. 438   heute Hamernikgasse 4 und 4a,
      gleich wie EZ 414 bis 1926   Reiter Werner und Christine
      KV   1926   Stadtgemeinde Waidhofen/Th.

EZ 1582 Extragebäude, Haus Nr. 221   heute Hamernikgasse 2a,
      gleich wie EZ 414 bis 1926   Kloiber Anton und Leopoldine
      KV   1926   Stadtgemeinde Waidhofen/Th.

HV 10

EZ 483   Hamernikgasse 26a   heute Appel Maria
      KV   1930   Barth Samuel und Karoline
      KV   1938   Appel Rudolf und Maria
             mit Gen. Bescheid der Vermögensverkehrsstelle
      AM   1948   Rückstellungsverfahren
      AM   1950   Rückstellungsverfahren gelöscht!

EZ 1272 Hamernikgasse 26   heute Appel Maria und Rudolf
      wie EZ 483 bis 1950

HV 11

EZ 485   Extragebäude Nr. 44, Bahnhofstraße   heute Neumayer-Waldmann Karoline
      KV   1915   Fleischmann Albert und Rosina
      KV   1922   Fleischmann Hans und Rosina
      GB   1924   Konkurs
      GB   1925   Meistbot Waldmann Julius

HV 12

EZ 582   Haus Nr. 14a Bahnhofstraße   heute Zlabinger Franz
      KV   1916   Fleischmann Albert und Rosina
      GB   1924   Konkurs
      GB   1925   Meistbot Waldmann Julius

HV 13

EZ 585   Stadt, Haus Nr. 130   heute Böhmgasse 30, Intersport-Ruby
      TauschV 1909 Kollmann Leopold und Toni
      EV   1930   Kollmann Frida und Toni
      EV   1937   Kollmann Frida

	1943	gemäß Gesetz — Deutsches Reich	
	1948	Bescheid für Colmann Walter	
KV	1953	Ruby Johann und Rosina	

HV 14

EZ 149		Niederthal, Haus Nr. 28 (Susannenbad)	heute Badgasse 7 bzw. 26
KV	1871	Lustig Carl	Müller Albin und Hildegard
		(Silberkettenfabrik Lustig und Vidor)	
KV	1881	Dobler Theodor und Josefine	

Das Haus steht unter Denkmalschutz.

Zeichenerklärung:

AM	=	Anmerkung
EV	=	Erbvertrag
EZ	=	Einlagezahl
GB	=	Gerichtsbeschluß
HV	=	Häuserverzeichnis
KV	=	Kaufvertrag
LV	=	Leibrentenvertrag
SchV	=	Schenkungsvertrag

IV. Protokolle der Befragung von Zeitzeugen in der Zeit vom 5. bis 10. September 1995

Protokoll 1 — Frau Sch., ca. 75 Jahre

Sie kann sich an das Bethaus bei Stukhart erinnern, dort kamen viele Juden, wenn Sabbat war, vor dem Haus zusammen und gingen dann durch das Haustor in den Hof, wo in einem Nebengebäude im ersten Stock gebetet wurde.

Einmal war ein Begräbnis, da waren die Pferde geschmückt. Am Judenfriedhof draußen wurde laut gebetet. Die Frauen haben laut geweint und geklagt. Den Schlüssel zur Leichenhalle hatte eine Waidhofner Familie. Auf die Gräber wurden Steine gelegt.

Im März 1938 war eines Tages ein großer Wirbel vor dem Haus. SA-Männer in braunen Uniformen waren aufmarschiert. Herr Stukhart und seine Familie wurden beschimpft.

Neben dem Hause Kargl war der Barth-Jude, der mit Mehl handelte. Bei ihm holten sich die Bauern Mehl zum Brotbacken. Auch Frau Sch. wurde öfters dorthin geschickt, um Mehl zu kaufen. Im Hause Leyrer (Ecke Hauptplatz — Niederleuthnerstraße) wohnte eine ältere Frau namens Schmolka. Sie hatte solche Angst, daß sie sich erhängte. Ihre Tochter war Dentistin mit Praxis, dort arbeitete auch Herr F. Die Frau hieß Anibas und ging nach Wien. Sie dürfte überlebt haben.

Im heutigen Hause Ruby hatte der Händler Kollmann ein Lederwarengeschäft. Frau Sch.'s Vater war Gerbermeister, der ebenfalls ein Lederwarengeschäft führte. Er kritisierte seinen israelitischen Konkurrenten, da er das Leder, Lederwaren und Zubehör billiger abgab, als es ihr Vater konnte. Damals kamen die ersten Maschinen zur Erzeugung von Lederwaren auf, und Kollmann konnte billiger einkaufen.

Protokoll 2 — Frau U., ca. 70 Jahre

Sie war Nachbarin des Hugo Stukhart und mit den beiden Töchtern gut bekannt. Stukhart war eine wohlhabende Familie und beschäftigte ein Dienstmädchen. Stukhart führte ein Stoffgeschäft.

Sie kann sich an das laute Beten erinnern, besonders zu den heiligen Tagen. Mit ihren jüdischen Freundinnen besuchte sie öfters den Tempel, der sehr mystisch erschien. 1938 erfolgte eine rüde Behandlung der Familie durch SA-Leute.

Stukhart konnte noch nach Palästina (Haifa) auswandern. Die ältere Tochter dürfte im KZ umgekommen sein, wohnte aber damals bereits in Wien. Die jüngere blieb in Haifa.

Im Hause, das Stukhart gegenüber liegt, hat eine ältere Frau aus Furcht vor der SA Selbstmord begangen. Die Tochter war Dentistin im gleichen Haus, und Frau U. erinnert sich, daß sie als Kinder nach jeder „Bohrung" von der Assistentin eine Biscotte erhielten. Sie meint, daß auch Herr F. dort gearbeitet hat. Die alte Dame hieß Schmolka. Frau U. meint, die Tochter hätte in Wien „arisch" geheiratet und überlebt. Der Sohn kam ab und zu aus Amerika auf Besuch, jedenfalls vor dem Umbruch, vor 1938.

Protokoll 3 — Frau A., ca. 80 Jahre

Sie wurde zur Tochter von Frau Schmolka, der Dentistin Anibas, befragt. Diese war mit dem Bruder des Waidhofner Kohlenhändlers Ignaz Anibas verheiratet. Sie übersiedelte nach Wien und trat zum katholischen Glauben über. Sie überlebte in Wien. Ihr Bruder (bzw. der Sohn Schmolka) ging 1935 oder 1936 nach Berlin, später nach Wien. Weiter ist ihr nichts von ihm bekannt.

Protokoll 4 — Frau D., ca. 75 Jahre

Sie hat von den Waidhofner Juden wenig bemerkt. Die Mädchen der Stukharts waren stets gut gekleidet, führte das Geschäft doch Stoffe, Kleider und Anzüge. Auch Frau D. erinnert sich an das geheimnisvolle Bethaus mit dem blauen Himmel und goldenen Sternen.

Protokoll 5 — Herr B., ca. 75 Jahre

Es fiel ihm zunächst der Barth Jude am Hauptplatz ein. Sein Geschäft bestand aus einem „Gwölb", ein Loch. Er handelte vorwiegend mit Mehl. Barth hatte drei fesche Töchter. Die mittlere heiratete Max Auspitz, der auf Hamernikgasse 26 ebenfalls mit Mehl und Viktualien handelte. In der Böhmgasse besaß der Jude Löwy das ehemalige Posthaus und handelte mit Viktualien. Sein Sohn besaß ein vielbewundertes Motorrad, eine Harley Davidson. Der Jude Kollmann betrieb ein Lederwarengeschäft in der Böhmgasse (Vorgänger von Ruby). Der Sohn Kollmanns war in Wien Bankbeamter, er hatte auch noch eine Tochter.

Hugo Stukhart, Geschäft am Hauptplatz, hatte einen Bruder mit Namen Leopold, einen Sohn und eine Tochter. Die Familie wanderte nach Südamerika aus. Stukhart war mit einer Padourektochter verheiratet. Frau Pusch ist eine Verwandte der Familie Padourek...

Einstein & Mannaberg, eine Fabrik mit hohem Schornstein, erzeugte Eßbesteck. Der Firmensitz war in der Bahnhofstraße, im späteren Amtsgebäude der NEWAG. Der Sohn von Mannaberg erbaute die Villa „Waldmark" in der Bahnhofstraße beim Hotel Tiefenböck.

Im Hause des Herrn Tippl war früher der Getreidehändler Goldstein. Es gab dann noch den Pferdenarren Fleischmann in der Hamernikgasse — Bahnhofstraße. Professor Hoefner, die Tochter des Primar Dr. Seligmann und andere wurden als Halbjuden nicht verfolgt. Professor Hoefner, Kunsterzieher am Gymnasium, wurde allerdings aus dem Schuldienst entfernt und nach 1945 wieder eingestellt. Er wohnte in der Sixmühle und war ein akademischer Maler.

Protokoll 6 — Herr S., ca. 75 Jahre

Kann sich hauptsächlich an das Geschäft von Löwy und seinem Sohn in der Böhmgasse erinnern. Er erzählt, daß er in seiner Gymnasialzeit dort einen Geschenkkorb für einen Professor zu besorgen hatte. Später ging das Geschäft zugrunde.

Protokoll 7 — Frau P., ca. 75 Jahre

Frau P. war auf verschiedenen Dienstposten in Waidhofen /Thaya und kann sich an sehr viele Vorkommnisse in Waidhofen erinnern. Ab 1938 war ihr Dienstort dann Schwarzenau.

Die Löffelfabrik Einstein & Mannaberg hatte einen hohen Fabriksschlot. Er wurde zu Beginn des 2. Weltkriegs durch den Technischen Dienst gesprengt. Der Betrieb war in den 20er-Jahren nach Polen gegangen und hatte einige Arbeiter mitgenommen. Mannaberg war mit einer Smutny-Tochter (deren Vater war Diener beim Grafen Gudenus) verheiratet gewesen. Er kam nach 1945 zu Besuch nach Waidhofen. Das Tippl-Haus gehörte dem Juden Goldstein. Der Getreidehändler Auspitz, der mit einer Tochter von Barth (Martha) verheiratet war, hatte in der Hamernikgasse das Geschäft. Auspitz ist nach Amerika ausgewandert und hat einmal Frau Tomann geschrieben.

Der Jude Fleischmann war ein Pferdehändler, hatte eine Tochter Olga. Nach dem geschäftlichen Verlust sind sie aus Waidhofen verschwunden.

Die Familie Stukhart in der Niederleuthnerstraße bestand aus dem Familienoberhaupt Hugo Stukhart, seiner Frau (sie war keine Schönheit, korpulent, mit hervorstehenden Augen, sodaß sich die Kinder vor ihr fürchteten) und zwei Töchtern, Erna und Elice. Die jüngere Elice soll im KZ umgekommen sein. Die anderen Familienmitglieder gelangten nach Haifa. Herr Stukhart war nach dem Kriege, zur Erledigung der Hausangelegenheit mit Herrn Stocklasser, in Waidhofen. Er besuchte auch sein ehemaliges Dienstmädchen, Frau Fasching, in der Wienerstraße. Stukhart, obwohl Jude, hatte sie jeden Tag zum Kirchengehen (Besuch der hl. Messe) aufgefordert. In das Stoffgeschäft Stukhart gingen sehr viele Bauern einkaufen (Textil- und Schnittwaren). Später gingen sie auf ihn los. Da im selben Haus die Synagoge war, erinnert sich Frau P. an das Begräbnis von Rabbi Samuel Stark. Als Kinder seien sie damals zur jüdischen Leichenhalle gelaufen, dort hätte der Rabbiner den Toten wiederholt sehr laut mit „Sami Stark" angesprochen.

Zu Barth Samuel: Er lebte vom Mehl- und Getreidehandel und hatte drei Töchter — Martha, die Auspitz heiratete, sowie Ella und Grete. Der Sohn des Leopold Stukhart, Gustav, besaß das Haus neben dem Geschäft Roth am Hauptplatz. Er heiratete die Tochter Aloisia Johanna der Eheleute Padourek (Badgasse). Die Stukharts emigrierten nach Amerika, wo sie auch gestorben sind. Frau Flieger ist eine Schwester von Frau Stukhart. Das Haus in der Böhmgasse, in dem Löwy vorwiegend mit Getreide und Mehl handelte, hat eine bewegte Geschichte. Es beherbergte einstmals die Post (bereits schon zur Postkutschenzeit), den Gendarmerieposten, ein Del-Ka-Schuhgeschäft, die Drogerie Fussik und schließlich die Kreisleitung.

Erwähnt wurden eine Reihe getaufter Juden, „Halb- oder Vierteljuden", die in Waidhofen ohne Behinderung lebten. Dazu gehörten Primar Dr. Seligmann und seine Tochter Leontine Janku, die Schauspielerin war. Seligmann verstand es, sich als Arzt einige Häuser zu verdienen. Neben dem großen Gebäude in der Böhmgasse (vis-à-vis des Kinos) erwarb er das heutige Haus Talamas bei der Zwiebelkapelle, die Villa Markon in der Brunnerstraße und ein Grundstück am Mitterweg. Seligmann hatte immer Gesellschaft und organisierte in seinem Heim Schallplatten-Opernabende. Stadtrat Dr. Permann war getaufter Jude und wohnte im heutigen Postgelände. Er war Obmann-Stellvertreter der Bezirksstelle des DRK (Deutschen Roten Kreuzes). Weiters wären noch zu nennen: Frau Berta Schlesinger (Niederthal) und die Färber-Sopherl Hasenpflug, die mit Spielzeug und Seilerwaren handelte. Von Schmier- oder Schmähaktionen im Jahr 1938 ist Frau P. nichts bekannt.

Protokoll 8 — Herr Franz B., ca. 75 Jahre

Er erinnert sich, daß die Bauern Getreide und Hafer lieber den „Mehljuden" gaben als einem Müller, da diese ihnen um 1 oder 2 Groschen mehr zahlten. Später wurde aber sehr geschimpft über die Juden.

Protokoll 9 — Herr Konrad W., 84 Jahre

W. war in den Dreißigerjahren im Feinkostgeschäft Mazanez beschäftigt und übernahm 1936 selbst die Konzession.

Im Stukharthaus war die Synagoge. Hier kamen am „langen Tag" oder jüdischen Feiertagen die gläubigen Juden aus der Umgebung zusammen. An diesen Tagen nahmen einige „sehr feine Personen" an den Zeremonien im Bethaus teil, die er im Geschäft bediente. Sie kauften Schinken, Salami, Käse der verschiedensten Sorten. Herr W. erinnert sich an den Geschäftsmann Reich aus Heidenreichstein. Herr Reich war sehr gebildet und unterhielt sich mit Frau Mazanez über Musik (Frau Mazanez war auch Musiklehrerin). Die Familie Reich bestand aus dem Ehepaar und drei Kindern (Luise, Fritzi und Sohn). Einkaufen kamen weiters Rudolf Rezek, Gutsverwaltung Schellingshof bei Dobersberg, und Otto Rezek vom Gut Groß-Taxen.

Vom Auflassen des Bethauses Stukhart im Jahre 1938 weiß er zu berichten, daß vor dem Haus ein Wirbel inszeniert und man dabei gegen die Familie handgreiflich wurde. Herr Stukhart wurde geohrfeigt. Die dem Haus gegenüber wohnende Arztwitwe Schmolka (ihr Gatte war vor 1934 verstorben) wurde Augenzeugin und beging aus Angst Selbstmord. Die Bedienerin fand die vornehme Frau, die nur Hochdeutsch sprach, am Fensterkreuz erhängt auf. Die Tochter war Dentistin und mit dem Onkel des Herrn O. Anibas, einem Ingenieur, verheiratet. Sie, die Fritzi, dürfte in Wien überlebt haben. Die Ehe blieb kinderlos. Ihr Geschäft, so glaubt er, hat der Waidhofner Dentist Fitz übernommen und ist später in das Binder-Bäckerhaus übersiedelt.

Zu Hugo Stukhart kamen die Leute von weit und breit um Stoffe und Kleidung. Er gewährte oft Kredite, d. h. ein längeres Zahlungsziel. Gerade diese Menschen waren dann die ärgsten und haben ihn geschlagen. Die Stukharts kamen aus Zlabings. Hugo hatte zwei Töchter. Die eine war ausgesprochen hübsch mit südländischem Aussehen, die Elice. Die zweite Tochter Erna war das Gegenteil, konnte aber verheiratet werden. Die Familie wanderte aus. Hugo war später in Waidhofen an der Thaya (nach dem Zweiten Weltkrieg, um die Hausangelegenheit mit Herrn Stocklasser zu klären). Gustav Stukhart am Hauptplatz, heute Kleidergeschäft Esche, war ein Cousin von Hugo und bedeutend jünger, ungefähr so alt wie die Töchter des ersteren. Er heiratete eine Waidhofnerin und ist ausgewandert.

Das Barth-Geschäft lag neben der Buchhandlung Kargl am Hauptplatz. Heute ist es ein Haus. Ursprünglich hatte das schmale, enge Haus des Barth schon früher dem Kargl gehört. Nach 1938 wurde es von Theodor Kargl ganz real zurückgekauft. Max Auspitz war ein Korn- bzw. Landesproduktenhändler. Er bewohnte das Haus des früheren Baumeisters Freiberger in der Hamernikgasse, das einen großen Hof hatte und dem Barth gehörte. Vor Barth hatte es dem Loidl gehört. Herr W. erinnert sich weiter an die Löffelfabrik, die nach

Polen übersiedelte und Arbeiter mitnahm. Goldstein war am Hause des Herrn Tippl. Letzterer errichtete dort eine Bäckerei. Fleischmann in der Bahnhofstraße war ein Pferdehändler.

Zum Geschäftsmann Löwy kann Herr W. nicht viel berichten. Er weiß nur, daß es in Gmünd einen Großhändler Löwy gegeben hat, der auch ihn beliefert hat, „ein feiner Mensch". Ob und wo er die Nazizeit verbrachte, weiß er nicht mehr, dürfte aber erst einige Zeit nach Kriegsende den Großhandel aufgegeben haben, nachdem er von einem Angestellten bestohlen worden war. Auch Herr W. betont, daß die Waidhofner Juden eigentlich in der Stadt sehr wenig in Erscheinung getreten sind.

Friedel Moll

JUDEN IN ZWETTL

Spärliche Spuren im Mittelalter

Für Zwettl hatte bereits an der Wende vom 12. zum 13. Jahrhundert der Güteraustausch große Bedeutung. So verlieh Herzog Leopold VI. „seinen Zwettler Bürgern" am 28. Dezember 1200 die gleichen Handelsrechte zu Wasser und zu Land, die bereits die Kremser besaßen, und die Kuenringer Hadmar III. und Heinrich III. gewährten 1229 einen zweiten Wochenmarkttag. In späterer Zeit erhielt die Stadt drei Jahr- und mehrere Pferdemärkte, landesfürstliche Privilegien förderten die wirtschaftliche Entwicklung.

Es darf daher angenommen werden, daß sich auch hier bereits frühzeitig Juden niederließen, da ihnen besonders ab dem 13. Jahrhundert eine bedeutende Rolle im Wirtschaftsleben (speziell im Kreditwesen) zukam, zumal den Christen das Geldverleihen gegen Zinsen verboten war. Die schriftlichen Zeugnisse dafür sind allerdings äußerst spärlich. So finden sich lediglich im Stiftsarchiv Zwettl Hinweise auf zwei Juden namens Jesche und Abraham, die im 14. Jahrhundert in Zwettl ansässig waren und Geld an Kleinadelige und an das Kloster verliehen.[1] Der Jude Jesche aus Zwettl wird in einem weiteren Dokument aus dem Jahr 1337 genannt.[2]

1338 kam es auch in Zwettl zu Judenverfolgungen.[3] Dieses Pogrom nahm von Pulkau seinen Ausgang, wo man den Juden Hostienschändung vorwarf. Die Verfolgung erfaßte rasch weite Teile des Landes. Es sollen damals um den St. Georgstag (23. April) alle hier ansässigen Juden ermordet worden sein.[4]

Bis ins 16. Jahrhundert fehlt dann jede Nachricht, die auf in Zwettl ansässige Juden hinweisen könnte. Erst das Urbar von 1560[5], eines der ältesten Schriftstücke des Stadtarchivs, nennt eine Judengasse (heute Hamerlingstraße). Möglicherweise handelt es sich dabei um einen Hinweis auf ein Ghetto in dieser Stadt. Die Eintragungen in diesem Buch bieten aber keine weiteren Anhaltspunkte.

Jüdische Händler in Zwettl

Aus der Zeit des Dreißigjährigen Krieges findet sich wieder ein Hinweis darauf, daß jüdische Händler nach Zwettl kamen. Die Mautordnung vom 10. Oktober 1646 enthält eigene Tarife für Juden, die mit ihren Produkten hier Handel trieben oder durch diese Stadt zogen.[6] Namen von jüdischen Händlern oder Einwohnern konnten bisher nicht gefunden werden, sieht man von dem bei Leopold Moses[7] erwähnten David Altschul ab, der zwi-

---

[1] Die entsprechenden Quittungen wurden später zu Siegeltaschen für andere im Stiftsarchiv aufbewahrte Urkunden verarbeitet (1316, 1317 XII 11, um 1326).
Folker Reichert, Zur Geschichte der inneren Struktur der Kuenringerstädte. In: Kuenringerforschungen, JbLKNÖ NF 46/47 (Wien 1980/81) S. 176.

[2] Walter Pongratz, Die ritterliche Familie der Tuchel in Niederösterreich. In: Jahrbuch für Landeskunde von Niederösterreich, NF 34 (1958-1960) S. 120-131, hier S. 126.

[3] Bernhard Linck, Annales Austrio Clara-Vallenses, 1. Band (1723) S. 705.

[4] Siehe dazu den Beitrag Lohrmann in diesem Band.

[5] Stadtarchiv Zwettl (StAZ), Sign. 6/1.

[6] StAZ, Ratsprotokolle, Sign. 2/10, Seite 152-156.

[7] Leopold Moses, Die Juden in Niederösterreich (Wien 1935) S. 153.

schen 1682 und 1694 als Besucher der Leipziger Messe aufscheint. Ob er tatsächlich in Zwettl beheimatet war, ließ sich bis jetzt nicht klären.

Um 1660, als nach dem großen Krieg, nach Seuchen und Brandkatastrophen, die Stadt an einem Tiefpunkt ihrer wirtschaftlichen Leistungsfähigkeit angelangt war, nahmen Rat und Bürgerschaft von einem in Wien ansässigen Juden namens Fränkel ein größeres Darlehen in Anspruch.[8]

Erst aus der Zeit Maria Theresias findet sich dann im Stadtarchiv Zwettl wieder ein Hinweis auf jüdische Händler: Eine Instruktion für den städtischen Mauteinnehmer vom 20. April 1747[9] gibt Aufschluß über die Höhe der Gebühren, die von den ankommenden Gütertransporten eingehoben wurden. Der Tarif richtete sich dabei nach den jeweiligen Waren, die befördert wurden bzw. nach deren Herkunft. So verlangte die Stadt Zwettl zum Beispiel von einem böhmischen Fischwagen als Maut entweder einen Fisch oder 15 Kreuzer. Ein mit Wein oder Tuch beladener Wagen brachte 6 Kreuzer, ein Holz-, Heu- oder Strohtransport 2 Kreuzer. Von einem Juden-Wagen verlangte man den Höchsttarif von 15 Kreuzern, egal, was er geladen hatte. Auch von Leuten, die ihre Waren über Land trugen oder Vieh trieben, hob man Maut (zwischen einem und sechs Kreuzern) ein. Die „Juden-Trag" wurde unabhängig von der darauf transportierten Ware mit 6 Kreuzern Maut belegt. Zu Marktzeiten verdoppelte man die Gebühren.

1839 bezog der Zwettler Karl Rogner von dem in Piesling (Písečné) in Mähren wohnenden „Handelsjuden" Markus Stieber Waren im Wert von fast 250 fl CM, die er nicht bezahlen konnte. Die Schuld wurde im Grundbuch eingetragen, aber bereits im November des gleichen Jahres wieder gelöscht.[10]

Im Juli 1845 erreichte das Kreisamt in Krems ein anonymer Hinweis, daß sich in Zwettl zahlreiche jüdische Händler aufhielten, die hier Warendepots errichtet hätten und einen regen Hausierhandel betrieben.[11] (Abb. 190 und 191) In einem dringenden Schreiben vom 23. Juli 1845 wurde der Magistrat der l. f. Stadt Zwettl aufgefordert, der Sache nachzugehen. Was dieser auch tat, indem er von den hier ansässigen Handelsleuten Stellungnahmen einholte. Die Kaufleute Joseph Mayr, Joseph Schadn, F. G. Enslein und Johann Wimmer beklagten sich dann auch in zwei Schreiben vom Juli und August über die jüdischen Händler, die in Zwettl tätig geworden waren.

Tatsächlich dürften die Brüder Zeitlinger aus Altstadt (Staré Město) in Böhmen und ein Jude namens Fleischer oder Fleischl neben anderen jüdischen Händlern in Zwettl Fuß gefaßt haben. Sie konnten in der Syrnau beim „Rößlwirt" Josef Schmid, bei den beiden städtischen Schildwirten Johann Pregartbauer (Goldener Hirsch) und Michael Schaden (Goldene Rose) sowie in mehreren anderen Häusern unterkommen und Warenlager errichten, von wo aus sie jedenfalls an Markttagen ihre Waren verkauften. Die Zwettler Kaufleute warfen den Juden weiters vor, daß sie an Sonn- und Feiertagen mit ihren Waren von Haus zu Haus gingen und die umliegenden Pfarrorte mit Pferd und Wagen belieferten. Die letzten Vorwürfe, die ohne Zweifel Verstöße gegen die herrschenden Gesetze bedeutet hätten, konnten vom Magistrat Zwettl nicht nachgewiesen werden, zum Teil betrafen sie auch nicht seine Jurisdiktion. Da die genannten Juden über Pässe ihrer Heimatgemeinde verfügten, konnte gegen sie nicht vorgegangen werden. Die Zwettler Hausbesitzer aber, die ohne

---

[8] StAZ, Ratsprotokolle, Sign. 2/11, fol. 11 vo, 21 vo, 45.

[9] StAZ, Kart. 15, Fasz. Mautangelegenheiten.

[10] StAZ, Kart. 26, Grundbuchsakten (Nr. 438/jud., 2. November 1839).

[11] StAZ, Kart. 29, Fasz. „Juden".

Abb. 190 und 191: Jüdische Hausierer, antisemitische Karikaturen der Sammlung Schönerer, um 1880; Zwettl, Stadtmuseum
(Fotos: Friedel Moll)

Genehmigung Juden beherbergt hatten, wurden bestraft bzw. „gewarnt, bei sonstiger strenger Strafe sich dieses Unfuges zu enthalten." Der Magistrat forderte außerdem die Kaufleute auf, auch in Zukunft wachsam zu sein und allfällige Gesetzesverstöße jüdischer Händler anzuzeigen.

Am 11. April 1848 wurde in Zwettl der 26jährige Jude Moises Goldstein aufgegriffen und wegen diverser Betrügereien in seine Heimatgemeinde Altstadt (Staré Město) in Böhmen abgeschoben[12] (Abb. 14).

1854 finden sich im Stadtarchiv Zwettl die ersten Hinweise auf die Familie Schidloff[13], die dann bis 1939 in dieser Stadt lebte: Samuel Schidloff, ein damals 32jähriger Branntweinhändler, versuchte hier seine Waren zu verkaufen. Er tat dies zunächst allerdings ohne behördliche Konzession, was zu einigen Problemen mit den örtlichen Händlern, der Gemeindeverwaltung und der Bezirkshauptmannschaft führte.

Samuel Schidloff war nach Altstadt (Staré Město) in Böhmen zuständig, wo sich eine starke jüdische Gemeinde befand. Praktisch alle Juden, die in der zweiten Hälfte des

---

[12] StAZ, Kart. 18, Schub-Pass Nr. 191.

[13] Zur Geschichte der Familie Schidloff siehe auch: Friedel Moll, Von Zwettl nach Auschwitz. Spuren der jüdischen Familie Schidloff im Stadtarchiv Zwettl. In: Das Waldviertel, 39 (1989) S. 218-235.

19. Jahrhunderts nach Zwettl einwanderten, stammten aus dem südböhmisch-südmähri-schen Raum.

Samuel Schidloff errichtete 1854 im Haus des Ignaz Weiß jun. (Stadt Zwettl Nr. 171[14]) ein Warenlager. Die behördliche Kommissionierung fand am 20. Dezember statt. Aller-dings durfte er hier nur Branntwein österreichischer Provenienz für den Verkauf in Böhmen zwischenlagern.

Juden lassen sich nieder

Die Schidloffs

1856 finden wir Samuel Schidloff wieder in Zwettl. Er war mit seiner Gattin Julie (geb. Goldstein) und seinem 1855 geborenen Sohn Leopold im Haus seines Geschäftsfreundes Ignaz Weiß abgestiegen und gab der Stadtgemeinde am 10. November dieses Jahres bekannt, daß er hier seinen Wohnsitz errichten und einen Branntweinhandel beginnen wolle. Damit waren die Gemeindeväter aber keineswegs einverstanden. Sie vertraten die Ansicht, daß den Juden nach wie vor der Aufenthalt auf dem Lande nur an Markttagen gestattet sei und diese daher um Aufenthaltsbewilligungen anzusuchen hätten. Dieser Auf-fassung konnte sich das k. k. Bezirksamt unter Bezirksvorsteher Josef Eigner nicht anschließen. Dennoch beschloß die Zwettler Gemeindevertretung am 28. November 1856, der jüdischen Familie Schidloff den Aufenthalt in dieser Stadt zu verbieten, nachdem Bür-germeister Franz Haunsteiner am Vortag in einer Rede vor den Gemeindevertretern erklärt hatte: *Ohne mich darüber auszusprechen, in wie ferne der Aufenthalt eines Juden die materiellen Interessen einer Gemeinde berührt, will ich nur im allgemeinen nebenhin bemerken, daß Samuel Schidlof der erste Jude ist, welcher in Zwettl seinen ständigen Auf-enthalt anstrebt, und daß dem Ersten bald ein Zweiter und Dritter folgen wird, und ich überlasse es den anwesenden Herren zu beurteilen, ob sich die Gemeinde nicht alle Mühe geben soll, dagegen zu wehren. Hat der Jude einmal in einer Gemeinde festen Fuß gefaßt, so wird er nicht leicht sich mehr entfernen; — der Jude arbeitet nicht; — er sucht nur Handel zu treiben — er menget sich in alle Geschäfte, und beeinträchtigt daher mehr oder weniger jedes Geschäft; — ist er dem Schacher ergeben — so bekommt er Einfluß in jeder Haushaltung, und störet sehr oft den häuslichen Frieden, denn der Jude erhandelt und verhandelt alles, und daß fortwährendes Erhandeln und Verhandeln schon sehr oft den finanziellen Ruin so mancher Familie herbeigeführt hat, wird doch niemand in Abrede stel-len können.* [15]

Der Ausweisungsbescheid der Gemeindevertretung für die Familie Schidloff wurde am 1. Dezember 1856 ausgestellt. Er enthält unter anderem folgende Formulierung: *4. wird dem Samuel Schidlof durch den verweigerten Aufenthalt die Gelegenheit benommen, nicht nur eine Niederlage für Branntwein, sondern auch eine für alle durchreisenden und in der Umgegend Handel treibenden Juden zu halten.* [16] Schidloff legte gegen diesen Bescheid Berufung ein, und das k. k. Bezirksamt Zwettl entschied am 11. Dezember 1856 zu seinen Gunsten. [17] Damit war allerdings die Stadtverwaltung nicht einverstanden. Sie beschloß

---

[14] Das Haus Stadt Zwettl Nr. 171 war der ehemalige Freihof des Gutes Schickenhof. Er erhielt 1872 die Konskriptionsnummer 136 und 1893 die Bezeichnung „Landstraße Nr. 62". 1898 mußte er dem Jubiläumshaus weichen.

[15] StAZ, Sign. 2/20, Protokoll der Ratssitzung vom 27. November 1856.

[16] StAZ, Kart. 53, Zl. 1312.

[17] StAZ, Kart. 53, Zl. 4592.

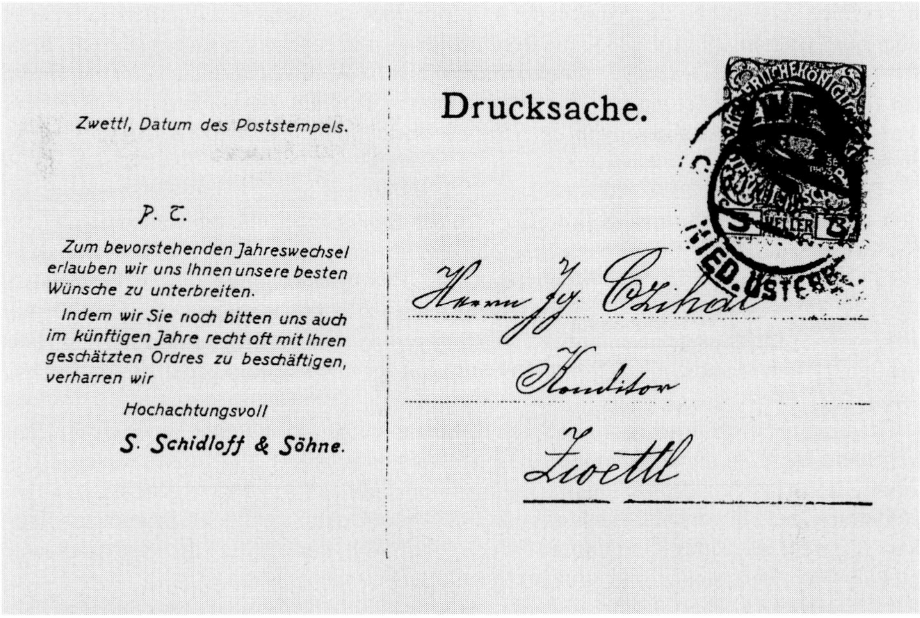

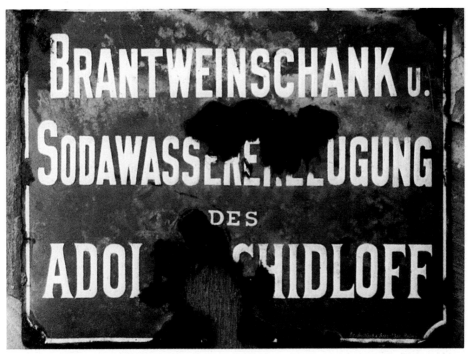

Zwettl, Datum des Poststempels.

P. T.

Zum bevorstehenden Jahreswechsel erlauben wir uns Ihnen unsere besten Wünsche zu unterbreiten.

Indem wir Sie noch bitten uns auch im künftigen Jahre recht oft mit Ihren geschätzten Ordres zu beschäftigen, verharren wir

Hochachtungsvoll

S. Schidloff & Söhne.

Drucksache.

Herrn Jg. Czihal

Konditor

Zwettl

Abb. 192: Geschäftspostkarte der Firma Schidloff, um 1890; Zwettl, Stadtarchiv

Abb. 193: Geschäftsschild der Firma Schidloff, um 1900; Zwettl, Stadtmuseum
(Foto: Friedel Moll)

nur wenige Tage später, dagegen bei der k. k. Statthalterei Einspruch zu erheben.[18] Diese allerdings wies am 29. April 1857 die Beschwerde ab und begründete unter anderem: *Insofern der vorliegende Rekurs ... die Ausweisung des Israeliten Samuel Schidlof aus Zwettl aus dem Grunde, weil er ein Israelite und ihm daher der Aufenthalt am flachen Lande nicht zustehe, zu Gegenstand hat, wird derselbe als seinem Begehren nach ganz gesetzwidrig zurückgewiesen.*[19]

Damit war entschieden, daß sich Samuel Schidloff mit seiner Familie in Zwettl ansiedeln durfte, und am 13. Juni 1857 erteilte ihm das Bezirksamt auch die Genehmigung zur Kunstessigerzeugung. Bürgermeister Ignaz Bachmayer (Franz Haunsteiner war 1857 zurückgetreten) zog zwar die Möglichkeit eines Einspruchs gegen diesen Bescheid in Erwägung[20], die Gemeindevertretung nahm ihn aber in der Plenarsitzung vom 23. Juli 1857 widerspruchslos zur Kenntnis.[21] Schidloff eröffnete noch im gleichen Jahr im Haus des Ignaz Weiß (Landstraße 62) ein Verkaufslokal für den von ihm produzierten Essig[22] (Abb. 192).

In diesen ersten Jahren nach ihrer Übersiedlung wohnte die Familie Schidloff im Haus von Ignaz Weiß an der Landstraße. 1857 gebar Julie Schidloff hier ihren zweiten Sohn, Adolf, der später den väterlichen Betrieb übernahm (Abb. 193). Leopold, der älteste Sohn, studierte an der Universität Wien und wurde 1884 zum Doktor der Rechte promoviert. 1863 kam in Zwettl als drittes Kind Eduard Schidloff zur Welt, der bis 1939 in dieser Stadt lebte und als Greis Vertreibung und Verfolgung miterleben mußte (Abb. 203).

Die wirtschaftliche Lage erlaubte es dem Samuel Schidloff, sich bereits 1865 im Zentrum der Stadt anzukaufen. Er erwarb das Haus Nr. 5 (heute Hauptplatz 17).[23] In den Jahren davor hatten sich auch andere jüdische Familien in Zwettl niedergelassen.

Die Mandls

1860 tauchen erstmals Nachrichten über Mitglieder der jüdischen Familie Mandl im Stadtarchiv Zwettl auf. In den folgenden Jahren werden zahlreiche Personen dieses Namens genannt. Ob sie allerdings miteinander verwandt waren, läßt sich nicht mehr feststellen.

Joachim Mandl erwarb 1860 das Haus Hamerlingstraße 9, ließ daran Umbauten vornehmen und eröffnete eine Gemischtwarenhandlung. Er wohnte hier mit seiner Frau Johanna und sechs minderjährigen Kindern.[24] 1867 erhielt er die Konzession zum Betrieb einer Tuch- und Schnittwarenhandlung.[25] Im gleichen Jahr erkrankte seine Frau schwer. Sie mußte in das Allgemeine Krankenhaus nach Wien gebracht werden. Dieser Schicksalsschlag belastete unter anderem auch die wirtschaftlichen Verhältnisse der Familie Mandl, und die Gemeinde stellte in einem Bescheid aus dem gleichen Jahr fest, daß Joachim Mandl praktisch mittellos war.[26]

---

[18] StAZ, Kart. 53, Zl. 1352.

[19] StAZ, Kart. 54, Nr. 395.

[20] StAZ, Kart. 54, Nr. 355.

[21] StAZ, Sign. 2/20, Ratsprotokoll vom 23. Juli 1857, Punkt 21 der Tagesordnung.

[22] StAZ, Kart. 55, Nr. 633.

[23] Walter Pongratz/Hans Hakala (Hg.), Zwettl-NÖ I, die Kuenringerstadt (Zwettl 1980) S. 644.

[24] StAZ, Kart. 60/366 bzw. Kart. 61/266.

[25] StAZ, Kart. 68/11.

[26] StAZ, Kart. 68/310.

Er lebte wahrscheinlich bis 1874 in Zwettl. Sein 1839 in Altstadt in Böhmen geborener Sohn Adolf war zunächst Hausierer und erhielt 1872 die Konzession zum Pferdehandel.[27] Er heiratete die ebenfalls aus Altstadt stammende Rosa Weiß, die am 13. Jänner 1877 in Zwettl einen Sohn namens Gustav zur Welt brachte, von dem noch die Rede sein wird.

Spätestens seit 1864 hielten sich auch die Familien Jonas und Gutmann Mandl in Zwettl auf. Die beiden Brüder erwarben in diesem Jahr gemeinsam mit ihren Gattinnen (beide hießen Theresia) das Haus Landstraße 21 und suchten 1865 um Befreiung von den Gemeindekosten an.[28] Gutmann Mandl erhielt 1867 die Konzession zum Betrieb einer vermischten Warenhandlung in diesem Haus. Er stammte aus Neubistritz (Nová Bystřice) und starb am 2. August 1875 in Zwettl im 57. Lebensjahr. Sein Bruder Jonas war bereits am 13. Februar 1874 im 58. Lebensjahr gestorben.[29] Theresia Mandl, geb. Kohn, starb am 23. Mai 1898 in Zwettl.[30] 1868 wird auch Moritz Mandl erwähnt. Er meldete 1870 den Schnittwarenhandel an.[31]

1874 erwarben der 53jährige Gemischtwarenhändler Samuel Mandl und seine Frau Emma das Haus Landstraße 31[32], das sie 1876 an Leopold und Rosa Mandl verkauften. Leopold Mandl wurde am 17. September 1843 in Altstadt (Staré Město) in Böhmen geboren. Seine Frau Rosa, die mit Mädchennamen ebenfalls Mandl hieß, kam in eben diesem Ort am 13. August 1870 zur Welt.[33] 1870 meldete Leopold Mandl in Zwettl den Schnittwarenhandel an. Leopold Mandl betrieb sein Geschäft nur an Sonn- und Montagen (montags fand in Zwettl der vielbesuchte Wochenmarkt statt), er beschäftigte keine Hilfskräfte und verfügte über kein Betriebskapital, wie die Gemeinde 1871 (1872?) der Verwaltungsbehörde mitteilte.[34] Am 1. Jänner 1882 verstarb in Zwettl die sechsjährige Sophie, eine Tochter von Leopold und Rosa Mandl. Als Todesursache gab man Diphtherie an[35] — eine Krankheit, die damals in Zwettl häufig grassierte. Am 19. Februar 1902 wurde das Ehepaar Leopold und Rosa Mandl in den Gemeindeverband von Zwettl aufgenommen. 1920 übersiedelte es nach Weitra, wo es in der Vorstadt Nr. 136 wohnte. Leopold starb dort am 3. Juli 1920, Rosa Mandl 1925 im Krankenhauß Gmünd.[36]

Salomon Hirsch

Am 11. November 1861 zog bei Joachim Mandl (Hamerlingstraße 9) der Handelsmann Salomon Hirsch ein, der 1868 den Schnittwarenhandel im Haus Dreifaltigkeitsplatz 4 anmeldete, was der Gemeindeausschuß am 5. September dieses Jahres zur Kenntnis nahm.[37] Der Besitzer dieses Hauses war Franz Forstreiter, von ihm kauften Salomon und

---

[27] StAZ, Sign. 3/15 bzw. 3/23.

[28] StAZ, Kart. 67, Nr. 301 1/2.

[29] StAZ, Sign. 14/1.

[30] StAZ, Sign. 14/17 bzw. 14/20.

[31] StAZ, Sign. 3/15 und 3/19 bzw. Kart. 72, Nr. 613.

[32] Walter Pongratz/Hans Hakala (wie Anm. 23) S. 650; bzw. StAZ, Kart. 75, Nr. 43.

[33] StAZ, Gemeinde-Matrikel der l. f. Stadt Zwettl, Blatt 257; bzw. Kart. 72, Nr. 582.

[34] StAZ, Kart. 73, Nr. 18.

[35] StAZ, Kart. 78, Nr. 3.

[36] StAZ, Gemeinde-Matrikel der l. f. Stadt Zwettl, Blatt 257.

[37] StAZ, Kart. 61, Nr. 366; bzw. Sign. 2/21, Ratsprotokoll vom 5. September 1868.

Theresia Hirsch 1872 das Haus Landstraße 56[38]), wo sie nun ihr Geschäft betrieben. Salomon Hirsch starb am 28. Juni 1891 im Alter von 75 Jahren in Zwettl, er wurde auch hier beerdigt.[39]) Seine Witwe erbte das Haus, das 1899 in den Besitz von Maria Kohn überging.[40])

Jakob und Hermine Reininger

Zwischen 1880 und 1884 besaßen der Lederhändler Jakob Reininger und seine Frau Hermine das Haus Landstraße 31 (vor und nach ihnen war es im Besitz von Leopold und Rosa Mandl).[41]) Jakob Reininger verstarb am 10. Dezember 1882 im 37. Lebensjahr. Sein Grabstein ist noch erhalten.[42])

Die Grünwalds

1865 bzw. 1866 tauchen Leopold und Joachim Grünwald in Zwettl auf, beide waren nach Kardasch-Retschitz (Kardašova-Řečice) bei Tabor zuständig. Joachim, 1841 geboren, war Hausierergehilfe.[43]) Leopold, ein Handelsmann, war verheiratet, hatte zumindest einen Sohn (Sigmund Grünwald)[44]) und ließ sich (wie Samuel Schidloff) im Haus Landstraße 62 nieder, wo 1890 die Hausiererswitwe Rosalia Grünwald, wahrscheinlich seine Mutter, im 82. Lebensjahr verstarb. Leopold Grünwald starb im Alter von 58 Jahren am 21. Juli 1894.[45])

Ein anderer Zweig der Familie Grünwald bewohnte das Haus Landstraße 51 und betrieb hier eine Warenhandlung. 1879 verstarben dort innerhalb eines halben Jahres zwei Kleinkinder dieser Familie.[46])

Am 17. August 1876 wurde in Zwettl Gustav Grünwald geboren. Wer seine Eltern waren, läßt sich aus dem vorhandenen Quellenmaterial leider nicht feststellen. Jedenfalls war auch er noch bis 1926 nach Kardasch-Retschitz zuständig, obwohl er seit 1911 ständig in Zwettl wohnte. Seine Frau Regina, geb. Kohn, stammte aus Schaffa (Šafov) in Mähren, wo sie 1874 geboren wurde.[47]) 1913 betrieb er im Haus Landstraße 36 eine Gemischtwarenhandlung. Er beabsichtigte, hier auch Knochen, Hadern und Häute zu verarbeiten bzw. zu lagern. Wegen grober sanitärer Mißstände stimmte die Bezirkshauptmannschaft Zwettl diesem Vorhaben aber nicht zu.[48]) 1914 wird er als Pferdehändler erwähnt.[49]) Im gleichen Jahr kauften Gustav und Regina Grünwald das Haus Neuer Markt 5[50]), wo sie dann ein

---

38) Walter Pongratz/Hans Hakala (wie Anm. 23) S. 655.

39) StAZ, Sign. 14/20.

40) Wie Anm. 38.

41) Wie Anm. 32.

42) StAZ, Sign. 14/1; bzw. Friedel Moll, Der jüdische Friedhof in Zwettl. In: Das Waldviertel, 37 (1988) S. 256.

43) StAZ, Sign. 5/39 (40); bzw. Kart. 67A, Nr. 418.

44) StAZ, Sign. 5/39, 40.

45) StAZ, Sign. 14/17.

46) StAZ, Sign. 14/1.

47) StAZ, Kart. 100, 69/1926.

48) StAZ, Kart. 95, 195/1913.

49) StAZ, Kart. 148, Fasz. Gemeindewahlen 1914.

50) Walter Pongratz/Hans Hakala (wie Anm. 23) S. 658.

Altwarengeschäft betrieben. Der Ehe entstammten eine Tochter namens Gisela und möglicherweise auch ein Sohn.[51] Gustav Grünwald verstarb im April 1928.[52]

Moritz Deutsch

Das Wählerverzeichnis von 1882 nennt erstmals Moritz Deutsch als Händler mit Rauchrequisiten in Zwettl.[53] Er stammte aus der Gegend von Neuhaus (Jindřichův Hradec) und war, ebenso wie sein 1873 geborener Sohn Josef, nach Radenín bei Tábor zuständig. 1891 ist er k. k. Tabakdistriktsverleger, sein Geschäft befand sich im Haus Hauptplatz 6. 1892 zog er bei Adolf Schidloff (Hauptplatz 3) als Mieter ein.

Familie Meyer (Maier, Meier)

1887 erwarb Josef Meyer von der bereits erwähnten Theresia Mandl das Haus Landstraße 21.[54] Er stammte aus Schaffa (Šafov) in Mähren, wo er 1853 geboren wurde. In Zwettl war er seit 2. Jänner 1883 als Lederhändler tätig.[55] Er war in erster Ehe mit Flora Meyer, geb. Weiß, verheiratet. Dieser Verbindung entstammte der 1883 in Zwettl geborene Sohn Ernest (Ernst). Flora Meyer starb 1886 im 33. Lebensjahr, sie liegt in Zwettl begraben.[56] Josef Meyers zweite Frau, Charlotte stammte ebenfalls aus Mähren und brachte 1888 in Zwettl ein Mädchen mit Namen Irene zur Welt. Zwei weitere Kinder aus dieser Ehe (Gustav und Julius) starben in jungen Jahren. Das Heimatrecht in Zwettl erhielt die Familie Meyer am 17. Oktober 1901. Bereits 1905 übersiedelten Josef und Charlotte Meyer nach Znaim (Znojmo), wo Josef 1927 starb. Charlotte Meyer wohnte 1936 in der Nähe von Preßburg (Bratislava). 1937 fertigte die Stadtgemeinde Zwettl für sie noch einen Heimatschein aus, den sie für die Ausstellung eines Reisepasses durch das österreichische Konsulat in Preßburg brauchte.[57]

Der 1883 in Zwettl geborene Ernest Meyer übersiedelte 1906 nach Prag, wo er als Bankbeamter tätig war. Hier heiratete er 1913 die aus Besançon in Frankreich stammende Rosa Bertha Veuve. Ihre gemeinsame Tochter Elisabeth Susanna wurde 1917 in Prag geboren, war zuletzt Bankbeamtin und lebte zumindest bis 1936 in Prag. Angeblich übersiedelte sie 1938 nach Italien.[58] Ernest Meyer scheint Krieg und Verfolgung in Prag überlebt zu haben, denn 1951 taucht sein Name wieder in den Akten auf. In diesem Jahr dürfte er um die tschechoslowakische Staatsbürgerschaft angesucht haben.[59]

Ernest Meyers Halbschwester Irene, die 1888 in Zwettl zur Welt gekommen war, verehelichte sich 1921 mit einem gewissen Stern. Über das weitere Schicksal dieser Personen konnten sonst keine Informationen gefunden werden.

---

[51] Josef Leutgeb, „Holocaust" auch für Zwettler Juden. In: Zwettler Kurier, Nr. 17 (Zwettl 1979) S. 11.

[52] StAZ, Sign. 3/115, Nr. 2/18.

[53] StAZ, Kart. 145, Wählerverzeichnis 1882.

[54] Walter Pongratz/Hans Hakala (wie Anm. 23) S. 648.

[55] StAZ, Kart. 79, Nr. 16.

[56] Friedel Moll (wie Anm. 42) S. 256.

[57] StAZ: Gemeinde-Matrikel der l. f. Stadt Zwettl, Blatt 177; bzw. Heimatrolle M 38; bzw. Sign. 3/55, 310; Kart. 95, Nr. 264; bzw. Kart. 110, 9/107; bzw. Kart. 145 (Liste direkte Steuern 1888); Kart. 146 (Wählerverzeichnis 1891); bzw. Sign. 14/20.

[58] StAZ, Gemeinde-Matrikel der l. f. Stadt Zwettl, Blatt 177; bzw. Heimatrolle M 39.

[59] Archiv der Bezirkshauptmannschaft Zwettl, Zl II-1284 vom 14. November 1951.

Abb. 194: Thoravorhang, gespendet von den Frauen von Zwettl, 1872; Wien, Jüdisches Museum —
Slg. Berger

(Foto: Jüdisches Museum)

Außer diesen Familien finden sich im Stadtarchiv Zwettl noch Spuren weiterer Juden, die zumindest vorübergehend Kontakt mit dieser Stadt hatten. So stellte die Gemeinde Zwettl zum Beispiel 1886 für den 1872 in Ottenschlag geborenen Ludwig Koblitz ein Arbeitsbuch aus. Er war Lehrling bei seinem Vater Josef Koblitz.[60] 1892 starb in der Syrnau (Feldgasse 2) das acht Monate alte Arbeiterkind Anna Lichtblau, das drei Tage spä-

---

[60] StAZ, Sign. 5/39.

ter in Zwettl beerdigt wurde.[61] Ebenso starb hier (Hamerlingstraße 13) 1897 der Hausierer Samuel Heller (geb. 1835), auch er wurde in Zwettl begraben.[62]

Die Aufzählung all dieser Namen und Familien mag den Eindruck erwecken, als hätten im letzten Drittel des vergangenen Jahrhunderts jüdische Familien die Stadt Zwettl geradezu überschwemmt. Das war aber sicherlich nicht der Fall, denn auch in dieser Zeit stellten die Juden nur eine verschwindende Minderheit der Gesamtbevölkerung dar, wie aus den Ergebnissen der Volkszählungen abzulesen ist: 1870 lebten in Zwettl 2871 Katholiken, 2 Evangelische (AB und HB) und 37 Juden in der Stadt, sowie 7 Juden in der Vorstadt Syrnau.[63] Die Volkszählung von 1881 nannte 2922 Katholiken, 5 Evangelische (AB und HB) und 63 Juden.[64] Bei der Volkszählung von 1890 bekannten sich nur 29 von den 3123 Einwohnern Zwettls zur mosaischen Religion.[65]

Die jüdische Gemeinde von Zwettl

Spätestens gegen Ende der sechziger Jahre des vorigen Jahrhunderts formierte sich in Zwettl eine jüdische Gemeinde. Gustav Adolf Schimmer erwähnt mit Jahresende 1869 in der Stadt Zwettl einen Cultus-Verein mit 21 männlichen und 22 weiblichen Mitgliedern, denen auch eine Synagoge zur Verfügung stand. Kultus-Beamte führt er keine an.[66] Eine Synagoge im eigentlichen Sinn bestand in Zwettl sicherlich nicht, wohl aber stand ein Betraum zur Verfügung, dieser befand sich im Haus Landstraße 62 (damals Stadt Nr. 171), das nach der Familie Schidloff auch mehrere andere jüdische Familien bewohnten, und das 1898 dem Neubau des Jubiläumshauses weichen mußte. Die Zwettler Juden hatten Räume im ersten Stock dieses Hauses gemietet, wofür sie 100 fl pro Jahr bezahlten (ab 1. Juli 1882 wurde die Miete auf 80 fl gesenkt).[67] Über Größe und Einrichtung dieses Betraumes konnten leider bisher keine Hinweise gefunden werden.

Aus dem Jahr 1872 ist allerdings im Jüdischen Museum der Stadt Wien ein kostbarer Toravorhang (hebr.: Parochet) erhalten, der ohne Zweifel im Zwettler Betraum verwendet wurde.[68] Toravorhänge dienten als Abschluß oder Ausschmückung des Toraschreins, in dem der heiligste jüdische Kultgegenstand, die Torarollen (= die fünf Bücher Mose), aufbewahrt wurden. Der Zwettler Toravorhang ist 152×129 cm groß, besteht aus eierschalenfarbener Seide und ist ornamental gemustert. Er trägt unter anderem die hebräischen Initialbuchstaben für „Krone der Tora" und das Zitat „Ich habe den Herren stets vor Augen"

---

[61] StAZ, Sign. 4/17.

[62] Ebenda.

[63] StAZ, Kart. 72, 222.

[64] StAZ, Kart. 78, 312/1883.

[65] StAZ, Kart. 82, Nr. 226.

[66] Gustav Adolf S c h i m m e r, Statistik des Judenthums in den im Reichsrathe vertretenen Königreichen und Ländern (Wien 1873) S. 34. In Niederösterreich existierten damals übrigens sieben Kultusgemeinden und 13 Kultus-Vereine mit 42 751 Mitgliedern. Im Landesschnitt kam auf 38 Einwohner ein Jude (Schimmer, Seite 70).

[67] StAZ, Sign. 3/38, Nr. 817.

[68] „Heilige Gemeinde Wien" Judentum in Wien. Sammlung Max Berger. Katalog zur 108. Sonderausstellung des Historischen Museums der Stadt Wien. (Wien 1987) S. 130.
Von Arnstein bis Zuckerkandl, Jüdische Stifter und Mäzene zwischen Tradition und Avantgarde. Katalog zur Ausstellung im Österreichischen Zinnfigurenmuseum Schloß Pottenbrunn. (St. Pölten 1993) S. 14.

(Ps. 16,8) sowie die hebräische Widmungsinschrift „Dies spendeten die Frauen der heiligen Gemeinde Zwettl im Jahre 632 der kleinen Zeitrechnung (1872)". Es läßt sich heute nicht mehr nachvollziehen, welch glücklichen Umständen die Erhaltung dieses wertvollen Kulturgutes zu verdanken ist (Abb. 194).

Die jüdische Gemeinde von Zwettl gehörte zunächst der israelitischen Kultusgemeinde Krems und spätestens ab 1892 der Kultusgemeinde Waidhofen/Thaya an.

1882 erwarb Samuel Schidloff — sicherlich im Auftrag seiner jüdischen Mitbürger — aus einer Verlassenschaft ein Grundstück neben dem Syrnauer Friedhof, und am 12. Februar dieses Jahres stellte er bei der Gemeindeverwaltung den Antrag, hier einen jüdischen Friedhof errichten zu dürfen.[69] Er begründete dieses Vorhaben damit, daß zu dieser Zeit etwa 100 Israeliten in Zwettl wohnten (damit war natürlich die Region bzw. der Bezirk gemeint). Gemeinde und Bezirkshauptmannschaft genehmigten das Vorhaben, und am 6. April 1883 wurde die Leichenhalle beim jüdischen Friedhof kommissioniert (Abb. 196).

Wie die wenigen erhaltenen Grabinschriften bezeugen, fanden nun vor allem Juden aus Stadt und Bezirk Zwettl hier ihre letzte Ruhestätte, aber auch Tote aus anderen Bezirken wurden hier beerdigt, so zum Beispiel das Kaufmannsehepaar Samuel und Emma Mandl aus Vitis (Haus Nr. 62). Emma Mandl verstarb am 18. Oktober 1886 im Alter von 70 Jahren an Lungenlähmung, ihr Gatte Samuel zwei Jahre später. Beide wurden wenige Tage nach ihrem Tod nach Zwettl überführt und hier bestattet.[70]

1890 genehmigte die k. k. nö. Statthalterei die Statuten des Friedhofsvereins „Chevra Kadischa" (=heilige Bruderschaft der Beerdigungsgesellschaft) in Zwettl. Proponent für diese Vereinsgründung war Samuel Schidloff.[71]

Am 8. März 1892 fanden in Waidhofen/Thaya Wahlen zum Vorstand der dortigen israelitischen Kultusgemeinde statt, zu der auch die Zwettler Juden gehörten. Von ihnen waren dafür Samuel und Adolf Schidloff, Moritz Deutsch, Josef Maier sowie Leopold Mandl wahlberechtigt.[72]

Als 1898 der ehemalige schickenhofische Freihof am Oberen Tor (Landstraße 62) abgerissen wurde, um hier ein Wohnhaus (Jubiläumshaus) zu errichten, mußten die Zwettler Juden eine neue Heimstatt für ihren Betraum suchen. Spätestens ab September dieses Jahres benützen sie dafür den Saal des Gasthauses zum Goldenen Hirschen, Landstraße 49 (damals Paul Baumgartner, heute Ludwig Riedler). Das führte übrigens zu heftigen Reaktionen des Zwettler Turnvereines „Jahn", der am 20. September 1898 beschloß, sein „Vereinsheim" nun in ein anderes Gasthaus zu verlegen.[73]

Angriffe

Allerdings verlief auch in Zwettl das Zusammenleben zwischen Christen und Juden in dieser Zeit keineswegs konfliktfrei. Immerhin nahmen gegen Ende des 19. Jahrhunderts antisemitische Tendenzen im ganzen Land stark zu[74], und in Schloß Rosenau, in unmittel-

---

[69] Friedel Moll (wie Anm. 13) S. 226 f.

[70] StAZ, Kart. 80, Nr. 716 bzw. Sign. 3/48, Nr. 1509.

[71] StAZ, Sign. 3/51, Nr. 1212.

[72] StAZ, Sign. 3/55, Nr. 310.

[73] Zwettler Zeitung vom 1. Weinmond 1898.

[74] Wolfgang H ä u s l e r, Toleranz, Emanzipation und Antisemitismus. Das österreichische Judentum des bürgerlichen Zeitalters (1782-1918). In: Das österreichische Judentum (Wien 1982). Hier bes. S. 108 - 122.

Abb. 195: Jüdischer Friedhof in Zwettl
(Foto: Maria-Theresia Litschauer)

Abb. 196: Eingangstor und Leichenhalle des Friedhofes, 1882 errichtet
(Foto: Friedel Moll)

barer Nähe dieser Stadt, lebte ja schließlich Georg Ritter von Schönerer, der sich im Laufe seiner politischen Tätigkeit zu einem der fanatischsten Verfechter des Rassenantisemitismus entwickelte.

Schönerer hatte sich 1869 um die Stadt Zwettl verdient gemacht und wurde deshalb 1870 zum Ehrenbürger ernannt.[75] Er besaß ein Haus in der Weitraer Straße und wurde 1873 in den Gemeindeausschuß gewählt. Wegen terminlicher Überlastung nahm er aber nur an der ersten Ausschußsitzung (25. September 1873) in dieser Funktionsperiode teil, und am 29. Juli 1874 ersuchte er wegen seiner vielfältigen anderen Verpflichtungen um Enthebung von seinem Amt als Gemeindeausschuß-Mitglied.[76] In den Ratsprotokollen finden sich daher aus dieser Zeit auch keinerlei Hinweise auf Schönerers Tätigkeit in der Zwettler Stadtverwaltung.

1885 kandidierte er wieder für den Zwettler Gemeindeausschuß. Inzwischen hatte er als Politiker Karriere gemacht, war Reichsratsabgeordneter geworden und erregte vor allem durch seine deutschnationale und preussophile Haltung sowie durch seinen radikalen Antisemitismus Aufsehen. Am 2. Oktober 1885 berief er in Zwettl eine Versammlung der Wähler des 3. Wahlkörpers ein, bei der eine von ihm eingebrachte Resolution an die Gemeindevertretung beschlossen wurde.[77] In der Plenarversammlung vom 23. Oktober 1885 (Schönerer war bereits Mitglied des Zwettler Gemeindeausschusses, nahm an der Sitzung aber nicht teil) befaßte sich die Stadtverwaltung mit dieser Resolution, die vor allem die Errichtung einer Bahnlinie nach Zwettl forderte, daneben aber auch folgende Punkte enthielt:

8) Die Gemeindevertretung möge bei der kompetenten Behörde dahin wirken, daß angesichts so manchen damit verbundenem Unfuges es nothwendig erscheint, die in der Mitte der Stadt befindliche jüdische Branntweinschank zu entfernen... (Es handelte sich dabei um den Betrieb von Samuel Schidloff, der sich seit 1865 im Haus Hauptplatz 17 befand.)

9) Es wird schließlich der dringende Wunsch und die Erwartung ausgesprochen, daß die gesamten Mitglieder der Gemeinderepräsentanz und insbesondere die Vorstehung der Gemeinde jede weitere Ansiedlung von Juden in der deutschen Stadt Zwettl nach Kräften hintanhalten und, soweit es die bestehenden Gesetze ermöglichen, selbe jedenfalls entschieden erschweren...

Der Gemeindeausschuß von Zwettl nahm die Resolution zur Kenntnis. Zu Punkt 9 stellte er fest, daß es nach dem Staatsgrundgesetz nicht möglich sei, weitere Ansiedlungen von Juden zu verhindern.[78]

Schönerer war bis zu seiner Verurteilung wegen Hausfriedensbruches im Jahr 1888 Mitglied des Zwettler Stadtparlaments, er nahm aber nur an fünf von zwölf Plenarsitzungen teil. Die Hinweise auf seine Aktivitäten in diesem Gremium sind daher sehr spärlich. Er veranlaßte lediglich 1885 und 1886 die Stadtverwaltung, Resolutionen an den Landtag zu beschließen, die vor allem zu einer Verbesserung der Stellung der Bauern führen sollten.[79]

---

[75] Friedel Moll, Zur Geschichte des Turnunterrichts in Zwettl. In: Ottomar Demal / Volker Hakala (Hg.), Festschrift zur Eröffnung der Turnhalle der Hauptschule Zwettl-NÖ (Zwettl 1993) S. 57.

[76] StAZ, Kart. 75, Nr. 637/1874.

[77] Eduard Pichl (Herwig), Georg Schönerer und die Entwicklung des Alldeutschtumes in der Ostmark. 2. Band (Wien 1913) S. 419.

[78] StAZ, Sign. 2/23, Plenarversammlung vom 23. Oktober 1885.

[79] Ebenda, Plenarversammlung vom 18. Dezember 1885 und vom 27. August 1886.

Za kratami.   Gefängniss.   A. fogyház.

Abb. 197: Juden im Gefängnis, antisemitische Karikatur der Sammlung Schönerer, um 1880; Zwettl,
Stadtmuseum
(Foto: Werner Fröhlich)

Seine spektakulären antisemitischen Auftritte behielt sich Schönerer anscheinend für
den Bereich der „großen Politik" vor. In der Bevölkerung des Waldviertels kursieren allerdings noch einige Geschichten, die Schönerers antisemitische Einstellung beleuchten. So
soll er zum Beispiel einmal im Gasthaus Höchtl in Oberstrahlbach eingekehrt sein. Als er
im Hausflur eine Kiste mit Sodawasserflaschen stehen sah, fragte er den Wirt, von wem er
diese beziehe. Der nannte einen jüdischen Lieferanten. Darauf spritzte Schönerer wutent-
brannt alle Sodawasserflaschen leer.[80]

In seinem Privatbesitz befand sich weiters eine beachtliche Sammlung von antisemitischen Objekten, Bildern und Schriften. Ein kleiner Teil davon kann heute im Stadtmuseum
Zwettl besichtigt werden (Abb. 16 und 17).

Vor allem ist es aber die Lokalpresse jener Zeit, die nicht nur Zeugnisse antisemitischer
Stimmung und Agitation liefert, sondern auch verdeutlicht, wie stark damals judenfeindliche Äußerungen verbreitet waren und daß selbst schlimme verbale Übergriffe von großen
Teilen der Bevölkerung zumindest hingenommen, wenn nicht sogar gutgeheißen wurden.
Im Bereich von Zwettl muß hier vor allem die Zwettler Zeitung[81] genannt werden, die
ganz unter dem Einfluß Schönerers stand. Sie erschien von 1890 bis 1908, Herausgeber war
der aus Georgenthal in Böhmen stammende Anton Ohme, der etwa seit 1890 in Zwettl
wohnte. Es gibt kaum eine Ausgabe dieser Zeitung, die keine antisemitischen Artikel, Sei-
tenhiebe oder judenfeindliche Inserate enthält.

[80] Mitteilung von Ferdinand Chaloupek (Krems) an den Verfasser.

[81] Dazu siehe auch: Johann Günther, Das Pressewesen im Waldviertel von 1848 bis 1918. In: Das
Waldviertel. 42 (Horn 1993) S. 125.

Abb. 198: Abreise der Juden aus Auschwitz, antisemitische Karikatur der Sammlung Schönerer, um 1880; Zwettl, Stadtmuseum

(Foto: Werner Fröhlich)

Antisemitische Lokalpresse

Christen, kauft bei Christen! Inserat in den Ausgaben der Zwettler Zeitung zwischen 1891 - 1894.

Zwettler Zeitung vom 7. Wintermond 1891: *... Germanenthum und Judenthum bezeichnen das höchste und das niedrigste Niveau menschlicher Begabung; Adler und Schlange. So lange der Adler in der reinen einsamen Hoheit des Idealismus schwebte, konnte keiner Schlange Gift ihn erreichen; die blaue Treue der Nibelungen, der klare Frohsinn der Minnesänger, das war deutsche Himmelslust. Nachdem jedoch die liberalen Plattgeister die Lumpentheorie aufgestellt haben: ,Alle Thiere sind als Thiere gleich zu behandeln!' ward der herrliche deutsche Adler mit der jüdischen Schlange zusammen in die dunkle Freimaurerhöhle der Humanität gesperrt.*

Zwettler Zeitung vom 1. Weinmond 1892: *... Auch wir wissen bereits, daß sich dieser Tuchrestl-Jude schon einige Montage in Zwettler Gasthäusern mit seiner Ware herumtreibt ... Wir kennen Leute in Zwettl, die mit ihrem Geschäfte zumeist wieder auf Zwettler Geschäftsleute angewiesen sind, trotzdem sie dem Juden aber schon um ziemlich hohe Beträge Tuch abgekauft haben. Sollte es wieder vorkommen, werden wir die Namen derselben veröffentlichen.*

Zwettler Zeitung vom 15. Julmond 1894: *... Glaubt nicht, daß der Nichtchrist etwas zu verschenken hat, nicht seiner Hände Arbeit steckt in seiner Ware. Deutsche Hände haben es gefertigt, Deutschen ist der Verdienst entzogen, den der Fremdling aus dem niedrigen Preise, aus deutscher Arbeit und dem Überschusse, den sie ihm abwirft, herauspreßt. Daher stammen die bleichen Gestalten, die drunten im Kellerraum, oder droben im elenden*

Dachstübchen mit einem Hungerlohne zufrieden sein müssen, die der Fremdling sittlichem und leiblichem Verderben entgegentreibt, während er selbst verdient und schwelgt. Sucht die Fremdlinge, die sich durch ihrer Hände Arbeit nähren! Wo findet ihr sie als Ackerbauer oder als Bergarbeiter? Wo sind sie Maurer, Eisenarbeiter oder Matrosen? Dazu gibt sich der Fremdling nicht her, er schafft und arbeitet nicht selbst im Schweiße seines Angesichts. Schacher treibt er mit den Erzeugnissen deutschen Fleißes, einen Schacher, mit dem er sich immer mehr bereichert, mit dem er einen Gewinn einstreicht, der nicht ihm, sondern dem deutschen Volke, dem deutschen Arbeiter gebührt.

Zwettler Zeitung vom 5. Eismond 1895: *Wir machen unsere Leser auf das in Wien erschienene „medicinisch-chirurgische Central-blatt", Jahrg. 1894 Nr. 45-47, aufmerksam, in welchem Herr J. K. Proksch, auf Grund des Geschichtenbuches der alten Juden (Bibel) nachweist, daß das Vorkommen venerischer Krankheiten bei den alten Juden sehr häufig war. (Etwa wie heute bei einzelnen Negerstämmen oder den Indianern.) Herr Proksch macht ferner aufmerksam, daß nicht nur der „König" David selbst syphilistisch war, sondern, daß auch noch manche Stellen aus dem Buche Hiob und den Propheten auf das häufige Vorkommen dieser Krankheit unter dem „auserwählten" Volke bezeugen. Die vierzig Jahre, die Moses seine Juden in der Wüste umherführte, dürften wohl in erster Linie dazu bestimmt gewesen sein, die Juden durch möglichst naturgemäße Lebensweise von ihrem Aussatz und durch Noth und Entbehrungen jeglicher Art, den, ihrer Rasse anhaftenden krankhaft überreizten geschlechtlichen Trieb abzuschwächen. Genützt hat es wie die Erfahrung lehrt nicht viel. — Aus Palästina wurde nicht nur die Ratte und die Wanze, sondern auch die Syphilis (Lustseuche) nach Europa eingeschleppt (Kreuzzüge). Vordem waren venerische Krankheiten bei dem germanischen Edelvolke unbekannt. (Siehe auch Tacitus „Germania".)*

Zwettler Zeitung vom 7. Lenzmond 1896: *Wer hat schon einmal auf einer großen oder einer kleinen Ausstellung etwas gesehen, was ein Jude mit seiner Händearbeit hergestellt hat. Dieses Volk der Arbeitsscheuen soll einmal eine Ausstellung aus ihren gewerblichen und ackerbaulichen Erzeugnissen veranstalten, dann würde auch der blödeste Judenfreund anderer Ansicht werden. Es ist durch nichts wegzuleugnen, daß es in der modernen Gesellschaft ein Element gibt, das alles überdauert — das ist die jüdische Unverschämtheit.*

Zwettler Zeitung vom 16. Eismond 1897: *Wie sehr vielen unserer Leser bekannt ist, wird bei dem Gesangsunterrichte in den österr. Bürgerschulen als Lehrbuch der „Liederhain" benutzt. Dieser „Liederhain" ist „bearbeitet von Joh. Schober, Bürgerschul-Director in Olmütz und Wladimir Labler, Musiklehrer an der k. k. Lehrerbildungsanstalt in Olmütz", wo bekanntlich der Judensohn, Herr Dr. Kohn als römisch-katholischer Fürst-Erzbischof residirt. Auf Seite 69 seines „Liederhains" scheinen nun die beiden Bearbeiter und Herausgeber, den Beweis erbringen zu wollen, daß ihnen Deutsche Dichtung entweder gänzlich unbekannt oder „Schnuppe" ist, sonst könnte dort nicht das von dem Juden Heine gereimte (??) und dem Juden Mendelssohn componierte Lied „Leise klingt" stehen. Die Verlotterung der Form, die Schlamperei im Versmaß und Reim ist von dem Juden Heine ausgegangen. Giebt es eine elendigere Reimerei als jene, die auf Seite 69 des „Liederhain" unseren deutschen Bürgerschülern Knaben und Mädchen geboten wird? Man höre —: Leise zieht durch mein G e m ü t — Liebliches G e l ä u t e — Klinge kleines Frühlingslüt — Kling hinaus ins W ä u t e , Kling hinaus bis an das H a u s — Wo die Veilchen s p r i e s s e n , — Wenn du eine Rose s c h a u s , — Sag' ich laß' sie g r i e ß e n . . .*

Zwettler Zeitung vom 4. Herbstmond 1897: *Zwettl. Jüdisch-czechische Unverschämtheit. Das noch kaum hinter den Ohren trockene Jüngel des in unserer Stadt hausenden czechischen Lederjuden Mayer, beschimpfte am 1. d. M., in den Abendstunden, ein hiesiges, braves christliches Mädchen auf die gemeinste und ordinärste Weise, und wurde in diesem „edlen" Streben auch noch von seinen „Tate und Mame" unterstützt. Gegen das schimpflustige Jüngel, welcher froh sein muß, mitsammt seinem Ausgleich liebenden „Tate", unter Deutschen sein Brod zu finden, wurde die Klage beim hiesigen k. k. Bezirksgerichte bereits eingebracht und werden wir über den Ausgang seinerzeit berichten.*

Zwettler Zeitung vom 19. Hornung 1898: *Nächsten Dienstag gibt es in Zwettl wieder einmal eine alte, alte, schon längst nicht mehr nothwendige aus den Zeiten des Mittelalters stammende, leider noch immer bestehende Einrichtung zu sehen. Wir meinen den Jahrmarkt. Wie immer so werden auch diesmal eine Anzahl mit Krummnasen, X- und O-Beinen versehene Mauschel erscheinen, welche „billige"??? Waren verschiedener Art zu verkaufen haben und damit eine unmittelbare Schädigung unserer hiesigen Kaufleute und Gewerbetreibenden bezwecken. ... Um nun diesem nichts weniger als anständigen Treiben das verdiente Ende zu bereiten, werden am nächsten Dienstag, anläßlich des Jahrmarktes mehrere deutsche Antisemiten die jüdischen Buden beobachten und wird dann in der nächsten Nummer der „Zwettler Zeitung", ohne jedwede Rücksicht auf irgendwen, ein Verzeichnis jener christlichen Frauen und Mädchen, welche sich, angelockt von den billigen Preisen verleiten ließen bei Juden zu kaufen, veröffentlicht werden.*

Zwettler Zeitung vom 17. Hornung 1906: *Es ist eine Tatsache, die niemand bestreiten kann, daß bei uns in Österreich die Unzufriedenheit der Großteile der Bevölkerung von Tag zu Tag wächst und die schon Viele in das Lager der verjudeten Sozialdemokratie getrieben hat und noch viele hineintreiben wird, wenn nicht bald zur Umkehr eingelenkt wird ... Die Unzufriedenheit ist hervorgegangen aus der moralischen und materiellen Not des Volkes, das sich einfach dagegen wehrt, elend zu Grunde zu gehen, während ein kleiner Teil der Bevölkerung Reichtümer aufspeichert ... Die deutsche Bevölkerung, und namentlich in Böhmen hat es endlich einmal satt, immer nur als Ausbeutungsobjekte für fremde Nationen und fremde Interessen zu sein. In Österreich regieren die Klerikalen, die Polen, die Tschechen und die Juden; — die Deutschen haben bloß das Vergnügen, für die Bedürfnisse des Staates zum größten Teile aufzukommen und zu zahlen!*

Zwettler Zeitung vom 16. Hornung 1907: *... Durch das Fallenlassen der Judenfrage haben nun die „Rebläuse der Völker" wieder Lust bekommen und gerade im Waldviertel, wo sie gewisse Geschäfte schon ganz eingestellt hatten ... beginnen dieselben aufs Neue ihr Unwesen zu treiben ...*

Die Zwettler Juden in der I. Republik

In dieser Zeit war die Zahl der Juden in Zwettl ebenso wie im gesamten Waldviertel bereits deutlich zurückgegangen.[82] In der Stadt Zwettl selbst lebten in der Zwischenkriegszeit folgende jüdische Familien:

Robert Schidloff

Er übernahm 1921 nach dem Tod seines Vaters Adolf den von seinem Großvater gegründeten Betrieb, der sich nunmehr im Haus Hauptplatz 3 befand (Abb. 200). Er erzeugte hier Essig, Spirituosen und Liköre, außerdem besaß er eine Schankkonzession. Seit 1920 war er mit der aus Mies (Stříbro) in Böhmen stammenden Emmy Böhm verheiratet. Der Ehe entstammten die Kinder Ernestine (geboren 1922, verstorben 1930), Elisabeth (Lieserl),

---

[82] Friedrich B. Polleroß, 100 Jahre Antisemitismus im Waldviertel (= Schriftenreihe des Waldviertler Heimatbundes, Band 25, Krems 1983) S. 63-66.

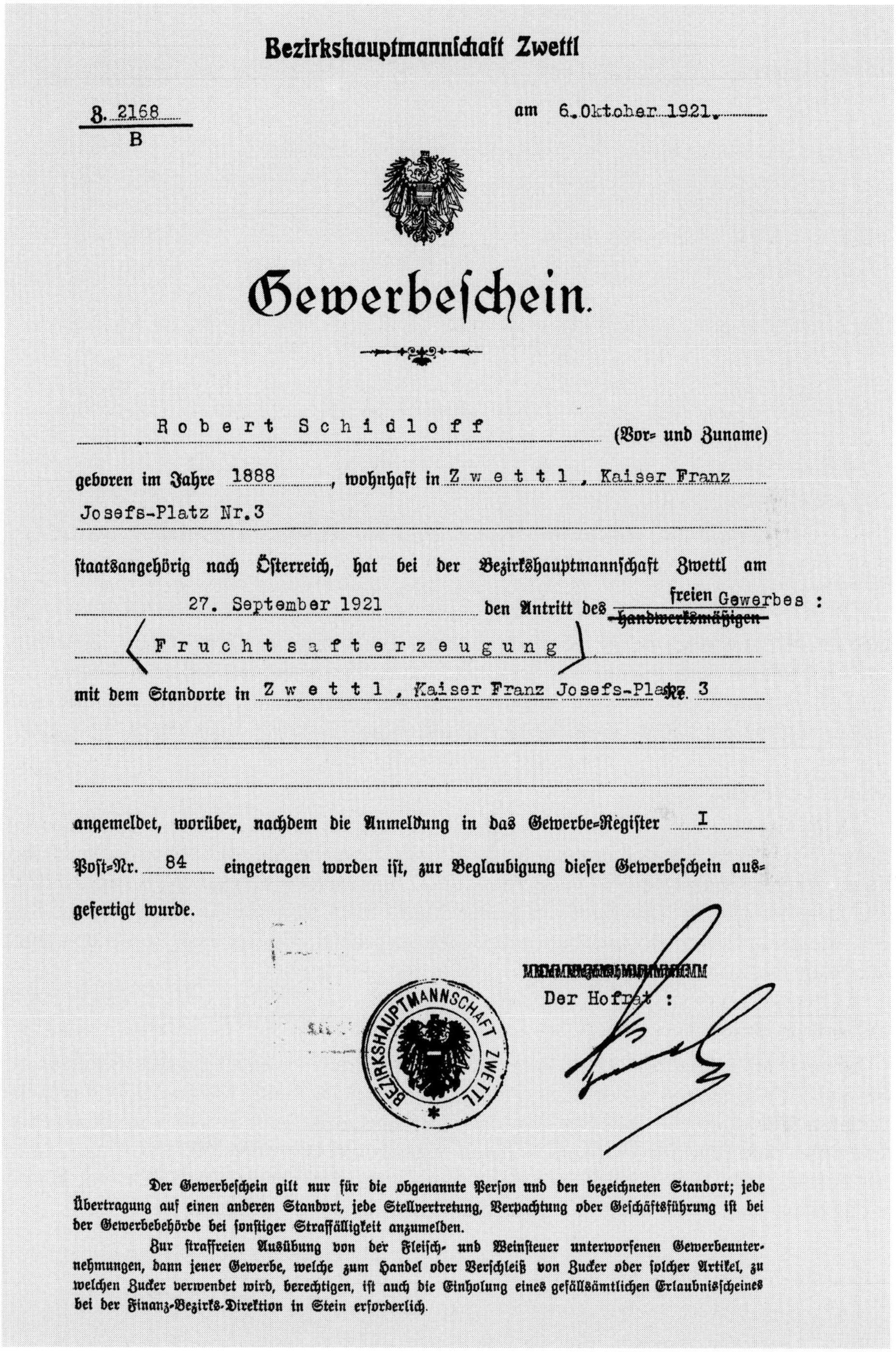

Bezirkshauptmannschaft Zwettl

Z. 2168
B

am 6. Oktober 1921.

Gewerbeschein.

————◦————

R o b e r t   S c h i d l o f f   (Vor= und Zuname)

geboren im Jahre 1888, wohnhaft in Z w e t t l , Kaiser Franz

Josefs-Platz Nr. 3

staatsangehörig nach Österreich, hat bei der Bezirkshauptmannschaft Zwettl am

27. September 1921 den Antritt des freien Gewerbes : ~~handwerksmäßigen~~

‹ F r u c h t s a f t e r z e u g u n g ›

mit dem Standorte in Z w e t t l , Kaiser Franz Josefs-Platz Nr. 3

angemeldet, worüber, nachdem die Anmeldung in das Gewerbe=Register   I

Post=Nr. 84 eingetragen worden ist, zur Beglaubigung dieser Gewerbeschein aus=

gefertigt wurde.

Der Hofrat :

Der Gewerbeschein gilt nur für die obgenannte Person und den bezeichneten Standort; jede
Übertragung auf einen anderen Standort, jede Stellvertretung, Verpachtung oder Geschäftsführung ist bei
der Gewerbebehörde bei sonstiger Strafsälligkeit anzumelden.
       Zur straffreien Ausübung von der Fleisch- und Weinsteuer unterworfenen Gewerbeunter-
nehmungen, dann jener Gewerbe, welche zum Handel oder Verschleiß von Zucker oder solcher Artikel, zu
welchen Zucker verwendet wird, berechtigen, ist auch die Einholung eines gefällsämtlichen Erlaubnisscheines
bei der Finanz-Bezirks-Direktion in Stein erforderlich.

Abb. 199: Gewerbeschein für Robert Schidloff, 1921; Zwettl, Archiv der Bezirkshauptmannschaft

Abb. 200: Geschäftshaus der Firma Schidloff in Zwettl, Hauptplatz 3, um 1930
(Foto: Archiv Werner Fröhlich)

geboren 1929 und Kurt Adolf (verstorben 1932). Zur Familie gehörte weiters der bereits erwähnte Eduard Schidloff, er war der Onkel des Betriebsinhabers Robert und besaß das Haus Hauptplatz 17, von dessen Vermietung er weitgehend lebte. Eduard Schidloff war Junggeselle und mit seiner Tenorstimme eine Stütze des Zwettler Musiklebens (Abb. 203).

Regina Grünwald

Sie führte nach dem Tod ihres Mannes Gustav im Jahr 1928 die Altwarenhandlung im Haus Neuer Markt 5 mit einer männlichen Hilfskraft weiter. Seit 1930 besaß sie auch das Haus Parkgasse 4, das sie 1934 verkaufte.[83] 1932 übersiedelte sie nach Wien, wo sie 1936 nochmals heiratete.[84] Das Haus am Neuen Markt blieb weiterhin in ihrem Besitz. Seit 1931 war es an Georg und Elisabeth Brezowich verpachtet, die hier eine Auto-Reparaturwerkstätte einrichteten.

Dr. Philipp Fränkel

Er nahm am 1. Oktober 1924 in Zwettl (Hamerlingstraße 4) seine Tätigkeit als Rechtsanwalt auf. Er wurde 1884 in Boryslaw (Polen) geboren. Seine Gattin Mirjam, geborene Lam (geboren 1889) kam ebenfalls aus Boryslaw. Der Ehe entstammte der 1927 in Wien geborene Sohn Heinrich. Die Fränkels wohnten zunächst im Haus von Viktoria Autengruber (Hamerlingstraße 4), wo sich auch die Rechtsanwaltskanzlei befand, 1926 übersiedelten sie in das Haus von Robert Schidloff, Hauptplatz 3.[85]

---

[83] Grundbuch Zwettl Stadt, EZ 292.

[84] StAZ, Sign. 3/116 Nr. 12/52 und 3/121 Nr. 12/60, sowie 3/125 Nr. 9/202.

[85] StAZ, Kart. 99, Nr. 560/1924; bzw. Meldebuch 1924 und 1926. Meldeauskunft Wiener Stadt- und Landesarchiv vom 25. August 1987 an den Verfasser.

Abb. 201: Warenhaus des Paul Klein in Zwettl, Hauptplatz 17, aufgenommen am 29. 9. 1929 während eines Aufmarsches der Heimwehr; Zwettl, Stadtarchiv

Paul Klein

Der Kaufmann Paul Klein heiratete 1922 in Wien die aus Miskovice stammende Irene Gottlieb, die 1924 Tochter Edith zur Welt brachte. 1926 übersiedelte die Familie nach Zwettl, wo sie zunächst in der Landstraße (Nr. 55), ab 1927 in der Gartenstraße (Nr. 10) und ab 1937 im Haus Schulgasse 13 wohnte. Paul Klein betrieb im Haus Hauptplatz 17 (im Eigentum von Eduard Schidloff) ein Handelsgeschäft mit Schuhen, Hüten, Wirkwaren und Bekleidungsartikeln[86] (Abb. 201).

Max Taussig

Die Taussigs kamen aus Grainbrunn. Hier hatten Samuel und Ludmilla Taussig 1887 von Samuel Goldstein die Greißlerei im Ortszentrum gekauft (heute Kaufhaus Terrer, Grainbrunn 11) (Abb. 202). 1888 wurde hier Max Taussig geboren.[87] Max Taussig diente im 1. Weltkrieg. Nach Kriegsende lebte er einige Jahre in Wien. Bereits 1913 hatte er die aus Prag stammende Schneiderin Rosa Jampehles (geb. 1891) geheiratet. Beide zogen später wieder nach Grainbrunn, wo sie 1926 ein Haus (Grainbrunn 22) bauten.[88] Der Ehe ent-

---

[86] StAZ, Meldebuch 1926 und 1927; Kart. 102, Nr. 452;
Meldeauskunft des Wiener Stadt- und Landesarchivs;
Amtsblatt der BH Zwettl Nr. 23 vom 8. Juni 1938.

[87] Mitteilung von Gottfried Terrer (Grainbrunn 11) an den Verfasser, Dezember 1993.

[88] Grundbuch Großnondorf, EZ 204.

מ נ

כת	ואם
העלמה ם	האשה חצנועה
היה טוססין	בלאה טוססן
נקטפה באביב	הלכה לעולמה
ציה ב י'ן טבת	ב. כ'ד' ניסן ש
תרסו ל תנצבה	

Hier ruhen in Frieden

Frau　　　Fräulein

Ludmilla　Emma
Taussig Taussig
aus Grainbrunn,

geb. am 2. Novemb 1853　geb. am 27. Oktober 1884
gest. am 28. April 1906　gest. am 10. Jänner 1906

Tief betrauert von ihrem　Tief betrauert von ihrem
Gatten u. ihren Kindern　Vater u. ihren Geschwistern

Ruhet sanft! Friede ihrer Asche!

Abb. 202: Grabstein der Familie Taussig aus Grainbrunn auf dem jüdischen Friedhof in Zwettl, 1906
(Foto: Friedel Moll)

stammte der 1920 geborene Sohn Paul. 1933 verkaufte die Familie Taussig das Haus und übersiedelte nach Zwettl, wo sie zunächst in der Kuenringerstraße 3, dann ab 1933 in der Gartenstraße 10 und ab 1935 in der Kamptalstraße 11 wohnte. Hier handelte Max Taussig (wie auch vorher schon in Grainbrunn) mit landwirtschaftlichen Maschinen und Fahrrädern.

Er gab bereits bei seiner Ankunft in Zwettl an, konfessionslos zu sein und bemühte sich offensichtlich, seine Familie im nichtjüdischen Milieu zu integrieren, denn 1934 lassen sich Max, Rosa und Paul Taussig taufen, und der ursprünglich mosaische Hauptschüler Paul ist Mitglied der Zwettler Pfadfindergruppe. Die Ehe zwischen Paul und Rosa Taussig war nicht glücklich. Das Ehepaar lebte weitgehend getrennt und ließ sich um 1935 scheiden.[89]

Der „Anschluß" und das Ende der Zwettler Juden

Nach dem Anschluß Österreichs an das Deutsche Reich erschien in der NÖ. Land-Zeitung vom 23. März 1938 ein Artikel, der über die Jubelstimmung berichtete, die am 11. März auch in weiten Kreisen der Zwettler Bevölkerung herrschte: *...Jubel und Glückseligkeit erfüllt unsere Herzen. Noch abends 21 Uhr zogen SS und SA und eine Menge treuer Parteigenossen der NSDAP singend durch die Stadt. In allen Gaststätten fanden sich die überglücklichen Menschen. Es war ein nimmer endenwollender Jubel. Man sang, man weinte, man küßte sich, man jubelte, frei sind wir geworden. Es gibt nur frohe Gesichter...*

Mit dem Anschluß bekam aber auch die antijüdische Gesetzgebung in Österreich Gültigkeit, und die judenfeindliche Haltung des neuen Regimes war bald im ganzen Land wirksam, fiel sie doch in manchen Teilen der Bevölkerung auf fruchtbaren Boden. Auch in Zwettl brachte man sehr bald an den jüdischen Geschäften (Schidloff und Klein) große Plakate mit der Aufschrift „Jüdisches Geschäft" an, und Nichtjuden durften dort nicht mehr einkaufen.[90] Der wegen seiner sozialen Einstellung beliebte Rechtsanwalt Dr. Philipp Fränkel erhielt Berufsverbot.[91] Es kam aber auch zu Tätlichkeiten. So wurde Robert Schidloff, als er am 1. Oktober 1938 auf dem Gehsteig in der Nähe des Kaffeehauses Weinpolter in der Kaiser Wilhelm-Straße (heute Landstraße) ging, von einem Rettungsauto unter mysteriösen Umständen angefahren und schwer verletzt. Und auch in Zwettl wurden — mündlichen Berichten zufolge — Fensterscheiben jüdischer Wohnungen und Geschäfte eingeschlagen.

Der in Marbach am Walde lebende Gemüsehändler Josef Zimmer, der sich wegen seiner Freigiebigkeit vor allem bei der Jugend großer Beliebtheit erfreute, wurde über Weisung des örtlichen Parteichefs auf seinem eigenen Kleinlastwagen durch den Ort geführt und als „Geldjude" zur Schau gestellt.[92]

---

[89] Meldeauskunft des Wiener Stadt- und Landesarchivs vom 24. August 1993 an den Verfasser; StAZ, Meldebuch 1909-1932, 1933-1939; Amtsblatt der Bezirkshauptmannschaft Zwettl Nr. 37 vom 15. September 1938.

[90] Pfarrarchiv Zwettl, Gedenkbuch der Pfarre Zwettl, Eintragungen zu 1938.

[91] Bereits Ende März 1938 wurde jüdischen Rechtsanwälten die Berufsausübung „vorläufig" untersagt. Dazu siehe auch: Jonny Moser, Die Verfolgung der Juden. In: Widerstand und Verfolgung in Niederösterreich 1934-1945, Band 3 (Wien 1987) S. 336, 696.

[92] Mündliche Mitteilung von Anna Rößl, Josef Binder und Frau Neulinger (alle Marbach/Walde) an den Verfasser. Über das weitere Schicksal des Josef Zimmer konnten keinerlei stichhaltige Hinweise gefunden werden.

Bis 31. Dezember 1938 mußten dann alle jüdischen Geschäfte in Österreich geschlossen werden, und ab 3. Dezember 1938 konnten jüdische Geschäfte, Gewerbebetriebe und Grundstücke mit einer bestimmten Veräußerungsfrist belegt werden. Juden mußten eigene Kennkarten bei sich tragen, die jüdischen Zusatzvornamen Sara oder Israel führen, und ab Oktober 1938 wurden ihre Reisepässe mit einem „J" gekennzeichnet.[93] All diese Maßnahmen waren dazu angetan, den Juden das Leben möglichst schwer und unerträglich zu machen und sie so zur Abwanderung zu zwingen.

Als erste verließ die Kaufmannsfamilie Klein die Stadt Zwettl, nachdem die Gewerbeberechtigungen Paul Kleins bereits mit Mai 1938 gelöscht worden waren.[94] Am 25. Juli 1938 stellte die Gemeindeverwaltung für Paul, Irene und Edith Klein Sittenzeugnisse aus, und am 30. Juli 1938 reiste die Familie nach Wien ab.[95] Es gelang ihnen, nach Amerika auszuwandern. Durch Zufall kam 1944 der heutige Zwettler Mineralölgroßhändler Kommerzialrat Franz Eigl als Kriegsgefangener in den USA in Kontakt zur Familie Klein. Paul und Edith Klein besuchten 1969 die Stadt Zwettl.[96] Die Familie Klein war allerdings die einzige der in Zwettl ansässigen jüdischen Familen, die Verfolgung und Vernichtung während der NS-Zeit relativ unbeschadet überstand.

Das Ehepaar Taussig lebte zu dieser Zeit bereits getrennt, Max Taussig in Zwettl, seine geschiedene Gattin Rosa in Atzgersdorf. Am 28. August 1938 übersiedelte Max ebenfalls nach Atzgersdorf.[97] 1939 zogen Max und Rosa Taussig nach Wien 9, Sennhofergasse, wo sie am 3. November dieses Jahres nochmals heirateten. Ab 16. Dezember 1940 lebten beide in Wien 9, Grüne Thorgasse. Von dort wurden sie am 26. Februar 1941 mit dem zweiten Transport nach Oppeln (Opole) gebracht.[98] 1049 österreichische Juden wurden an diesem Tag in dieses Ghetto deportiert, nur drei von ihnen überlebten. Die Transporte nach Polen und in die besetzten Ostgebiete zwischen Februar und März 1941 bzw. ab Mitte Oktober 1941 wurden von den Machthabern als Umsiedlungsaktionen für Juden aus der Ostmark und dem Altreich deklariert. Die Lebensbedingungen, mit denen die Deportierten allerdings dann am Ziel des Transportes fertig werden mußten, waren derart katastrophal, daß nur wenige überlebten.[99]

Der damals achtzehnjährige Paul Taussig hatte schon am 2. Juli 1938 Zwettl verlassen und war zu seiner Mutter nach Atzgersdorf gereist.[100] Im September gelang es ihm, über Ungarn nach Jugoslawien zu kommen. An der Grenze zu Italien wurde er aber wegen seines mit dem „J" gekennzeichneten Passes aufgegriffen. Im November war er wieder in Wien, wo er mit seinen beiden aus Grainbrunn vertriebenen Tanten die Schrecken der „Reichskristallnacht" erlebte.[101] Im Frühjahr 1939 gelang es ihm, über Holland nach Eng-

---

[93] Jonny Moser (wie Anm. 91).

[94] Amtsblatt der Bezirkshauptmannschaft Zwettl Nr. 23 vom 8. Juni 1938.

[95] StAZ, Sign. 3/127, Nr. 131 bis 133 bzw. Meldebuch 1933-1939.

[96] Josef Leutgeb, wie Anm. 51.

[97] StAZ, Meldebuch 1933-1939.

[98] Wiener Stadt- und Landesarchiv, Meldeauskunft vom 24. August 1993, Mitteilung der Israelitischen Kultusgemeinde Wien vom 26. Juli 1994 an den Verfasser.

[99] Herbert Rosenkranz, Verfolgung und Selbstbehauptung. Die Juden in Österreich 1938-1945 (Wien 1978) S. 255-262, 278-296.

[100] StAZ, wie Anm. 97.

[101] Gisela Neuner (geborene Taussig) und ihre jüngere Schwester Ida Taussig betrieben in Grainbrunn Nr. 13 eine Gemischtwarenhandlung. Am 19. September 1938 verließen sie diesen

land zu flüchten, wo er am 16. April 1939 anlangte. [102] Paul Taussig trat in die britische Armee ein und erlangte nach Kriegsende eine führende Position in der englischen Postverwaltung. In den achtziger Jahren besuchte er mehrmals Zwettl und seinen Heimatort Grainbrunn. Paul Taussig verstarb am 5. Mai 1989 in Wakefield, West Yorkshire.

Die Familie Dr. Philipp Fränkel konnte nicht nach Frankreich flüchten, wie Hugo Gold angibt. [103] Am 20. Dezember 1938 stellte die Stadtgemeinde Zwettl für Dr. Philipp Fränkel, seine Frau Mirjam und den damals knapp zwölf Jahre alten Sohn Heinrich Sittenzeugnisse aus [104], und am 16. Februar 1939 reiste die Familie nach Wien, wo sie unter der Adresse Sechsschimmelgasse 14 gemeldet war. Am 15. Februar 1941 wurden Mirjam Fränkel und ihr Sohn Heinrich nach Oppeln (Opole) transportiert. Es war dies der erste von insgesamt zwei Transporten österreichischer Juden in dieses polnische Ghetto. 998 Menschen wurden an diesem Tag deportiert, 14 davon überlebten. Am 28. Oktober 1941 brachte man dann Dr. Philipp Fränkel nach Litzmannstadt (Lódź). [105] Es war das der vierte von fünf Transporten österreichischer Juden nach Lódź. 998 Menschen wurden an diesem 28. Oktober deportiert, keiner überlebte. Daß Fränkel erst rund acht Monate nach seiner Familie deportiert wurde, könnte auf einen mißglückten Fluchtversuch zurückzuführen sein.

Robert und Emma Schidloff verkauften noch im Mai 1938 ihr Haus (Hauptplatz 3, damals Adolf-Hitler-Platz) an die Sparkasse der Stadt Zwettl, die dafür 26 667 RM bezahlte [106] und sofort daran ging, hier ihr Geschäftslokal zu errichten. Das Geld wurde über Weisung der Vermögensverkehrsstelle im Ministerium für Wirtschaft und Arbeit auf ein Sperrkonto gelegt, über welches nur mit ausdrücklicher Genehmigung dieser Stelle verfügt werden konnte. Nach den vom Staat eingeführten Regelungen konnte das Geld nur für die Ausreise (für Transportkosten, Schiffs- oder Flugticket...) verwendet werden, Einreisevisa in fremde Staaten waren aber kaum zu bekommen. Und so erhielt die Familie Schidloff sicherlich nur minimale Beträge aus dem Verkauf ihres Hauses im Stadtzentrum von Zwettl. Stadtpfarrer Johann Flicker vermerkte dazu in der Pfarrchronik: „Das Geld wurde nicht ausbezahlt, die Familie konnte sich täglich, wie ich hörte, 5 RM von der Sparkasse holen, da die Kaufsumme sozusagen gesperrt war." [107]

Eduard Schidloff verkaufte sein Haus (Hauptplatz 17) erst am 9. Dezember 1938. Als Käufer trat wieder die Sparkasse auf. Der Kaufpreis von 16 096 RM wurde ebenfalls auf ein Sperrkonto einbezahlt, das mit dem Vermerk „Entjudungserlös" versehen war und über das nur mit ausdrücklicher Genehmigung der Vermögensverkehrsstelle verfügt werden durfte.

Ort (nachdem sie in ihrem Geschäft einen Abverkauf durchgeführt hatten) und zogen nach Wien. Am 3. Dezember 1941 wurden beide Schwestern nach Riga abtransportiert. Es war dies der erste von insgesamt vier Transporten österreichischer Juden in die baltische Hauptstadt. 995 Menschen wurden bei dieser Deportation verschleppt, nur drei überlebten. Von den beiden Schwestern fehlt seither jede Spur. (Mündliche Mitteilungen von Fam. Köchl bzw. Terrer aus Grainbrunn, Dezember 1993; Meldeauskunft des Wiener Stadt- und Landesarchivs vom 18. Jänner 1994, Mitteilung der Israelitischen Kultusgemeinde Wien vom 26. Juli 1994).

[102] Mitteilungen der Witwe nach Paul Taussig an den Verfasser (22. Mai 1993).

[103] Hugo Gold, Geschichte der Juden in Österreich (Tel Aviv 1971) S. 103.

[104] StAZ, Sign. 3/127, Nr. 268.

[105] Mitteilung der Israelitischen Kultusgemeinde Wien vom 21. August 1987 und 26. Juli 1994 an den Verfasser; Meldeauskunft des Wiener Stadt- und Landesarchivs vom 25. August 1987 an den Verfasser.

[106] Archiv der Bank und Sparkassen AG Waldviertel Mitte, Kaufvertrag vom 11. Mai 1938.

[107] Pfarrarchiv Zwettl, wie Anm. 90.

Die neuen Hausbesitzer gestatteten der Familie Schidloff, bis längstens 1. April 1939 unentgeltlich im ersten Stock des Hauses Hauptplatz 17 zu wohnen.[108]

Am 20. März 1939 stellte die Stadtgemeinde Zwettl für Eduard, Robert und Emma Schidloff je ein Leumundszeugnis aus[109], und am 23. übersiedelte die Familie mit der zehnjährigen Tochter Elisabeth (in Zwettl allgemein nur Lieserl genannt) nach Wien IX, in die Hahngasse 22, zu Familie Blum.[110] Bereits am 2. März 1939 war im Amtsblatt des Landrates in Zwettl die Löschung der Gewerbeberechtigungen der Firma Schidloff gemeldet worden[111], und am 1. April dieses Jahres verkündete ein lokaler Vertreter der NSDAP: „Zwettl ist judenfrei!"[112] Am 4. Mai teilte dann die Stadtgemeinde Zwettl der Bezirksgruppe Ostmark der Fachgruppe Trinkbranntweinhersteller in Wien über Anfrage mit, daß die Firma Schidloff und Söhne bereits liquidiert sei. Das Inventar hatte man an verschiedene Gastwirte verkauft.[113]

Abb. 203: Eduard Schidloff (1863-1942)
(Foto: Lux, Zwettl)

Am 21. April 1941 wandte sich Robert Schidloff — er mußte sich nun Robert Israel Schidloff nennen — nochmals in einem Brief an die „Löbliche Gemeindeverwaltung der Stadtgemeinde Zwettl Nieder Donau". Er bat die Gemeinde um eine Bestätigung über seine Tätigkeit als selbständiger Unternehmer in Zwettl. Wahrscheinlich bemühte er sich um ein Ausreisevisum. Nach der handschriftlichen Notiz von Bürgermeister Emmerich Schröfl läßt sich schließen, daß eine derartige Bestätigung auch ausgestellt wurde[114], ein Visum erhielten die Schidloffs aber nicht. Sie waren damals in Wien IX, Sechsschimmelgasse 14/21, I. Stock, gemeldet. Dieser Brief ist die letzte schriftliche Nachricht der Familie Schidloff. Nun tauchen ihre Namen nur mehr in den Transportlisten auf.

---

[108] Grundbuch Zwettl Stadt, EZ 5; Kaufvertrag vom 9. Dezember 1938.

[109] StAZ, Sign. 3/128, Nr. 3/67, 3/68, 3/69.

[110] Stadtamt Zwettl, Heimatrollen Sch 14 und Sch 15.

[111] Amtsblatt des Landrates in Zwettl, Nr. 9 vom 2. März 1939.
Die Schidloffs besaßen bis zu diesem Zeitpunkt folgende Konzessionen: Robert Schidloff: Gast- und Schankgewerbe (Kleinverschleiß von gebrannten geistigen Getränken), Kleinhandel mit Tee, Fruchtsafterzeugung, Handel mit Kanditen, Zuckerwaren und fertigen Zuckerbäckerwaren.
Firma S. Schidloff und Söhne: Erzeugung von Branntwein, Essig, Liqueuren auf kaltem Wege und Handel mit diesen Produkten.

[112] Pongratz/Hakala (wie Anm. 23), S. 130.

[113] StAZ, Kart. 118, Nr. 12/80.

[114] StAZ, Kart. 120, Nr. 1941/85.

Eduard, Emma, Elisabeth und Robert Schidloff wurden am 22. Juli 1942 (mit dem fünften Transport) in das KZ Theresienstadt gebracht. [115] Sie hatten die Transportnummern 81, 342 und 344. Die Transportnummer von Robert Schidloff ist nicht bekannt, dürfte aber 343 gewesen sein. Eduard Schidloff (Abb. 203) verstarb am 20. September 1942 in Theresienstadt im 80. Lebensjahr, sein Neffe Robert kam am 7. September 1943 im gleichen Konzentrationslager ums Leben. Emma und Elisabeth Schidloff wurden am 15. Mai 1944 nach Auschwitz transportiert. Emma hatte die Transportnummer 1498, die knapp 15 Jahre alte Elisabeth die Nummer 1499. An diesem Tag brachte man 2503 Personen aus Theresienstadt nach Osten. [116] Hier verliert sich die Spur der Schidloffs.

Regina Grünwald, die Witwe nach Gustav Grünwald, seit 1936 verehelichte Lenobel, besaß bis 1939 das Haus Neuer Markt 5, in dem seit 1931 Elisabeth und Georg Brezowich eine Mechanikerwerkstatt betrieben. Am 4. August 1939 verkaufte sie das Haus um 12 000 RM an ihre Mieter. Auch in diesem Fall wurde das Geld auf ein Sperrkonto einbezahlt, das mit dem Vermerk „Entjudungserlös" versehen war und über welches nur mit ausdrücklicher Genehmigung der Vermögensverkehrsstelle im Ministerium für Wirtschaft und Arbeit verfügt werden konnte. Man muß daher annehmen, daß Regina Lenobel ebenfalls wenig von ihrem Geld sah. Sie lebte damals in Wien XX, Wallensteinstraße 60. [117] Am 22. Juli 1942 brachte man sie in das Konzentrationslager Theresienstadt, wo sie am 23. Februar 1943 ums Leben kam. [118]

Am 4. November 1942 verhaftete die Gestapo in Wien Ing. Gustav Mandl. Er war der Sohn von Adolf und Rosa Mandl, geb. Weiß und wurde, wie bereits oben erwähnt, am 13. Jänner 1877 in Zwettl geboren. Über sein Leben ist nur sehr wenig bekannt. Es läßt sich nicht mehr feststellen, wann er seine Geburtsstadt verließ und welchen Beruf er ausübte. Er lebte zeitweise in Spielfeld (Steiermark) und in Wien, war zweimal verheiratet und verwitwet. Zuletzt war er in Wien IX, Grundlgasse 1/7 gemeldet [119], versuchte aber dann in der Großstadt unterzutauchen, denn der ihn betreffende Gestapo-Tagesbericht vermerkt, daß er sich gemeinsam mit dem Juden Dr. Emil Rosenthal-Bonin unterstandslos in Wien herumgetrieben habe, um sich so der Evakuierung zu entziehen. Dem Dr. Rosenthal-Bonin warf man außerdem vor, ausreisewilligen Juden entsprechende Papiere verschafft zu haben. Ing. Gustav Mandl wurde aus der Polizeihaft am 16. Februar 1943 in das KZ Auschwitz gebracht, wo er ums Leben kam. [120]

Der in Sallingberg wohnende Kaufmann Alfred Fischer soll knapp nach dem „Anschluß" Selbstmord begangen haben. [121] Ein ähnliches Schicksal wie Gustav Mandl

---

[115] Schriftliche Mitteilungen der Israelitischen Kultusgemeinde Wien vom 21. August 1987 und 26. Juli 1994 an den Verfasser.
Der Meldezettel der Familie Schidloff trägt den Vermerk „Theresienstadt mit Gattin und Kind" (Mitteilung des Wiener Stadt- und Landesarchivs vom 25. August 1987 an den Verfasser).

[116] Jüdisches Komitee für Theresienstadt (Hg.), Totenbuch Theresienstadt (Wien 1971) S. 119. Mitteilung der Israelitischen Kultusgemeinde Wien vom 26. Juli 1994 an den Verfasser.

[117] Grundbuch Zwettl Stadt, EZ 86.

[118] Meldeauskunft des Wiener Stadt- und Landesarchivs vom 18. Jänner 1994, Auskunft der Israelitischen Kultusgemeinde Wien vom 26. Juli 1994, bzw. Totenbuch Theresienstadt.

[119] Wiener Stadt- und Landesarchiv, Meldeauskunft vom 14. Juli 1989 an den Verfasser.

[120] Dokumentationsarchiv des österreichischen Widerstandes (DÖW), Akt Nr. 5733 f, Gestapo Tagesbericht Nr. 3 vom 6.-9. November 1942.

[121] Mündliche Mitteilung von Fam. Köchl (Grainbrunn) an den Verfasser (Dezember 1993).

erlitt Alfred Spira, geboren 1883, ehemals Kaufmann in Langschlag. Er wurde am 23. November 1942 nach Verbüßung einer Haftstrafe in Wien als Unterstandsloser aufgegriffen und in ein Sammellager zur Evakuierung überstellt.[122] Am 6. Jänner 1943 brachte man ihn nach Theresienstadt, von wo man ihn am 23. Jänner 1943 nach Auschwitz transportierte. Insgesamt verfrachtete man an diesem Tag 2000 Personen aus Theresienstadt nach Auschwitz. Spira hatte die Transportnummer 1889. Seither fehlt von ihm jede Nachricht.

Einigen wenigen Juden gelang es allerdings doch, Verfolgung, Deportation und Vernichtung zu entgehen, indem sie in der Großstadt Wien als „U-Boot" lebten. Aus dem Bezirk Zwettl ist eine Person dokumentiert, die die Judenverfolgung in Wien überlebte: Josef Nassau, geboren am 17. Februar 1885 in Groß Poppen. Er konnte wahrscheinlich nur deshalb überleben, weil sich seine Frau Rosa (geb. Batzinger, aus Allentsteig), eine „Arierin", nicht von ihm scheiden ließ und ihn versteckte und versorgte. Josef Nassau starb 1962 in Wien.[123]

Von den übrigen Juden, die Zwettl in den Dreißigerjahren verließen und 1938 vermutlich noch am Leben waren, konnten keine Spuren gefunden werden. Viele von ihnen fielen ohne Zweifel der Vernichtungsmaschinerie des NS-Regimes zum Opfer. Ihr Schicksal wird wohl nie aufgeklärt werden.

---

[122] DÖW, Sign. 5733 f.

[123] DÖW, Sign. 11 564/5. Mitteilung der Israelitischen Kultusgemeinde Wien vom 26. Juli 1994 an den Verfasser.

III. Erinnerungen

Artur Lanc †

DAS SCHICKSAL DER UNGARISCHEN JUDEN IN GMÜND 1944/45*

Anläßlich einer Ehrung von Herrn Hofrat Dr. Artur Lanc (1907-1995) durch den ungarischen KZ-Verband im Jahr 1971 baten ihn seine Kinder um einen Bericht über seine Erlebnisse. Er begann diesen mit einer allgemeinen Schilderung der Judenverfolgung, die hier weggelassen wurde.

Das also war die Situation [...] als im Frühsommer 1944 ein Judentransport aus Ungarn in Gmünd für die Kartoffel-AG eintraf. Eines Tages erschien in meiner Ordination ein älterer Mann mit dem Davidstern an der Brust und bat um eine kurze Unterredung. Ich nahm ihn vor, um den Patienten nicht ein Zusammensein mit einem Juden „zuzumuten". „Herr Oberarzt", stellte er sich vor, „ich bin Dr. Lipot Fisch, der Lagerarzt. Ich habe einen Patienten mit einem Schlaganfall. Darf ich Sie bitten, mir eine Venenpunktionsnadel zu borgen?" Ich gab ihm die Hand und die Nadel und fragte ihn, wie ich ihm sonst behilflich sein könne. Verwirrt und glücklich, nach all dem Bisherigen als Mensch und Kollege angesprochen zu werden, bat er um eine Zigarette. Ich holte ihm davon, was ich in der Wohnung hatte und beauftragte ihn — es war gerade Freitag —, jeden Freitag abends, nach Arbeitsschluß, mir einen Gesundheitsbericht über die Lagerinsassen zu erstatten. Er hatte für die Kranken eine Baracke hinter dem Krankenhaus, die heute noch als Materiallager steht. An diesen Freitagabenden saßen wir zu dritt beisammen, Mutti brachte alles Gute, was damals im vorletzten Kriegsjahr noch aufzutreiben war, einmal auch sogar Schnitzel und er erzählte seine Geschichte; eine interessante Geschichte: Im Ersten Weltkrieg war er eingerückt und wohnte in einer Baracke zusammen mit einem gewissen Béla Kun, einem Mann, dessen Name als der „Bluthund von Budapest" in die Geschichte eingegangen ist. Als der I. Weltkrieg zusammengebrochen war, errichtete er die berüchtigte Rätediktatur in Ungarn. Er erinnerte sich seines Zimmerkameraden aus dem Krieg und rief ihn an: „Lipot, ich brauche einen Gesundheitsminister. Ich ernenne dich hiemit zum Kommissar für Volksgesundheit." Dr. Fisch hatte aber 14 Tage vorher geheiratet und sagte: „Schau Bela, ich will doch auch etwas haben von meiner Frau, gib mir einen leichteren Posten." „Gut," sagte Kun, „ich ernenne dich zum Kommissar des ungarischen Roten Kreuzes." [...] Dr. Fisch zog sich nachher wieder in seine Heimatstadt im südlichen Ungarn, Kiskunfelegyhaza, als praktischer Arzt zurück, wo er bis 1944 tätig war. Ein Zeichen, daß er sich damals anständig verhalten hatte. Dann wurde er als alter Mann mit Angina pectoris als Jude verhaftet und mußte die Tragik seiner Rasse am eigenen Leibe miterleben.

An diesen Abenden erörterten wir alles, was seinen Schicksalsgenossen helfen konnte. Schließlich waren wir uns menschlich so nahe gekommen, daß ich ihm das Du-Wort antrug. Eine Bitte habe ich ihm wirklich erst nach langen Bitten und großen Gewissensbissen bis zum Ende des Krieges erfüllen können. Ihr kennt wahrscheinlich alle dieses Familienfoto, wo Mutti, Evi und ich und auf Muttis Schoß der damals kleine Elmar zu sehen sind. Dieses bettelte er mir ab, mit einer Widmung obendrein und beteuerte, es unter das Futter seines

---

*) Der Beitrag wurde erstmals 1984 veröffentlicht: Friedrich Polleroß (Hg.) Kamptal-Studien 4 (1984) S. 197-210. — Für Hinweise und Unterstützung sei Frau Dr. Elga Lanc (Wien) herzlich gedankt.

Rockes einzunähen, damit er, sollte er doch einmal das Ende des Krieges miterleben, es seiner Familie und den Enkelkindern Iv und Karoly zeigen könne, als das Bild seiner Wohltäter in der schwersten Zeit seines Lebens. Übrigens hat er nach seiner Rückkehr in die Heimat vor der ungarischen Ärzteschaft in Budapest einen Vortrag über das Schicksal der deportierten Ungarn gehalten und dieses Foto von Hand zu Hand herumgehen lassen. Daraufhin hat mir der Präsident der ungarischen Ärztekammer in einem Brief herzlich für alles gedankt. Nun, was war dieses „Alles", das ich damals für diese Leute getan habe; übrigens gemeinsam mit Mutti (Abb. 204). Sie war mit allem einverstanden gewesen, was vom Standpunkt der Vernunft als Wahnsinn zu bezeichnen war, was man wirklich nur aus dem Herzen heraus tun und bejahen konnte. Zunächst halfen wir mit Kleidern, Lebensmitteln und Medikamenten. Mutti gab z. B. die ganz neue Säuglings- und Kleinkinderwäsche von Elga einer schwangeren Frau, mit einem Steckkissen, das ein Prachtstück war. Diese Frau hätte kein einziges Wäschestück gehabt. Sie schrieb einen rührenden Dankesbrief.

Unterdessen waren aber die Abende bei uns aufgefallen, und Dr. Fisch bekam ebenso wie seine Landsleute Ausgehverbot. Er sollte mir telefonisch den Gesundheitsbericht erstatten. Für ihn war das natürlich bitter. Als Amtsarzt nahm ich aber die Gelegenheit wahr, im Rahmen von Krankenhausüberprüfungen auch die Krankenbaracke der Juden zu visitieren und so den Kontakt mit dem Kollegen aufrecht zu erhalten.

Inzwischen war es jedoch Spätherbst 1944 geworden, und für nüchterne Beobachter, überdies solche, die sich getrauten, ganz geheim Auslandssender zu hören, zeichnete sich das Ende des Krieges bereits am Horizont ab. Die führergläubigen Nazis aber vertrauten fest auf die sagenhafte „Wunderwaffe", mit der der Führer in der höchsten Not die Feinde vernichten würde. Bezeichnend ein Gespräch, das ich mit dem Kreisamtsleiter für Volkswohlfahrt (NSV) wenige Tage vor Kriegsende hatte, als die Russen schon in Wien eingedrungen waren und ihr Eindringen in Gmünd stündlich erwartet wurde. Er hatte sich in Hoheneich im Mutter-Kindheim, dessen ärztliche Leitung ich hatte, verabschiedet. Anschließend sagte er mir persönlich, daß er sich in dem Augenblick, indem die ersten Russen in sein Haus in der Walterstraße (Zwettlervilla) eindringen würden, erschießen werde. Da es aber bis zu diesem Augenblick noch immer tödlich war, Zweifel am Endsieg zu äußern, gab er mir die Erklärung, daß durch Sabotage ein wichtiger kleiner Bestandteil der Wunderwaffe nicht zur Verfügung stehe, sodaß die geniale Konzeption des Führers gescheitert sei. Tatsächlich hatte Binder, als die Russen an seiner Tür pochten, aber nicht, um ihn zu verhaften, weil sie ja noch nichts von ihm wußten, sondern um zu plündern, durch einen Kopfschuß seinem Leben ein Ende gemacht. — Aber wieder chronologisch zurück:

Es bestand der Befehl, wenn sich die Fronten unseren Grenzen nähern sollten, alle vereinzelten Judengruppen, die noch existierten, in Konzentrationslager zur Vernichtung zu überstellen. Mit dem damaligen Amtstierarzt Dr. Krisch, der zwar keinen der Juden kannte, aber für seine Person eine Tat setzen wollte, die ihn beim Zusammenbruch als Nazigegner, der er auch war, legitimieren sollte, besprach ich die Lage. Dr. Fisch sollte sich noch zwei Landsleute aussuchen können, die wir zu retten versuchen wollten.

Vom Arbeitsamt war mir versichert worden, daß ich vom Abtransport der Juden am Vortag verständigt werden würde. Unser Plan war nun folgender: Ich würde mittels des Stichwortes „Varicellen" (Feuchtblattern) Dr. Fisch verständigen, und in der folgenden Nacht mußten sich die drei — es waren noch Frau Blau aus Jugoslawien, die im Lager Dienst als Krankenpflegerin machte und ein Rechtsanwalt aus Ödenburg, Dr. Georg von Uihely —, diese drei also mußten durch ein kleines Hintertürl in der Kartoffel AG bzw. in der Umzäunung des riesigen Areals, das offenbar durch Schlamperei meist unversperrt blieb — weil sich Angestellte, die hinter diesem Areal wohnten, dadurch einen großen

Abb. 204: Dr. Artur und Maria Lanc in Gmünd, Februar 1939; Privatbesitz

Umweg ersparten —, entweichen. Dann mußten sie allerdings über eine freie Wiese laufen und in einem anschließenden Jungwald an der Straße nach Albrechts sich versteckt halten, wo sie von Dr. Krisch in sein Auto aufgenommen werden sollten. Mit dem braven, aufrechten Gerbermeister Weißensteiner in Hoheneich war vereinbart worden, daß im Dachboden eines abseitigen Nebengebäudes die drei die Wochen oder wenigen Monate bis zum Kriegsende sich versteckt halten könnten, wobei Dr. Krisch als Amtstierarzt noch am besten in der Lage war, die nötigsten Lebensmittel zu beschaffen.

Unterdessen war jedoch eine Dramatisierung der Situation eingetreten. Am Morgen des 23. Dezember erhielt ich die Nachricht, daß ein großer Transport ungarischer Juden in Gmünd eingetroffen sei und im Getreidespeicher hinter dem Finanzamt untergebracht wurde (Abb. 74). Ich eilte hin und mußte eine Situation erleben, die ich nie vergessen werde können. Bei tiefen Minusgraden lagen dort in dem riesigen Raum auf schütterster Strohlage 1700 Menschen in mangelhafter Bekleidung. In der Mitte der Längsseite war ein großes Tor, in dem die Wachmannschaft postiert war. Ein einziger großer Koksofen befand sich in diesem riesigen Raum. Als leitender Arzt stellte sich ein gewisser Dr. Darvas vor, ehemals Angestellter einer pharmazeutischen Firma. Er führte mich durch die Reihen. Alle litten an Ruhr, waren zu Skeletten abgemagert und fast alle waren so geschwächt, daß sie die seitlich des Lagers angelegte Latrine nicht erreichen konnten. Alle Augenblicke drehten sie sich um ihre Längsachse, streiften die Hosen hinunter und setzten ihre Stühle ab bzw. das Stuhlwasser. Auf diesem Rundgang nannte mir der Arzt einzelne bekannte Namen: Wissenschaftler, Opernsänger, Angehörige aller akademischer Berufe und führende Leute des politischen und Wirtschaftslebens.

Mein erster Weg führte mich zum Leiter der NSV. Nach langen, dringenden Vorstellungen, daß durch die Schuhe der Wachmannschaften eine allgemeine Epidemie ausbrechen könnte, erhielt ich die Zusage für einen Waggon Stroh. Da dieses sehr leicht und sperrig ist, war auch das nicht allzuviel. Die Wünsche des Arztes beschränkten sich auf Medikamente und Desinfektionsmittel. Was ich an Darmsulfonamiden oder Tierkohle und Desinfektionsmitteln auftreiben konnte, war natürlich viel zu wenig. Was bedeuten 100 Tabletten oder 1 l Desinfektionsmittel für 1700 Menschen. Zuhause wurde die gesamte Weihnachtsbäckerei von Mutti in ein Päckchen gepackt, und ich ließ dieses, da ja alle Augen der Wachmannschaft auf mich gerichtet waren, bei irgend jemandem fallen. Natürlich waren solche Leckerbissen für die armen Ruhrkranken viel zu schwer und ihre Nahrung — Rübenwasser und eine Schnitte Brot — wahrscheinlich für sie sogar bekömmlicher. Erschütternd bleibt in meiner Erinnerung eine Szene: Eine Gruppe von etwa 15 - 20 jungen Mädchen, die sich in einer Ecke zusammengedrängt hatten, um nicht auch an Ruhr zu erkranken, boten sich mir dringend immer wieder als vollkommen gesund und arbeitsfähig an und konnten nicht verstehen, daß man im Krieg auf Arbeitskräfte verzichten konnte. Das Herz tat mir sehr weh, diese hübschen jungen Mädchen dem Tod nicht entreißen zu können. Bei einem versuchte ich es, leider vergeblich, bei Dr. Darvas. Ich sagte ihm, daß bereits in kürzester Zeit die Überlebenden des Lagers in das Konzentrationslager abtransportiert würden, wo der sichere Tod auf sie warte. Aber immer wieder sagte er: „Ich getraue mich nicht". Nach dem Kriege schrieb ich seinem Bruder, von dem er mir erzählt hatte, ob sein Bruder zurückgekehrt sei. „Nein". Er hätte mir glauben sollen.

Vielen von denen, die ich in ihrem Kote wälzen sah, blieb aber das Schicksal des Transportes, der Vergasung und sonstiges Leiden erspart. Denn täglich wurden 10 - 15 dieser nur mit Haut überzogenen Skelette nackt, in den unmöglichsten Stellungen auf Hand- oder offene Pferdewagen geworfen und zum Friedhof in Gmünd III geführt und dort oberflächlich verscharrt. Einige Monate später — die Russen waren schon längst da —, begann es dort fürchterlich zu stinken. Exhumierung und tiefere Verscharrung.

In diesen Tagen des Judenlagers fand im Kinosaal eine Versammlung statt, bei der Kreisleiter Lukas sich rühmte: „Ich kann ihnen die erfreuliche Mitteilung machen, daß von den 1700 Untermenschen, die wir zu ertragen haben, bereits 370 weniger existieren. Auch dieses Problem wird bald gelöst sein." — Als nach dem Kriege sich Lukas für diese und

376

Verstorbene Juden Gmünd II.

Nr.	Name	Beruf	Wohnung	Geboren am	Gestorben	Diagnose
1)	Weber Samu	Schneider	Dpost.	1879,28/VIII.	1944,22/XII.	Cachexie
2)	Schatz Jenö	Zahntech.	"	1886,22/XI.	"	"
3)	Glasel Ede	Beamter,	"	1887,-----	"	23/XII.
4)	Gorö Sandorne	Friseur,	"	1888,-----	"	23/XII.
5)	Kraus Emilio	"	"	1898,-----	"	24/XII.
6)	Benier Hanna	Sängerin	"	1901,10/XII.	"	24/XII.
7	Steiner Robert	Kaufmann	Kürt.	1902,29/VI.	"	24/XII.
8.	Dr.Lenggel Laszlo	Advokat	Dpost.	1889,21/II.	"	24/XII.
9.	Dr.Földes Geza	"	"	---------	"	24/XII.
10.	Heinovics Béla	"	"	1890,20/VIII.	"	24/XII.
11.	Zala Stefan	Beamter	"	1890,20/VIII.	"	24/XII.
12.	Kalben Artur	"	"	1887,-----	"	24/XII.
13.	Schreber Ernö	"	"	1899,2/V.	"	24/XII.
14.	Bekeholyi Karmel	"	"	1894,17/VII.	"	24/XII.
15.	Sokön Geza Viktor	"	"	1801,1/VIII.	"	25/XII.
16.	Unbekannt	-------	---	---------	"	25/XII.
17.	Lakatos Ernö	Schlosser	"	1885,13/VI.	"	25/XII.
18.	Stern Dessö	Kaufmann	"	1890,-----	"	25/XII.
19.	Papp Vera	Hilfsarb,	"	1890 -----	"	25/XII.
20.	Kramer Aledar	Kaufmann	"	1887,13/VII.	"	25/XII.
21.	Friedmann Kalmann	"	"	1889, 7/IX.	"	25/XII.
22.	Popper Bela	Buchbinder	"	1888,8/X.	"	25/XII.
23.	Goldschmid Michael	Kaufmann	"	1896,3/I.	"	27/XII.
24.	Dr. Gottlieb Josef	Arzt	Nagyleta	1895,6/IX.	"	27/XII.
25.	Waktos Arnolde	Private	Dpost.	1879,-----	"	27/XII.
26.	Unbekannt	---------	----	---------	"	27/XII.
27.	Reich Alexander	Beamter	"	1894,19/X.	"	29/XII.
28.	Schwimmer Georg	unbekant	"	---------	"	29/XII. Colitis
29.	Spitzer Lorenz	"	"	Gruppe B.2.	"	30/XII.Marasmus
30.	Lustig Josef	Beamter	"	1894	"	30/XII. Colitis
31.	Dr. Güber Dessö	"	"	1887,X/I.	"	30/XII. "
32.	Fik Armin	Kaufmann	"	1884 -----	"	30/XII. "
33.	Max Fischer	Näherin	"	1890,10/IV.	"	30/XII.Marasmus
34.	Schpicht Josef	Kaufmann	"	1889,-----	"	30/XII.Colik
35.	Marktbreit Anholz	Taglöhner	"	1884-----	"	30/XII.Marasmus
36.	Fischl Karel	Kellner	"	1890 ----	"	31/XII. "
37.	Hermanny Josef	Unbekant	"	1920 ----	"	31/XII.Colik
38.	Glaser Johann	Privater	"	1892 ----	"	31/XII. "
39.	Ginsatler Jrnre	Schüler	"	1925,11/II.	"	31/XII. "

Abb. 205: Erste Seite der Liste der in Gmünd verstorbenen ungarischen Juden, 1945;
Gmünd, Standesamt

andere Missetaten vor einem Gericht für Kriegsverbrechen in der Rossauerkaserne in Wien zu verantworten hatte, war ich als Kronzeuge geladen. Bereits vorher waren in allen Zeitungen meine Aussagen festgehalten worden. Vor der Verhandlung hatte mich die Frau des Kreisleiters, bei der und deren Kindern — nicht aber bei ihm — ich behandelnder Arzt gewesen war, angefleht, aus Rücksicht auf das Vertrauen, das sie zu mir gehabt habe, ihren Mann zu schonen. Nach viel Überwindung — ich weiß auch nicht mit Sicherheit, ob ich richtig gehandelt habe — schwächte ich meine Aussagen ab, sagte u. a. über Befragen, daß ich sonst von Lukas keine antisemitischen Äußerungen gehört habe. Was meint ihr, Kinder dazu? Dieser teilweise Rückzieher wurde mir von der gesamten Tagespresse sehr verübelt.

Unterdessen waren längst die täglichen Siegesfanfaren mit der bekannten Lisztmelodie — vom Polenfeldzug 1939, Frankreich 1940, den Siegen Rommels, des genialen Wüstenfuchses in Nordafrika, Norwegen, Jugoslawien und den ersten Monaten in Rußland mit dem Vorwärtsstürmen bis Moskau, der Flaggenhissung auf dem Elbrus — längst waren diese Siegesfanfaren verstummt, und Stalingrad wurde die größte und mutwilligste Katastrophe irgend eines Krieges, wo entgegen allen eindringlichen Vorstellungen aller Militärs der Rückzug verboten wurde und Hunderttausende einen schrecklichen Tod sterben mußten. Unsere Armeen, die außer England, Schweden und der Schweiz fast ganz Europa bis an die Wolga erobert hatten, waren bereits unter den schrecklichsten Verlusten über die Reichsgrenzen zurückgetrieben worden. Und im Jänner 1945 begann die letzte große Offensive der Russen, der auch Euer Onkel Theo im Warka-Brückenkopf zum Opfer fiel. Die deutschen Städte lagen längst in Schutt und Asche.

Und dann, an einem frühen Märztag 1945, war unsere Stunde gekommen. Als ich, wie vorhergesehen, am Vortag den Termin des Abtransportes erfahren hatte, war ich in das Krankenhaus gefahren, wo sich gerade der Parteibeauftragte für das Krankenhaus, der SA-Führer Dentist Josef Schälss befand und mich auf meinem Inspektionsgang durch das Krankenhaus begleitete. In seiner Gegenwart richtete ich in der Judenbaracke an Dr. Fisch die beiläufig gestellte Frage, wie es dem Varicellenfall gehe. Dr. Fisch wurde blaß vor Aufregung, was Schälss Gott sei Dank nicht bemerkte. Aber für uns alle, die den Plan ausgeheckt hatten und ihn durchführen mußten, waren dieser Tag und die folgende Nacht im höchsten Maße unruhig. Wird alles gelingen oder wird das Schicksal uns alle beteiligen, aber vor allem mich und meine Familie, Euch drei Kinder im Alter von 5, 4 und 1 Jahr vernichten?

Um etwa ½6 Uhr früh läutete bei uns das Telefon. Zu meinem Entsetzen vernahm ich die Stimme Dr. Fischs. Es hatte also nicht geklappt. „Bitte, kann ich Sie sprechen?" „Von wo rufen Sie an?" „Vom Bahnhof" — kurze Überlegung. Die Flucht war also erfolgt. Sonst hätte er nicht anrufen können, jedoch die Abholung mißlungen, da sie ja bereits abends in das Versteck hätten gebracht werden müssen und der Abtransport zu diesem Zeitpunkt hätte in Gang sein müssen. Wenn ich jetzt mit ihm gesehen werde, ohne ihn der SS zu übergeben, bin ich verloren. Trotzdem sagte ich, er solle auf das Gesundheitsamt kommen. Dort angelangt, rang er die Hände. „Rette uns, sonst sind wir verloren". Kurzer Anruf bei Dr. Krisch, wieso das kommen konnte. Es war so: Aus Angst waren die drei etwas zu tief in den Jungwald hineingekrochen, und aus Vorsicht hatte Dr. Krisch aus dem natürlich verdunkelten Auto nur ein kurzes Hupsignal gegeben. Als niemand kam, war er nach Hause gefahren. Die drei hatten die ganze Nacht vor Angst und Kälte durchzittert und um 5 Uhr früh hatte sich Dr. Fisch auf den Weg zum Bahnhof gewagt. Ich vereinbarte mit Dr. Krisch, er solle die zwei zunächst nach Albrechts zu dem ebenfalls tapferen, aufrechten Oberförster Christ bringen, und ich werde mit Fisch nachkommen. Aber wie, ohne gesehen zu werden? Denn meine Garage befand sich im Gasthof Zwettler in der Hamerlinggasse, Ecke Bahnhofstraße. Ich beauftragte Dr. Fisch, die Bahnhofstraße hinaufzugehen, ich würde ihn ohne zu grüßen überholen, den Rollbalken der Garage öffnen und er solle wortlos in ihr einsteigen. So geschah es. Ich fuhr mit ihm nach Albrechts und Dr. Krisch dann auf Seitenwegen mit den dreien nach Hoheneich. Es ist eines der unbegreiflichsten Vorkommnisse in meinem Leben, daß zunächst Dr. Fisch von niemandem gesehen wurde: Auf dem Weg vom

Abb. 206: Der Bahnhof in Gmünd, Postkarte des Verlages Arnold Vrzak, 1939; Neupölla, Slg. Polleroß

Albrechtser Jungwald zum Bahnhof, dann zum Gesundheitsamt und dann wir beide auf dem Weg zur Garage. Das Öffnen des Rollbalkens und Anstarten des Autos hätte doch um sieben Uhr früh, bei der Benzinknappheit, in der schmalen Hamerlinggasse unbedingt aus den gegenüberliegenden Fenstern Neugierige aufmerksam machen müssen, und dann auf dem Wege aus der Garage am Bahnhof vorbei vier Kilometer nach Albrechts. Dabei war doch um diese Zeit beim Abtransport der Juden durch die SS wegen des Fehlens der drei bereits der Teufel los. Der SA-Kommandant Schälss tobte: „Das war doch sicher der Dr. Lanc. Die sind immer beisammen gesteckt. Aber wenn ich die erwische, knalle ich sie beide nieder." Aber es hatte wirklich niemand etwas gesehen. Damals, Ende Februar, glaubten die Naiven noch immer an den Sieg (Wunderwaffe!). Niemand von denen hatte uns gesehen, da wir sonst sofort angezeigt worden wären oder man aber spätestens nach Kriegsende deshalb bei mir zwecks Schutzes vorgesprochen hätte. Aber auch von den Gutgesinnten niemand, weil auch die spätestens, als die Russen kamen, sich für ihr wohlwollendes Verhalten Schutz vor den Besatzungsschrecken erbeten hätten.

Es kam dann die B o m b a r d i e r u n g Gmünds am 23. März 1945 mit den 170 Toten, wo ich im Bombenhagel hinaus nach Gmünd III zum Bahnhof (Abb. 206) in meinem Auto fuhr, immer wieder, wenn eine Bombenserie von einer neuen Fliegerstaffel herabsauste, mich in den Straßengraben werfend. Im Gelände des großen Reichsbahnausbesserungswerkes und Bahnhofes ließ ich dann die schrecklich Verstümmelten, denen nicht mehr zu helfen gewesen war, an diesem heißen Märztag in die Kirche von Gmünd III bringen. Ich erinnere mich, wie ich einem der schwerst Verwundeten mit meinem Taschenmesser den Oberschenkel amputierte, weil dieser nur mehr an einem Fleisch- und Hautfetzen hing. Mutti und Tante Anni halfen mir an diesem Tage bei der Versorgung dieser meist grauenvoll zerfetzten Menschen tapfer und großartig. Als die Verwundeten, soweit sie nicht verschüttet waren, meist in den Kellern, durch die Rettungen abtransportiert waren, ordnete ich dann die Rümpfe, Köpfe und Gliedmaßen, um ein ungefähres Bild von der Anzahl der Opfer zu bekommen. Ich konnte damals etwa 120 zählen. Aber schließlich starben noch etwa 50, zusammen mit denen, die auch begraben werden konnten.

Und es kamen die letzten Kriegstage. Hitler hatte sich schon umgebracht. Aber die zurückflutenden SS-Verbände verbreiteten wahre Schreckenstaten. In einem Walde bei Langegg mähten sie 27 bereits entlassene Soldaten nieder. Jahre später mußte ich diese 27 Leichen exhumieren.

An einem dieser Kriegsende-Tage hing mein Leben kaum mehr an einem seidenen Faden, als ich, meine rot-weiß-rote Binde am Arm, Ecke Stadtplatz-Bahnhof von zwei motorisierten SS-Soldaten gestellt wurde. Sie sprangen ab und mit „Du Schwein" legten sie die Pistole auf mich an. In diesem Bruchteil einer Sekunde erinnerte ich mich meiner zwei geladenen Revolver, die ich Naivling in einem Etui in der Gesäßtasche verwahrt hatte. Und doch rettete mir meine Geistesgegenwart das Leben:

„Schaut's, daß ihr verschwindet! Dort" — und dabei wies ich auf das Polizeilokal, dem jetzigen Glasmuseum, vor dem sich unsere kleine, mit Gewehren ausgestattete Gruppe der Widerstandskämpfer eingefunden hatte. Sofort ließen die zwei tollkühnen Kerle von mir ab, sprangen in das requirierte Auto, sausten zu diesem improvisierten Polizeilokal und entwaffneten die ebenfalls vollkommen unvorbereiteten Männer und entführten den Kommandanten. Einer schmiß das Auto um und auch dieser Mann konnte entkommen.

Die folgende Nacht war aber von allen die kritischste. Abends hatte mir der jetzige Handelskammer-Präsident Cerny eine dringende Nachricht zukommen lassen. Einer durchziehenden SS-Truppe hatte man im Reichsarbeitsdienstlager in Gmünd II eine Liste der Widerstandskämpfer mit unser beider Namen in die Hände gespielt. Ich müsse unbedingt so wie er für die Nacht in den Wald gehen. Was sollte ich machen? Mutti mit Euch drei Kleinen der SS überlassen? Mit ihrem Prinzip der Sippenhaftung? Das konnte ich nicht. Wieder reagierte ich recht naiv. Aber wieder hatte ich Glück. Ich war im Besitz von zwei Revolvern und zwei Handgranaten. Die hatte ich in die drei Fenster des Wohn- und Kinderzimmers verteilt und glaubte, von hier aus den Kampf mit der SS aufzunehmen. Heute muß ich darüber lächeln. In der verzweifelten Lage fand ich aber keine bessere Lösung. Unser Glück war jedoch, daß die SS im Lager eine Batterie herrlichster Weine vorfand, sich vollaufen ließ und erst in früher Morgenstunde abzog. Im benachbarten Gratzen, jetzt Nové Hrady, verübten sie ein Blutbad. Am Hauptplatz in alle Fensterrahmen hängten sie die Widerstandsleute und durchsiebten sie von unten quasi als Schießbudenfiguren.

Und dann, am 9. Mai, kamen die Russen. Wieder neue Schrecken mit Vergewaltigungen von Frauen, Ausquartierung aus ganzen Wohnbezirken von Gmünd für die großen, hier lagernden Truppenverbände und Abkommandierung der Bevölkerung für Dienste in diesen Russengebäuden, Straßenkehren u. a. Aber trotzdem fühlten wir uns erlöst von dem gnadenlosen Regime der Nazis. Vor allem, naturgemäß, unsere drei ungarischen Juden. Und mit ihnen ein vierter, ein Bruder des braven Gerbermeisters, der Komponist Raimund Weißensteiner, der zum Tode verurteilt worden war, aber in diesen chaotischen letzten Wochen des Tausendjährigen Reiches fliehen konnte. Im Triumphmarsch zogen die vier direkt in unsere Wohnung. Dort setzte sich Weißensteiner an unseren Flügel und phantasierte fortissimo einen Befreiungshymnus bei wegen der Hitze offenen Fensterflügeln. Obwohl wir bangten, daß dadurch Russen angelockt werden könnten, bekamen wir über den Jubel dieser glücklichen, dem Tode verfallen gewesenen Menschen feuchte Augen.

Soweit also einige Szenen aus diesen so ereignisreichen Jahren der Naziherrschaft bzw. des letzten Kriegsjahres. Aber wieso kam es zum Aufwärmen dieser alten Geschichten? Wegen der Schrecken der ersten Zeit der Russenbesatzung und der Sorgen, die damit noch

Abb. 207: Überreichung der Yad Vashem-Medaille durch den Gesandten Israels in Österreich, Gideon Jarden, an Dr. Artur und Maria Lanc, 16. 12. 1986; Privatbesitz

durch zehn Jahre bis zu deren Abzug bestanden, nicht zuletzt aber wegen der nur wenige Tage nach dem Judenabtransport erfolgten Bombardierung Gmünds war die Befreiungsaktion kaum in das Bewußtsein der Bevölkerung gedrungen. Und selbst sprach man ja nicht davon. Jahrzehnte später erhielt ich zu meinem Erstaunen aus dem Innenministerium einen Anruf, ob ich die Adressen der ehemaligen Lagerinsassen oder deren Angehörigen hätte. Ich sagte, daß ich einen ganzen Pack von Briefen hätte. Daraufhin sagte man mir, daß jemand vom Ministerium zu mir kommen werde. Es kam dann ein höherer Kriminalbeamter, der das KZ-Referat bearbeitete. Ich erzählte ihm obiges und auch, wieviel Briefe von verzweifelten Angehörigen dieser armen Menschen ich aus Ungarn bekommen hatte, die alle wissen wollten, ob der und jener darunter gewesen sei; vor allem auch, ob er etwa unter den paar Hunderten der Beerdigten gewesen sei. Naturgemäß hatte ich kaum jemanden dieser beiden Gruppen, der Arbeitsgruppe und besonders dieser Gruppe von 1700 zu Weihnachten 1944 gekommenen, namentlich gekannt. Aber dann, nach wenigen Wochen, war jeder Schriftverkehr mit Ungarn abgebrochen. Niemals habe ich mehr ein Lebenszeichen von Frau Sari Blau, die sich ebenfalls wie Dr. Ujhely bereits in den allerersten, noch höchst unsicheren Wochen auf den wegen mangelnder Bahnverbindungen und Bandenwesen sehr riskanten Heimweg gemacht hatte, ein Lebenszeichen bekommen. Aber selbst Dr. Fisch hatte nur mehr zwei Briefe schreiben dürfen, wobei man in dem zweiten Brief bereits die Briefzensur als federführend fühlte. Den ganzen Briefpack gab ich dem Beamten. Unterdessen hatte der Verband der Widerstandskämpfer mit der weitaus größten sozialistischen und der kleineren ÖVP- und der kleinen KP-KZ-Gruppe auf dem Areal des Getreidespei-

Abb. 208: Dr. Lanc, Kardinal König und der Gmünder Kaplan Wolfgang Reisenhofer anläßlich der Ehrung im Jüdischen Gemeindezentrum Wien, 1986; Privatbesitz

chers in der Lagerstraße ein Denkmal für diese Naziopfer errichten lassen. Den Entwurf hatte der Schremser OSR Otto Mölzer gestaltet.

Und eines schönen Sonntags, am 24. 5. 1970, war es so weit. Neben Vertretern ehemaliger Deportierter aus Ungarn und deren Angehörigen, einer Journalistin des ungarischen offiziellen Massenblattes Népszabacsag, Erzsebet Pudler, kamen aus ganz Niederösterreich ehemalige KZ-Häftlinge und Widerstandskämpfer in 19 Autobussen der sozialistischen Verbände, einem des ÖVP-Verbandes und einer kleineren Gruppe des kommunistischen Verbandes (Abb. 23). Als Mitglieder und gleichzeitig Ehrengäste waren die sozialistische Nationalrätin Frau Rosa Jochmann, die alte Dame der SPÖ, vom Ansehen etwa der heutigen Frau Minister Herta Firnberg entsprechend, der ehemalige Sozialminister Anton Proksch und die Staatssekretärin Frau Wondrak gekommen. Um etwa 10 Uhr 30 fand die feierliche Enthüllung des Mahnmales statt. Ein Radiosprecher verlas Briefe von Gmünder Häftlingen und deren Angehörigen an mich, dazwischen sprach eine Schauspielerin einschlägige Gedichte. Immer wieder wurde mein Name ehrend genannt, „edler Mensch" u. a., vor allem auch von Rosa Jochmann als Festrednerin, die auch das Schicksal der jungen Jüdin beim Kartoffelschälen anführte. [. . .] Nachmittags waren der Landessekretär der sozialistischen Widerstandskämpfer Leo Lesjak und ich mit unseren Gattinnen Gäste der ungarischen Botschaft in Wien bei einer Jause im Hotel Botzi. Ein Botschaftsrat überreichte uns beiden je ein Bronzerelief, darstellend den Sturz des Hakenkreuzes mit einem Dankbrief des ungarischen KZ-Verbandes. Am selben Tag wurde ein Interview mit Lesjak und mir im Radio gesendet.

Von der Gmünder Öffentlichkeit wurde diese Riesenfeier zwar registriert — die Teilnehmer waren ja Gäste der Gemeinde und alle Mandatare waren ja anwesend —, aber, ein charakteristisches Zeichen eines noch immer vorhandenen Antisemitismus, mindestens mir gegenüber, mit keinem Wort kommentiert. Die einzige Reaktion war Jahre später ein Ausspruch von Vizebürgermeister Diwoky, daß dieses Mahnmal eigentlich ein Denkmal für mich sei.

Ein Jahr später erhielten Lesjak und ich mit unseren Frauen eine offizielle Einladung des ungarischen KZ-Verbandes für fünf Tage nach Budapest, anläßlich der Jagdweltausstellung. Zauberhafte vier Tage blieben wir. Die legendäre ungarische Gastfreundschaft bewährte sich in ungeahnter Weise. Empfangen wurden wir in einem feudalen Hotel mit einem Rosenbukett für Mutti und einem Kuvert mit 1000 Forint vom Sekretär des ungarischen KZ-Verbandes und einem ehemaligen Häftling, der kurze Zeit in Gmünd bei Heinisch und dann in Waidhofen gearbeitet hatte, Primarius Dr. István Abrányi, unserem lieben „Pista" und seiner charmanten Gattin, der eleganten und temperamentvollen Martha, unserer „Martika" (Abb. 21). Am Abend Nachtmahl in einem noblen Lokal hoch über Budapest, Zigeunermusik. Ein zauberhafter Blick auf das nächtliche Budapest, vergleichbar lediglich mit dem Anblick von Haifa vom Berge Karmel. Am nächsten Tag Besichtigungen. Beim Mittagessen spielte die Zigeunermusik uns zu Ehren und bei unserem Tisch Wiener-Lieder. Nachmittags offizielle Niederlegung eines Kranzes durch Lesjak und mich am Ehrenmal der Opfer des Naziregims im jüdischen Friedhof, dann Besuch der Jagd-Weltausstellung. Abends Fahrt auf der Donau. Am nächsten Tag Fahrt zum Plattensee und mittags in dem vornehmen Haus am See, einer ehemaligen Villa des Erzherzogs Josef, Mittagessen mit der ganzen kommunistischen Prominenz und dem Ministerpräsidenten der äußeren Mongolei Zedembal. Mit ihm bin ich gleichzeitig vom Steg in das Wasser gehüpft. Am letzten Tag offizieller Empfang im Sekretariat des ungarischen KZ-Verbandes mit Überreichung von Bleikristall an Mutti, Kunstbüchern über Budapest und den Plattensee durch Botschaftsrat Novak.

Einen Tag hätten wir noch bleiben sollen, aber mein Urlaub ging schon zu Ende. Der Abschied von Budapest fiel uns wirklich schwer, besonders aber von unseren lieben Freunden Abrányi. Und so endet diese Geschichte, die mit so grauenhaften Bildern und unfaßbarer Grausamkeit menschlicher Niedertracht begonnen hatte, mit so freundlichen Bildern menschlicher Dankbarkeit.

Abb. 209: Dr. Lanc und seine Familie bei der Entzündung einer Flamme in der Weihestätte Yad Vashem in Jerusalem, 13. 7. 1987; Privatbesitz

Abb. 210: Pflanzung des Baumes in der „Allee der Gerechten" in Jerusalem durch Dr. Lanc, 13. 7. 1987; Privatbesitz

Abb. 211: Der Gedenkbaum von Artur und Maria Lanc, 1988
(Foto: Wolfgang Reisenhofer)

Register

zusammengestellt von Friedel und Rainer Moll

Gutmann, Isak Wolf Freiherr von: 92
Gutmann, Ludwig: 197, 219
Gutmann, Max Ritter von: 94, 115
Gutmann, Paula: 200
Gutmann, Rudolf: 33, 115, 135, 200
Gutmann, Rudolf von: 20
Gutmann, Wilhelm Ritter von: **20**, 88, 221, 232
Guttmann, Endre: 149
Guttmann, Minna: 21
Guttmann, Pál: 153
Guttmann, Paula: 141
Guttmann, Robert: 13
Guttmann, Rudolf: 147
Guttmann, Samuel: 245
Guttmann, Therese: 142
Haas, Dr. Hanns: 27, 49, 247
Haberl, Felix: 127
Haberl, Johann: 321
Habsburg: 115
Habsburger: 63
Hadersdorf: 12, 51, 68 f., 80, 115, 251
Hadmar III., Kuenring: 343
Hadmar IV., Kuenring: 62
Hagspiel, Hermann: 206
Hahn, Jenö: 147
Hahn, Samuel von: 221, 226
Hahn, Zsigmond: 149
Haifa: 209, 213, 317, **339** f., 383
Hajós, Sándor: 155
Halm, Lajosné: 149
Halnus, Benö: 155
Hamburg: 76
Hamerling, Robert: 29, 84
Hammer, Heinrich der: 68
Hammerschmid: 126
Hammerschmied, Johann: 252
Hanisch, Prof. Wilhelm: 321, 332
Hans der Behem: 160
Hans der Hauser zu Illmau: 66
Hans von Schönberg: 64 **f.**
Hans von Streun: 64
Happl, Hans: 330 f.
Hardegg: 11, 13
Hardegg, Grafen von: 61, **64**
Hardegg, Johann von: 64
Harmannsdorf: 21
Hartenstein: 21

Hartl, Wenzel: 331
Hartmann, Imre: 146
Hartmann, Miksa: 155
Harvey, Herta: 46
Hasenpflug, Sopherl: 341
Haslau: 35, 115
Hauer, Fritz: 163
Hauer, Nadine: 49
Haugsdorf: 188
Haunsteiner, Franz: 346, 348
Haus oder Hauser zu Illmau: 161
Hauser, Emil: 33
Häusler, Dr. Wolfgang: 7
Hechter, Dr. (Heidenreichstein): 116
Hechter, Dr. Josef: 13
Heer, Hugo: 221
Hegel, Georg Wilhelm Friedrich: 221
Heidenreichstein: 13, 16 **f.**, 24, 35, 38, 96, 98, **100**, **115**-117, 137, 306, 341
Heidensfeld, Baron (Wien): 21
Heilig, Miklós: 148
Heimovics, Béla: 145, 377
Heine, Heinrich: 359
Heinemann, Dr. Ludwig: 232
Heinreichs: 115, 268
Heinrich der Hammer: 68
Heinrich der Tuchel: 68
Heinrich III., Kuenring: 343
Heinrich von Rauhenstein: 65
Heinrich von Walsee-Drosendorf: 68
Heinze, Dr. Fritz: 277, **283**
Heller, Samuel: 353
Heller, Vilmos: 148
Heller, Vilnaos: 149
Hemmer (Oberndorf): 126
Hendel (Weitra): 68
Hendl (Eggenburg): 67
Henke, Otto: 95
Herbst, Isidor: 16
Herczeg, Marcel: 21
Herczog, Jenö: 152
Hermann von Baden: **62**
Hermann, Andor: 152
Hermann, Julie: 140
Hermann, László: 149
Hermann, Regina: 146
Hermann, Sándorne: 154
Hermanny, Jószef: 146, 377

Fettdruck bedeutet mehrfache Nennung auf einer Seite.

SCHRIFTENREIHE DES WALDVIERTLER HEIMATBUNDES

(Lieferbare Bände)

Bestellungen richten Sie bitte an den Waldviertler Heimatbund (Dr. Erich Rabl),
3580 Horn, Postfach 100, oder Telefon 02982/3991 (ab 14 Uhr)

Das Waldviertel. Zeitschrift für Heimat- und Regionalkunde

AUS DEM INHALT DER LETZTEN HEFTE

Jedes Heft enthält weitere Aufsätze, Kulturberichte aus allen Waldviertler Bezirken und Buchbesprechungen. Erscheinungsweise: vierteljährlich;
Einzelheft öS 90,— Jahresabonnement öS 300,— (Studenten öS 150,—).

Bestelladresse:

Das Waldviertel, A-3580 Horn, Postfach 100

Auf Wunsch senden wir auch kostenlose Probehefte zu!